S0-BJY-423

Алексей Слаповский

Гений

Москва, 2016

УДК 821.161.1
ББК 84(2Рос=Рус)6-44
С47

Слаповский, А.

С47 Гений. Исторический роман / А. Слаповский. — М. : РИПОЛ классик, 2016. — 512 с. — (Редактор Качалкина).

ISBN 978-5-386-08873-6

События разворачиваются в вымышленном поселке, который поделен русско-украинской границей на востоке Украины, рядом с зоной боевых действий. Туда приезжает к своему брату странный человек Евгений, который говорит о себе в третьем лице и называет себя гением. Он одновременно и безумен, и мудр. Он растолковывает людям их мысли и поступки. Все растерялись в этом мире, все видят в себе именно то, что увидел Евгений. А он влюбляется в красавицу Светлану, у которой есть жених...

Слаповский называет свой метод «ироническим романтизмом», это скорее — трагикомедия в прозе. Смешное и страшное соседствуют, как часто бывает во время переломных моментов истории. Слаповский умудряется быть одновременно и сатириком, и лириком, и психологом, создав стилистику, которая позволяет глубоко заглядывать в помыслы людей, но при этом избежать тяжеловесности. Несмотря на уникальность фона, каждый читатель может увидеть и узнать что-то свое в мятущихся героях, которые ищут любовь, справедливость, счастье, а главное — самих себя.

УДК 821.161.1
ББК 84(2Рос=Рус)6-44

ISBN 978-5-386-08873-6

ТОМ ПЕРВЫЙ

ГЛАВА 1

ХТО ДИВАК, У ТОГО ВСЕ АБИЯК[1]

Два жителя поселка Грежин лежали на траве в тени забора, пили пиво из двухлитровой пластиковой бутыли, размеренно передавая ее друг другу, и спокойно молчали.

А можно сказать и так.

Два мешканця селища Грежина лежали на траві в тіні паркану, пили пиво із дволітрового пластикового бутля, розмірено передаючи його один одному, і спокійно мовчали.

Сказать так можно потому, что один из них являлся гражданином России, а другой – Украины. Фамилия российского гражданина была Жовтюк, обитал он на восточной стороне улицы Мира, по которой проходила граница между двумя суверенными государствами, а его друг-украинец Иванов проживал на западной стороне.

Это показалось бы выдумкой, да еще и дурной выдумкой, если бы сочинил подобную историю какой-нибудь автор, но разделение произошло в самой жизни; сначала оно людей смешило, потом огорчало, а потом привыкли.

И даже стали извлекать пользу. Официальные пограничные посты расположены в других местах, улицу Мира перегородить невозможно, учитывая двустороннее движение транспорта и неизбежное нарушение грани-

---

[1] Кто чудак, у того все кое-как. Здесь и далее названиями глав служат украинские пословицы. – *Прим. автора.*

цы, вот и ходят из России в Украину за картошкой, молоком, водкой и другими повседневными продуктами, которые там дешевле, а из Украины в Россию – за бензином и соляркой, эти предметы первой необходимости дешевле в России, по крайней мере, таковыми они были на описываемый исторический момент. Российских детей родители отдают в украинский детский сад, потому что свой далековато, зато украинские дети посещают российскую музыкальную школу, она на весь Грежин одна. Конечно, контрольный режим соблюдается, погранично-таможенные патрули и наряды регулярно ездят, часто совместно, но вылавливают они чужих, не грежинских, своих же по негласному уговору не трогают. И как их тронуть, если изрядная часть грежинцев зарабатывает на жизнь контрабандой, горделиво именуя себя «контрабасами», что одинаково звучит на обоих языках.

Уважая должностную обремененность пограничников, которые им кто сват, кто кум, кто племянник, местные обыватели старались не наглеть, не переходить границу на виду у патрулей. Или пробирались под покровом ночи, в чем, строго говоря, не было необходимости, зато были игра, азарт, ставка на фарт, а без игры никакой человек жить не может в самых печальных обстоятельствах.

Вот и Жовтюк с Ивановым, степенно опохмеляясь после вчерашней дружеской посиделки, явившейся, в свою очередь, следствием посиделки позавчерашней, играли в бдительность: они смотрели на пустырь, который раньше был площадью, и ждали каких-нибудь нарушителей с той или другой стороны, чтобы уличить и пригрозить санкциями. Само собой, эти санкции никого бы не испугали, будь даже на месте Жовтюка с Ивановым настоящие пограничники, зато друзья могли почувствовать, что исполняют свой долг и проявляют общественную активность, а значит, выпивают не просто так – заслуженно. И это гораздо приятнее, чем выпивать без повода.

Но в тот знойный полдень никто не появлялся, только одинокая курица бродила около памятника Ленину, с каждым своим шажком то и дело пересекая невидимую границу. Сам памятник примечателен: когда Грежин был единой частью страны, очень условно поделенной на республики, Ленина ежегодно красили белой краской, клали к постаменту по праздникам цветы, а в лихое время перемен сгоряча хотели снести, но не успели. У нас, если что не сделано сразу, не делается никогда или с большим опозданием, вот памятник и остался; левая его половина принадлежала России, а правая, с указующей куда-то рукой, досталась Украине; руку эту лет десять назад кто-то отшиб, но Ленин обломком предплечья продолжал упрямо показывать вперед.

Солнце поднималось все выше, тень укорачивалась, подбираясь своим краем к ногам Иванова и Жовтюка, когда на площадь въехал небольшой автобус местного значения. Он сделал полный круг – словно круг почета, словно праздновал победу не над какими-то соперниками, а над пространством и самим собой, торжествуя, что доехал. И вот он со скрежетом затормозил и остановился возле памятника. Вздохнув поршнем и лязгнув створками, открылась дверь, и вышел странный человек в военной форме старого образца: гимнастерка с металлическими пуговками у ворота, подпоясанная широким ремнем со звездой на бляхе, штаны-галифе. На ногах походные зашнурованные ботинки, за плечами рюкзак.

Автобус уехал, человек огляделся.

– Стой, кто идет! – окликнул Иванов.

Человек улыбнулся и направился к друзьям. Встав над ними, он поднес ко рту коробочку, что была у него в руке, нажал на кнопку и сказал:

– Евгений увидел местных жителей с доброжелательными лицами, которые пили пиво, о котором известно, что оно содержит вещества, которые вызывают изменения ДНК, рак, болезнь Паркинсона, слепоту. Возможен смертельный исход.

Друзей не испугал возможный смертельный исход, они смотрели на приезжего хладнокровно и как бы даже свысока, хотя находились ниже его. Известный парадокс: чем меньше человек видел на своем веку, тем сложнее его озадачить. Если перенести его фантастическим образом на Ниагарский водопад или к египетским пирамидам, он будет смотреть со снисходительной усмешкой, а то и с упреком: зачем нужна природе и людям эта громоздкая трата воды и камней? А вот если, например, из рук выскользнет бутылка пива или, тем более, водки и, упав на асфальт, не разобьется, это будет восприниматься как настоящее, серьезное чудо, о нем будут со счастливыми улыбками рассказывать спустя месяцы и годы друзьям, детям и внукам, а слушающие будут ахать, всплескивать руками и тоже озаряться улыбками: надо же! И это понятно, чудо с бутылкой имеет отношение к их обычной, собственной жизни, в отличие от водопадов и пирамид, следовательно, и в собственной жизни возможны чудеса. И это повышает самоуважение.

Полувоенный человек продолжил:

– Евгений приветливо улыбнулся мужчинам и представился.

После этого он опустил коробочку и исполнил то, о чем предупредил: улыбнулся и представился.

– Меня зовут Евгений, – сказал он. – Я из села Пухово. Мама была учительницей, я с ней жил, она умерла. Я потом жил с тетей Олей, но она не смогла со мной жить. Она сказала ехать сюда. Тут у меня живет младший брат по отцу, Аркадий Емельяненко. Я буду у него жить. И буду искать женщину, чтобы жениться, потому что я не могу быть один.

Помолчав и обдумав сказанное, Евгений поднес коробочку ко рту и прокомментировал:

– Евгений не стеснялся говорить о себе правду, это выдавало в нем необычайную простоту души, которая часто потрясала окружающих.

Возможно, простота души полувоенного человека действительно потрясла окружающих, то есть Иванова и Жовтюка, но на их лицах это не отразилось. Жовтюк лениво спросил:

– Что ль ты псих?

– В обычном смысле можно сказать и так, – не стал спорить Евгений. – Но в смысле индивидуальном все дело в особенностях ума, которые у меня отличаются своими отличиями в сторону нестандартности.

– Выпей – пройдет, – посоветовал Иванов.

И протянул бутыль.

Евгений медлил.

Он обратился к коробочке:

– Как всегда, Евгения терзали сомнения. С одной стороны, он не любил спиртные напитки и связанные с ними ощущения, с другой, он был приезжим, то есть гостем, отказаться было неудобно. К тому же могли подумать, что Евгений считает себя выше других, а он, хотя втайне так иногда считал, на самом деле уважал и любил других людей.

Он взял бутылку и приложился, причем с явным удовольствием, что противоречило его отзыву о спиртных напитках. Сделал несколько глотков и вернул пиво владельцам.

– Спасибо.

– Не за что, – отозвался Иванов. – Пухово у нас где, там или здесь?

Он указал сперва большим пальцем за спину, а потом указательным вперед.

Жовтюк поступил строже.

– Документы показал! – велел он, употребив удивительную форму повелительного наклонения, а именно глагол прошедшего времени, подразумевающий, что действие, которое только еще должно совершиться, уже произошло в воображении приказывающего. «Вышли все отсюда! Сдали тетради! Построились!» – все мы с детства слышим это, слышал и Жовтюк, и с удовольствием применял эту приятно-приказную форму, когда предоставлялась такая возможность.

Полувоенный человек не перечил, он достал из нагрудного кармана паспорт и протянул Жовтюку. Тот открыл и многозначительно сказал:

– Ага. Гражданин РФ!

– Вот и влип! – подхватил Иванов, тоже со значением, хотя сам еще этого значения не понимал.

– Куда следуем? – начал допрос Жовтюк, не зная, какое нарушение он усмотрит в ответе, но не сомневаясь, что нарушение обязательно имеется.

– К брату. Улица Вторая Песчаная. Не знаете, где она?

– Рядом с Первой, – дал справку Жовтюк.

– А где Первая?

– Рядом со Второй, – уточнил Иванов.

– Добрый юмор восхитил Евгения, – сказал Евгений в коробочку, – но он надеялся на более точную информацию.

Более точную информацию друзья предоставить не могли, они сами не знали, где Первая и Вторая Песчаные улицы. Поселок Грежин хоть и не получил звание города, но размеры имел не маленькие: десятки улиц и проулков, все не упомнишь. Естественно, они не подали виду, наоборот, понимающе покачали головами. Понимающе и сочувственно: дескать, плохи, брат, твои дела!

– Если ты гражданин России и пересекаешь границу, чтобы из России попасть в Украину, должен платить пошлину, – объяснил Иванов. – А если ты, обратно же, гражданин России, но пересекаешь границу из Украины, чтобы попасть в Россию, тоже должен платить пошлину. Выбирай.

— Евгений не понял, — сказал Евгений, — как можно выбрать при отсутствии выбора?

— Какое отсутствие? — обиделся Жовтюк на несправедливое подозрение в превышении полномочий и произволе. — Вам же ясно сказано, товарищ: или с России в Украину, или с Украины в Россию. Это не выбор?

— Но я же не знаю, где брат живет! То есть, где это будет считаться.

— Так это ваши проблемы! — укоризненно воскликнул Иванов, огорчаясь, что путаный человек хочет взвалить свои трудности на чужие плечи. — Мы разве виноваты?

— Действительно, — согласился Евгений. Достал из другого нагрудного кармана пачку денег и протянул друзьям. — Сколько надо?

В пачке были тысячные, пятисотенные, сотенные, она была довольно толстой.

На лицах друзей выразилась легкая досада. И некоторое смущение. Оно понятно: хоть уже довольно давно гуляет капитализм по нашим краям, многие до сих пор стесняются объявлять стоимость своей работы или услуги. Когда дают по усмотрению, это выглядит доброй волей дающего, а когда ты сам должен оценить собственные усилия, то есть самого себя, возникает неприятный привкус торговли, продажности, ты будто выпрашиваешь, при этом совестно набивать и завышать себе цену, однако и продешевить тоже неохота, вот и думай, считай — собственно, именно это больше всего и тяготит: необходимость самому принять решение. Отсюда ходовой ответ: сколько не жалко! Именно такой ответ и прозвучал из уст Иванова, но в украинском варианте:

— А сколько не шкода!

Он ввернул это словцо скорее для форса, чем по обыкновению: хотя в Грежине много украинских выходцев и потомков, поселок вырос в советское время, когда здесь намечалось строительство крупного железнодорожного узла. Но строительство почему-то отменили, а люди, съехавшиеся со всех уголков огромной страны, перемешались и говорили на удобопонятном языке, близком к общерусскому. Этот язык переняли и коренные грежинцы, что с точки зрения исторической оправдано, с точки зрения украинской государственности – досадно, а с точки зрения обычной человеческой никому не мешало и никого ни к чему не обязывало.

Евгений насчет шкоды не понял и пожал плечами

– Сколько не жалко, – перевел сам себя Иванов.

– Странно, подумал Евгений, – сказал Евгений. – Как может быть жалко денег? Деньги не больная кошка, не сломанное дерево, не умерший человек. Берите, берите, я не знаю расценок!

Друзья переглянулись. Раз человек настаивает, что ж делать? Иванов пожал плечами, протянул руку и двумя пальцами снял с пачки верхнюю сотенную купюру.

– На двоих! – сказал он, намекая, что один взял бы скромнее, а на двоих меньше сотенной никак нельзя.

– А Вторая Песчаная где-то там! – неопределенно махнул рукой Жовтюк, преисполненный чувства благодарности и желания помочь.

– Спасибо, – сказал Евгений.

– Ну, иди. Только третьякам не попадайся, – предупредил Иванов, который, как и его друг, хотел чем-то отблагодарить Евгения. – Они навряд ли днем шляются, но мало ли.

– Евгений не знал, кто такие третьяки, но пообещал, что будет осторожным, – сказал Евгений и пошел в направлении, указанном Жовтюком.

Он шел, смотрел по сторонам и не бездельничал: описывал увиденное, наговаривая в коробочку, которая была, если приглядеться, плеером с функцией записи голоса – допотопным, кассетным, такими уже давным-давно никто не пользуется, да их и не выпускают уже, как и кассеты.

Он говорил:

– Евгений видел обычную улицу с обычными домами. Были дома красивые, а были не очень. Были сады, а были и палисадники. Иногда ничего не было, только пустой двор, а во дворе машина. Или две. И вот даже три. А вот магазин «Продукты».

Как только он это сказал, из магазина «Продукты» вышла пожилая женщина в белом платке.

Евгений направился к ней, говоря не в диктофон, а в пространство перед собой:

– Ему встретилась женщина с приветливыми глазами, она посмотрела на него и спросила: «Кто вы и чего вы хотите?»

Но женщина с приветливыми глазами глянула на Евгения неприветливо и ни о чем не спросила, лишь пробормотала:

– Развелось вас!

Не смутившись, Евгений вежливо спросил:

– Не скажете, где улица Вторая Песчаная?

Женщина тут же сменила гнев на милость, ей было приятно, что от нее кому-то что-то понадобилось.

– Вторая Песчаная? А кого ищем?

– Аркадия Емельяненко.

– Не знаю такого. А он кто?

– Евгений затруднился с ответом, – сказал Евгений, – потому что ему было неизвестно, кем является Аркадий. Он знал только, что Аркадий его младший брат по отцу.

– Брат? – уважительно переспросила женщина, ценя родство. – Брат – дело хорошее. А ты-то сам кто?

– Евгений тоже Емельяненко, это фамилия нашего отца. Я из села Пухово. У меня там умерла мама.

– Горе какое! – посочувствовала женщина. – И ты, значит, теперь брата ищешь?

– Да.

– Как, говоришь, зовут его?

– Аркадий Емельяненко.

– Нет, не знаю. А ты из военных, что ли?

– Я гражданский. Но мне нравится идея защищать родину.

– Надо же. Ну, уж извини, защитник, не знаю твоего Емельяненко. А ты какую родину защищать собрался?

– Свою.

– Теперь своей ни у кого нету, – сообщила женщина. – Либо Россия, либо Украина, третьего не дано!

– Третьего? А третьяки не третье? – спросил Евгений, вспомнив слово, которым предостерег его Иванов.

– Бог с тобой, третьяков поминать на ночь глядя! – испугалась женщина, несмотря на то, что вокруг был полный белый день. Возможно, для нее, как для всех пожилых людей, ночь всегда была рядом. – Извиняюсь, не знаю, еще раз, твоего Аркадия.

– Я бы и сам нашел, мне нужна улица Вторая Песчаная, дом двадцать семь.

– Да запросто, дорогой ты мой! – неожиданно обласкала женщина Евгения теплыми словами. И объяснила, как попасть на Вторую Песчаную улицу, помогая себе руками, показывая то вперед, то направо, то налево.

Евгений поблагодарил и пошел дальше.

Он долго блуждал, постоянно попадая туда, где уже был, и вышел наконец на Вторую Песчаную улицу, которая, оправдывая свое название, оказалась действительно песчаной, такая здесь была почва. Улица тянулась вдоль оврага, а далеко внизу виднелась заросшая густым кустарником пойма, широкая, до самого горизонта, достойная какой-нибудь полноводной реки. На самом деле там еле заметно и стеснительно блестела худенькая речка – как бедная серебряная цепочка в слишком богатом, не по ней, зеленом бархатном футляре.

Дом номер двадцать семь, деревянный, крашенный охрой и крытый красной жестью, стоял в конце, где улица загибом поднималась вверх, утыкаясь в асфальтовую дорогу, которая, кстати говоря, была пограничной. С одного бока к дому лепилась маленькая застекленная веранда с невысоким крыльцом, с другого была странность: грубо выпиленный в стене дверной проем на месте оконного. Его занавешивало висящее на веревочке старое линялое покрывало, какими у нас обычно застилают диваны, чтобы не пачкать обивку, из-за чего она выглядит как новая и через десять, и через двадцать лет, когда сам диван уже разваливается и просится на свалку, где в результате и оказывается. Странно бывает видеть поцарапанные подлокотники, обшарпанные ножки, засаленные до черноты выступающие части – и нарядную, нетронутую, будто вчера из магазина, обивку. Это сбережение какого-то отдельного качества вещи вплоть до момента, когда ее выкидывают, всегда наводит меня на тревожные мысли, я поневоле вспоминаю в себе и других то, что мы прикрываем и храним неприкосновенным до самой смерти, так ни разу и не воспользовавшись.

У дома стояла стремянка. На стремянке стояла молодая женщина в старом халате. Она водила кистью, густо замазывая охряные доски голубой краской. Но красила не весь дом, а провела вертикальную полосу возле самодельной двери и работала вправо от нее.

Она махала кистью, разбрызгивая краску с нарочитой энергичностью, словно что-то кому-то доказывала. И вдруг услышала голос. Голос сказал:

– Евгений увидел прекрасное и стройное тело женщины, которая могла бы стать его женой, но это невозможно, она, скорее всего, жена Аркадия.

Женщина испуганно повернулась, держась за перекладину, увидела Евгения и громко закричала:

– Аркадий! Аркадий, иди сюда, тут мужик какой-то!

Из проема, откинув покрывало, вышел мужчина лет тридцати в цветастых шортах и резиновых шлепанцах, с кружкой в руке. Он улыбался, радуясь испугу женщины.

– Ага, чуть что, сразу Аркадий! Какой Аркадий, где Аркадий? Сама же сказала: тебя для меня нет! Вот меня и нет. Кого вы зовете, Нина Андреевна, интересно?

– Ты посмотри на него, – показала женщина кистью на Евгения.

Аркадий посмотрел.

– Вижу. И что?

– Он тут мне про тело говорил.

– Чье?

– Мое, чье же еще? Типа прекрасное. Может, маньяк какой-то. Посмотри, как вырядился.

Евгений сказал:

– Я не маньяк. Я просто объективно отметил, что вы очень стройная.

После этого он откашлялся, переключаясь на другое действие, шагнул к мужчине в шортах и произнес:

– Евгений никогда не видел своего брата Аркадия, поэтому к его глазам невольно подступили слезы.

– Чего? – напрягся Аркадий, вглядываясь в Евгения и, кстати, не замечая в его глазах никаких слез.

– Я твой старший брат Евгений, – объяснил Евгений. – Сын нашего общего отца от другой женщины, от моей мамы. Она умерла, а я приехал сюда, чтобы с тобой жить.

– Поздравляю! – сказала женщина Аркадию. – Всегда подозревала, что папаша твой был на голову больной, вот тебе и доказательство. Ты придурок, а брат и вовсе дурак.

– Вы не правы, – возразил Евгений. – Меня считают сумасшедшим, это близко к правде, но я не дурак. Дураками бывают и нормальные люди, а я очень умный.

– А с чего ты взял, что будешь у меня жить? – спросил Аркадий. – И где? Я теперь почти в разводе, чтоб ты знал, я отделился, у меня одна комната всего. Это, Нин, между прочим, вопрос еще не решенный, – обратился он к женщине. – Дом моей мамы, с какой стати тебе три комнаты отошло, а мне одна?

– С такой, что у меня сын!

– Сын не у тебя, а у нас!

– Заведи себе другого от своей Светланочки! От Светика своего! От своей Светуёвины! От Светуёвки своей! – изощрялась Нина над именем неведомой женщины.

– Не моя она!

– А кто к ней бегает каждый день?

– Я ее поддерживаю! Как человека! Девушку без суда в тюрьму посадили, это как называется?

– Уж она девушка, конечно! А кого с работы выгнали из-за нее?

– Я сам ушел! И не из-за нее, а сама знаешь, из-за чего! По политическим мотивам! И с тобой разведусь по ним же!

Они продолжили ругаться, а Евгений смотрел на них и что-то говорил в диктофон.

Аркадий и Нина, заметив это, умолкли. И вот что услышали.

– Евгений обнаружил, что он попал в ситуацию семейного разрыва, – говорил в диктофон Евгений. – Это было неприятно. Аркадий дал понять, что не рад брату. Возник вариант пожить у его бывшей жены Нины. Это даже лучше, учитывая, что она с каждой минутой нравилась ему все больше. Представилась перспектива жениться на ней вместе с ее ребенком, и это удача, потому что Евгению нельзя было иметь детей из-за наследственности.

Нина так удивилась, что даже спустилась со стремянки на землю – для устойчивости.

– Ты чего там городишь? – спросила она.

Но Евгений был погружен в свои рассуждения и продолжил:

— С другой стороны, Евгений ясно видел в Нине влечение к Аркадию. Может быть, оно объяснялось ее нерастраченной женской энергией, которая струилась из ее красивых и голодных глаз, поэтому она видела в Аркадии не любимого человека, а просто мужчину.

— Чего-чего? — изумилась Нина, но Евгения невозможно было сбить, он гнул свое.

— Было видно, что Аркадий тоже любит Нину. Он нарочно показывал ей свое полуголое тело — и зря, учитывая астеническое сложение. Он вел себя агрессивно, но неравнодушно. Они были как брат и сестра, которые ссорятся, но остаются братом и сестрой.

— Я, Нинель, тебе то же самое говорил! — неожиданно поддержал Аркадий Евгения.

— Про брата и сестру?

— Нет! Про то, что если даже у меня и была к Светлане какая-то симпатия, то это все чистый виртуал, а в реальности и по факту я остаюсь твоим мужем! Как брат.

— Вы оба чокнутые! — заявила Нина. — И как тебя там, Евгений! Насчет жениться на мне — кончай бредить! Мы разъехались, но не в разводе пока. Я его не просила дом портить и дверь себе рубить.

— А как бы я ходил? Через окно? Сама мне комнату отгородила, сама сказала — ходи туда, как хочешь!

— Ну, и походил бы через окно пару дней.

— Ага, значит, собиралась все-таки меня вернуть? — уличил жену Аркадий.

— Ничего я не собиралась. У меня теперь своя жизнь. Новая.

— Я вижу! Краской идиотской весь дом испоганила!

— Не весь, а свою половину.

— Какая она половина, если там три комнаты, а у меня одна?

— Да у тебя одна больше моих трех!

— Неужели? А померить не хочешь?

Аркадий побежал в дом и тут же вернулся с рулеткой. И устремился к веранде, и скрылся там.

Нина пошла за ним.

Из дома слышались их громкие голоса.

На крыльцо вышел сонный мальчик лет восьми-девяти, в шортах, сел на ступеньку и сказал Евгению:

— Каждый день одно и то же.

— Ребенку было больно наблюдать склоки родителей, — ответил Евгений.

— Чего? — не понял ребенок.

— Тебя как звать?

— Владик.

— Евгений любил детей, — сказал Евгений, — за их непосредственность и чистоту души.

— Ты педофил, что ли? — огорошил Владик знанием жизни.

— Евгения потрясла такая ранняя осведомленность маленького человека, — ответил Евгений. — Нет, я не педофил. Откуда ты знаешь про педофилов?

— В школе объяснили.

— Учителя?

— Не, пацаны. У нас одного какой-то дядька увез, машинку ему пообещал. С радиоуправлением. А потом его нашли мертвого в посадках, с порванной жопой.

— Вот чего ты болтаешь, Владик? — выскочила на крыльцо Нина. — Врут твои пацаны! Не у нас это было, а в другом месте! И давно уже. И того скота уже поймали. И ты интеллигентный же мальчик у нас, что за жопа, другого слова нет?

— А есть?

— Ну, попа хотя бы. Ты заходи, чего ты? — обратилась Нина к Евгению.

Евгений зашел в дом, где Аркадий вполне благодушно сидел на диване, раскинув руки и положив ногу на ногу. Рулетка бездельно валялась рядом.

Он начал задавать вопросы, как хозяин и ответственный человек.

– Ну, Евгений, давай разбираться: кто ты, откуда?

– Из села Пухова. Я твой брат. Я уже сказал.

– Документы покажи.

Евгений снял рюкзак, выложил на стол бумажный сверток, потом целую кучу кассет для диктофона, а потом документы в прозрачной папке. Аркадий протянул руку, Нина послушно подала ему папку.

– Евгений удивился, насколько быстро в семье восстановилось статус-кво, – прокомментировал Евгений.

– Без тебя разберемся, – пресек Аркадий. – Смотри, Нин, у него все как у людей. Паспорт. Пенсионное удостоверение. Страховка.

– Ничего удивительного, – сказал Евгений. – У меня ограниченные гражданские права, я не могу служить в армии и избираться на выборные должности, водить автомобиль, служить в полиции или пожарной части. Но я имею право на медицинское страхование, на пенсию, на владение недвижимостью, которую я продал.

– Это как? – заинтересовалась Нина.

– Тетя Оля купила у меня половину маминого дома. Он был большой, бывший интернат при школе, маме его разрешили записать на себя, потому что в интернате давно никто не жил. Тетя Оля хотела весь купить, двести восемьдесят семь квадратных метров, но я продал только сто, чтобы было куда вернуться. Если с женой.

– Смотри, он совсем как нормальный рассуждает! – обратил Аркадий внимание Нины. – Оставил себе почти двести метров жилья, хоть и в селе! Ты говорила, у меня нет шансов? А вот тебе и шанс! Заселиться, завести хозяйство! Разводить кроликов, нутрий, да мало ли! Или собачий питомник устроить.

– Начинается! Ты лучше вернись на работу.

– Опять? Я сказал – ни шагу туда! Устроюсь грузчиком, ремонтником дорог, в карьер пойду щебень дробить! Все, я ушел из журналистов навсегда! Не прогибаюсь, ясно? И не потерплю... – Аркадий пощелкал в воздухе пальцами, подыскивая точное слово для обозначения того, чего он не потерпит.

— Несправедливости, — подсказал Евгений.

— Чуешь правду! — одобрил Аркадий.

Нина спросила Евгения:

— А мама давно умерла?

Евгений ответил не сразу. Нажав на кнопку диктофона, он сказал:

— Евгений оценил ум этой красивой женщины. Она очень тонко перевела разговор с неприятной темы работы мужа на тему смерти. Если бы Аркадий и хотел продолжить тему работы, он постеснялся бы вклиниться, потому что смерть у всех вызывает уважение.

— Ничего я не перевела, просто спросила, — не согласилась Нина, но было видно, что ей приятны слова Евгения про ее ум и красоту.

— Чего это ты туда наговариваешь? — спросил Аркадий, разглядев диктофон. — И почему в третьем лице?

— Якать нехорошо. Мама учила быть скромным и не показывать людям, что я гений.

— А ты гений?

— Да, — спокойно ответил Евгений.

— И в чем это выражается? В какой области ты гений?

— Я гений вообще. Гений жизни. А наговариваю для того, чтобы нс забыть, как я живу. Мама мне в детстве подарила, давно. Я ходил в магазин и говорил в диктофон, что купить. А потом слушал и покупал.

— Ему же сто лет — и работает?! — удивился Аркадий.

— Два раза чинили, работает. Только батарейки менять нужно. И кассеты трудно достать. Записываю на старые. Надо будет купить что-то современное, у меня теперь есть деньги. Теперь отвечаю на твой вопрос, — обратился Евгений к Нине, глядя при этом куда-то в сторону. — Извини, что не смотрю на тебя прямо, но меня очень смущает и тревожит твоя красота.

Аркадий, машинально взяв в руку рулетку и подбрасывая ее, сказал:

– Брат, ты заколебал уже, что при мне моей жене такие вещи говоришь! Был бы ты нормальный, ты бы сейчас, извини, уже в окно летел!

– Я не говорю ничего плохого. Итак, Нина, про маму. Она умерла давно, две недели назад. Я после этого жил у тети Оли, она тоже преподаватель из школы, но она сказала, что со мной нельзя жить, потому что я говорю про нее, а она про себя ничсго не хочет знать, написала мне ваш адрес и сказала, чтобы я сюда ехал. И я приехал.

– В этой форме? Ты вообще видел, как ты одет? – спросила Нина.

– Евгений подумал, что он, пожалуй, переоценил ум этой прекрасной женщины, – тут же отреагировал Евгений.

Нина сделала обиженное лицо, хотя ничуть не обиделась: Евгений в очередной раз назвал ее прекрасной, а женщина, которую называют прекрасной, простит, если ее тут же назовут хоть даже полной дурой.

– Видел ли он, как одет? – спросил Евгений в диктофон. – Конечно, ведь он же одевался в то, во что был одет. Следовательно, он видел то, что надевает.

– Ничего, вы с Аркадием одного размера, найдем что-нибудь человеческое, переоденем, – сказала Нина.

– Евгений огорчился, – ответил Евгений, – ему не хотелось переодеваться. Но и обрадовался: слова Нины означали, что его оставляют в этом доме.

– Я этого не сказала! – спохватилась Нина.

– Сказала, сказала! – смеялся Аркадий. – Слушай, Евгений, ты и правда гений, насквозь людей видишь!

– Да, – подтвердил Евгений.

– Неужели? – засомневался Аркадий по привычке наших людей опровергать только что ими же утвержденное. Эта привычка оттого, что любое слово, ставящее точку, лишает возможности продолжить спор, а спорить мы никогда не перестанем. – Вот, например, –

предложил он, – если ты видишь меня насквозь, скажи, чего я хочу?

Евгений неожиданно смутился и выключил диктофон.

– Давай, давай! – бодрил Аркадий, словно выступал перед публикой вместе с фокусником и ему не терпелось показать его способности.

– Ты хочешь, во-первых, свою прекрасную жену, что мне очень понятно, – негромко выговорил Евгений.

– Так я и поверила! – не поверила Нина. – Знаю я, кого он хочет!

– Он угадал! – объявил Аркадий. – Прямо в точку! Тебя у меня уже неделю не было, а других тем более, у меня просто уже ноет все!

– Давай без анатомии! – остерегла Нина, стесняясь личного при чужом человеке.

– А еще тебя, Аркадий, что-то угнетает, – добавил Евгений. – Ты с нами, тут, но где-то еще. Там у тебя что-то такое, что тебя волнует. Тебя туда тянет.

– Вот! – ревниво отозвалась Нина. – Вот тебе и доказательство! К Светуёчку тебя тянет, сволочь!

– Да нет, – задумчиво возразил Аркадий. – Если честно, Нин, я хоть и говорю, что я забил на все это: на работу, на газету, но на самом деле все не просто.

– Так возвращайся!

– Я же условие поставил! Не вернусь, пока Вагнер не извинится. Пока не пообещает опровержение на свою гадость напечатать. Если я просто приду и скажу Вагнеру, что хочу вернуться без всяких условий, кем я буду выглядеть?

– Плюралистом! Человеком, который имеет мужество ошибаться и признавать ошибки!

– Я, во-первых, не ошибаюсь, и признаваться мне не в чем! И это не плюрализм, а подлость! Как ты считаешь, Евгений?

– Тебе нужна работа, потому что за нее платят деньги. Работа лучше та, которая нравится. Из твоих слов я понял, что твоя работа тебе нравится. И за нее платят. Надо вернуться.

— Ты прямо мудрец, я смотрю! Действительно, с какой стати я должен бросать любимую работу? Тем более в такое время! Такое творится, брат, весь поселок на дыбы поднялся! Ждут, идиоты, и самое смешное, что даже не знают, кого ждут!

— Это неважно, — сказал Евгений. — Только ожидание делает осмысленной жизнь человека.

— И опять в точку! — согласился Аркадий. — Ладно, попробуем вернуться. А ты вот что, найди ему что-нибудь из моей одежды, — распорядился он, поворачиваясь к жене.

Нина принесла чистые, слегка ношенные джинсы и футболку Аркадия, а также белые кроссовки с красными полосками по бокам. Евгению понравились эти полоски, он даже погладил их пальцами, но усомнился.

— Я собираюсь жениться. Женщины любят военных. В форме у меня мужественный вид.

Аркадий ему объяснил, что современные женщины не так уж любят военных, особенно в свете последних событий, касающихся внешней и внутренней политики, когда военным быть реально опасно.

— Почему в свете? — спросил Евгений. — Если эти события печальные, какой от них может быть свет?

— Ты нудный, прямо как наш Вагнер! Тоже к словам цепляется! Ну, хорошо, скажем так: женщины не любят военных во тьме последних событий. Устраивает?

Нина насторожилась: ей не понравилось выражение «во тьме». Но она тоже припасла свой довод:

— Ты даже и не похож на военного, а скорее, знаешь, на кого? На того, кто сбежал оттуда, где снимают старое кино про войну. То есть на актера. Актеров нормальные женщины тоже не любят. Потому что они все неверные и наркоманы, в лучшем случае — пьющие.

— Жаль, а я хотел стать актером когда-нибудь, — огорчился Евгений.

– Переоденешься – станешь! – уверил Аркадий.

Евгений поставил кроссовки на пол и сказал:

– Нет, не сейчас. Мне надо привыкнуть к этой мысли. Я объективно вижу людей. Я знаю, что многие принимают меня за ненормального. Я не хочу их обманывать. В обычной одежде я буду выглядеть как нормальный, со мной начнут общаться обычно, а потом огорчатся, что я не такой, как им показалось. А если увидят, что я в странной одежде, то сразу подумают, что я странный. И это будет честно. Хотя я на самом деле нормальнее многих. Но это мой выбор. Я переоденусь, но потом.

– Дело твое, – сказал Аркадий. – Поехали.

В машине Аркадий делился с братом семейными тайнами.

– Нинка моя добрая и меня, конечно, любит. Поэтому и ревнует к Светлане, но, если б я был женщиной, тоже ревновал бы. Сам посмотри – есть за что!

Аркадий, руля одной рукой, другой достал телефон, нашел в нем фотографию и показал Евгению. Тот взял телефон, рассматривал и говорил:

– Евгений увидел девушку необыкновенной красоты, у нее были светлые волосы, темные брови и глаза голубиного цвета, которые смотрели строго и дерзко.

– Умеешь ты слова находить, – оценил Аркадий. – Может, в самом деле гений? Все гении сумасшедшие, божевильни, то есть божевольные, как украинцы говорят. Ты, брат, не представляешь, какие есть в украинском чудесные и точные слова! Божевольный – хорошо ведь?

– Да.

– Голубиный цвет, верно, а то я все гляжу и не могу понять, как его назвать. Не голубой, темнее, почти сизый, голубиный, именно! И смотрит, да, строго. Насчет дерзко не уверен, хотя тоже близко к правде, но строго – это да, такая, знаешь, принципиальная девушка, каких не бывает.

– И она сидит в тюрьме?

– Ну, не совсем в тюрьме, в изоляторе. Тут такая история: за Светланой еще в школе ухаживал Степа Мовчан, сын майора Мовчана, а майор Мовчан – фигура. Начальник поселкового ОВД. Знаешь, что такое ОВД? – вдруг усомнился Аркадий.

– Евгений удивился, – сказал Евгений. – Как можно жить в России и не знать ее аббревиатур? ОВД, УВД, УФМС, ФСИН, ФСБ, РПЦ, ГИБДД, ПФР, МЧС, ЦСК, РЖД, МТС...

– Все, все, все, убедил! В общем, Степа за Светланой бегал, а Мовчан для сына живьем гадюку съест, так его любит, один он у него. И у Мовчана появилась смертельная мечта: женить своего дурака на Светлане. А фокус в том, что отец Светланы, Зобчик Михаил Михайлович, служил под Мовчаном, заведовал при ОВД гаражом, и вообще он у Мовчана личным шофером был периодически. И вот майор стал давить на отца. А тот на Светлану. Ну, не давил, но уговаривал. Или намекал, не знаю. Светлана, конечно, даже слышать не хочет. Тут история: ездили всем отделом они на охоту. Да какая охота, сусликов стрелять, у нас тут в степях дичи нет, вот и нашли забаву: одни бегают и норы сусличьи заливают, а другие по сусликам стреляют. Короче. Возвращались они обратно и наехали на старуху Крапивину. До смерти. Причем люди видели, за рулем был сам Мовчан, и был он пьяный, но уговорил Зобчика взять все на себя, обещал, что ему ничего не будет, свидетели подтвердят, что Крапивина сама под колеса сослепу попала. Обещал ему за это повышение и квартиру для дочери из фонда ОВД. Зобчик согласился. А на него – уголовное дело! И суд! И реальный срок – три года колонии! Зобчик просит с Мовчаном свидание, спрашивает – как так? А тот ему нагло: извини, я не суд, а суд именно так решил. Могу, говорит, посодействовать, но прямо тебе скажу – только в случае, если Светлана согласится выйти за Степу.

Зобчик ему в глаза плюнул. Говорит, лучше отсижу, чем свою дочь отдам за твоего сына! Мовчан ему — ну, и сиди. И Зобчика в колонию, и он там через год погиб при темных обстоятельствах. Дикая история, да?

— Нет такой истории, сказал Евгений, — сказал Евгений, — которая на просторах нашей Родины выглядела бы действительно дикой, поэтому он вынужден был ответить: нет.

— И ты прав! Действительно, какая уж тут дичь, никто даже не удивился! А Светлану даже осуждали, что отца не спасла. Хорошо, что дальше? Дальше Светлана едет в Ростов, учится на журналистку, возвращается, приходит устраиваться к нам в газету. Вагнер сомневается: не знает, как отреагирует Мовчан. А Мовчан сам звонит Вагнеру и говорит: бери! Почему он ему так велел, неизвестно. Может, хотел Светлану задобрить. И Вагнер ее берет. А Светлана первую же статью написала про ту историю со старухой Крапивиной, а заодно про все Мовчана подвиги. Всё собрала, что знала, да и кто не знает? В этом и специфика у нас: все всё знают, но никто ничего не может сделать! Я был выпускающий в этот день, я понял, что это бомба и печатать нельзя. Но вот представь: смотрит на тебя девушка и говорит: разве, говорит, у нас нет понятия личной ответственности? Я, говорит, автор статьи, я и буду отвечать. Что ты ей возразишь?

— Я бы ничего ей не возразил, — тихо произнес Евгений, не отводя зачарованного взгляда от лица Светланы.

— Вот! То есть умом я понимал, что это не аргумент, а самого как черти дергают: ты же сам мечтал такую бомбу подложить, чем ты рискуешь, жизнью, что ли?! Как, знаешь, затмение на меня нашло. Ну, и поставил в номер. Утром газета вышла, Вагнер мне позвонил, я думал, у меня трубка взорвется, так он орал. И представь, что он сделал? Тут же примчался в редакцию, написал вот такое, — Аркадий на секунду бросил руль и показал руками, – вот такое огромное опровержение, выпустил вне очереди номер, всех сотрудников заставил лично развозить по киоскам и по важным адресам. Только я отказался. Но дело-то уже сделано, первая газета уже разошлась! И к Мовчану на стол попала, он прочитал и послал своих людей арестовать Светлану. И арестовали без суда и следствия! А я Вагнеру сказал: или вы публикуете опровержение своего гнусного опровержения, а заодно сообщение об откровенной репрессии Мовчана по отношению к Светлане, или я в вашей газете уже не работаю! Он говорит: ну, и не работаешь. Как тебе история?

– Евгению была не очень интересна эта история, – честно сказал Евгений. – Он увидел в ней что-то скучное, знакомое и надоевшее. Но ему интересна была эта девушка. На девушек и женщин он смотрел как на будущих жен. И мало было таких, с кем женитьба казалась невозможной. А тут он смотрел и понимал, что эта девушка никогда не станет его женой. В ее облике была страшная неосуществимость. Такая страшная неосуществимость бывает только у мертвых, потому что они уже никогда не станут живыми. Евгению хотелось плакать.

И действительно, большие детские слезы покатились по его щекам.

– Замочишь! – Аркадий отобрал у него телефон. – Нет, ты все-таки не совсем нормальный. Хотя опять гениально сказал: она страшно неосуществимая. Точно. Смотришь на нее и понимаешь: никогда! Хоть наизнанку вывернись. Ты вот плачешь, а я, когда увидел ее, так затосковал, что напился в стельку. Домой прихожу, Нинка меня ругает, а я смотрю на нее, как в песне, тупым и нежным взором, и говорю: Нина, ты мой самый родной и близкий человек, с кем я еще поделюсь, если не с родным и близким человеком? Нина, говорю, я выпил по уважительной причине: влюбился в девушку Светлану. Реально, так и сказал, представляешь? И ты должна, говорю, не злиться на меня, а радоваться и гордиться, что твой муж способен на такие чувства! Само собой, она за меня радоваться не стала, выгнала в дальнюю комнату, дверь заперла и досками заколотила. И кричит: граница на замке, без визы не входить!

Аркадий засмеялся, но тут же опять загрустил.

– Нам с тобой смешно, – сказал он, хотя Евгений не смеялся, – а граница на самом деле по всему прошла. У нас с одной стороны был молокозавод, с другой кирпичный комбинат, так ровно по ним провели, чтобы ни нашим, ни вашим. Вот и вышло – до сих пор пустые корпуса стоят, людям работать негде, таскают туда-сюда все что можно и перепродают, меняют гуся на порося, а порося на гуся! До парадокса доходит: на улице Мира парикмахерская, вход из России для клиентов, а служебный из Украины, а граница прямо в зале: ты сидишь в России, а парикмахерша тебя из Украины, получается, стрижет. Веселимся!

– И кого-то ждете?

– А, ты запомнил? Ждем, в этом и вся соль! Это чистый анекдот: Крамаренко Прохору Игнатьевичу, нашему главе администрации, кто-то позвонил и говорит: ждите, двадцать девятого июля к вам приедет сам – а дальше странная история, Прохор Игнатьевич и до этого слышал, что в наши края хочет приехать чуть ли ни президент или премьер, а тут ему говорят про это прямиком, и у него в глазах мутнеет. Он гипертоник, когда давление скачет, может и в обморок упасть. Причем мужик он почти честный, но впечатлительный. Короче, вырубило у него слух и память, ему говорят, а он отвечает: да, все понял, подготовимся, сделаем, но при этом ничего не понимает! Потом в себя пришел, но перезвонить и спросить постеснялся: как будет выглядеть, если он такую информацию с первого раза не воспринял? Через знакомых в Москве пытался выяснить, но кто ж ему скажет? То есть и сказали бы, да сами без понятия. У нас ведь полная открытость в условиях строгой секретности. И теперь получается сплошной караул: все знают, что приедет САМ – а кто сам, неизвестно! Но готовятся. В этом, может, и спасение: лишний скандал никому не нужен, и Мовчан Светлану обязательно выпустит. С другой стороны, он ведь ее может и под конвоем куда-нибудь тайком выслать. Да и мне достанется, – мрачно размышлял вслух Аркадий. – Я же теперь вроде оппозиции. То есть я и раньше имел свободные взгляды, но в смысле частной дискуссии между своими. Вот такая, брат, у нас жизнь.

– А третьяки?

– Уже знаешь? Третьяки – это наша загадка. Полгода назад в сквере Дружбы нашли изнасилованную и убитую женщину. Присзжую, к сестре из Луганска в гости на недельку прибыла. Нонсенс, брат, в том, что в Грежине за всю историю, ты не поверишь, не было ни одного случая изнасилования. И кому придет в голову грежинских женщин насиловать? Не потому, что они непривлекательные, как раз наоборот, но я бы посмотрел, кто решится: у нас женщины такие, что сами кого хочешь изнасилуют. Очень решительные. Первый раз по лбу, второй по гробу! Светланка моя – чистый тому пример.

– Нина, – поправил Евгений.

– А я что сказал?

– Светланка.

– Ты видишь? Ты видишь, как меня переклинило? Даже не замечаю! – с радостной печалью воскликнул Аркадий. – Ну вот, сперва, значит, женщину изнасиловали, потом цистерна на станции загорелась. Российская сторона начала на украинцев валить, станция-то наша. Тут на украинской стороне бензовоз угнали, спустили в карьер. Потом мост пытались подорвать, газовую трубу обрушили, да много чего. А потом пошли слухи про этих самых третьяков. Кто-то видел, кто-то слышал, кто-то чуть ли не знает, кого-то из них, но боится сказать. Говорят, что это молодежная русско-украинская банда, типа, знаешь, «Молодой гвардии», только совсем другое. Какие у них цели, чего хотят, непонятно. То ли чтобы окончательный мир был, то ли чтобы окончательная война. Такая вот, брат, карусель. И в моей жизни тоже. Приехали!

Его восклицание относилось не к ситуации в поселке и не к личным проблемам – они действительно приехали и остановились возле редакции газеты «Вперед!» (бывшая «Вперед к коммунизму!»), размещавшейся в здании неслужебного вида, в домашнем таком доме, одноэтажном, с резными ставнями на маленьких окошках, с палисадником и небольшим садиком, где росли несколько яблонь. Если бы не синяя с золотом табличка на двери и не флаг над крыльцом, совсем походило бы на обычное жилое строение, из которого вот-вот выйдет хозяин и, пряча под необходимой суровостью природную доброту, строго спросит, чего тут надо незваным гостям.

Аркадий и Евгений вышли из машины и направились к крыльцу. На крыльце Аркадий замешкался.

– Может, тебе остаться?

– Евгений с огорчением увидел, что Аркадий его стесняется, – сказал Евгений.

– Ничего я не стесняюсь, – смутился Аркадий, – а просто... Какой ты наблюдательный, однако! Ладно, пойдем, только лишнего не говори.

– У каждого свое понимание лишнего.

– А ты смотри не как у каждого, а как у всех.

– Не понял.

– Потом объясню.

ГЛАВА 2

ДЕ ЗАГАДКА, ТАМ І ВІДГАДКА[1]

В редакции все было казенное, безликое, внутренние стенки и перегородки убраны, получилось, по современной моде, единое пространство, где все друг друга видели, а главное, всех видел редактор. Это заставляло подчиненных пребывать в постоянном трудовом напряжении, хотя на результаты деятельности не влияло.

Редактором, то есть тем самым Вагнером, о котором нелицеприятно рассказывал Аркадий, был плотный коренастый мужчина лет пятидесяти с двумя клочками черных волос по краям обширной матовой лысины, в больших очках, отчего глаза казались огромными и не по должности доверчивыми. Вагнер это знал, и его это раздражало.

Увидев Аркадия, Вагнер закричал на всю редакцию:

— Ну что, Аркаша... — тут он выругался коротким словом, — соскучился... — он опять выругался, — по коллективу? Будем работать... и опять выругался — или дурака валять?

Привыкшие к манерам Вагнера сотрудники, три женщины и двое мужчин, опустили головы, чтобы не обнаружить своих эмоций. У некоторых это был страх, у других смущение, а кто-то получал удовольствие, но тоже на всякий случай не показывал это: мы ведь люди осторожные, мы привыкли, что жизнь полна непредсказуемых перемен. Сегодня Вагнер на коне, он тут и царь и

[1] Где загадка, там и отгадка.

бог, а Аркадий изгой, но завтра, кто знает, может быть, Вагнер улетит вверх тормашками, а редактором станет Аркадий – как бы ни с того, ни с сего, но известно, что именно так и случается, именно ни с того и ни с сего.

– Я не знаю, что вы имеете в виду, Яков Матвеевич, – с достоинством сказал Аркадий, – но я сделал то, что считаю нужным, и вам того же желаю!

– Зачем ты тогда пришел?

– Формально меня не уволили, поэтому я пришел на работу.

– На работу он пришел! – Вагнер опять выругался. – Была бы тебе нужна работа, ты бы вел себя, как нормальный. – он опять выругался А не как...– и опять выругался целым каскадом матерных слов.

Одна из сотрудниц нервно чихнула и тут же зажала нос рукой, виновато глянув на Вагнера.

Аркадий оскорбленно молчал, подыскивая слова для достойного ответа. Вагнер с интересом ждал.

И тут вперед выступил Евгений. Вглядываясь в Вагнера, он задумчиво сказал:

– Евгений видел перед собой интересный, но не новый тип. В этом очень взрослом мужчине проглядывал мальчик, который рос тихим и незаметным отличником. Он хотел быть, как другие. В одиночку учился курить, а потом долго жевал траву и листья, чтобы не заметила мама. Закрывался в комнате и ругался матом. Он хотел стать своим человеком, потратил на это всю жизнь – и стал. Люди оценили его ум, работоспособность, а главное, оценили его народность, важное качество, в то время как аккуратные в словах интеллигенты выглядят инородными и подозрительными. Но до сих пор в нем живет бывший мальчик, маленький Яша Вагнер, который где-то в груди или животе вздрагивает и ежится, когда слышит страшную ругань большого Вагнера, и большой Вагнер чувствует в себе этого маленького Вагнера, злится на него, а потому ругается еще страшнее и громче.

Речь Евгения была настолько неуместной и неожиданной, что Вагнер даже не перебил его, выслушал до конца. А выслушав, засмеялся:

— Аркадий, это кто? С какого... — И тут у него случился ступор, как у заикающихся людей: хочет произнести слово, а не может. Он выпихивал это слово из себя, но слышалось что-то странное:

— Хы... Хо... Ху... Ха...

И не получалось!

Тогда он попробовал иначе, обратившись не к Аркадию, а к Евгению:

— Ты... — Он вновь попытался выругаться, и вновь застопорило: крепко сжатые губы, готовые выпалить звук «б», не могли разомкнуться, чтобы за «б» последовало «л», — и далее по обычному порядку.

— Ну, ё... — крутил головой и удивлялся себе Вагнер, а привычные слова по-прежнему никак не шли из горла, вырывался только пустой и сиплый воздух.

Подчиненные, забыв об осторожности, с откровенным любопытством уставились на Вагнера, ожидая, во что выльются его мучения.

Он ударил кулаком по столу и выкрикнул:

— ...!

Матерное слово наконец выскочило, как кусок, попавший не в то горло, и Вагнер, побуревший и задыхающийся, вытер платком взмокшее лицо.

— Жарко сегодня, — сказал он неожиданно мирным голосом.

Сотрудники, однако, на эту минутную слабость не повелись и опять уткнулись в столы и компьютеры.

— В чем ты прав, курить действительно надо бросать, — сказал Вагнер Евгению, придумав причину, по которой у него случился пароксизм странного заикания. — Пойдем перекурим это дело.

Он встал и пошел к выходу.

Аркадий и Евгений последовали за ним. Все прочие остались на местах, в том числе курящие: есть моменты, при которых лучше не быть свидетелями. А там, на улице, предполагали они, сейчас именно такой момент.

И были правы. Вагнер, выйдя, сел на крыльцо, закурил, поставил рядом с собой банку из-под консервов, набитую окурками, в том числе украшенными помадой, посмотрел с прищуром на Евгения, а потом на Аркадия.

– Досье, что ли, на меня шьете?

– В смысле? – не понял Аркадий.

– Откуда он все это взял? Ну, что я отличником был, это легко найти. А вот что траву жевал, чтобы мама не унюхала, что матом в одиночку ругался, такие вещи нигде не записываются. Кто рассказал? И зачем вам это надо? И почему он одет так по-идиотски?

Вагнер говорил обычным голосом, ни разу не ругнувшись, и, похоже, такая речь давалась ему с меньшим напряжением, чем ругательная.

– Никакого досье мы не шьем, Яков Матвеевич, – ответил Аркадий. – И про траву и вашу маму я ничего не знаю. Он сам догадался, потому что гений. Реально гений, видит людей насквозь.

– Да неужели? А выглядит дурачком!

– Евгений не возражал, – сказал Евгений. – Он знал, что у него бывает вид человека отсталых умственных способностей.

– Ты всегда так говоришь?

– Нет. Я по-разному говорю.

– Значит, насквозь? Ладно, о чем я сейчас думаю?

– Это вопрос без ответа. Человек сам не знает, о чем он думает, как может другой знать, о чем он думает?

Вагнер хмыкнул:

– Верно! Я сейчас нарочно ни о чем не думал, чтобы тебя поймать. А ты не поймался. Но ты не прав, всетаки бывает, когда человек предметно о чем-то думает. Когда у него задача. Я вот пишу статью на тему, например, коммунального хозяйства, и думаю о трубах, об отоплении, это легко зафиксировать. Давай я сейчас о чем-то подумаю конкретном, а ты угадаешь.

– А как мы узнаем, что вы об этом подумали? – спросил Аркадий.

– Не бойся, врать не буду. Хотя можно на бумажке написать, а потом проверим.

Вагнер достал маленький блокнот с вложенной в него ручкой, отвернулся, записал что-то на листке, вырвал, сложил, подал Аркадию.

– Держи. А ты, Ев-Гений, – подчеркнул он, – догадывайся!

– Евгению это было легко, – сказал Евгений. – Яков Матвеевич сам хотел какого-нибудь чуда, поэтому дал легкую задачу. Вы про курение написали.

Аркадий развернул бумажку.

Да, там было написано: «Курение».

– В самом деле, легко догадаться, – кивнул Вагнер. – Но вот ты сказал, что чуда хочется, это сложнее было попасть, а ведь ты угадал. Чуда хочется, ребята, – с грустной откровенностью сказал он. – Какое может быть чудо в моем возрасте, при моей язве и крапивнице? Ноги, Аркадий, просто заживо гниют, смотреть страшно. Какое чудо при моей работе и ответственности? Да и вообще, в нашей жизни, если подумать, откуда взяться чуду? Но все равно хочется. Ты молодец, Евгений. Давай еще раз попробуем.

Он написал, вырвал листок, сложил, отдал Аркадию.

– Я не смогу угадать, – сказал Евгений.

– Почему? – огорчился Вагнер, но огорчился весело.

– Потому что все равно, что вы написали. Вы не то написали, что подумали, а то, что придумали. Какой-нибудь перпендикуляр. Потому что, хотя вам чуда хочется, вы его боитесь и не хотите, чтобы оно было.

– Ну, это ты зря! – возразил Вагнер. – Если так рассуждать, получится, что я и вылечиться не хочу?

– Не хотите. Никто не хочет лечиться. Болезнь людей оправдывает, а им всегда нужно какое-нибудь оправдание.

– И ведь опять попал, – с неудовольствием удивился Вагнер. – И насчет меня, и вообще – да, согласен, люди оправдание ищут себе. Всегда.

Аркадий развернул бумажку. Он надеялся, что там и впрямь будет слово «перпендикуляр», но там было «кирпич».

– Почему кирпич? – спросил Аркадий.

– Черт его знает. Может, потому, что дачу строю. Старую продал, участок маленький, сама дачка маленькая, а у меня два сына-бездельника, старший женат уже, внучку мне родил, пространство требуется.

– Давайте теперь я попробую, – предложил Аркадий. – Напишу, о чем думаю, а ты, Женя, угадай. Я врать не буду.

– Зачем пробовать? Ты напишешь: Светлана, – сказал Евгений.

Вагнер кашлянул и прикурил вторую сигарету от первой. Упоминание имени Светланы было ему неприятно.

– А вдруг я что-то другое напишу? – сопротивлялся фатальности Аркадий.

– Все другое будет неправда, потому что ты о ней думаешь.

– Да, я о ней думаю, – подтвердил Аркадий, обращаясь к Вагнеру, и в голосе слышался вызов.

Вагнер это уловил и встал со ступеньки.

– Работать пора. Ты идешь?

– Вы мне? – не поверил Аркадий.

– А кому еще? Родственник твой, может, и гений, но явно же человек неадекватный. На инвалидности, наверно?

– Да, – сказал Евгений.

– Вот, и я людей насквозь вижу!

– Нет, Яков Матвеевич, давайте уточним! – потребовал Аркадий. – Я не против работать, но что нам делать с ситуацией?

— Именно! — поднял палец Вагнер. — Ситуация, правильное слово! Ситуация такая, Аркадий, что поселок на пороге новой жизни. Ты слышал, что опять возрождают идею крупного железнодорожного узла?

— Давно говорят.

— Раньше говорили, а теперь все серьезно. Думаешь, почему к нам уже сейчас приехали люди из Москвы? Что они тут готовят, для кого? И вссь поселок понимает, что надо напрячься и быть заодно! И тут явилась твоя Светлана...

— Она не моя.

— Явилась, — нажал Вагнер, — и устроила с твоей помощью то, за что мне еще отвечать придется! Но я в данном случае пс о себе думаю, а о перспективах новой жизни для людей!

— Соврал Яков Матвеевич, привычно веря в собственное вранье, — повествовательно произнес Евгений, будто он был учитель и диктовал школьникам в солнечном и слегка по-утреннему сонном осеннем классе что-то приятное о природе из Тургенева или Пришвина.

— Сам ты врешь! — разозлился Вагнер. — Если бы я о людях не думал, зачем мне эта работа? Дети выросли, сами себя обеспечат, пенсия у меня уже сейчас получается приличная, да мне много и не надо! Жена моя, если хочешь знать, парниковые овощи выращивает, зарабатывает в три раза больше меня, я и сам это люблю, буду на рынок огурцы с помидорами возить, прокормимся! Мне газета давно в тягость, если хочешь знать!

— Я знаю, — не стал спорить Евгений. — Но вы без этой тягости жить пс можете.

— Ладно, философ доморощенный, хватит болтать тут! Аркадий, повторяю, несмотря на твоего психованного брата: надо не о своих амбициях думать, а о перспективах! В кои-то веки у нас главой администрации стал порядочный человек, нужно ему помочь или нет?

А теперь что получается? Вышла статья – Прохор Игнатьевич должен отреагировать. Думаешь, он Мовчана любит? Но всему свое время, это как на войне – если нет тылов, нет резерва, нет боеприпасов, терпи, не лезь в атаку с голыми руками! И сам Мовчан, думаешь, зверь, что ли, если девушку посадил, да еще возможную невесту сына? Он для Прохора Игнатьевича ее посадил, чтобы тот понял, что Мовчан ответит на любой удар. Тактика! Бей своих, чтобы чужие боялись! То есть наоборот. Или правильно? Ладно, неважно. При этом, хоть Мовчан паразит, но он свой паразит. Родной, можно сказать. Крамаренко понимает, что Мовчану тоже ведь надо в хорошем свете показаться, когда из Москвы приедут. И он сейчас будет действовать людям на пользу, даже если этого не хочет. Я вот предположил, что Светлану он посадил в качестве ответного удара, а может, это сигнал не для Крамаренко, а для криминальных элементов?! Тех же самых третьяков? Вроде того: смотрите, поймаю, никого не пощажу! Кем бы они ни оказались!

– Яков Матвеевич, не уводите в сторону! – Аркадий был ошарашен причудливым ходом мыслей Вагнера. – При чем тут Крамаренко и третьяки? Конкретный человек написал конкретную правду и пострадал!

– Какая еще правда? Правда – когда все доказано!

– Да все знают...

– Знают – не доказательство! И формально, и по существу Мовчан имеет полное право считать это клеветой! И на нас собирался в суд подать, если бы не мое опровержение! Я сам Мовчана, может, в землю закопал бы, – Вагнер оглянулся и понизил голос, – но не сейчас! Ты вот мне про опровержение опровержения мозги крутил, а я тебе говорю членораздельно: Мовчан только этого и ждет! Потому что опровержение опровержения не может появиться в газете, которая орган администрации, без ведома главы администрации, и пусть мы с тобой будем знать, что Крамаренко тут ни при чем, Мовчан этого знать не будет, а если и будет знать, сделает вид, что не знает, потому что ему выгоднее все свалить на Крамаренко, чтобы убрать Крамаренко, чего не только Мовчан хочет, а и многие другие!

— Ты что-нибудь понял? — растерянно спросил Аркадий Евгения.

— Евгений понял главное, — ответил Евгений. — Он понял, что Яков Матвеевич нарочно запутывает то, ясность чего ему понятна, но слишком неприятна.

— Если кому ума не хватает, я не виноват, — вяло отбился Вагнер, который утомился от этого разговора и желал вернуться к привычной работе.

Он открыл дверь, Аркадий двинулся за ним, и Вагнер удивился:

— Ты куда?

— Вы меня позвали.

— Поторопился. Сам подумай, как это будет выглядеть? Меня никто не поймет. Ни там, — Яков Матвеевич показал рукой в сторону помещения редакции, имея в виду коллектив, — ни там, — он показал куда-то в сторону и вверх.

И скрылся за дверью, захлопнув ее с нарочито громким стуком.

Оказавшись в сенях, он остановился и шепотом попробовал выругаться.

Получилось.

Выругался еще раз.

Опять получилось.

С облегчением вздохнув, Вагнер открыл дверь в редакцию и, еще не разглядев безделья, но уверенный, что без него оно уж точно обуяло нерадивых подчиненных, закричал:

— Тут... не цирк, чего уставились... , ...? — Пока номер до последней точки не сверстаем ... — никто сегодня не уходит!

Ругательства выскакивали без запинки, но Яков Матвеевич не чувствовал в них привычного азарта и вкуса, маленький Вагнер, о котором говорил Евгений, болезненно толкался где-то в животе, как беспокойный плод беременной женщины.

Он сел за свой стол и стал вычитывать сегодняшний номер. Яков Матвеевич всегда гордился тем, что делает это регулярно, что в отличие от многих редакторов все проверяет собственноручно, вернее, собственноглазно.

Перед ним был материал о будущем Празднике Дружбы. Этот праздник с незапамятных времен устраивался на пограничной улице Мира. Раскидываются с обеих сторон торговые ряды со всякой всячиной, звучит музыка, люди и гуляют, и покупают, и межнационально общаются, а вечером торжества: украинское и российское начальство произносит приветственные речи, обращаясь друг к другу и к собравшемуся нарядному народу, потом парад ветеранов труда и войны, потом проезжают прекрасные всадницы на породистых лошадях из конюшни, что издавна существует в украинской части Грежина, потом выступает смешанный женский хор, красавицы, кто в сарафанах, кто в вышиванках, поют песни на четырех языках: кроме русских и украинских обязательно исполняют в конце «Хава нагила» и «Багъчаларда кестане» — из уважения к еврейской и крымско-татарской диаспорам, от которых, правда, в новые времена почти никого не осталось, но сохранилось зато уважение к традиции.

Праздник проводился обычно в первую субботу октября, когда собран богатый урожай овощей и фруктов, когда еще тепло и солнечно, но уже не жарко. А в этот раз решили приурочить торжества к моменту приезда Самого. Всем сладко мечталось, что этот Сам будет тот самый Сам, кого больше всего ждут. Остальные тоже имеют вес, но далеко не такой. Если сравнить со спортом, то этот Сам настолько был в описываемое время выше других, что занимал безусловное первое место при отсутствии второго, третьего и так далее, остальные начинались с места хорошо если седьмого-восьмого, скорее с двузначного, а меж ними была полная пустота.

Газете «Вперед!» и лично Вагнеру было указано, что нужно подготовить население к переносу праздника, дать ряд материалов на эту тему.

Яков Матвеевич как раз и читал одну из статей, где говорилось, что гораздо логичнее подбодрить людей праздником не тогда, когда труженики села отдыхают после летней страды, а грежинцы – после сбора бахчевых и садово-ягодных культур на своих дачных и приусадебных участках. Им стимула в это время не нужно, они и без того настроены на веселье и отдых. Нет, повысить трудовой настрой лучше именно в процессе труда, кратковременно от него отвлекшись. Минутная передышка в бою ценнее, чем неделя отпуска по окончании войны, писалось в статье, это было сравнение, найденное самим Яковом Матвеевичем, и он им гордился.

Но не теперь. Теперь он поймал себя на том, что читает текст с брезгливостью, близкой к отвращению. Конечно, газетный язык и язык живой – разные вещи, никто в жизни не скажет «труженики села», «страда», «бахчевые культуры», «трудовой настрой» и так далее. Но это всего лишь условность, газетный жанр, привычный и обкатанный. Однако Вагнера почему-то почти физически тошнило, а сравнение с войной заставило поморщиться, он взял красную ручку и густо зачертил раздражающие строки. А потом и другие. А потом перечеркнул крест-накрест и всю передовицу.

Нужно сказать Маклакову, ветерану газетного дела, чтобы написал другую статью о чем-нибудь другом. Или нашел в заделе. Или, и такое иногда случается, посмотрел бы прошлогодние номера, всеми уже забытые, выудил оттуда что-то подходящее, заменил бы пару фраз –

и готов материал. Конечно, не очень хорошо, но газета дело горячее, приходится идти на небольшие компромиссы.

Вагнер поднял голову и посмотрел на седовласого Маклакова, который уставился в компьютер. То ли работал, то ли играл в любимую игру «Сапер». Яков Матвеевич как-то в добрую минуту спросил его неофициально, как можно в десятитысячный раз играть в одно и то же? Маклаков ответил: дело в рекордах. Его личный рекорд уничтожения всех мин был две минуты, потом минута пятьдесят, потом минута сорок, это отличный результат, но он хочет превзойти собственное достижение и вот уже полгода пытается уложиться меньше, чем в минуту сорок. Пока не получается.

Яков Матвеевич, глядя на Маклакова, медлил.

Он вспоминал Евгения, необычного человека, говорящего о себе в третьем лице. Этот странный брат Аркадия подействовал на Вагнера больше, чем того хотелось бы, он чем-то тревожил, заставлял о себе думать. С одной стороны, выглядит глупо, размышлял Вагнер, взять вдруг и произнести не «я сказал», «я пошел», «я подумал», а — «Вагнер сказал», «Вагнер пошел», «Вагнер подумал». Так в детстве дети о себе говорят. Что значит — в детстве дети? Разве дети бывают не в детстве? А может, и бывают, есть в этой мысленной оговорке какая-то неявная глубокая правда. И в манере Евгения эта правда тоже чувствуется. Когда ты просто говоришь, ты не всегда вслушиваешься в свои слова, они произносятся как бы сами, по мере необходимости. Но только прозвучит: «Вагнер сказал», — и тут же все воспринимается иначе, ты будто слышишь себя со стороны, поэтому поневоле относишься к своим словам задумчивее.

Это было какое-то наваждение, Якову Матвеевичу нестерпимо захотелось обратиться к Маклакову, начав именно с этих слов: «Вагнер сказал». Интересно, как тот воспримет? А другие?

Будто чесалось на языке, Яков Матвеевич не удержался и попробовал, произнес тихим шепотом, почти без звука: «Вагнер сказал Маклакову: Семеныч, будь добр...» – и тут же осекся. Вот что значит услышать себя со стороны: обычное обращение к пожилому Валерию Семеновичу показалось фамильярным, неуважительным. Маклаков на пятнадцать лет старше, у него газетный стаж сорок лет, у него уже не только внуки, но и правнук недавно родился, а ты ему: «Семеныч». Но как сказать иначе? «Будьте любезны, Валерий Семенович»? Такое обращение, пожалуй, напугает старика, всем же известно, что переход начальства на подчеркнуто вежливый тон не сулит ничего хорошего. Надо помягче, душевнее. «Валерий Семенович, не трудно вам будет...» – и изложить суть просьбы.

– Что? – услышал вдруг Яков Матвеевич.

Вагнер посмотрел на Маклакова, который вопросительно смотрел на него. Значит, он вслух это произнес? При этом, похоже, обошелся без «Вагнер сказал».

Наваждение кончилось. Вагнер встряхнулся и начал распоряжаться, входя в привычную колею.

ГЛАВА 3

ЖАРТУВАЛА БАБА З КОЛЕСОМ, ДОКИ У СПИЦЯХ НЕ ЗАСТРЯГЛА[1]

Аркадий в это время подрулил к тыльной стороне одноэтажного здания казенного безликого вида, вышел из машины, встал под зарешеченным окошком и негромко позвал:

– Светлана!

– Аркадий? – почти сразу же отозвался девичий голос, мелодичный, но с некоторой охриплостью, с шершавинкой, как это бывает у девушек спросонья, когда они еще не успели ни о чем дневном подумать, а потому не ждешь от них ничего злого или доброго.

– Как ты? – спросил Аркадий.

– Нормально.

– К тебе пускают?

– Мама вчера приходила. Может, и тебе позволят.

– Сейчас! – загорелся Аркадий. – Жди!

Он вскочил в машину, Евгений поспешил за ним. Они поехали вокруг здания.

– Скорее всего не пустят, гады! – заранее сердился Аркадий.

Уверенность в неисполнимости какого-либо дела обычно придает человеку очень уверенный вид. Когда он надеется, то осторожен, робок, зыбок, боится спугнуть надежду, а когда все предопределено, бояться нечего, можно лезть нахрапом – все равно не получится.

---

[1] Шутила баба с колесом, пока в спицы не попала.

Вот Аркадий и попер напролом, заявив дежурившему сержанту:

– В соответствии с Гражданским кодексом Российской Федерации, если заключенный не осужден по суду, ему разрешены свидания!

На самом деле Аркадий понятия не имел, действительно ли заключенному разрешены свидания, если он не осужден. Но он полагался на то, что и сержант этого не помнит. Полиция, как всем известно, в законах не очень-то разбирается, потому что знание их вызывает лишние сомнения, а сомнения мешают практической деятельности по пресечению нарушения законов.

Сержант Клюквин четко понимал одно: пустить или не пустить Аркадия есть выбор его доброй воли. Причем, если не пустит, ему ничего не будет. А вот если пустит, могут быть неприятности.

Но ему было скучно, поэтому Клюквин почти доброжелательно спросил Аркадия, с которым когда-то учился в школе:

– К Светланке, значит?

– Ну да.

Аркадий в голосе Клюквина услышал надежду, поэтому тут же размяк – на радость сержанту, которому это сулило развлечение.

– Сереж, в самом деле, я хоть через решетку с ней поговорю, – попросил Аркадий.

– Конечно. А хотел бы и за решетку попасть? Она ведь там одна сидит. Вернее, извини за выражение, лежит. На топчанчике. Жестко, конечно, но я бы и на жестком ее с аппетитом... – И Клюквин выразил словом, что бы он сделал со Светланой с аппетитом.

Аркадий оскорбился, но вслух этого не высказал: опасался, что появившаяся надежда тут же рухнет.

– Ладно тебе, – сказал он миролюбивым и солидарным мужским голосом, намекая этим, что воспринял охальность сержанта не как действительное желание по отношению к Светлане, а как желание вообще.

Но сержанта на этом поле трудно было обыграть.

— А чего, — сказал он. — Запросто! Я бы ее и так, и так, и так! — Он конкретно и зримо описал те положения тела Светланы и отдельных его частей, с которыми поступил бы сообразно своим запросам.

Аркадий не выдержал.

— А может, хамить не будем тут при исполнении? — спросил он сержанта.

Тот обиделся: Аркадий забыл школьную дружбу и не хочет говорить с ним по-человечески, назвав хамством вполне безобидные слова. Нет, на самом деле Клюквин, конечно, понимал, что это, в общем-то, хамство, но хамство в разумных пределах, позволенных ему именно при исполнении, и оправданное тяжелой службой.

— Не нравится — до свидания, — коротко сказал он Аркадию.

Тут вступил Евгений.

— Евгений видел, — сказал Евгений, — что на самом деле Сергею очень хочется пустить Аркадия. Ведь это красиво: смотреть, как молодой мужчина говорит через решетку с девушкой, которую любит. Сергей хотел пустить Аркадия, но мешала служба. Но, с другой стороны, эта служба надоела, потому что нет такой службы, которая не надоедает. С еще одной стороны, он привык все делать не по службе, а по разумению. Поэтому иногда ему хотелось для разнообразия поступить в соответствии с уставом. С добавочной стороны, он уже не знал, что соответствует уставу, а что не соответствует. И вдруг ему нестерпимо захотелось пустить Аркадия без рассуждений об уставах. И увидеть чужое счастье. И радоваться, что оно из-за него. Поэтому он сказал: ладно, проходи.

— Кто сказал? — Клюквин снял взмокшую фуражку и потер ладонью свой мальчишеский, выгоревший на солнце белесый ежик, ошалело глядя на Евгения. – Аркань, это кто такой?

– Это мой брат. Странновато выглядит, но он, как бы сказать... Телепат! – вдруг вырвалось у Аркадия. – Он твои мысли угадывает!

– Ничего он не угадал, я тебя пускать не собирался.

– Это тебе кажется, Серега! Про любовь мечтал?

– Я?!

Клюквин сгоряча хотел возразить, но осекся. Сказать, что не мечтал? Но какой же мужчина в возрасте двадцати восьми лет не мечтает о любви? Он что, больной? Импотент? Или, прости господи, человек не той ориентации? Хотя, говорят, у людей не той ориентации тоже бывает любовь, но она, само собой, не такая, она грязная и извращенная. А он вполне нормальный, и мечты у него нормальные.

– Мечтал, – сознался Сергей.

– Служба надоела?

– А кому не надоест, я почти сутки на дежурстве.

– Счастье хочешь устроить другим людям?

И опять все смешалось в голове Клюквина. Пронеслись в ней пионерские песни, которые он в своем детстве уже не пел, но успел послушать, обрывки каких-то мультфильмов с улыбчивыми львятами и добрыми удавами, а потом вдруг возникла голая невеста в белом платье. То есть Сергей видел ее в свадебном платье, что для него, еще неженатого, было заманчиво, но каким-то образом одновременно и голой, с готовностью возлежащей на постели, и это было еще заманчивей.

– Ну, предположим, – осторожно произнес Сергей.

– Вот я и говорю, он все твои мысли угадал. Хочешь еще?

Сергей испугался.

Мысли, которые до этого Евгений *озвучил*, как безобразно выражались в те времена и официальные, и неофициальные лица, были вполне ничего себе. Так сказать, легальные. Даже хорошие. А если этот идиот в странной форме полезет дальше? У Сергея ведь много чего в жизни, начиная с продавщицы Нелли, которая женщина душевная, но все же связью с сорокапятилетней замужней теткой гордиться вслух не будешь, кончая регулярным сливом казенного бензина в личный автомобиль, а есть ведь и совсем потаенные мысли – о том, например, долго ли еще ему, серьезному человеку и сержанту, жить с родителями, скоро ли освободит, померев, свой домик бабушка Римма, которую, конечно, жалко, но себя еще жальче; в свой домик он смог бы заманить красотку вроде Светланы и там с нею...

Ему стало совсем жарко, пот ручейком пролился со спины в ложбинку меж крепкими ягодицами, и Сергею показалось, что даже и это двусмысленное происшествие Евгений каким-то чудом угадает, разглядит, всем расскажет, этим Клюквина опозорив.

– Быстро! – сказал он Аркадию. – Пять минут, я засекаю!

И Клюквин стукнул ладонью по своим часам.

Аркадий тут же юркнул в прохладное полутемное помещение.

– Можешь с ним, – сказал Клюквин Евгению, не желая оставаться с ним наедине.

В коридоре было тускло, а в камере, где содержалась Светлана, еще тусклее: стеклянный колпак, закрывавший лампочку, был нарочито синим, чтобы все, кто сюда попал, сразу понимали, что прежняя жизнь временно кончилась, и не сопротивлялись, не создавали препятствий работе полиции.

Светлана стояла у решетки, взявшись за прутья руками. Аркадий подошел, тоже взялся за прутья, сказал:

– Привет.

– Привет! – Светлана ободрила его улыбкой, будто не она находилась в заключении, а Аркадий.

— Здравствуйте, — сказал Евгений. Достал коробочку и начал туда наговаривать, глядя на Светлану: — В жизни эта девушка оказалась еще лучше, чем на фотографии, несмотря на плохое освещение. Евгений смотрел на нее и понимал, что она лучшая из всех, кто ему встречался. И никогда он не встретит лучше ее. И он вздохнул с облегчением.

— Почему? — засмеялась Светлана, которая, похоже, не удивилась странному человеку.

— Потому что, — объяснил ей Евгений, — ни один мужчина не успокаивается всю жизнь. Он влюбляется и даже женится, но всегда сомневается, что ему попалась лучшая девушка. Он мечтает еще о ком то. О тех, кто лучше. И девушки тоже. И женщины. Поэтому жизнь людей печальна. Но бывает, кому-то повезет, он встречает действительно лучшего человека. Жениться на нем, то есть на ней, или выходить замуж, если это мужчина, даже не обязательно. Нужно просто знать, что такой человек есть. И жить, а не мечтать. И любить того, кто есть, заранее понимая, что это второй сорт, но относиться к этому спокойно. Любить второй сорт за то, что это второй сорт, а не потому, что тебе не досталось первого. Потому что на самом деле никаких вторых сортов нет, а лучший человек тот, кого ты любишь. И хоть это неправда, но нам нужна не правда, а покой.

— Это мой брат! — сказал Аркадий. — Он немного того, но ты не обращай внимания. Он тихий, и у него справка есть.

— Евгений не мог не отметить, что Аркадий слегка предал его, — сказал Евгений. — Он сразу дал понять Светлане, что второго мужчину нельзя принимать всерьез, что он Аркадию не конкурент и не соперник.

— Вы всегда так говорите? — спросила Светлана, вглядываясь в Евгения.

— Можешь не беспокоиться, — сказал Евгений не ей, а Аркадию. И тут же обратился к Светлане: — Я не ответил на ваш вопрос, это грубо, но я нарочно это сделал, чтобы лишить себя шансов, чтобы вы, даже случайно, не влюбились, потому что вам нельзя влюбляться в такого человека, как я. В Аркадия вам можно влюбиться, но ненадолго. Он хороший человек, но он переходный этап, вас ждет кто-то такой, кто будет вас достоин, хотя вам это и не принесет счастья. Счастье будет потом, после горя с этим достойным человеком, если останетесь живы.

— Слушай, брат, ты это уже слишком! — осадил Аркадий. — И вообще, давайте по делу. Женя хоть и странный у нас, но сумел уговорить Серегу, представляешь? Тот нас пустил! Я подозреваю, Женя вообще может уговорить кого угодно! И это надо использовать!

— Я не буду никого использовать. Мовчан меня посадил — отлично! Пусть будет суд. Я этого хочу!

— Да не будет суда! Он тебя тайком вышлет, да и все! Упрячет куда-нибудь неизвестно куда!

— Думаешь?

— Светлана смутилась, — сказал Евгений. — Она была очень умная девушка, она умела разгадывать хитрые помыслы людей, но при этом часто не видела совсем простых ходов и планов.

— Точно, — согласилась Светлана. — Все равно что трехзначные числа в уме перемножать, а сколько дважды два — забываешь. И что делать? — спросила она Аркадия.

— Я уже решил! Пойду прямо к Мовчану. Скажу ему... Найду, что сказать.

— Только не говори, что я согласна на примирение. За моего отца он должен ответить — и ответит!

— Выкрикнула Светлана с решительностью амазонки! — тут же прокомментировал Евгений.

Светлана поморщилась: сравнение с амазонкой ей не понравилось.

— А я бы на вашем месте пообещал, что помиритесь, — сказал Евгений. — Ведь он, как я понял, подлый человек. Его можно обмануть.

– В самом деле, – поддержал Аркадий. – Ему сейчас конфликт не нужен.

– Как-то нехорошо, – вслух размышляла Светлана.

– Это хорошо! – возразил Евгений. – Он, как подлый человек и обманщик, будет только рад, если кто-то тоже окажется обманщиком. Он даже лучше к вам будет относиться. Все обманщики любят обманщиков. Вы представьте: добьетесь вы освобождения честным путем, хотя вряд ли. Но допустим. А потом доведете до суда, это тоже вряд ли, но тоже допустим. И его честно осудят за фактическое убийство вашего отца и другие преступления, о которых я не знаю. Он сядет в тюрьму. Что он будет думать? Он будет думать, что его настигло возмездие, и от этого будет страшно мучиться.

– Совестью? – усомнился Аркадий.

– Нет! Его будет мучить мысль, что он пострадал справедливо. Подлецам не нравится страдать справедливо, им нравится думать, что их подставили, обвели и обманули. И если мы ему дадим такую возможность, то есть возможность думать, что он не виноват, что ему просто не повезло, тогда он будет себя чувствовать обманутым хорошим человеком. И ему будет легче. А вы ведь, наверное, хотите, чтобы он, если сядет в тюрьму, меньше мучился? – спросил Евгений с такой убежденностью в утвердительном ответе, что и Аркадий, и Светлана кивнули, хотя были не против, если бы Мовчан как раз помучился.

Оба чувствовали, что в голове их как-то прояснилось, но одновременно и слегка затуманилось. Похоже, они теперь поняли и решили, что надо делать, но при этом не совсем понимали, почему именно это.

Но они поверили Евгению, его умению убеждать. Если прямо сейчас пойти к Мовчану и напустить на него Евгения, все решится быстро и безболезненно. Они сами не понимали, откуда в них такая уверенность, но уверенность была полной.

– Все, решено! Идем! – сказал Евгений.

– Да, – сказала Светлана. – Обманывать или правду говорить, разберетесь на месте. – Если честно, я уже устала. И не высыпаюсь, и кормят плохо. Знаешь что, Аркадий? Твой брат прав. С подлецом – по-подлому. Но тогда уж совсем по-подлому. Можешь даже ему сказать, что я за его Степана замуж согласна выйти.

– А еще лучше не сказать, а действительно выйти! – посоветовал Евгений.

– Ты совсем с ума сошел? – спросил Аркадий.

– Нет. Если он такой же подлец, как отец, то Светлана может его исправить. То есть она попытается. Вряд ли что-то выйдет, он может потом отомстить Светлане и даже ее убить за то, что стал лучше вопреки своему желанию, но прежним быть уже не сможет. И капелькой добра на земле станет больше.

– И одной девушкой меньше? Что-то не сходится, – сказала Светлана. – Ладно, идите – и удачи вам!

ГЛАВА 4

ТИМ РОГОМ ЧЕШИСЯ, КОТРИМ ДІСТАНЕШ[1]

К Мовчану идти было недолго — только пересечь двор. Поселковый отдел внутренних дел располагался в двухэтажном особняке старой постройки, с лепниной по карнизу и окнам, он выглядел вполне цивильно и благодушно, будто и не вмещал в себя то, что во времена, о которых мы рассказываем, называлось силовой структурой.

— Почему, интересно, он сам Светлану ни разу не навестил? — размышлял по пути Аркадий. — Не запугивал, не умасливал, вообще ничего не делал. Почему?

— Для загадочности, — коротко ответил Евгений.

Аркадий хмыкнул, заглянул ему в глаза.

— Знаешь, брат, иногда мне кажется, что из тебя, как из настоящего гения, мудрость сама выскакивает. А иногда, уж прости, начинаю сомневаться.

— В чем?

— Может, ты просто очень умный и очень хитрый и косишь под психа?

— Я тоже так думал, — неожиданно ответил Евгений.

— То есть?

— Иногда мне кажется, что я гений и хороший человек. А иногда — что хитрый и подлец хуже этого вашего Мовчана.

— Да? Интересно!

— Евгений высказал одно из самых сокровенных сомнений, — сказал Евгений. — Но он высказал его нароч-

---

[1] Тем рогом чешись, которым достанешь.

но. Вслух и для других. А в том, что высказывается вслух и для других, всегда есть неправда.

– Э, нет, ты куда-то совсем в другую сторону полез, я тебя не понимаю! – махнул рукой Аркадий.

При входе в здание дежурил человек званием выше, чем Серега Клюквин, это был целый лейтенант. Его звали Толя Россошанский, и он тоже знал Аркадия.

– Насчет Светы к Трофиму Сергеевичу? – спросил он.

– Да.

– Бесполезно.

– А ты позвони и скажи, что я уполномочен от ее имени вести переговоры.

– Если бы он захотел, сам бы с ней переговорил.

– Он хочет, но не может, – предположил Евгений. – Судя по всему, Светлана ему нравится. Но это значит перейти дорогу любимому сыну.

– Новая мудрость! – озадачился Аркадий. – Ты с чего это взял?

– Красивая девушка в одинокой тюрьме – это эротично. Она там беззащитная. Страдающая. К ней так и хочется прийти. Любой бы пришел. А он нет. Неспроста!

– И ведь правда! – качнул головой Россошанский. – Я бы не утерпел. Даже думал об этом, но, если Мовчан узнает... Ты кто, умник?

– Я брат Аркадия, Евгений.

– А почему так одет? Не из ополченцев[1], случаем?

Евгений сказал:

– Евгений увидел в глазах лейтенанта интерес к войне и смерти, он понял, что тот уважает ополченцев, и ответил: да, я в каком-то смысле ополченец.

– Что значит – в каком-то смысле? И что ты там в моих глазах увидел? Какая еще смерть? Кто он? – обратился лейтенант за разъяснениями к Аркадию.

---

[1] Ополченцами тогда называли тех, кто воевал на юго-востоке Украины за свою землю, принадлежащую Украине.

– Брат мой. Из Пухова. Это возле границы. Там у них, похоже, в самом деле что-то вроде ополчения, – на ходу сочинил Аркадий: что-то ему подсказывало, что эта придумка пойдет на пользу.

– То-то он выглядит как контуженный. Я тоже добровольцем запишусь. Или дождусь, когда тут начнется. Грежинцы украинские давно к нам хотят. Поселок один, а страны две, глупость какая. Вот я тогда наваляю кому надо! – с мальчишеским задором помечтал Россошанский.

– Ты позвони Мовчану-то, – сказал Аркадий.

Россошанский подошел к телефону, висящему на стене, снял трубку, набрал короткий номер, заслоняя аппарат собой, словно номер могли увидеть, и начал что-то говорить негромким и секретным голосом. Повернулся к братьям, осмотрел их с ног до головы, будто проверял на пригодность к тому, чтобы общаться с Мовчаном. Несколько раз прозвучало имя Светланы – как пароль. Наконец он закончил разговор, вернулся к Аркадию и Евгению, потребовал документы, вписал паспортные данные в журнал, заставил расписаться и после этих важных и бессмысленных действий пропустил посетителей.

Через несколько минут братья входили в кабинет майора Мовчана, где, кроме Трофима Сергеевича, была женщина лет тридцати пяти в погонах; она хмуро, стесняясь своей миловидности, что-то докладывала майору.

Евгений повел себя странно и резко, таким Аркадий его еще не видел.

– Окопались тут? – закричал Евгений весело и сердито, будто имел право кричать, будто недавно рисковал жизнью, защищая тех, кто сидит себе в далеком тылу и ничего не делает. – Там люди кровь проливают, а они тут, понимаете ли! Как будто ни при чем, понимаете ли! Молодцы, просто молодцы! Будто ничего не изменилось! А я вам скажу: все изменилось! Прежней жизни уже не будет! Никогда! И кто первый это поймет, тот выиграет, а кто не поймет, тот проиграет! Неужели не ясно? — Евгений развел руками и сел на один стульев за длинный стол, стоящий поперек к столу Мовчана. Аркадий тоже присел, наблюдая и решив пока не вмешиваться.

— В чем дело, граждане? — спросил Мовчан. — Аркадий?

Женщина в погонах глянула на майора удивленно. Всякого, кто ворвался бы вот так в кабинет и посмел с порога повысить голос, Мовчан на месте бы уничтожил, а сейчас почему-то этого не сделал.

Мовчан и сам был удивлен, но своему удивлению не удивлялся, втайне понимая причину. Услышав Евгения и увидев в его глазах безумную правоту войны, он вспомнил, что ведь война и в самом деле бушует не так уж далеко от Грежина, что люди там сражаются и гибнут, а он сам, хоть при оружии и в форме, не сражается и не гибнет; каждый мужчина в такой ситуации чувствует невольные уколы совести.

— Мы, собственно, по поводу Светланы Михайловны Зобчик, — заявил Аркадий.

— При чем тут она и... — Мовчан указал головой в сторону Евгения.

— Все связано! — объявил Евгений. Эти слова ему самому понравились, он достал диктофон и продолжил говорить присутствующим и в свою коробочку: — Все связано! В условиях войны каждый из нас должен забыть про свои личные интересы и думать об интересах страны! Не мстить кому-то там неизвестно за что, а всю энергию направить против настоящих врагов, которые только рады, что мы отвлекаемся на пустяки между собой! У вас какие-то третьяки под носом орудуют! Люди гибнут каждый день! Десятки населенных пунктов без электроэнергии, света и тепла!

Мовчан, Аркадий и женщина в погонах слушали его, опустив головы, с чувством беды и вины. Все, что происходило, словно навалилось на них свинцовым туманом, им было совестно, больно и страшно.

Евгений щелкнул кнопкой, выключая диктофон с ощущением выполненной миссии.

Но тут же опять включил его и сказал, глядя на Мовчана:

— Евгений видел, что Трофим Сергеевич смотрит перед собой тяжким взглядом, с болью за Родину. Как все нечестные и вороватые люди, он ждал в жизни случая сделать что-то правильное и большое, чтобы потом со спокойной совестью продолжить быть нечестным и вороватым.

Мовчан встряхнулся при этих словах и пробурчал, бурея лицом:

— Ну, ты совсем заврался! Нечестный и вороватый разве не одно и то же?

— Евгений не мог не заметить, — заметил Евгений, — что Трофим Сергеевич говорит с ним почти дружески, с упреком, но без гнева, значит, готов на равный спор. К тому же Трофим Сергеевич обратил внимание на второстепенные слова, а не на суть, значит, с этой сутью он был согласен. А нечестный и вороватый, конечно, разные понятия. Нечестный может быть склонным к воровству и другим похожим поступкам, но по разным причинам удерживается. Евгений знал многих нечестных, но замечательных людей. А вороватый человек, наоборот, может быть в душе честным, но фактически — ворует.

— А ты фактически хамишь тут! — резко сказала женщина в погонах.

Она раньше других пришла в себя. И это объяснимо, женщины вообще устойчивее во многих случаях. Мужчина, попадая в острое положение, часто сразу же увлекается, забывает свое прошлое и даже настоящее, он весь в этом моменте, в этой борьбе, в этом споре, а женщина в любое место приходит с памятью о своей жизни, о семье, о детях, о ежедневных заботах, поэтому она защищает не только то, что вот сейчас возникло, а заодно и свою жизнь, семью и детей. К слову сказать, у Ангелины Порток, капитана районной службы МЧС, детей не было, как и семьи, но она всегда понимала, что семья и дети – это правильно, это существующий порядок вещей, на который посягать нельзя, как и нельзя без спроса врываться к начальству и хамить ему.

– Спокойно, Геля, – сказал Мовчан. – Человек, может, нервничает из-за сама понимаешь чего, вон что вокруг творится. Воевали? – с уважением осведомился он у Евгения.

– Нет, но собираюсь.

– Вот так вот! – сказал Мовчан Аркадию. – Помнишь, я вас, журналистов, собирал и говорил, что в народе зреют настроения и их надо отражать? Вот они – настроения. Человек готов уже без всякого приказа взять в руки судьбу, а мы, понимаешь, боимся инициативы. И зря.

– Разве что с этой позиции смотреть. Тогда оправдано, – пошла на попятную Геля. – Хотя если каждый вот так, то не разберешься.

– Разберемся, – успокоил Мовчан. – Про большое дело человек сказал правильно. Те же третьяки. Почему на них не организовать патруль типа народной дружины? Вы об этом в своей газете пишете, Аркадий? Нет. Или возьмем другое. Приезжает, как известно, сами знаете кто...

– Неужели все-таки Сам? – вспыхнула Геля, радуясь, как должностное лицо, как женщина и как вероятная мать, для которой любой сильный мужчина представляется вероятным отцом.

– Есть такая информация, – кивнул Мовчан, который не имел никакой информации, но очень хотел, чтобы она была. – Так вот, он очень одобряет народные объединения и организации, которые неформально.

Если у нас что-то такое будет, вы представляете, какой нам плюс? Ты бы, Аркадий, помог человеку. Опять же в газете информацию дать. И организационно, – гладко выговорил Мовчан, явно гордясь умением произносить сложные слова, – и всяко разно. Ты активный у нас, боевой.

– Что имеется в виду? – не понимал Аркадий.

– Я же сказал: что-то типа народной дружины для оказания помощи в поддержании правопорядка. Как у нас здесь, так и в проблемных соседних регионах, если они возникнут. Люди рвутся, не удерживать же их!

– Точно! – согласилась Геля. – У меня трое добровольцами воевать пошли. Говорят, мы тут рискуем, в огонь и воду лезем за копейки, а там в десять раз больше платят за то же самое. Плюс патриотизм, – спохватилась она.

– Именно! – подхватил Мовчан. – Так что, ребята, идите и действуйте!

– Извините, – сказал Аркадий. – А как же насчет Светланы, Трофим Сергеевич?

– А что Светлана? Она не из-за меня сидит, хотя я и пострадавшее лицо ввиду гнусной клеветы.

Геля закивала, тоже возмущенная гнусной клеветой, хотя, конечно, знала, что никакой клеветы нет, все чистая правда, но само выставлсние правды наружу, напоказ всем людям, среди которых слишком много дураков, она считала недопустимой поблажкой этим самым дуракам.

– Она с согласия прокурора сидит, и я в данном случае без его ведома ничего сделать не могу...

– Солгал Трофим Сергеевич, – в своем обычном духе продолжил Евгений слова Мовчана, – что было видно по его веселым глазам, глазам человека, который не только привык лгать, а делает это с удовольствием.

– Гляди-ка, угадал! – расхохотался Мовчан. – Угадал, да не совсем! Согласие по умолчанию имеется, поскольку

Иван Ефремович никаких возражений мне не предъявил, а он, конечно, в курсе. Ладно, успокою вас: завтра мой Степа приедет, и я Светлану отпущу. А то натворит что-нибудь, не дождавшись своего счастья, ей же будет хуже!

– Степа приедет? – эта новость была для Аркадия неприятна. – Неужели он надеется... Не выйдет она за него! Даже смешно! Кто может заставить человека?! Давно уже двадцать первый век на дворе!

– Это кому как, – усомнился Мовчан.

Евгений положил руку на плечо брата с заботливостью старшего фронтового товарища:

– Не волнуйся, Аркадий. Трофим Сергеевич, как отец, сделает все, чего хочет его сын, но сделает так, чтобы из этого ничего не получилось, потому что он сам Светлану любит.

Женщина в погонах аж дернулась.

– Ну вы вообще! Дичь какая-то!

Мовчан стал полностью серьезным, впервые за время разговора. Он вообще умел в жизни экономить себя, найдя хороший способ – относиться ко всему с юмором. Трофим Сергеевич душой планировал над действительностью, изредка с нею соприкасаясь. Когда однажды пришлось в целях целесообразности собственноручно застрелить человека, которого надо было застрелить, Трофим Сергеевич не стал корчить злобное лицо и обвинять убиваемого, как это делают в кино отрицательные герои, желая себя чем-то оправдать, он сказал вполне по-доброму: «Вот так, братка. Сегодня я тебя, завтра ты меня. Такова жизнь!» – «Как же я сумею завтра тебя, если сегодня умру?» – спросил бледный убиваемый, не верящий, что его убьют. «В самом деле! – засмеялся Мовчан. – Извини, ошибка вышла!» И застрелил человека, а потом, когда вспоминал об этом и когда, как тошнота с похмелья, подступала непрошеная совесть, тут же сердобольная память подсовывала эту удачную шутку, и сразу становилось легче.

Видимо, Евгений задел за живое, за самое живое, что было в Трофиме Сергеевиче.

– Ты с чего это взял, убогий? Кто тебе это в уши надул?

– Он гениальный человек, – ответил Аркадий за Евгения. – У него дар: видит человека насквозь.

Мовчан никогда в такие вещи не верил. Как можно видеть человека насквозь, если человек в принципе непроницаем? Любой человек – стена, дверь, в лучшем случае окно. Стену можно пробить, дверь выбить, через окно увидеть то, что за окном. Но в самой стене, в самой двери, в самом окне ничего разглядеть нельзя. Там, внутри, темно. Да, стекло окна прозрачно, но вещество стекла – тоже темное. Не этими словами Мовчан, конечно, думал, но об этом. Проще говоря: человек – оболочка. Все, что нужно, и так видно, без всяких «насквозь»

Но сейчас, ошарашенный словами Евгения, он впервые подумал, что, возможно, в человеке действительно есть что-то, кроме поверхности.

Да, он очень хотел женить Степу на Светлане. Почему? Потому что она девушка порядочная, он всегда хотел такую жену сыну. И внуков она ему родит красивых. Красивое Мовчан любил – у него и дом красивый, и машина, и во дворе кустик к кустику, клумба к клумбе, жена старалась. Жену он тоже полюбил за красоту, а потом разлюбил, когда она увяла, но разлюбил спокойно, не упрекая ее ни вслух, ни мысленно, хотя и мог бы.

Мысль о том, что он сам любит Светлану, его словно ударила. Словно треснула стена и под штукатуркой обнаружились не ожидаемые кирпичи, а что-то вроде клада, – в клады же Мовчан тоже никогда не верил, как и во все остальное сверхъестественное, включая Бога. Бог ведь ни разу не явил ему хоть крошечное свидетельство или доказательство своего существования – так с какой стати?

И вот теперь его будто уличили заодно и в вере, будто он сам себе сказал без всяких доказательств и свидетельств: да, Бог есть.

Вскрыл его, получается, этот странный человек, вскрыл, как старую консервную банку с выцветшей этикеткой, найденную в погребе. Никто не помнил, что в ней, да и неважно — что бы ни было, давно протухло; а вот нет, оказывается: пряно пахнет, как килька в томате, и кровоточит соком так, что захлебываешься слюной.

Мовчану нестерпимо захотелось пойти к Светлане, увидеть ее и понять, правду ли сказал Евгений.

Поэтому он скомандовал:

— Так, всё, ушли отсюда!

И братья удалились.

Геля хотела обсудить это странное посещение, а потом текущие дела, но Трофим Сергеевич и ее попросил уйти: требуется сделать десяток срочных звонков.

Она ушла, Мовчан посидел минут пять, собираясь с чувствами, а потом не спеша вышел из кабинета, потом из здания и пошел к изолятору — прогулочным шагом, будто не знал, чем себя развлечь, вот и решил от скуки заняться прямыми обязанностями, но без суеты, чтобы ни у кого не возникло никаких подозрений.

Аркадий был недоволен.

— Он ведь нас обвел, Женя.

— У него такая работа, — не волновался Евгений. — Зато хорошая мысль насчет дружины.

— Полная ерунда!

— Не согласен. Но мне теперь надо срочно жениться.

— Зачем?

— Чтобы у меня была вдова, когда я погибну. Кому охота погибать, если о нем никто не заплачет?

ГЛАВА 5

ОКО БАЧИТЬ ДАЛЕКО, А РОЗУМ ЩЕ ДАЛІ...[1]

Мовчан подошел к камере Светланы тихо, скользящими лыжными шагами, ему хотелось, чтобы сначала он увидел ее, а не она его.

Светлана лежала на деревянном топчане, отвернувшись к стене. Неподвижно, будто спала.

Мовчан знал: если начать о чем-то думать сразу, легко ошибиться, человек часто принимает за правду именно то, что с первого раза приходит в голову. Не потому, что он доверчив, просто лень думать дальше.

Поэтому Трофим Сергеевич подбирался к тревожному вопросу издалека.

Сперва подумал о том, что остальные камеры изолятора пусты, и это свидетельство не такой уж плохой работы ОВД и его лично, ибо качество работы, как учили их на недавнем областном семинаре, определяется не столько пресечением и раскрытием совершенных преступлений, сколько профилактическими мероприятиями по недопущению противоправных деяний.

Потом он подумал о том, что условия здесь вполне сносные: через решетку свободно поступает воздух, топчан широкий и деревянный, а не из кирпича или бетона, как бывает в некоторых учреждениях подобного типа — не от склонности работников к мучительству, просто из кирпича и бетона надежней, дерево же то и дело приходится чинить.

[1] Глаз видит далеко, а ум дальше.

Потом он подумал, глядя на Светлану общим взором, не вглядываясь в частности, что всегда хотел, кроме сына, иметь дочь. И она у него есть — семилетняя Оксанка от женщины Ирины, что живет в украинской части Грежина. Само собой, Ирина красива, и домик Ирины красив, и Оксанка красива, обе, и мама и дочка, хорошо одеты и ни в чем ни испытывают недостатка. Мовчан ведь бескорыстный человек, все, что зарабатывает честным, не совсем честным и совсем нечестным трудом, он тратит на свои две семьи. К Ирине приезжает редко и тайно, чтобы не узнала и не огорчилась жена. А если остаются деньги после трат на семейные нужды, Трофим Сергеевич балует себя тем, что больше всего любит, — красотой. Едет в Ростов-на-Дону, где доверенные люди подыскивают ему самую красивую из вновь поступивших на рынок телесных услуг девушек, он уединяется с ней и получает эстетическое наслаждение, как меломан от музыки или любитель изобразительного искусства от гениальной картины. А что платит деньги — да, платит, но никто ведь не возмущается, когда меломан за деньги приобретает билет на концерт, а любитель изобразительного искусства — в музей. Единственное, что смущало Трофима Сергеевича, — сам он не очень красив: волосы на голове стали совсем редкие, живот великоват, ноги тонковаты. Поэтому он всегда устраивает полутьму — так, чтобы можно было разглядеть в девушке лучшее, а она не огорчалась изъянами его телосложения. И часто завязывает юной красавице глаза, предварительно обласкав ее и успокоив. Чтобы не смотрела. Ведь, к примеру, когда ты любуешься какой-нибудь Джокондой, ты вовсе не желаешь, чтобы и она тебя видела. Даже страшновато представить. Трофим Сергеевич всегда предупреждал девушек, чтобы они не пытались изобразить симпатию, искусственную страсть и тому подобное. Ведь это все равно что картина в пляс пойдет — кому это понравится? Нет, девушка должна лежать спокойно, пожалуй, даже равнодушно, и это правильно, настоящее произведение искусства всегда равнодушно к потребителю. А после того как Трофим Сергеевич попользуется доставшимся ему произведением, он идет в ванную и там тихо и просветленно плачет, радуясь тому, что на свете есть такая красота, и жалея себя, что жизнь коротка.

Потом Мовчан вспомнил, что Ирина тоже, как и жена, начинает понемногу увядать, что его влечет к ней все меньше и меньше. В поселке немало симпатичных женщин, у которых можно получить утешение если не по взаимной симпатии, то в служебном порядке, как это делают многие работники его структуры, но сам он презирает их блудни, в них нет ни красоты, ни размеренности, а только поспешное и часто пьяное утоление неразборчивого аппетита.

Потом Трофим Сергеевич подумал, что, любя красоту, пожалуй, никогда не любил по-настоящему легальную супругу Тамару, нелегальную Ирину и вообще никого из женщин. Любить — это когда душа переворачивается, когда ты чувствуешь, что на все готов, когда возникает ощущение, что у тебя и любимого существа одна кровеносная система и каждое биение жилочки на его виске отдается сладко-болезненным биением твоего сердца. Так у Трофима Сергеевича было с сыном Степой, хотя сейчас уже меньше, так у него с Оксанкой. Все в нем обмирает и ликует, когда он видит Оксанку и обнимает ее.

Может быть, по отношению к Светлане в нем как раз и сошлись наконец две любви — к красоте и к человеку-женщине? И эстетическая, и мужская?

Осмелившись подумать об этом, Мовчан дал себе волю и оглядел Светлану осознанно, ничего не пропуская. Она в это время очнулась и медленно приподнималась, чтобы сесть.

Вот тут-то это и произошло, соединилось. Словно то красивое, что всегда любил Трофим Сергеевич, обнаружило способность ответить взаимностью. Словно ожила та же Джоконда, перестала быть картиной, а стала женщиной, готовой его полюбить. То есть не Джоконда, конечно, она на вкус Мовчана вовсе не красива, даже наоборот.

Прав оказался брат Аркадия. Угадал. Разглядел.

И что теперь делать? Хорошо это или плохо?

Эти мысли Трофим Сергеевич оставил на потом, а пока он был счастлив и благодарен судьбе. Смотрел на Светлану, улыбался и молчал.

– Что? – спросила Светлана, не понимая.

– А что? – спросил Мовчан, удивляясь, что она не замечает его счастья.

– Хотите что-то сказать? – спросила Светлана.

– Зачем?

Мовчан даже засмеялся: настолько нелепым показалось ему предположение, что нужно что-то говорить.

Но Светлане этот смех показался издевательским смехом тюремщика.

– Я требую адвоката! – жестко сказала она.

Слово «адвокат» в любящей душе Мовчана отозвалось так дико и неуместно, что он рассмеялся еще пуще.

– Какой адвокат, Света? – Он вытирал пальцем слезы смеха. – Какой адвокат, для чего?

– Для составления заявления на вас в суд!

Мовчан хохотал до изнеможения: какой еще суд, при чем тут суд, когда такое счастье и такая любовь?

В коридор заглянул недоумевающий сержант.

Трофим Сергеевич замахал на него рукой: уйди, не нужен!

Клюквин послушно скрылся.

– Я рада вашему чувству юмора, но, если не будет адвоката, я объявлю голодовку, – сказала Светлана неопределенным голосом: она не понимала, что происходит с майором.

Мовчан унял смех, откашлялся и сказал:

– Не надо, Света. Потерпи до завтра, завтра отпущу.

– Почему не сегодня?

– Есть причины.

– Это тайна?

– Нет, но... В общем, завтра.

Мовчан мог бы сказать, что дело в приезде Степы (любовь любовью, а отцовский долг никто не отменял), но сработала милицейско-полицейская привычка наводить туман. Туман, конечно, односторонний: я тебя вижу, ты меня нет. Видящему легче управлять невидящим.

– Тогда пусть принесут поесть! – велела Светлана.

– Разве не кормили? Как тебя там, иди сюда! – закричал Мовчан.

Клюквин тут же возник.

– Почему не кормим задержанных? Живо принес!

Сержант замялся. Мовчан понял, поманил его к себе и выдал денег.

– В столовку метнись через дорогу, возьми что-нибудь там! – распорядился Мовчан.

– Момент!

Серега исчез.

Трофиму Сергеевичу никто не мешал задержаться и еще поговорить со Светланой, полюбоваться ею, но он не хотел так быстро растратить свое счастье.

Он лишь позволил себе, уходя, обернуться и улыбнуться Светлане ласково и многообещающе, отчего ей стало холодно и страшно.

Тем временем Евгений и Аркадий тоже зашли в столовую, имевшую вывеску «Кафе Летнее».

– Оно только летом работает? – спросил Евгений.

– Нет.

– Тогда странное название. Как быть весной, осенью, зимой?

– Мечтать о лете.

— В этом есть логика, — согласился Евгений. — Но тогда летом получается странно. И так вокруг лето, и кафс «Летнее». Будто никто не знает.

— Просто слово хорошее, — машинально ответил Аркадий.

Они вошли, Евгений достал диктофон и произнес:

— Евгений и Аркадий увидели перед собой прямоугольное застекленное помещение с квадратными столами и стульями из фанеры и металла. В углу сидели трое мужчин со стаканами. В другом углу сидел старик и ел. Сбоку сидела женщина и кормила мальчика. Из глубины пахло жареным луком. За стойкой стояла женщина в белом халате и в белой косынке, она посмотрела на вошедших радушным взглядом хозяйки.

Евгений ошибался: женщина в халате, как только увидела незнакомого человека с чем-то в руках, тут же разозлилась.

— Фотографировать запрещено! — закричала она.

— Обычная реакция людей, работающих там, где что-то не в порядке, — сказал Евгений Аркадию. А женщину успокоил:

— Я не фотографирую.

— А чего же ты там делаешь?

— Записываю.

Женщина разволновалась еще больше.

— Сима! — позвала она, оглянувшись.

Вышла, вытирая руки о передник, девушка лет двадцати пяти, худенькая, с небольшим острым носиком, черными большими очами, вышла решительно и грозно, как командирша. Она улыбалась очень красивой улыбкой, показывающей ровные белые зубы, но улыбка эта была нехорошей.

— Чего еще тут?

— Записывают! — пожаловалась женщина.

— Да ничего мы не записываем, привет, Сима! — сказал Аркадий.

– Привет, а это у него что?

– Это так. Для впечатлений. Он типа писатель. Только устный.

– Он писатель, ты журналист, с чего бы мне такой почет? Вы есть пришли или записывать? Мало мне всяких комиссий и проверок?

– Было что-то повелительное и покоряющее в этой хрупкой женщине, – сообщил Евгений диктофону. – В воображении возникало два образа: что она нависает над тобой, готовая задушить и разорвать от сумасшедшей любви, и что опять же нависает, готовая задушить и разорвать от сумасшедшей ненависти.

– Чего-чего? Кто сумасшедший? – Сима пошла на Евгения, клонясь телом вперед, а руки отставив чуть назад, словно готовилась к прыжку в воду.

– Да ладно тебе, Сима, мы его сами убьем! – послышался голос.

Встал высокий мужчина, играя глазами и улыбкой; сразу видно, что артист от природы. Но его друзья не желали оставаться зрителями, им тоже хотелось безнаказанного артистизма.

Встал второй, худой, сорокалетний, похожий телосложением на подростка, в линялой фиолетовой футболке и клетчатых шортах, в пляжных шлепанцах на грязных ногах.

Встал третий, молодой, лет всего восемнадцати, будто он был не товарищ, а сын своих друзей, причем сын, готовый пойти за отцами куда угодно. У него была круглая стриженая голова и не менее круглые плечи, пучившиеся из-под лямок спортивной майки с надписью славянской вязью «RUSSIA».

Аркадий драться не умел и не любил.

Он сказал:

– Мужики, вы чего? Сима, остынь! Если так, мы уйдем сейчас.

– Нет, пусть покажет, что у него там! – закричала Сима.

Она подошла и протянула руку.

Евгений спрятал диктофон за спину.

Юноша в майке охотничьими шагами начал огибать Евгения, чтобы зайти с тыла. Сорокалетний подросток подбирался сбоку. А высокий шел прямо и открыто, занося кулак для удара.

– Постойте, – сказал Евгений.

– Даю одну секунду, – сказал высокий.

– Вы думаете, что вы меня изобьете или даже убьете, – сказал Евгений трем товарищам, – и все на этом кончится. Нет. Посмотрите на этого мальчика.

И все невольно посмотрели на мальчика, который перестал есть и с интересом ждал зрелища.

– Он увидит это, и ему, возможно, понравится. Захочется сделать то же самое. Он вырастет, встретит кого-то из ваших детей и тоже убьет. Вы будете плакать и страдать, а кто на самом деле убил? Вы убили! Или посмотрите на этого пожилого человека.

И все посмотрели на старика, который ссутулился в свою тарелку, делая вид, что ничего не замечает.

– Он живет долго, и ему хочется, чтобы жизнь была лучше. Но вместо этого он видит одно и то же. От этого у него тоска и разочарование. Впору пойти и повеситься. И он это может сделать – вот и еще один труп на вашей совести. Да и вас самих могут потом посадить в тюрьму. Вы пропадете для общества, для женщин. Для нее, – Евгений указал на Симу, – а ведь видно, что ей нужен сильный мужчина, сильней, чем она сама. Где она его найдет, если все будут драться, убивать и садиться в тюрьму?

На всех напало какое-то оцепенение: слушали, не возражая, силясь понять, что происходит. Высокий первым опомнился, встряхнулся, еще выше занес кулак.

– Сам напросился! – сказал он.

– Постой! – ответил ему Евгений. – Думаешь, я не понимаю, почему ты собрался это сделать? Ты выпил и хочешь подвига. Ты хочешь понравиться Симе. Ты хочешь понравиться друзьям. Ты хочешь понравиться себе. Но в мире столько возможностей для подвигов, надо только оглядеться! Вспомни, сколько с тобой произошло несправедливого. Вспомни, кто в этом виноват. Вы все вспомните. И поймете, что вы на самом деле хотите драться с теми, кто вас сделал несчастными, а не со мной! Идет война! Вокруг беснуются солдаты, ополченцы и третьяки, имея разрешенное войной право на убийства и разрушения! Вот о чем надо думать! Вот против чего надо бороться! Создайте дружину, свое ополчение – и люди вам скажут спасибо!

Все стояли неподвижно и молча.

Юноша в майке простодушно приоткрыл рот и выкатил удивленные глаза, готовый и засмеяться, и броситься вперед, и заплакать. Сорокалетний подросток морщил рано постаревшую сухую кожу на лбу и будто прислушивался к чему-то, что слышал поверх слов Евгения. Высокому показалось, что он видит клоуна, и он не знал, что делать, потому что клоунов не бьют.

А Сима думала о своем, безошибочно выхватив из речи Евгения самое для себя главное.

– Чего ты там про сильного мужчину? – спросила она. – Ты не оттуда? Не с фронта? Стасика Луценко, случайно, не видел? Он тоже такой, безбашенный, – с горькой похвалой сказала Сима. – Один на десятерых мог полезть, помнишь, Оля? – повернулась она к женщине в халате.

– Еще бы! – лирически отозвалась Оля, и в глазах ее тоже была мечта о сильном мужчине.

– Нечего стоять тут, присаживайтесь, – пригласила Сима. – Тоже мне, бойцы!

Вскоре Аркадий, Евгений и трое мужчин сидели вместе за сдвинутыми столами, закусывали, выпивали. Аркадий, совсем растерявшийся, наблюдал, как три друга уважительно слушают Евгения, который увлеченно расписывал план действий.

— Разбиться на пятерки, в каждой командир. Командуют все по очереди — пять дней. Каждый ведь хочет быть командиром, пусть побудет.

— А суббота и воскресенье?

— Выходные. Но приказ командира, когда кто-то командир, закон. Неважно, что он вчера был не командир, сегодня он командир. Дальше. Пятерки объединяются в отряды. По пять пятерок. Командир назначается опять-таки по очереди. Отряды объединяются в группировки. Двадцать пять на пять — сто двадцать пять, — с удовольствием считал Евгений. — Само собой, командиры группировок тоже назначаются по очереди.

— Все покомандовать не успеют.

— Успеют, война будет долгой.

То, что Евгений говорил это, а остальные слушали, может показаться нелепым, но напомним, что его собеседники были крепко пьяными. Хотя старались рассуждать рассудительно и здраво, ведь не о пустяках шла речь, о войне.

Через час Евгений и Аркадий вышли из столовой.

— Что это было? — спросил Аркадий. — Ты это всерьез?

— Время покажет![1]

---

[1] Совершенно случайно слова Евгения точь-в-точь совпали с названием телепередачи, которая тогда шла на одном из российских телеканалов; в этом продуманно истеричном ток-шоу изо дня в день поливалась грязью украинская власть, а под видом украинской власти и сама Украина; и восхвалялась великая своей историей Россия, а под видом великой России ее тогдашняя власть. Отечественное телевидение в то время вообще сыграло, к сожалению, позорно значительную роль в разжигании межнациональной розни, войны и тотальной ненависти ко всему чужому, что, как известно, делается, когда у самих не все в порядке.

И время, не откладывая, показало. Высокий мужчина, которого звали Петр Опцев, вернулся домой, где его недобро встретила не менее высокая жена, она начала упрекать его в пьянстве и бездельничанье. Опцев возразил, что теперь у него самое важное дело, какое только может быть у мужчины, а она должна слушаться и отвечать: «Есть, товарищ командир!»

– Есть, товарищ командир! – ответила жена и ударила его пустым ведром по голове так сильно, что Опцев упал. Он хотел подняться и навести порядок, но в голове звенело, все вокруг плыло, и он решил сначала полежать, набраться сил. Да так и заснул.

Сорокалетний подросток Митя Чалый явился к своей жене Кате печальный и значительный. Он устало сел за стол, посмотрел на жену с жалостью и сказал:

– Ты, если что, не забывай меня сразу. Другого мужика не спеши приводить. Пусть хоть какое-то время в моем доме полы чужой не топчет.

Не выдержав, Митя всхлипнул.

– Да что случилось-то? – переполошилась Катя. – Ты в поликлинике был насчет пальца? Вывих или перелом?

– Палец! – усмехнулся Митя. – Тоже нашла о чем: палец! Если бы ты знала, Катя!

– Что-то другое у тебя отыскали? Что? Да не молчи!

– Страшно сказать, Катя!

Катя совсем испугалась, достала бутылку, налила, Митя выпил и успокоился. Но тайны своей не раскрыл, на вопросы Кати отвечал уклончиво, и, как она ни билась, устоял, не предал товарищей.

А юноша в майке, которого звали Юрик Жук, долго пробирался на родину, в украинскую часть Грежина, заметал следы, прятался по оврагам и бурьянам, мысленно отстреливался и наконец, измотанный и израненный, выбрел огородами к дому подруги Ульяны.

– Я живой! – обрадовал он ее, влезая к ней в комнатку через окно и падая на пол.

— Да неужели? — не поверила Ульяна, у которой сидел другой ее приятель, Рома.

Юрик заметил его, поднялся, хватаясь за стену, и сказал Роме:

— В другое время я бы тебя... Но сейчас прощаю. Не то время. Иди созови наших.

— А чего такое? Замирные напали?

Замирными тут называли тех, кто жил за улицей Мира, на той стороне.

— Да, — признался Юрик, потому что это было проще, чем все объяснять. Но, как только он это сказал, ему тут же показалось, что и в самом деле на него напали замирные. Они ведь и впрямь, было дело, побили его прошлым летом, а отомстить все как-то не случалось. И Юрик в подробностях рассказал о прошлогоднем нападении как о сегодняшнем, показал свои ссадины и раны. Рома негодовал, кипел и, не дослушав, побежал собирать своих, чтобы устроить замирным вальпургиеву ночь. Когда-то он услышал это выражение, оно ему страшно понравилось, хотя он и не знал, что это была за история. Но ясно, что кто-то кого-то сильно покрошил, раз это было ночью. Налетели как буря, ветер, пурга... да, пурга, именно это слово слышалось ему в имени Вальпургиева.

На его призыв откликнулись два великовозрастных брата Поперечко и чинивший велосипед подросток Нитя, больше никого не нашли. Братья взяли по свинчатке, а Нитя велосипедную цепь. Побежали к Юрику, но тот уже спал глубоким сном.

— Пойдем, покажешь! — растолкал его Рома.

— Кого?

— Кто тебя покоцал.

— Когда?

— Да сегодня же!

— Чего? Никто меня не коцал, отстаньте, спать хочу!

ГЛАВА 6

ЯКЕ ДИБАЛО, ТАКЕ Й ЗДИБАЛО[1]

Аркадий все чаще поглядывал на Евгения вопросительно. Новоявленный брат показался ему сначала безобидным чудаком. Да, с больной головой, но мало ли таких людей вокруг? На улице, где прошло его детство, жила тихая и очень полная молодая женщина, которая каждый вечер ярко наряжалась и ходила по улице, поздравляя всех с праздником.

— С каким, красавица? — спрашивали те, у кого было настроение посмеяться.

— Разве вы не знаете? — строго говорила она. — Это очень великий праздник. Его празднует все население людей нашей планеты.

— Да какой, какой?

— Вы надо мной шутите, да? — укоризненно спрашивала женщина и шла дальше.

И никто ее в психушку не сажал, жила себе с пожилой матерью, потом они куда-то уехали.

Но Евгений не таков, он многим кажется нормальным, а на самом деле, возможно, неуправляемый и опасный сумасшедший, который говорит то одно, то другое, а что в голове у него творится, вообще неизвестно. Аркадию становилось все тревожнее. Вот вернутся они вечером домой, улягутся спать, а Евгений встанет ночью и...

И что?

Да мало ли. У них, между прочим, ребенок. Разумно ли держать психически больного человека в доме?

---

[1] Какое шло, такое и встретило.

И Аркадий решил позвонить бывшей своей однокласснице и до сих пор верной подруге Анфисе Станчиц, которая работала невропатологом в поликлинике. Позвонил, узнал, что она сидит в своем кабинете и скучает: летом вообще больных меньше. Не потому, что люди мало болеют, а очень уж некогда лечиться: сады, огороды, хозяйство.

– А я вот гуляю тут. Вроде внеочередного отпуска. Загляну на минутку?

– Да пожалуйста!

Евгения не удивило, что Аркадий привел его в поликлинику.

Он сразу же начал описывать увиденное:

– Евгений не раз бывал в таких учреждениях и везде видел одно и то же: окраска стен, интерьер, дешевые лампы в дешевых светильниках, голые окна без штор с обязательными решетками на первом этаже, все казенное, обезличенное, призванное заставить пациента забыть о своем личном, смириться, стать всего лишь носителем болезни и не мешать лечить ее, если сочтут нужным, или не лечить, если не сочтут.

Аркадий поймал себя на том, что слушает эту чушь с раздражением. Еще недавно эти слова показались бы парадоксальной мудростью, а теперь во всем видится расчетливая хитрая благоглупость. Только кого обманывает Евгений, других или себя, вот вопрос! Если других, то зачем? Если себя, тогда понятно, себя-то мы дурим без всякой выгоды и расчета.

Анфиса встретила братьев внизу, у входа, и повела в комнату отдыха для врачей, где была обстановка скромного комфорта: диван и электрический чайник на подоконнике. Рядом с чайником в стеклянной медицинской чаше была гора разных конфет – традиционные подарки врачам от пациентов и их родственников.

– Шли мимо, вспомнил, что давно не виделись, решил заглянуть, – объяснил Аркадий свое появление.

Анфиса налила всем чаю, поставила чашу с конфетами.

– Как дела? – дружески спросила она Аркадия.

– Нормально, с работы выгнали. Временно.

– Как Нина?

– Все хорошо. Ругаемся на политической почве.

– Как и все. Я со своим Алексеем тоже. Ты за кого?

– А ты?

– Я первая спросила!

– Ко мне вот брат приехал, – сказал Аркадий, уходя от темы. – Евгений. Умный и оригинальный человек.

Он сказал это с легким нажимом, чуть склонив голову в сторону Евгения.

Анфиса прикрыла глаза, давая понять, что намек поняла.

Евгений же взялся за диктофон и тихонько начал наговаривать:

– Тонкая молодая женщина, с глазами всех красивых евреек мира, с прекрасными руками, которые легко представить просеивающими муку для мацы под палящим солнцем Палестины или Египта три тысячи лет назад, странно существовала своим юным, но древним смуглым телом в этих бледно-зеленых стенах, розоватых занавесках, под белым потолком с четырьмя квадратными светильниками, зарешеченными, будто окна, словно кто-то и зачем-то решил держать в заключении свет. Евгений понял, что он не видел в своей жизни женщины лучше и красивее Анфисы.

– Минутку, а Светлана? – слегка обиделся Аркадий. – Ты ей недавно то же самое говорил!

– Светлана ушла в прошлое, – ответил Евгений.

– Что вы еще увидели во мне? – спросила Анфиса.

– Евгений затруднился, – сказал Евгений. – Он видел очень многое, но смутно. Он видел, что Анфиса, сохраняя свой древний неискоренимый дух, отравлена духом русским, переменчивым, что ей везде одинаково плохо и одинаково хорошо, что она почему-то очень несчастный человек, который часто не понимает, зачем живет.

Анфиса откусила конфетку, отхлебнула чаю и сказала:

– Анфиса увидела в этом человеке, наряженном в военную форму, странный сплав искренности и симуляции. Возможно, он так долго тренировался в сумасшествии, что и в самом деле стал сумасшедшим.

– Вообще-то у него диагноз есть, – сказал Аркадий. – Покажи справку, Женя.

Евгений покопался в рюкзаке, достал и показал.

– «Шизофрения недифференцированная», – прочла Анфиса. – Что-то нам такое читали на третьем курсе. И давно это у вас? Или с рождения?

– Началось лет в десять с философической интоксикации, – охотно ответил Евгений

– В чем выражалось?

– Боялся думать.

– То есть?

– Боялся, потому что мне казалось, что, если я начну о чем-то думать, я это пойму. И мне было страшно. Я боялся думать о смерти: боялся, что пойму, что такое смерть. Боялся думать о маме. Я ведь ее любил. И боялся, что, если начну о ней подробно думать, то пойму что-то такое, за что разлюблю. Об учителях боялся думать, об одноклассниках. Боялся подумать о собственном сердце. Подумаю – и начну слышать, как оно работает. Естественно, тут же подумал. И услышал. Потом начал слышать, как кровь во мне течет. И даже слышал, как слышу. То есть как в ушах появляются звуки. Даже перепонки болели от этого.

– Кому-то говорили об этом?

– Нет. Потом я боялся подумать о войне. Мне казалось, что, если подумаю, она начнется. О девочках боялся думать. Когда не думаешь, а только смотришь, они просто девочки. Симпатичные и не очень. А когда думаешь, то понимаешь: они уже женщины. Во всех подробностях. Это очень страшно.

– Не то слово! – воскликнул Аркадий, слушавший брата с сострадательным вниманием. – Досталось тебе, я смотрю! Но сейчас-то ты думать не боишься?

– Мы до этого дойдем, – ответил Евгений так, будто не он, а Аркадий был пациентом, который торопится поскорее выведать все подробности болезни.

И продолжил:

– Однажды я гладил котенка и вдруг подумал, что боюсь думать о том, что мне захочется его убить. Я даже заплакал. Убежал из дому. Потом попросил маму отдать котенка соседям. Это у меня долго было, целый месяц: боялся захотеть кого-то убить. Смотрю на кур во дворе, а сам думаю: не надо их убивать, они же живые. Но хочется. А потом думаю: их все равно убьют, чтобы съесть. И про людей так же думал: убивать их нельзя, но они же все равно умрут.

Удивление на лице Аркадия сменилось испугом:

– Слушай, перестань! Я тебя уже бояться начинаю, честное слово!

– И зря, – успокоил его Евгений. – Это давно прошло. Я нашел способ, как не бояться мыслей: надо думать, но постоянно. Все время. Без перерыва. Лучше всего – что-то такое придумать, из-за чего все становится просто. И я придумал, что я гений, который может то, чего никто не может. А когда придумал, то понял, что ничего я не придумал, что я действительно гений. А гений может все понимать про людей, про маму, про природу, вообще про все, но от этого не перестает все это любить. Ему можно.

– И ты любишь?

– Да, очень.

– А зачем в диктофон наговариваешь?

– Для фиксации. Я же о важных вещах думал, а что-то совсем простое забывал. Мама посылает в магазин за хлебом, за солью, за сахаром, я иду, а сам думаю, почему сахар сладкий, а соль соленая, почему хлеб без соли можно есть, а соль без хлеба нельзя, а вот сахар как раз можно, потом думаю, почему коровам соль лизать дают, такая эта соль, как для людей, или нет? Смотрю, а я уже в коровнике, а зачем пришел, не могу вспомнить.

Все это Евгений говорил без диктофона, но в этот момент достал его и, отстранившись взглядом от окружающего, задумчиво произнес:

– Евгений рассказывал откровенно, потому что ему хотелось понравиться этой женщине. Его привлекал в ней не только и не столько ум, сколько загадка ее тела, скрытого халатом. Почему-то он подозревал, что оно почти идеально, и ему хотелось это увидеть. Его потрясала мысль о том, что для кого-то это идеальное тело может выглядеть буднично и обычно, тот же Алексей, о котором она упомянула, потребляет его без восторга и упоения, как супружеский привычный ужин.

Анфису эти слова никак не тронули, она смотрела на Евгения изучающе и спокойно.

– Интересно, – сказала она, – ты вот сейчас, когда туда надиктовываешь, понимаешь, что это не совсем нормально?

– Я бы сказал, это необычно, – возразил Евгений. – А что ненормального в процессе записи своих впечатлений? Тогда все писатели ненормальные. И журналисты, включая Аркадия.

Аркадий щелкнул пальцами. Он будто присутствовал при научном диспуте, не вполне понятном, но интересном. Сейчас он посмотрел на Анфису: чем она ответит на резонные доводы Евгения?

Анфиса ответила:

– Писатели и журналисты, если о ком-то пишут, делают это не в присутствии того, о ком пишут. А если при нем, то без таких откровенностей. Это я насчет идеального тела и процесса его потребления моим мужем Алексеем.

Аркадий удовлетворенно кивнул и тут же посмотрел на Евгения: твой ход? Казалось, кто-то невидимый нажимает на такие же невидимые кнопки шахматных часов.

Евгений сделал ход.

– Анфиса, – с удовольствием выговорил Евгений необычное имя, где звонкое и жизнелюбивое «эн» тут же приглушалось принижающим и будничным «эф», – Анфиса, все люди хотят быть откровенными, но не могут себе этого позволить. К примеру, вы, когда мы входили, так посмотрели на Аркадия, что сразу было видно в ваших глазах воспоминание о какой-то ночи, о любви, о ласках, я в этот момент посмотрел на Аркадия и увидел отклик: он тоже вспомнил об этом, и вам бы хотелось об этом поговорить, но вы оба промолчали. Почему?

– Ты ему что-то рассказывал? – спросила Анфиса Аркадия.

– Ни в коем случае! – поклялся Аркадий. – И вообще, никому никогда!

Анфиса откусила конфетку, отхлебнула чай и сказала:

– Объяснимо. У шизоидов бывают моменты прозорливости. Все так называемые экстрасенсы – шизоиды.

– Анфиса дважды произнесла уничижительное слово «шизоид», – прокомментировал Евгений в диктофон, – чтобы показать пренебрежительное отношение к Евгению, который поневоле заинтересовал ее. Чтобы скрыть свои чувства, она начала есть конфетку, которую ей совсем не хотелось, и пить остывший чай, хотя терпеть не могла холодного чая.

– Ну, это уж ты точно гонишь! – сказала Анфиса с неожиданной простотой. – Не попал, я обожаю холодный чай!

– Холодного чая никто не любит, – сказал Евгений, стесняясь своей правоты.

Тут Аркадий решил вклиниться в дискуссию, но не теоретически, а практически.

— Ладно, — сказал он. — Раз уж братик призывает к откровенности, то я, Анфиса, с тобой отдельно шептаться не буду, а прямо при нем спрошу: он опасен или нет? Он ведь у меня жить будет, больше негде. Или его лучше отвезти в психушку — в Белгород или в Ростов?

Анфиса, размышляя над вопросом Аркадия, продолжала отпивать холодный чай, словно показывая Евгению, что он ошибся — она любит именно холодный чай. Но невольно при этом глянула в сторону чайника. Евгений это заметил, губы его тронула деликатная улыбка. Анфиса поняла, что он разгадал ее взгляд, и со стуком отставила чашку. Дескать, ладно, согласна признать твою правоту, но это еще не конец!

— А вы вообще лечились? — спросила она Евгения.

— Нет. Мы с мамой жили в деревне. Да, меня считали человеком со странностями. Даже дурачком. Но там много людей со странностями и дурачков. В прошлом году Гопотаренко Михаил Александрович, депутат и бывший заведующий фермой, сел на трактор и гонялся за своей женой по улице. Чуть не задавил.

— Спряталась бы в каком-нибудь доме, — посоветовал в прошлое Аркадий.

— Она пряталась у соседей, а он начал на дом наезжать. Разрушил бы. Вот она и бегала.

— Бытовой пьяный психоз, — сказала Анфиса. — Значит, не лечились?

— От чего? Есть вещи, которые не вылечишь. И не вылечишься. Разве вы, Анфиса, вылечитесь от своей тоски? Вы чувствуете себя женщиной из другого времени, другого рода, другой страны, я не Израиль имею в виду, по крайней мере не современный. Вы успокоились бы детьми, но проблема — от кого родить? Где найти достойного? А ведь вам нужен не просто достойный, а великолепный — полубог, царь, потому что вы сами себя чувствуете царицей. Любите себя, свой ум, свою душу, но понимаете, что все это будто в пустоте, не на что опереться, поэтому читаете умные книги и, может быть, ведете дневник, переписываетесь с кем-то по интернету, где вас тоже никто не понимает, потому что вы не хотите открыться.

Евгений не говорил, а вещал, глядя на Анфису, вернее, *в* Анфису, куда-то внутрь ее глаз. Она слушала сначала с улыбкой, потом начала хмуриться, но тут же приняла вид снисходительный, губы слегка подрагивали, будто от сдерживаемого смеха. Когда Евгений умолк, она сказала Аркадию:

– Я, когда курсовую практику проходила в «Фениксе», это ростовский центр психоневрологии, таких пророков по пять штук каждый день выслушивала.

Но Аркадий был впечатлен словами Евгения и ее иронии не разделил:

– Анфис, но как же... Я ему про тебя ничего не рассказывал. Что детей нет, что ты дневник в самом деле пишешь, я его читаю каждый день.

– Так уж и каждый....

– А что тебя Александра Алексеевна, литераторша, царицей называла, помнишь? Царица ты наша! После того как ты на пушкинском вечере про Клеопатру читала.

– Ерунда, совпадение. Ты что, хочешь сказать, что он действительно гений, что ли?

– А то нет!

– Уверяю тебя, заурядные экстрасенсорные способности. Которых не отрицаю. И не только не отрицаю, но каждый из нас хоть немножко да экстрасенс. Хочешь, угадаю, что у тебя со Светланой будет?

– Нет. Да и не будет ничего. Хотя... Нет, не надо.

Евгений встал:

– Я подожду на улице. Вам необходимо пообщаться.

– Мне тоже пора, – сказал Аркадий.

– Не торопись. Анфиса сейчас грустит от той правды, что я ей сказал. А ты вспомнил про любовь к Светлане. И к жене. Еще у вас общая печаль о той встрече, когда вам было хорошо вместе. Если сейчас вы опять будете вместе, вам будет легче. Вам радости не хватает, но она у вас есть. Почему вы не делитесь, не понимаю!

Сказав это, Евгений добавил в диктофон:

– И Евгений вышел, довольный тем, что сейчас эти два человека испытают счастье отдавать себя, хотя и жалел, что не он будет с женщиной, а другой. Но он к этому привык.

И вышел.

Анфиса включила чайник – ей давно уже хотелось горячей жидкости, а Аркадий, помявшись лицом, сказал:

– В самом деле, Анфисик... Ты прекрасно выглядишь...

– До свидания, – холодно ответила Анфиса. – И вот что, свози-ка его все-таки в Ростов. Он какой-то... Я с ним полчаса побыла – голова страшно болит. А тебе – не тяжело?

– Вообще-то, как-то да. Непросто. Но, знаешь, интересно. Царица, надо же...

– Уйди, сказала!

И Аркадий ушсл.

Анфиса налила в чашку кипятку, кинула пакетик с чаем и, не дожидаясь, пока заварится и остынет, отхлебнула; обожглась, приложила руку к губам. Потом достала планшет, открыла свою интернет-страничку, озаглавленную «Пограничное состояние». Надолго задумалась, собираясь что-то записать. Но слова никак не находились. Сбоку были рекламные картинки с играми, в том числе любимые ею линии шариков. И она, так ничего и не написав, начала играть в шарики, составляя ряды из пяти штук одного цвета, после чего они исчезали с беззаботным пшиком.

Вернувшись домой, в украинскую часть Грежина, Анфиса со смехом рассказала о странном посещении своему мужу Алексею Торопкому, хотя обычно не любила говорить о работе, да и он не интересовался, занятый своей газетой «Шлях» (когда-то – «Шлях соціалізму»), где был редактором.

Почему рассказала?

Потому что во время встречи с Аркадием и его чудным братом, в ней всколыхнулось что-то тайное.

Но ведь о тайном как раз молчат.

Нет. Молчат глупые люди. Терпят. И рано или поздно проговариваются. Лучше уж сказать сразу, но не все. Только внешнее. А если потом каким-то образом всплывет и тайное, можно оправдаться: я же сама рассказывала! Рассказывала, да не то, возразит муж. Ты просто плохо слушал, скажет Анфиса, привыкшая жить подпольно, будто послана сюда кем-то, только неизвестно кем и с какой целью, но именно это ощущение посланничества делает жизнь сносной, наполненной пусть непонятным, но смыслом. Она и фамилию мужа не взяла при регистрации брака именно поэтому – чтобы сохранить статус отдельности.

Торопкий отнесся неожиданно серьезно:

– Говоришь, этот человек был в военной форме?

– В какой-то дурацкой, я такой не видела. Разве что в кино про Великую Отечественную войну. Такое, знаешь, галифе, гимнастерка с пуговичками...

– Должно быть, подчищают старые стратегические запасы, – сделал вывод Торопкий. – И сколько раз тебе говорить: не было никакой Великой Отечественной, была Вторая мировая. А то получается, у всех в мире одна война была, а у нас другая.

– Так она и была другая. И первая Отечественная другая, с этим тоже будешь спорить?

– Конечно! Были Наполеоновские войны с семьсот девяносто девятого по восемьсот пятнадцатый! Как ты не понимаешь: Россия нарочно выделяет себя из мирового процесса, чтобы доказать свою исключительность! – горячился Торопкий.

– Каждая страна исключительна, – ответила Анфиса, наливая горячий чай; ее сегодня что-то слегка знобило, несмотря на жару. Не хватало разболеться. Впрочем, почему бы и нет? Заболеть боятся очень занятые люди, которым хворь мешает делать срочные и неотложные дела, а у Анфисы неотложных и срочных дел нет. Может, даже и славно поболеть, если не очень тяжело. Полежать, почитать, подумать...

– Да, каждая, – нехотя согласился Торопкий, – но не настолько, чтобы на своей исключительности строить всю политику и культуру, и быт свой дурацкий, и бедность свою, и...

– Понеслось! – сказала Анфиса с мягкой иронией.

– Мне просто обидно, что ты не понимаешь очевидных вещей!

Ты тоже не понимаешь очевидных вещей, хотела сказать Анфиса. Не понимаешь, например, что я давно тебя не люблю, если вообще любила. Высокого, симпатичного, чернобрового, гарного, да, а вот не любила. Показался наиболее подходящим из имеющихся, только и всего. Даже шагу не сделала, чтобы подыскать себе где-нибудь что-нибудь получше, вот что обидно.

А Торопкий взволнованно постукивал по столу пальцами обеих рук, будто набирал какой-то текст на невидимой клавиатуре. Или будто играл на пианино, но это сравнение ему шло меньше – к музыке Торопкий был глух.

– Значит, и у нас зеленые человечки[1] появились! – высказал он догадку.

– Откуда? Он просто больной. Ненормальный.

---

[1] Зелеными человечками, а также вежливыми людьми называли людей в военной форме без опознавательных знаков, которые действовали на территории Украины, обеспечивая процесс присоединения Крыма к России в 2014 году, а потом подготовку протестов и последующего вооруженного конфликта в Донецкой и Луганской областях.

— Отличный ход! Они теперь будут еще и психами прикидываться!

— Сам не сойди с ума, — остерегла Анфиса. — Скоро уже палаточников за диверсантов будешь принимать.

Она имела в виду мелких торговцев, которые располагались на улице Мира по выходным дням с обеих сторон, украинской и российской, и торговали всякой всячиной. Украинцы чаще овощами, фруктами и конечно же салом, а россияне бытовой химией и дешевой одеждой.

— Я ще не такий дурень! — запальчиво воскликнул Торопкий, вскочив из-за стола. — Темряву від світла відрізняю!

Анфиса поморщилась:

— Охота говорить на языке, которого не знаешь!

— И стыдно, что не знаю! Учу, как тебе известно! У мене дід хохол, прадід хохол, мама з татом українці, а я, як дюдя безрідний! — тут же продемонстрировал Торопкий успехи в изучении украинского языка.

— Что такое дюдя?

— Ну, типа дурачок, беспамятный.

Дурачок не дурачок, но горячится по-дурному, подумала Анфиса. Таким горячим он и приехал сюда, в глушь, намереваясь поднять провинциальную прессу на небывалую высоту. Встретил Анфису, очумел от любви, победил ее напором, бешено работал, в одиночку заполняя половину газеты, его поставили редактором, Анфиса согласилась выйти за него замуж... Был счастлив, утихомирился: Грежин всех помаленьку остужает, подчиняя своему неспешному ритму. Но тут начались известные события, всколыхнувшие Украину, и Торопкий опять ожил, строчил обличительные памфлеты, грудью встал на защиту будущей полной независимости Украины, интегрированной в Европу, начал изучать украинский язык и историю страны, открывая удивительные вещи, так как изучал не по книгам, а по интернету, полному в ту пору самых фантастических теорий.

Говорил об этом с утра до ночи, надеясь на полемику с женой, но она ускользала, отмалчивалась, а если и решалась спорить, быстро признавала себя побежденной.

Анфиса настолько погрузилась в свои мысли, что перестала слушать мужа, а тот произнес целый монолог на какую-то тему, расхаживая по комнате и размахивая руками, а потом вдруг встал перед Анфисой и замолчал. Смотрел вопросительно.

– Извини, – сказала Анфиса.

– Не знаешь, что ли?

– Что?

– Адрес, адрес этого твоего Аркадия?

– Почему моего? Ты тоже с ним хорошо знаком.

– А ты с ним училась! В гостях разве ни разу не была? Где живет, можешь сказать?

– Зачем?

– Хочу своими глазами посмотреть на этого зеленого человечка.

– Глупости.

– Может, я сам решу, что глупости, а что нет? – обиделся Торопкий.

Тридцать четыре года человеку, подумала Анфиса, большой, плечами – чистый шкаф, а на самом деле ему будто семнадцать. Или даже пятнадцать. Это во всем сказывается. Он даже в постели ведет себя по-мальчишески – дурачится, хихикает, балуется. Отвлекает.

Разведусь я с ним, подумала Анфиса.

И сразу ей стало легче, хотя она понимала, что разведется не скоро, а может быть, и никогда. Но сама готовность к этому ее обрадовала. Так бывает у человека, который многим в жизни мучился, страдал, изнемогал и вдруг понял, что вполне спокойно готов к самоубийству, и это вселяет в него новые жизненные силы, потому что он теперь помнит: всегда могу все прекратить. Многие из таких людей живут до глубочайшей старости и цепляются за жизнь до последнего вздоха, что тоже объяснимо: уход естественный противоречит их идее добровольного ухода. Не ходи ко мне, смерть, я приду к тебе сам, выразился бы автор в каком-нибудь стихотворении, если б был поэтом.

Анфисе было заранее жаль мужа, которого она бросит, и она ласково сказала:

– Леша, куда ты на ночь глядя? Давай я картошечки с луком пожарю. И малосольные огурчики есть.

– Вот вернусь – и с удовольствием!

Анфиса адреса не знала, но глазами помнила и объяснила, как найти дом Аркадия.

Торопкий уехал на своей «ниве-шевроле», наполовину редакционной, наполовину собственной, Анфиса выпила еще две чашки горячего чая, но все не могла согреться. Надо принять душ. Год назад Торопкий оборудовал в этом старом доме ванную комнату с электрическим нагревательным баком, сам установил всю сантехнику, выложил пол и стены узорчатой керамической плиткой – он многое умел, когда хотел.

Стыдливо зарумянившись, с таким видом, что просто хочет согреться, Анфиса зашла в ванную, разделась, посмотрела в зеркало на свое тело, которое Евгений назвал идеальным. Что ж, плечи точно хороши. Да и грудь. И живот неплох. Дальше было не видно – зеркало показывало только до пояса. Можно рассмотреть и без зеркала, лежа в ванной. И она легла в ванну.

Через полчаса Анфиса вышла утомленная и слегка разочарованная, но уже без того беспокойства, что не оставляло ее весь день после встречи с Аркадием. Выпила еще две чашки горячего чая и прилегла вздремнуть, чувствуя с удовольствием, что, кажется, все-таки заболела.

ГЛАВА 7

ЯК ПОЗВЕТЬСЯ, ТАК І ВІДГУКНЕТЬСЯ[1]

Торопкий пришел в дом супругов Емельяненко как раз к ужину. Машину ему пришлось оставить на границе. Его легко пропускали в обе стороны, зная в лицо, но с машиной можно только по спецпропуску, которого у Торопкого не было.

По совпадению на столе тоже была жареная картошка с луком и малосольные огурцы, да еще Нина приготовила куриные котлеты.

Евгений ел с благодарным аппетитом, хотя не удержался от комментария:

– Если принять индекс чистой глюкозы за сто, то индекс картофеля равен семидесяти. В результате кулинарной обработки с помощью варки гликемический индекс картофеля поднимается до девяноста. А жареная картошка вообще липидо-гликемический продукт, содержащий огромный уровень канцерогена акриламида.

– Не хочешь, не жри! – заметил Владик.

– Но-но! – воспитательно прикрикнул на него Аркадий.

Евгений, улыбнувшись, объяснил родителям:

– Грубость ребенка в этом возрасте может объясняться двумя причинами. Либо он копирует кого-то из взрослых...

– Тебя! – тут же вставил Аркадий, указав вилкой на Нину.

---

[1] Как аукнется, так и откликнется.

– Либо, – продолжил Евгений, – ему не хватает родительского внимания, и он его таким образом привлекает.

Хотя Нина уже привыкла к странностям деверя, она не стерпела:

– Уж кому-кому, а ему этого внимания хватает, весь день около него кружусь! А ты, Женя, в самом деле, хватит про еду рассказывать. Будто мы не знаем, что вредно, а что нет. Если подумать, все вредно.

– Не могу не согласиться. Те же малосольные огурцы – при неплохом действии в смысле профилактики атеросклероза они содержат слишком большое количество соли. И даже безобидная курятина не так уж безобидна. Современных кур пичкают кормами с содержанием эстрогенов, а эстроген – половой гормон женщины, способствующий увеличению массы тела не только курицы, но и человека.

Нина от этих слов чуть не поперхнулась котлеткой, закашлялась, сплюнула.

И как раз в этот момент, постучав, вошел Торопкий.

– Привет! – бодро и деловито сказал он и тут же объяснил причину появления: – Анфиса говорила, Аркадий, что ты с братом заходил, а я вспомнил, что ты мне рассказывал про малую типографию, где можно газету дешевле печатать. Это что ты имел в виду?

– Это я ее имел в виду, – кивнул Аркадий на Нину. – Ее папаша бизнес придумал: купил мини-типографию, этикетки шлепает для контрабандного товара, спрос хороший, но мощность не загружена, так он еще и всякие брошюрки под заказ берет. И листовки. Ему недавно как раз листовки заказали, прямо шедевр, я одну себе оставил. Сейчас.

Аркадий встал и пошел к книжному шкафу.

– Ужинать с нами, Алексей, – пригласила Нина.

Торопкий не хотел угощаться в доме, где пахло вражеским духом, но в нем уже был настрой именно на картошку с луком и огурцами; картошку с луком и огурцами обещала Анфиса, и его желудок уже мечтал о них – но после того, как будет выполнена миссия. А тут и мечтать не надо, все на столе – ароматное, манящее. И Торопкий, поблагодарив, сел.

– Заметно было, – сказал Евгений, внимательно наблюдавший за Торопким, – что слова насчет типографии были для гостя только поводом. В частности, он сделал вид, что совсем не замечает Евгения, и это было странно, учитывая, что Евгений выглядел все-таки не совсем обычно за счет своей военной формы. Что-то здесь было не так.

Обескураженный Торопкий не успел возразить, а Евгений продолжил:

– Также сразу был виден интерес Нины к этому человеку, что вполне объяснимо. Почему женщина, даже если она замужем, не должна обращать внимания на красивого мужчину? А он был красив породистой мужской красотой, той, что считается славянской и, в частности, украинской: высокий рост, крутые плечи, черные волосы, на верхней широкой губе чудились жгучие усы, хотя их на самом деле не было, глаза были орехово-карие, похожие формой на ивовые листья с их некоторой узковатостью и легким двусторонним загибом кверху, что встречается у многих так называемых хохлов, отчего глаза их кажутся немного хитроватыми, даже если обладатель глаз вполне прямодушен.

Нина громко стучала ложкой, сгребая на тарелку картошку из сковородки, Аркадий, доставший листовку, стоял с нею в руках, Торопкий сидел с прямой спиной, не зная, куда глядеть, а Владик зачарованно слушал, не понимая, что говорит его дядя, но видя, что на взрослых напала оторопь, и это ему очень нравилось.

– В самом деле, – после томительной паузы выговорил Торопкий, – мы даже не познакомились. Меня Алексей зовут, а вас?

— Евгений, ответил Евгений, — ответил Евгений.

— Ясно...

— Он у нас такой, — сказала Нина, ставя перед Торопким тарелку и тут же садясь на свое место. — Он, как бы это сказать...

— С причудами, — смягчил Аркадий то, что могла бы сказать Нина. — Так вот, читаю! — И он с выражением огласил содержание листовки: — «Гнилые мрази из ЛНР и Пидороссии! Уйдите с наших улиц! Это вы принесли смерть на Донбасс! От кого вы защищаете? Вы — тупорылые подонки, алкашня и шлюхи! Мы хотим жить, работать и растить детей в свободной, единой Украине!»

Торопкий слушал, тяжело нагнув голову.

— Самое интересное, что сразу после этого Свербухов, тесть мой мудрый, взял другой заказ, от ополченцев. — Аркадий показал другую листовку, и тоже ее зачитал: — «Граждане ЛНР! Выпалим с нашей родины боевиков Украины! Каждый может помочь по мере сил — транспортом, горючим, медикаментами, продовольствием. Мы воюем за нашу общую свободу!»

Аркадий, прочитав это с ехидным пафосом, щелкнул по листовке пальцем:

— На отличной бумаге, между прочим, цветная фотография — бойцы-молодцы, приятные молодые люди, нашли же таких! — Аркадий показал Торопкому, но тот не стал смотреть. Не поднимая головы, он медленно выговорил:

— Вот почему, Аркадий, ты, который вроде бы на словах сочувствуешь нашей национально-освободительной борьбе, выбрал именно эти две листовки? Почему те, кто пишет против ополченцев, а говоря правильно, боевиков, у тебя получаются дебилы и идиоты, а те, кто за боевиков, выглядят как вменяемые и разумные? Приятные молодые люди!

— Ты чего, Леша? — удивился Аркадий. — Ничего я не выбирал, я к тому, что Свербухов, тесть мой прекрасный, печатает листовки сегодня нашим, а завтра вашим.

– Потому что и ваши, и наши – дураки! – резко сказала Нина, оскорбившись за отца. – А с кого и деньги брать, если не с дураков?

– Значит, погибающие за свободу, дураки? – спросил ее Торопкий.

Нина замешкалась, Евгений тут же помог:

– На самом деле Нина не считала ни тех ни других дураками, ей просто жалко было молодых, здоровых, красивых мужчин, которые гибнут, не зря она при этом невольно глянула на мощную шею Алексея, любуясь ею и с горечью представляя, что и она может стать мертвой.

Нина совсем лишилась языка, только глотала воздух, а Аркадий строго сказал:

– Вот что, брат, ты хватит психозом свои глупости прикрывать! Выдумываешь неизвестно что!

– Вот именно! – поддержала Нина.

– Да нет, – не согласился Евгений. – Не выдумываю. Хотя я тебя, Аркадий, понимаю. Тебе неприятны личные темы, потому что ты боишься, что они могут коснуться твоей связи с Анфисой.

Если может после тишины наступить еще одна тишина, тише первой, то это был как раз такой момент. Даже Владик перестал жевать и болтать ногами. Нина окаменела. Торопкий, как сидел неподвижным, так и остался сидеть, лишь шея его, о которой так лестно отозвался Евгений, почему-то сделалась заметно краснее.

– Ты, брат... – выдохнул Аркадий. – Ты... Знаешь... Ты это... Ты не то... Ты, наверно, имеешь в виду, что мы с ней в школе дружили?

– Евгений понял поданный ему намек, – сказал Евгений, – и охотно согласился: да, я это имею в виду.

Загрохотали ножки отодвигаемого стула: Торопкий встал.

– Так, – сказал он. – Ладно. Спасибо.

И тяжело пошел к двери.

Помедлил, обернулся, сказал:

– И все-таки, Аркадий, как-то быстро ты точку зрения изменил.

– Какую?

– Сам понимаешь. На окружающее. Перекрасился, что ли? Ну-ну.

Едва закрылась за Торопким дверь, Нина негромко и жестко сказала:

– Владик, иди к себе!

– Мам...

– Я сказала!

Владик взял огурец – не потому, что хотел его съесть, а чтобы показать, что не побежден до конца, может что-то сделать по-своему, и ушел.

– Значит, и с ней тоже? – спросила Нина Аркадия.

– Почему тоже? С кем еще?

– Про Светланочку уже забыли?

– Нет, но...

– Ага, и про Светланочку помним?! Надо же, гигант, на два фронта работаем! Даже на три, если меня включить. Только меня уже не включай, понял? Главное, он еще и папу моего тут высмеивал, а сам ты кто? Ты предатель, понял?

– Кого я предал? – пробормотал Аркадий.

– Семью! Ты предатель семьи. И я тебя никогда не прощу, чтобы ты знал. Все, уходи отсюда!

С этими словами Нина встала, взяла тарелку с картошкой, к которой не притронулся Торопкий, и приготовилась то ли отнести ее к плите, то ли кинуть в Аркадия.

Аркадий попытался что-то сказать.

– Нина...

– Молчи! Лучше молчи! – крикнула Нина.

– Ладно, завтра поговорим.

Не сводя глаз с тарелки, Аркадий открыл платяной шкаф, выхватил оттуда куртку и пошел к двери.

– Ты чего стоишь? – спросил он Евгения.

– Меня не выгоняли, – сказал Евгений. – Тут хорошо. Тут есть проводной интернет. И красивая женщина, от которой мне ничего не надо, потому что она твоя жена.

– Надоел ты мне, псих, – отреагировала Нина. – Иди тоже отсюда. А завтра лучше тебе домой уехать.

– Евгений подумал: как это все нелепо, – сказал Евгений. – Жена любит мужа и гонит его из дома, хотя он тоже ее любит. Зачем это все? Тратится время на пустяки.

– Светланочку он любит! – не унималась Нина. – И Анфисочку, как выясняется. Может, еще кого?

– Даже если он еще кого-то любит, Нина, это не значит, что он не любит тебя, – объяснил Евгений Нине.

Эти слова окончательно вывели ее из себя, она размахнулась и кинула тарелкой в Аркадия. Тот увернулся, тарелка брякнулась об косяк и разбилась, картошка просыпалась на пол. Аркадий тут же убрался за дверь, за ним не спеша вышел Евгений, печально склонив голову набок.

ГЛАВА 8

ХТО НАВПРОСТЕЦЬ ХОДИТЬ — ДОМА НЕ НОЧУЭ![1]

Торопкий быстро и сердито шел к железной дороге, которая здесь совпадала с границей, за нею он оставил машину.

Нст, думал он, явно Аркадий изменился в сторону великодержавного российского шовинизма. Листовки поганые показывал. И этот придурок в военной форме. Все неспроста.

Аркадий в это время сказал Евгению:

— Спать будешь на полу, больше негде. Коврик постелешь, укроешься моей курткой.

— Ничего. В походных условиях, — легко согласился Евгений. — В войну люди зимой и в окопах спят!

Редактор Вагнер маялся, к нему привязалось, как привязывается глупая услышанная мелодия, как икота или тик, дурацкое желание называть себя (конечно, мысленно) в третьем лице. Вагнер разделся, думал он, сел на постель и посмотрел на свои ноги с синеватыми жилками и россыпями мелких синюшных кровоизлияний — ранний варикоз. Хотя, не такой уж и ранний, ау, вспомни, сколько тебе лет! Вагнер лег, думал он, действительно укладываясь, чувствуя, как ложе постели промялось под его тяжелым телом. Раньше он не обращал на это внимания, а теперь постель показалась будто не родная, будто Вагнер

[1] Кто напрямик ходит — дома не ночует.

в гостинице или, того хуже, в больнице. Вагнеру стало тоскливо, стало жаль молодости, юности, детства, здоровья, глупо потраченных лет. Вагнер вспомнил вдруг, подумал Вагнер, как в детстве мама отвела его к какой-то тетке. Маме надо было уехать куда-то, вот и отвела к какой-то тетке, какой-то дальней родственнице, в семью, где, помнится, было много детей, было шумно, маленького Яшу покормили и перестали обращать на него внимание, он просидел весь вечер на стуле, глядя в темное окно — там где-то была мама. Потом его взяли за руку и повели к сундуку с постеленной на нем старой шубой, уложили туда, в мягкое, но колкое, ничего не сказав, не поцеловав, как это делала мама. И он лежал и тихо плакал. И вот через бог знает сколько лет слезы опять навернулись на глаза. Давненько Вагнер ни от чего не плакал, подумал Вагнер, а слезы лились ручейками, чистые и прозрачные, совсем детские, он даже заулыбался от удовольствия так славно и легко поплакать.

К сожалению, думал Торопкий — впрочем, думал без сожаления, а с ощущением оскорбленной гражданской правоты, с предчувствием действия, а это, как известно, бодрит, — к сожалению, в украинской части Грежина сильны сепаратистские настроения, в том числе даже в кругах администрации. И как этому противодействовать, если в газете, где он редактор, нет ни одного слова по-украински, она выходит, как всегда и выходила, на русском языке! Пробовали выпустить дубль-издание на мове, пригласили двух розумних хлопцив, выпускников одного из харьковских университетов, но дело не пошло, никто газету на украинском языке покупать не желал. Ее и на русском-то не покупали, прямо скажем, издание распространялось по организациям в виде разнарядки, то есть добровольно-принудительной подписки, существовала газета на средства администрации — а если завтра откажутся финансировать?

Анфиса не спала, ждала мужа. После того как она приняла решение развестись с ним, ее охватило желание, которое после душа поутихло, зато потом возродилось с новой силой, прямо-таки какое-то до удивления нестерпимое, как в дни первых с Алексеем свиданий. Анфиса мяла подушку, сворачивалась калачиком, вытягивалась... Хоть опять иди в душ. Но нет, надо дождаться.

Светлана сидела, обняв колени, смотрела в темноту и представляла, как ее выпустят, как она начнет борьбу, напишет заявления во все инстанции, потребует суда. Она никогда не простит Мовчану смерть отца. Нельзя этого прощать. Он на коленях будет стоять и руки ей целовать. И Степа тоже. А она будет смеяться, но все равно не простит. Никогда.

Трофим Сергеевич Мовчан лежал рядом с тихо посапывающей женой Тамарой и думал о том, что идея народных дружин – хорошая идея. Война бушует совсем неподалеку и вот-вот может оказаться здесь, надо быть готовыми. А главное – славная инициатива к приезду Самого. Сам любит, когда что-то идет из народа навстречу власти, а если не идет, надо умело организовывать это движение. Сына Степу можно приспособить к этому делу, чтобы не бездельничал на каникулах. Хорошо бы основать для дружины свой печатный орган и поручить издавать его Светлане. Нет, не получится: она оппозиционерка, она сочувствует украинским фашистам. Новая инициатива, наоборот, должна ее раздразнить, она будет с нею бороться. И это тоже неплохо – даст повод еще раз схватить ее, посадить, допрашивать и, возможно, слегка пытать. Мовчан никогда не делал этого с девушками, красота ведь для любования, а не для того, чтобы ее мучить. Но есть люди, которые обливают картины кислотой, рушат скульптуры, а потом признаются, что сделали это из любви к ним. Вот и он, если придется все-таки помучить Светлану, будет это делать из любви, чтобы оказаться ближе к ней. Мысль об этом сильно и ощутимо подействовала на Мовчана. Он тронул жену за плечо. Та всхрапнула. Он потыкал ее пальцем.

— А? — подняла она голову и быстрым движением ладони вытерла влагу со рта.

— Спишь, как не жена, — упрекнул Мовчан.

— Трофим Сергеич, ты охренел?

— Можешь спать дальше, а я займусь, — молвил Мовчан, поворачивая ее к стене передом, к себе обратной стороной.

А ведь дело не только в украинских грежинцах, думал Торопкий. С российской стороны Грежина давно и целенаправленно введется подрывная работа. Почему, например, они не закроют границу, ведь это легко сделать! Гораздо легче, чем с украинской стороны, у которой меньше сил и средств. А потому что выгодно обеспечивать ежедневное проникновение. Внедрение. Ползучую экспансию. Вот в чем дело! И Аркадий притворился сочувствующим тоже для этого — втереться в доверие,

Для этого он и сошелся с Анфисой, осенило Торопкого. Да, в этом причина! Аркадий воспользовался школьной дружбой, чтобы выведать у Анфисы, что происходит в украинской части Грежина, чтобы ее завербовать, восстановить против мужа! Анфиса наивная, не от мира сего, вот и доверилась коварному Аркадию. В этом, может, вся связь и заключалась, а не в том, что бывает между мужчиной и женщиной. Пора Анфисе бросить работу на вражеской территории. И у себя дома что-нибудь найдет. Тоже ведь имеется поликлиника, а при ней больничный флигель на три палаты. Или станет вольным наркологом, а то всех запойных лечит один престарелый врач-пенсионер Колебаев Иван Тургеневич (отец его был обрусевший монгол по имени

Турген – человек, надо полагать, с большим чувством юмора, судя по тому, как назвал сына), а Колебаев сам постоянно болеет – то от возраста, то от того же, от чего лечит своих пациентов. Найдя, за что простить Анфису, и придумав, что с нею делать дальше, Торопкий развеселился, пошел быстрей. Вот уже гравий железнодорожной насыпи захрустел под ногами. И тут сбоку в темноте послышались голоса.

Нина улеглась ровно, удобно, чтобы ничто не мешало разжигать в себе злобу к изменнику-мужу. Но как-то не злилось. Вместо этого, стоит закрыть глаза, видела она эту проклятую шею Торопкого, которую так расписал Евгений. И большую его голову, широкие плечи. Просто наваждение какое-то. Нина открывала глаза, но с открытыми глазами вообще ни о чем не думалось, было пусто и одиноко. Закрывала глаза – опять Торопкий. А ведь рядом ребенок спит, стыдно-то как! Она посмотрела на Владика. Тот лежал на животе, уткнувшись лицом в подушку и раскинув руки. Спит, не видит ничего. Нина снова закрыла глаза – Торопкий тут как тут. Но ведь мне муж изменил, вспомнила она. И я думаю о Торопком не потому, что он мне нравится, а нарочно, чтобы отомстить Аркадию. И, разрешив себе это, она начала думать о Торопком уже без стеснения, во всех возможных вариантах. Но не по причине любви к нему, что отдавало бы развратом, а по причине мести, что все оправдывало.

– Как хочешь, Женя, – сказал Аркадий, – но в самом деле, или придется тебе в Пухово вернуться, или я тебя в психушку сдам. Кто тебя просил ляпать про Анфису?

– Евгений признал, что это было ошибкой, – признал Евгений.

– А толку, что ты признал? Нинке это не объяснишь теперь! Что обидно: было-то один раз пять лет назад. Нинка ведь и развестись может, если ей в голову ударит!

Евгений ровным голосом произнес:

– Лев Толстой сказал, что брак есть вечная борьба мужчины и женщины за власть друг над другом. Бернард Шоу сказал, что брак – уродливая форма сосуществования двух разных существ. Чехов сказал, что брак крепок, когда сильна половая любовь, все остальное скучно и ненадежно. Оскар Уайльд сказал, что брак – пусть к убийству себя и любимого человека.

– Он был голубой, не считается. Много ты помнишь, как я вижу.

– Да. Фрейд сказал, что, когда люди женятся, они живут не друг для друга, а для кого-то еще. Для общества. Для детей. Для прокормления. Для порядка. Он же сказал, что секс в браке без влечения – одна из частых причин импотенции. Лао-Цзы сказал, что без фундамента общества рухнет дом любой семьи. Кастанеда сказал, что, если муж и жена окажутся вдвоем на необитаемом острове, муж первым делом утопит жену. Или съест.

– Лихо. Что же, людям жениться вообще не надо?

– Почему? Чехов советовал одному из братьев побыстрее жениться, потому что это его спасет. Толстой считал, что без брака человек – зверь. Нечего защищать, нечего жалеть. Бернард Шоу сказал, что в браке проявляется все плохое, но и все хорошее. Бог сказал: плодитесь и размножайтесь.

– Ты только Бога не трогай!

– Нельзя тронуть то, чего нет

– Ты еще и в Бога не веришь?

– Верю.

– Это как? Его нет, а ты веришь?

– Верить в то, что есть, намного проще.

– Я чувствую, у тебя в голове кислое с пресным, холодное с горячим, каша, в общем.

– Как у всех, согласился Евгений, – согласился Евгений.

– Ну нет. Я точно знаю, что Нинку свою люблю.

– Такого не бывает. Никто никого не любит целиком. Ты любишь в ней что-то. Всё целиком вообще любить нельзя. Вот мы сегодня говорили о картошке. Что она и полезная, и вредная. Каждый человек тоже и полезный, и вредный, и хороший, и плохой. Любят за хорошее. А иногда и за плохое. Но вообще-то все люди любят всех людей. Потому что в каждом человеке есть хоть маленькое зеркальце, в котором каждый другой человек может увидеть себя. Видит – и любит.

– Это кто тут? – спросили из темноты.

А потом по глазам ударил луч фонарика.

Торопкий закрыл рукой глаза.

– С кем имею честь? – спросил он, становясь подчеркнуто вежливым, как всегда в острых жизненных ситуациях: вежливость в таких случаях была для него как шест для канатоходца – помогала держать равновесие.

– Документы покажем!

Луч фонаря ушел вбок, Торопкий проморгался, вгляделся. Перед ним были два российских пограничника, Толя и Коля, с которыми он встречался уже, когда шел сюда. Сказали друг другу «Привет! – Привет!» – и разошлись, а теперь вдруг – документы. Почему?

– Толя, Коля, мы же виделись! Вы же меня сто лет знаете!

– Мы и в ту сторону обязаны были документы посмотреть, но не успели, – сказали Толя и Коля. – Ты слишком быстро пробежал. Как заяц.

Торопкий достал паспорт, протянул. Толя и Коля внимательно пролистали его под фонарем.

– Ходишь и ходишь туда-сюда,– сказали они. – Без конца ходишь и ходишь. Зачем?

– По делам.

– Это каким?

– Слушайте, ребята, что случилось? Все время нормально пропускали, а теперь... Не понимаю.

– Мало ли, что все время, – сказали Толя и Коля. – Может, у нас новый приказ есть?

– И что там?

– Не имеем права говорить, – государственно объявили Толя и Коля. – А вот задержать имеем право. С целью депортации.

– Так депортируйте сейчас.

– Это одно, а то другое. Если мы тебя официально депортируем, ты сюда уже не попадешь.

– Толя, Коля, но я же не знал про ваш новый приказ! Давайте так: уплачу штраф, а в другой раз буду осторожнее!

– Это можно, – сказали Толя и Коля.

– Вам в рублях или в гривнах? – спросил Торопкий.

– Да все одно. Хоть в юанях!

Юаней у Торопкого не было, он дал Толе и Коле гривны – столько, сколько, по его представлению, было достаточно.

И угадал: Толя и Коля остались довольны, вернули паспорт и сердечно с ним распрощались, пожелав доброй ночи.

– Поэтому, – продолжал Евгений, – ты что-то любишь в Нине, что-то в Светлане, а что-то в Анфисе.

– Вообще-то да. Знал бы ты, какая у Нинки...

Аркадий не договорил, вздохнул и повернулся на бок.

– Все. Пора спать.

– Утро вечера мудренее, – согласно откликнулся Евгений. – Будет день, будет и пища. Всякое семя знает свое время. День да ночь – сутки прочь. Лови Петра с утра, а ободняет, так провоняет.

– До утра будешь куковать? – спросил Аркадий.

– Память тренирую, – сказал Евгений. Но замолчал. Вернее, продолжил вспоминать пословицы, но не вслух, только шевелил губами и улыбался, радуясь богатству русского языка и своей памяти.

А Торопкий, перейдя дорогу и направляясь к своей машине, подумал: для полного анекдота не хватает, чтобы сейчас встретился украинский кордон и тоже учинил проверку документов.

Глядь: двое. И один тоже Коля, а второго зовут Леча. Они встретили Торопкого приветливее, чем российские пограничники, с улыбкой.

Но все же сказали:

— Леша, дорогой, покажи документы.

— Так вы меня уже видели, что ж сразу не спросили?

— Сразу ты туда шел, а теперь обратно идешь. Мы для тебя же проверяем, чтоб ты не забывал документы носить.

— Как я забуду, если я на машине? Вот — и права, и паспорт.

Коля взял паспорт, а Леча права. Осмотрели.

— Вообще-то половина двенадцатого уже, — сказал Леча.

Торопкий вспомнил, что после десяти часов вечера переход через границу запрещен. То есть он и в течение дня запрещен во всех местах помимо КПП, но негласно разрешался. Да и после десяти разрешался, поэтому строгость пограничников была необычной.

Что-то происходит, подумал Торопкий. Что-то происходит, а я не знаю. Какой я после этого журналист?

— Какой-нибудь новый циркуляр или приказ прислали? — решил он выведать.

— Каждый день что-нибудь присылают, брат, — уклончиво ответил Леча.

— Но я-то не знаю, давайте штраф заплачу, — предложил Торопкий, которому очень хотелось домой.

— Мы что, чужие? — обиделся Леча. — Не надо нам штраф, лучше в следующий раз принеси маслоприемник для «девятки», он копейки стоит, а у нас тут нет.

— Маслоприемник, хорошо.

— Для «девятки».

— Запомнил, маслоприемник для «девятки». Я, может, и тут найду.

— Вот спасибо! Будь здоров, привет семье!

А над Грежиным, на крутом кустистом холме, стоял приехавший из Москвы инженер-проектировщик и архитектор Геннадий Владимирский. Он оглядывал поля, леса и речку Грежу, огибающую поселок. Вон там и там могут без ущерба для пейзажа пройти две железнодорожные колеи. А там — удобное место для моста. А на том вон пустыре разместятся пути и строения железнодорожного узла, а при нем — терминально-логистический центр.

Геннадий всегда любил технику, но всегда любил и природу. Идеальной воображаемой картинкой для него было — стремительный поезд, летящий по эстакаде над бескрайним зеленым полем, там и сям виднеются игрушечные маленькие города, а вдали горы, а за горами — море, эстакада уходит куда-то туда, в горы и море, плавно изгибаясь, как Великая Китайская стена.

Геннадий нетерпеливо хотел будущего в свои двадцать семь лет, не только своего, а общего, когда не будет границ, когда Землю опутает сеть элегантных железных дорог, точнее говоря — магнитных, по которым бесшумно помчатся с самолетной скоростью поезда, и путь от Лиссабона до Владивостока длиною в тринадцать с половиной тысяч километров займет всего восемь-десять часов, и, заметим, приятных часов, учитывая, что в таком поезде будет обеспечен осмотр запечатленных пейзажей в замедленном режиме, если кто чего не разглядел. Желающие смогут перейти в вагон с софт-катапультами — капсулами, которые способны отделиться и мягко затормозить, свернув на боковую ветку, и каждый сможет не спеша полюбоваться горами Урала, Алтая, великими реками, тайгой и Байкалом.

С детства Геннадий любил сочетание большого, величественного, и малого, уютного. Его одинокая мама послушно покупала сыну наборы лего, из которых он сооружал космические корабли, а рядом обязательно строил домик с садиком, маленькими человечками, скамеечками, столиками, собачками. Ему очень нравилось: стоит огромный корабль, а вокруг него обычная жизнь. Получается, что корабль большой, но домашний, обитатели домика могут в любой момент полететь на нем куда-нибудь отдохнуть в выходной день.

Он уважал все техническое, сложное, но не само по себе, а потому, что это сделали люди. Геннадий удивлялся уму людей, придумавших ракеты, самолеты, автомобили, поезда, компьютеры, мобильные телефоны и все прочее, что умножается и обновляется каждый день. С четырнадцати лет он уже подрабатывал тем, что устанавливал программы на компьютеры знакомых мамы и знакомых ее знакомых; его, как дельного специалиста, передавали по цепочке, рекомендовали друг другу. К семнадцати годам он зарабатывал втрое больше мамы, а в восемнадцать купил первую подержанную машину, которую холил и лелеял, изучил до мельчайших деталей и проводков. Но мощь многолюдного транспорта привлекала его больше. Конечно, частный, личный автомобиль очень важен, и не только из-за скорости и удобства, главное – ощущение самостоятельности, автономности, независимости, насколько это возможно в транспортных потоках. Геннадий не шутя считал, что личные автомобили, хлынувшие в наше Отечество с девяностых годов, дали вечно безлошадному российскому человеку, привыкшему, что его везут, а он послушно и пассивно едет, больше чувства свободы и готовности к переменам, чем любые другие демократические и экономические реформы. Но они же, автомобили, потом и закабалили привязанностью к собственности, кредитами и долгами, желанием улучшить не общество, а в первую очередь свой автомобиль, да и вообще – своя машина ближе к телу.

Геннадий был уверен, что весь мир должен в ближайшем будущем пересесть на комфортабельный общественный транспорт, это экономичней, экологичней и полезнее в смысле дружелюбного общения людей друг с другом в равных по удобству условиях. Потом, лет через тридцать или сорок, они опять обзаведутся индивидуальными средствами передвижения, скорее всего воздушными, но это будут уже другие люди, грамотно умеющие сочетать личное и общее.

Учась в Московском университете путей сообщения, Геннадий создал студенческое конструкторское бюро, которое разработало ряд смелых проектов высокоскоростных поездов с различными принципами движения, включая гравитационные. Он стал победителем международного студенческого конкурса, побывал в США, в Китае, в Японии, где с восторгом прокатился по линии «Тохоку-синкансэн» со скоростью около 700 километров в час, чувствуя себя почти своим среди японцев, так как роста он был небольшого, а верхние веки слегка припухшие. Он влюбился в японцев и в Токио, как, впрочем, влюблялся и в американцев в Нью-Йорке, и в китайцев в Шанхае и Чунцине. Люди, создавшие такие дороги и такие поезда, конечно, достойны любви. И уважения.

И вообще, боже ты мой, думал иногда Геннадий, холодея от изумления, сколько же мыслящего мозгового вещества в головах миллиардов людей, живущих в мире! Это вещество постоянно работает, шевелится, хочет удивить себя и других. Да и сам Геннадий, если бы его спросили, чего он хочет больше всего, ответил бы: удивлять себя и других. Удивлять и радовать, что почти одно и то же. В этом, наверное, и смысл жизни. Глядя на красивое и оригинальное здание, смело стачанный автомобиль, на хорошую игру актеров в кино или на фантастических спортсменов, черт-те что вытворяющих со своим телом и пространством, восхищаясь мыслями и слогом хорошей книги, Геннадий гордился архитекторами, дизайнерами, конструкторами, людьми спорта, искусства и литературы, не различая, кто они, американцы, немцы или русские, он не был болельщиком *наших* в узком смысле, потому что все земляне для него были — наши.

Геннадий даже стеснялся простоты своих мыслей и воззрений на мир. Он не понимал философских, идеологических и политических споров, вернее, не видел в них смысла, ему все давно уже представлялось ясным: хорошо то, что объединяет людей для хороших дел, и плохо то, что их разделяет или объединяет для дел плохих. Уточняющие вопросы о том, какие дела считать хорошими, а какие плохими, он считал нарочитым придуриванием: это и так все знают. Нации, религии, партии — все это внешнее и второстепенное, полагал Геннадий. В каких-то условиях они важны и нужны, в каких-то вредны и мешают, жизнь в конечном счете определяют очень простые вещи — любовь и тяга к друг другу. Вот и все. Так глупо, что и не поспоришь, посмеивалась над этими рассуждениями одна из его подруг, с которой он до сих пор сохранил хорошие отношения, хоть и на расстоянии.

Главное, это работало в его жизни, включая такую важную для молодого человека сторону, как общение с девушками. Если Геннадию кто нравился, он выражал это прямо и открыто, свободными словами. Кого-то это пугало, но Геннадий не огорчался — значит, нет порыва к объединению для радости. А кому-то было по душе, и наступала пора удивлять и удивляться тому, сколько хорошего и интересного открывается при согласном объединении двух людей. Это редко продолжалось долго: девушки считали, что общаться с Геннадием во всех смыслах приятно, но для брака он чересчур экзотичен и слишком занят своей работой и своими мыслями. Да и небогат по московским меркам, прямо скажем, хотя Геннадия приняли после университета в большой коллектив, разрабатывающий Национальную систему высокоскоростного движения. Но он там занимался не столько конкретными разработками, сколько проектами будущего, а за будущее, как известно, платят мало, поскольку не насущно. Приходилось, как и раньше, подрабатывать, но конкуренция становилась все жестче, а рынок услуг, наоборот, сужался за счет того, что пользователи сами становились продвинутыми, да и заложенное в электронных устройствах обеспечение все более совершенствовалось, не требуя вмешательства. Геннадию в принципе нравились деньги: с их помощью можно удивлять подарками маму и девушек, они позволяют путешествовать, окружать себя красивыми уютными вещами – как в тех идеальных домиках, которые он строил в детстве. Он ценил и любил роскошь. Тут бы, конечно, подобрать другое слово, Геннадий как-то попытался найти синоним, и в словаре открылось: блеск, богатство, изобилие, великолепие, изящество, люкс, шик, излишество, пышность, баловство, нарядность... Нет, все не то. Комфорт? Тоже не то. В списке не оказалось слова *гармония*, а оно, пожалуй, было ближе всего к тому, чего он хотел. Да, гармония. Как гармонично изначально человеческое тело. Или самолет и, конечно, поезд. Тело можно улучшить гимнастикой. Самолет и поезд – усовершенствовать. Вот тут, наверное, и разгадка: Геннадий понимал роскошь как гармоничное усовершенствование того, что и так хорошо, но может быть лучше. Если может – почему не усовершенствовать? Природа не храм, а мастерская, прочел он однажды, и не согласился. Скорее это мастерская в храме; вспомним, кстати, что все храмы – дело рук человеческих, и многие их детали производились именно в мастерских.

В отделе, где он работал, его уважали – Геннадий, помимо футуристических, вносил немало полезных на практике идей, – но все-таки считали слегка чудаковатым, видя, сколько времени он тратит на нереализуемые проекты или реализуемые в далеком будущем. Его руководитель Сапрыкин, тоже тот еще мечтатель, но тайный, жалел Геннадия, он-то и устроил ему командировку в Грежин, чтобы на месте прощупать возможности сооружения здесь крупного узла, который, возможно, будет необходим на юго-западном направлении, которое, возможно, будет развиваться в ближайшем будущем, если, возможно, не свернут не только это направление, но и весь национальный проект, а к тому, возможно, все идет. Работать придется вместе с другими специалистами, предупредил он, но это даже интересно.

Геннадий с удовольствием поехал.

Он сидел в обшарпанном купе плохонького поезда с дурно пахнущими туалетами, смотрел на медленно проплывающие за окном пейзажи, местами живописные, часто голые и пустые, на здания и сооружения городов, поселков и станций, в большинстве своем безликие или уродливые. Геннадий, хоть и чурался политики, грустно не любил власть и государственную систему за то, что они мало сделали для того, чтобы объединить людей стремлением сделать красивой и целесообразной свою жизнь, но не менее грустно сердился он и на родной народ, слишком привыкший жить в общей неопрятности, свою личную при этом еще кое-как соблюдая.

По приезде он вселился в гостиницу «Грежа», в номер с выцветшими обоями и древесно-стружечной полированной мебелью. Пол был застелен ворсистым паласом грязно-серого цвета, но даже на этом скрывающем нечистоту цвете виднелись темные пятна – следы буйных попоек командированных служилых людей, вырвавшихся на свободу от работы и дома. Геннадий удивил коридорную, спросив, нет ли у них моющего пылесоса – почистить палас. В ответ он услышал: а может, к этому еще и шампанское в номер, и девушку на ночь? Геннадий отказался от шампанского и девушки, попросил веник, ведро с водой и прошелся по паласу, вычищая его, насколько возможно. Потом обрызгал номер купленным в соседнем магазине дезодорантом, потом проветрил, не поленился сходить на базарчик, откуда принес букет полевых цветов и дюжину антоновских яблок. Разложил яблоки на подоконнике, и они немедленно начали пахнуть – природой, молодостью, летом, пахнуть роскошно именно в том понимании, которому Геннадий не нашел синонима. Коридорная хмуро сидела у себя в комнатке, а потом не выдержала и явилась с целью отчитать за самоуправство, а заодно напомнить, что номеров много, а она одна. Но постояла, посмотрела, ушла и вернулась с кувшином синего стекла и поставила в него букет Геннадия. Отошла, полюбовалась и сказала с доверительной секретностью, как своему: «Между прочим, насчет девушки я не шутила. Есть у нас тут – и свои, и из беженок. Могу устроить. Свежие девчонки, неиспорченные».

Геннадий отказался настолько деликатно и вежливо, что коридорная не обиделась, только вздохнула, жалея, что сама уже не так молода. Озорно воскликнула: «А то бы прямо даром для хорошего человека!» – хлопнула Геннадия по плечу, зарделась, захохотала и ушла, сама себя стыдясь.

Простояв около часа на холме над Грежином, Геннадий спустился и пошел к гостинице. Она была в центре. Там же, в центре, располагались и все жизненно важные учреждения, включая отдел внутренних дел.

Каблуки четко стучали в тишине: Геннадий не признавал спортивной обуви, в которой поголовно ходят все, предпочитал туфли; ночной легкий ветерок обвевал его ноги тканью брюк – джинсы Геннадий тоже носил редко. Он вообще любил костюмы – зимой темные, летом светлые и легкие. И никаких футболок, только рубашки. Все, конечно, безукоризненно выглаженное. Брюки – со стрелочкой.

Геннадий проходил мимо железных синих ворот, странно ярких в ночном свете. На каждой из двух половин в центре была черная звезда (или такой казалась?) с расходящимися лучами. Видимо, эта символика вместе с воротами существовала здесь давно, с советской власти. Власть кончилась, символы превратились в украшение. По бокам ворот высилась решетчатая ограда. Геннадию показалось, что там, за оградой, стоит человек. Стоит и смотрит на улицу.

– Здравствуйте, – наугад сказал Геннадий.

– Здравствуйте, – ответила Светлана.

Это была она – сержант Клюквин отпустил ее подышать, зная, что из замкнутого пространства двора она никуда не денется. Хотя на всякий случай сказал:

– Если что, стреляю без предупреждения.

– Ладно.

Серега понимал, что стрелять, конечно, не будет ни в каком случае, и Светлана это понимала, но обоим стало спокойнее. Когда есть уговор, пусть и невыполнимый, это все же лучше, чем совсем без правил.

– Что это вы тут? – приблизился Геннадий.

– Стою, – буквально ответила Светлана.

– Какая красивая, – разглядел Геннадий.

– Знаю, – спокойно сказала Светлана.

– Это что тут такое? Местная тюрьма, что ли?

– Вроде того.

– И вы тут сидите?

– Да. Немного осталось. До завтра.

– И за что вас?

– Да ни за что.

– Это плохо.

– Что ж хорошего.

– Может, вам что-то нужно?

– Нет, спасибо.

– Меня Геннадий зовут.

– А меня Светлана. Вы с праздника какого-то?

– Почему?

– Одеты так.

– Я всегда так одеваюсь.

– Для оригинальности?

– Нет. Нравится.

– Это хорошо. А то все мятые ходят. Вы откуда вообще?

– Из Москвы. По работе.

– Далеко заехали.

– Да.

– Нравится у нас?

– Что-то да, что-то нет. Дадите свой номер телефона?

– Зачем? – спросила Светлана и засмеялась. – Вот я глупости спрашиваю. Да конечно, почему нет?

И продиктовала номер, а Геннадий записал и сказал:

– Спасибо. До свидания.

– До свидания.

И ушел этот небольшой, аккуратный человек в своем светлом костюме, в своих постукивающих туфлях, ушел, закончив разговор не рано и не поздно, а точно в тот момент, когда нужно. Это редкое умение в людях, и Светлана его очень ценила – знать меру во всем. Сама она была, возможно, в чем-то чрезмерна, хотя понимала, что именно чрезмерность вредит жизни и людям – не та, которая у нее, а другая, с которой она чувствовала необходимость бороться. Однако бороться лучше, когда рядом есть спокойный и разумный советчик, и Светлана решила, что при первой же встрече обязательно все расскажет Геннадию. Чутье ей подсказывало: именно этот человек нужен ей. Сначала для совета, а там видно будет.

На самом деле, еще не влюбившись, она предчувствовала, что влюбится. Душой она видела уже и дальше, туда, где будет не только счастье, но и какое-то большое горе. Ей было радостно и тревожно, и как-то вдруг сразу захотелось спать, будто организм напомнил о том, что надо хорошо отдохнуть перед будущими испытаниями.

Аркадий же все не мог заснуть, ворочался, с завистью смотрел на Евгения, который спокойно лежал на спине с закрытыми глазами и ровно дышал.

– Спит как ни в чем, – пробормотал Аркадий.

Ответом было:

– Кто? – спросил Евгений, который действительно спал, но чутко, он и во сне все слышал и, если было нужно, просыпался сразу же, готовый ко всему.

– Да ничего от тебя не нужно. Я вот просто думаю: с какой стати Торопкий на меня наехал? Не по поводу Анфисы, тут все ясно, а в том смысле, что я, как он сказал, перекрасился? С чего он взял?

– Другим человеком стал наш Аркадий, – говорил примерно в это же время Торопкий, ложась рядом с Анфисой. – И дело не в этом дураке, который к нему приехал. Хотя дурак все-таки подозрительный. Чувствую: что-то в воздухе носится.

– Война носится, – сказала Анфиса, поворачиваясь к нему и кладя на его прохладную грудь свою горячую руку.

– Какая ты, – сказал Торопкий. – Как печка. Не заболела?

– Немного, да. А ты прохладный, приятный. Обними.

Торопкий обнял, обнаружив, что на Анфисе нет никакой одежды и что она вся горит от жара болезни. Ему стало ее жаль, но телу захотелось в эту жару так, будто оно замерзло, будто зима вокруг, а не лето, будто он пришел с мороза и нырнул сразу же в постель.

Эх, не успею договорить, подумал он. А потом говорить как-то уже... Нехорошо. Даже подло. Лучше уж завтра.

– Главное, – вслух размышлял Аркадий, – притащился в такую даль на ночь глядя. Ведь он не знал насчет Анфисы, почему так спешил?

– Узнал про меня. Я в военной форме. Он что-то заподозрил, – предположил Евгений.

– Точно! На разведку приходил! Подумает еще, что я с Анфисой связь поддерживаю для чего-нибудь такого. Тоже для разведки.

– Я уверен, что подумает, – подтвердил Евгений.

– Женя, но ведь это выход! Не хочется ведь женщину подставлять, понимаешь? Я Нинке так и скажу! Что общался с Анфисой не как с женщиной, а как с женой представителя вражеского лагеря!

– Нина считает, что ты этот лагерь поддерживаешь, – напомнил Евгений.

– Я тоже думал, что поддерживаю. Но они же зарвались, хохлы эти, у них голову уже снесло от национально-освободительной идеи! Кто их захватывал, от кого освобождаться? Лучше бы своих воров и жуликов к ногтю прижали! Тут, в Грежине, они тихие, но сколько их воюет против России, сколько в своих братьев стреляет? Да и тут у них неизвестно что. Кто такие третьяки? Наши? С какой стати? Им выгоднее воду мутить. Если подумать, идея насчет дружины – вполне здравая. Будет контроль, будет ясно, кто на самом деле все эти бесчинства творит!

– Напиши об этом статью, – посоветовал Евгений.

– И напишу! Да, у нас с Вагнером разногласия, в том числе из-за Светланы, повел он себя мерзко, прямо скажем, но мужик он в принципе нормальный! Болеет душой за Грежин, за... За все! Неравнодушный человек. И профессионал. А Нинке надо объяснить насчет Анфисы, что тут не любовь, а политика. Прямо завтра с утра и объясню.

– Евгений подумал, что, если бы Аркадий его спросил, он посоветовал бы не откладывать, – сказал Евгений.

– Считаешь? А в самом деле! Куй железо, пока оно есть, как говорит наш Вагнер. Остроумный человек, между прочим, когда-то в одесском чемпионате КВН участвовал, а это тебе не что-нибудь! Точно. Пойду и стукнусь. Не пустит – ей же хуже. Пустит...

Что будет, если пустит, Аркадий не сказал. Как бы само собой подразумевалось.

Он натянул шорты, выскочил из комнаты. Послышался негромкий стук в стекло.

Нина не спала. Кровать стояла возле окна, створки были по летнему времени открыты, а само окно затянуто марлей.

Стук повторился.

– Чего тебе? – спросила Нина

И Аркадий сразу же воспрянул: он не услышал в голосе жены ни злости, ни раздражения, ни даже обиды. Значит, успокоилась!

– Объяснить хочу, – сказал Аркадий. – Я к Анфисе приходил, чтобы ты знала, по делу. И в этот раз, и раньше.

Нина после мыслей о Торопком чувствовала себя виноватой, поэтому не стала слушать дальше.

– Ладно, замнем. В дом иди.

Аркадий впопыхах хотел отодрать марлю и влезть в окно.

– Комаров напустишь, через дверь! – велела Нина.

Она слышала, как Аркадий бегом поспешил к крыльцу, как споткнулся о ведро, ойкнул, выругался. И тихо засмеялась.

Анфисе в какой-то момент показалось, что она не руками и ногами обвивает Торопкого, а щупальцами, будто она и впрямь инопланетянка, превратившаяся в подобие осьминога, и сейчас задушит землянина, а потом выпьет из него кровь и опять станет похожей на туземцев, будет такой, как все.

Торопкий застонал, Анфиса испугалась, ослабила хватку.

– Ты чего?

Торопкий упал рядом, бурно дыша и улыбаясь. Даже если у нее что-то было с Аркадием, думал он, и что с того? Несправедливо, если вдуматься, что такая женщина принадлсжит одному человеку. Но кто сказал, что жизнь справедлива? Кому везет, тот и счастлив.

ГЛАВА 9

ПОКИ РОЗУМНИЙ ДУМАЄ, ТО ДУРЕНЬ ВЖЕ РОБИТЬ[1]

Степа Мовчан любил дорогу.

Он любил фильмы про дорогу — те, что у американцев называются «роуд-муви». Там обычно что-то приключается. Едут себе люди, и к ним кто-то садится. Если странный мужчина, жди фильма ужасов. Если девушка, значит, будет про любовь. Хотя не гарантия, девушка может оказаться зомби или вампиром. А еще часто в таких фильмах кто-то от кого-то убегает. Или, наоборот, догоняет. Это интересно, но Степе больше всего нравятся те кадры, когда просто едут. Обычно под музыку. Кругом пустыня с кустами и камнями. Вдали горы. Только дорога, и больше ничего. И одинокая машина. Красиво.

Степе хотелось когда-нибудь попасть в те места и проехать там. Можно с девушкой, но лучше одному. Или так: когда хочешь, чтобы была девушка, она есть, а когда не хочешь, ее нет.

Дорога, мотели. Никто тебя ничем не достает. Ты едешь и едешь.

Например, такое кино: знакомишься в мотеле с девушкой, едешь с ней до другого мотеля. Там знакомишься с другой, лучше предыдущей. И опять дальше. От мотеля до мотеля. Кино так и будет называться: «От мотеля до мотеля».

---

[1] Пока умный думает, дурак уже делает.

Ничего себе, подумал Степа, я сочинил сценарий. Надо же. Человек не знает своих талантов.

Он думал про кино, чтобы не вспоминать о своих неприятностях.

Степа учился на предпоследнем курсе Белгородского юридического института МВД. Он попал туда не сразу. Сперва отец решил, что сыну неплохо бы послужить. Через знакомых устроил Степу в белгородский батальон ППС (патрульно-постовой службы). Что считается за службу в армии, то есть два зайца сразу.

Потом Степа вернулся в Грежин, поработал под началом отца, попросился продолжить обучение. В институт МВД его, уже служившего, взяли практически без экзаменов.

Началась молодая студенческая жизнь со всеми ее плюсами и минусами.

Откуда минусы? Оттуда, что Степу губили его доброта и отзывчивость. Это проклятие его жизни. Взять ту же Светлану Зобчик. Почему-то в школе все решили, что Степа должен за ней ходить. Так у них это называется: ходить. Степа признавал, что Светлана Зобчик красивая и умная девушка, но ходить не собирался. Ему и так было хорошо. Но все ждали, что он будет за ней ходить, и он начал ходить, чтобы не спрашивали, почему не ходит. Ничего такого между ними не было, но Степе казалось, что Светлана чего-то ждет. Однако он терпел, лишнего не говорил и не делал. И вот они танцевали на выпускном вечере. Степа танцевал молча. И Светлана молчала и была печальной. Ждет объяснения в любви, думал Степа. Он не хотел ее обидеть и сказал: «Я тебя люблю». Она ответила: «Это твои проблемы». Наверное, печаль у нее была от чего-то другого.

Степа обрадовался, что свободен. Но поселок маленький, Степа и Светлана постоянно сталкивались, и всегда вокруг были люди. И всегда эти люди со значением улыбались. Будто чего-то ждали.

Степа уезжал, приезжал, Светлана тоже приезжала и уезжала, и опять они пересекались, и зрело само собой общее мнение, что они наверняка поженятся. Уже начали впрямую спрашивать и его, и ее: когда свадьба-то у вас, чего тянете? Степа со смехом отмечал: никакой свадьбы не будет, чего вы? Ему не верили. Светлана сердилась и просила отстать с дурацкими вопросами. Ей тоже не верили, считали, что стесняется.

Однажды был праздник, застолье, Трофим Сергеевич Мовчан посадил рядом с собой Михаила Михайловича Зобчика, отца Светланы, оказывая ему этим уважение, и в ходе веселья спросил:

– Ну что, Михал Михалыч, когда наши дети поженятся?

– Да хоть сейчас! – ответил Зобчик.

И пошел домой советоваться с женой Кристиной. Она была старше его на восемь лет, выше на полголовы и шире в плечах и считала себя умнее. В округе ее уважительно звали Кристиной Игоревной, она вела обширное домашнее хозяйство: свиньи, утки, гуси, поэтому семья жила крепко.

Кристина Игоревна сказала мужу:

– Миша, ты совсем дурак? Надо было согласиться!

– Я и согласился! Я сказал: хоть сейчас!

– Миша, когда люди говорят – хоть сейчас, это все равно что никогда! Он за издевательство это принял, будь уверен!

Зобчик недоумевал.

Меж тем Мовчан вовсе не принял ответ за издевательство. Он сказал сыну:

– Родители Светланы только и ждут, когда ты ей предложение сделаешь. Да и она тоже. Зачем откладывать?

– Доучиться хотел.

– Одно другому не мешает.

Степа хотел сказать отцу, что он не любит Светлану, в этом все и дело. Вот не любит, и все тут. Да, она красивая, но какая-то при этом чужая, встретишься с нею глазами и чувствуешь, будто тебя обдает холодом. Однако Степа привык быть хорошим сыном, не огорчающим родителей. Если он скажет отцу, что не любит Светлану, тот расстроится. Спросит: как можно не любить такую девушку? Спросит: кого же ты тогда любишь? И еще спросит: может, ты вообще не девушек любишь, а что-то другое? От этих не заданных, но вероятных вопросов Степу бросало в пот.

– Ладно, – сказал он. – Прямо завтра с ней и поговорю.

И действительно, с утра пошел к ее дому, караулил, когда Зобчик уедет на службу, а Кристина Игоревна на мотороллере с кузовом отправится объезжать грежинские столовые и кафе, где покупала задешево пищевые отходы для свиней. Постучал в окно комнаты Светланы, разбудив ее, она выглянула, он объяснил, зачем пришел.

– Я замуж в принципе не собираюсь, – сказала Светлана.

Степа сообщил об этом отцу.

– И ты поверил? – спросил Трофим Сергеевич. – Она тебе голову морочит! И что ты за мужчина, если сразу отказываешься от того, чего хочешь? Ты должен добиваться! Не собирается она замуж?! Другие за тебя счастливы до смерти пойти будут, а она не собирается! А ты как тетюх последний себя повел!

После этого Мовчан о чем-то беседовал с Зобчиком, а тот о чем-то говорил со Светланой. В результате Светлана позвонила Степе и сказала, что, если не прекратятся эти домогательства, она подаст на отца Степы в суд за использование служебного положения в личных целях.

Степе стало неприятно, он сказал отцу, что Светлана действительно в принципе не желает выходить замуж, Мовчан заподозрил неладное, выпытал у сына о звонке Светланы, разгневался, но на время затаился. А потом и произошла эта темная история с наездом на старуху.

Зобчик попал под суд, Светлана прямиком пошла к Мовчану объясняться, а тот ей сказал:

– Ты, красавица, не лей щи в компот, не мешай одного с другим. Хотя, конечно, если ты подумаешь в должном направлении, все еще можно поменять.

Тогда Светлана обратилась к Степе с требовательной просьбой усовестить отца.

Тот попробовал, то есть пробормотал что-то отцу насчет того, что не надо бы так с Зобчиком.

– Согласилась, значит? – обрадовался Трофим Сергеевич.

– Нет.

– А чего же ты тогда?

– А что?

– А то! Своей цели надо уметь добиваться! Ладно, езжай, учись, но следующим летом, учти мое слово, будет у вас со Светланой свадьба! Потому что вы же идеальная пара, мы на вас с матерью заранее радуемся!

И Степа уехал. Учился он не хорошо, но и не плохо, чтобы не было проблем. Степа не любил проблем. Большинство проблем возникает из-за спиртных напитков и женщин. Степа не употреблял спиртных напитков и остерегался женщин. Ходил в тренажерный зал, занимался много и с удовольствием и быстро добился результатов. Тренер советовал ему пойти в бодибилдинг, но бодибилдинг вреден для здоровья, и Степа не пошел в бодибилдинг. В тренажерном зале у него появились друзья, у которых была русская национальная идея. Они не курили, не пили, занимались здоровьем и говорили умные слова о спасении этноса. Так как Степа тоже не курил и не пил, они решили, что и он сторонник русской национальной идеи. Вообще-то Степе нравилась русская национальная идея, и он этого не отрицал. Смотри, говорили они ему, сколько тут черных занимается. Степа смотрел и видел: черных было много. Но в мероприятиях новых друзей участия он не принимал. У него было три дела: учеба, тренажерный зал, а вечером он приходил к себе на съемную квартирку, куда никогда никого не приглашал, и смотрел каждый вечер по два-три фильма. В том числе, конечно, любимые роуд-муви.

А этой зимой, в новогодние каникулы, возникла все-таки проблема. Приехал домой погостить, позвонил школьный друг, позвал к себе. У друга была большая компания. Сначала веселились дома, потом пошли ходить по поселку. Зашли на украинскую территорию. Там жила известная девушка Леся. У Леси оказалась шумная компания. Степа выпил шампанского, и его с непривычки повело. Как-то так вышло, что они с Лесей оказались в глухой комнатке. Я тебя всегда любила, а ты даже про меня не знал, упрекнула Леся. Поцелуй меня хоть раз. Степа поцеловал. Она его любовно щупала и говорила: никогда такой красоты вблизи не видела, дай глазами посмотреть, сними рубашку. Степа снял. Она набросилась на Степу и получила от него все, что хотела.

Через два месяца Леся позвонила ему в Белгород и сказала:

– Гуляешь там, веселишься? А я беременная, чтоб ты знал.

– При чем тут я? – испугался Степа.

– Хочешь тест на отцовство? – спросила Леся.

Степа пообещал все как-нибудь уладить.

– Как ты там уладишь? Давай-ка езжай сюда, если не хочешь, чтобы все узнали.

– Я могу только летом приехать, – сказал Степа. – Сейчас никак.

– Ладно, – сказала Леся. – Хоть это и позорище, выходить замуж на шестом или седьмом месяце, но я подожду.

И с тех пор ждала. Каждый день писала электронные письма и эсэмэски, рассказывая, как протекает беременность. Советовалась, какое имя дать будущему сыну. И каждое сообщение заканчивала стишком: «Ждем тебя, мой котик, я и мой животик».

От одной этой заботы сойдешь с ума, но судьба ошарашила Степу еще раз.

На майские праздники поехали молодой компанией на Донец, в Огурцов лес. Друзья, русские националисты, позволили себе расслабиться, выпили, с ними были девушки, тоже националистки. Одна из них, Тая, хвасталась умением бросать ножи. Приглашала желающих встать к дереву, а она попадет прямо над головой. Степа зачем-то встал. Потому что опять выпил. Впрочем, не только поэтому. Может, так его грызла тоска в предчувствии лета, что он втайне надеялся: пусть нож попадет в сердце, и все кончится. Или, ладно, пусть в глаз. Он тогда станет инвалидом, и Леся, быть может, передумает выходить за него замуж. Тая кинула и попала Степе в бедро. Неглубоко, но больно. Над нею смеялись. Степе было ее жалко. Все пошли к воде, Тая осталась. Степа снял штаны, она отсасывала кровь из раны. Говорила: слюна – лучший антисептик. Верь мне, я в медицинском колледже учусь. Потом перевязала, достав из чьей-то машины аптечку. А потом так получилось, что они пошли в кусты и там торопливо и жадно занялись друг другом. Главное, что помнит Степа: беспощадные комары, кусающие в голый зад. Руки были заняты Таей, поэтому он не мог прихлопнуть их, только пытался стряхнуть, энергично дергая задом, что комарам не доставило никакого беспокойства, зато Тая была очень довольна.

Тая в него влюбилась. Проникла в его заветную одинокую комнатку. Осталась там. «Я от тебя ничего не хочу, кроме взаимности», – призналась она Степе.

Через полтора месяца объявила о своей беременности. Сказала: это мы в первый раз не убереглись. Страсть была.

Степа сказал, что он почти женат. Его ждет невеста.

– И что мне делать? – спросила Тая. – Убить своего и твоего ребенка?

– Нет, – сказал Степа.

– А что? – спросила Тая.

Степа не знал, что ответить.

– Надо подумать, – сказал он. – Мне скоро надо съездить домой. Вернусь, и все решим.

– Мне тоже домой надо, – сказала Тая. – В Воронеж. Значит, до августа, сладкий?

– Да.

Но и этого мало! Перед самыми каникулами был организован рейд русских националистов с целью обнаружить подпольные наркопритоны и казино. Степу пригласили. Он не хотел, но согласился. И произошла странная история: вместе с сотрудниками полиции добровольцы накрыли притон, изъяли наркотики, карты, фишки, деньги, но тут ворвались какие-то другие полицейские, схватившие этих полицейских, а заодно Степу и его друзей. Запахло крупными неприятностями, приезжал Мовчан, помогал разрулить, Степа заверил его, что ни в чем не виноват. Дело официально было закрыто, но неофициально Степе сообщили, уже после отъезда отца, что в течение месяца он должен достать десять тысяч долларов, иначе все будет еще хуже, чем раньше.

Что мы получаем в остатке, который оказался больше, чем сама жизнь? – мрачно размышлял Степа. Мы получаем долг в десять тысяч, который неизвестно с чего отдавать (не продавать же машину!), и двух беременных девушек, которые хотят за него замуж. Плюс Светлана, которая сейчас в Грежине, да еще почему-то в тюрьме. Степа, когда узнал, спросил отца: за что? Тот ответил: неважно, там она сохраннее будет. Для тебя стараюсь. Вот приедешь, и тут же свадьбу сочиним!

В день отъезда к Степе заглянул один из кредиторов и сказал, что серьезные люди требуют аванс. Иначе долг вырастет в два раза. Но есть вариант: если Степе дорога честь Родины и жизнь русских людей, погибающих на юго-востоке Украины, он может принять личное участие. Условие: полная добровольность и анонимность. При этом ежемесячно – тысяча долларов. Легкое ранение – три тысячи, средней тяжести – пять, тяжелое без инвалидности – десять, с инвалидностью – двадцать пять.

– А если смерть? – спросил Степа.

– Компенсация родственникам. Давали по миллиону рублей, но скоро повысят.

Степа согласился, он увидел в этом решение всех проблем. В идеале – заработать денег, отдать долг и получить такое ранение, которое заставит невест отказаться от него. Но не опасное для жизни. В конце концов, даже если убьют, и то лучше, чем жить потом с постылой женой и нежеланным ребенком.

И вот Степа едет и прокручивает в голове целый фильм о том, как все будет.

Конечно, отцу он ничего не скажет. Оставит записку. Короткую. Типа: «Ушел воевать за правое дело. Не волнуйтесь».

Да, но отец такой человек, что не затруднится найти его и, пожалуй, с позором вернет домой.

Уйти без записки. Просто исчезнуть.

В украинской части Грежина Степу будет ждать человек, который проводит его к месту сбора. Там Степу и других добровольцев снабдят обмундированием и оружием и повезут к месту боевых действий.

Степа будет воевать храбро, но умело. И все-таки не убережется, его ранят в плечо. Нет, лучше в ногу, в бедро, где уже есть шрам – все равно испорчено, по второму разу не страшно. Санитарка с простым и милым именем Таня будет перевязывать его и жалеть, что повредили такую красоту. Нет, она будет перевязывать молча. В глазах будут слезы сострадания. Но она будет стесняться видеть то, что в области бедра. Она пошла на фронт, потому что там погиб ее отец. Степа будет лежать в полевом госпитале, выздоравливая, Таня будет заходить как бы ненароком. Принесет готовому к выписке Степе букетик цветов и скажет, что это такой обычай. Ничего личного. И тут известие: наши попали в окружение. Идут тяжелые бои. Много раненых. Их нужно вывезти на вертолете. Посылают группу медиков и бойцов сопровождения. Степа вызывается лететь. Они оказываются в вертолете вместе с Таней. Вертолет подбивают. Пилот ранен и без сознания. Все погибли, кроме Степы и Тани. Степа бросается к штурвалу. Вертолет кренится, его относит в лес, Степа еле справляется. Вертолет при посадке заваливается, ломается винт. Их выбрасывает, вертолет взрывается, куском обшивки у Тани отрывает ногу. По колено. Нет, только стопу отрывает. Степа перевязывает, успокаивает Таню. Несет ее через лес. И они выходят к какому-то городу. Нет, они блуждают по лесу два дня, Таня почти умирает, и тут им попадается странное лесное поселение: два дома, в одном живет старуха, в другом женщина с маленькими детьми. Старуха оказывается знахаркой, она лечит Таню. Степа не отходит от Тани ни днем ни ночью. И понимает, что любит ее. Любит — впервые в жизни испытывая это чувство. Ему не повезло, он раньше не любил, но хорошо представлял, что это такое. Он с детства читал об этом, видел это в фильмах, а однажды шел по улице вечером, в ранних светлых сумерках, и увидел девушку с юношей между стволом старого тополя и металлическим гаражом. Они целовались. Тополь был огромный, гараж громоздился рядом тоже большой, а девушка и юноша были тонкие, у нее черные волосы по плечам, а он с короткой стрижкой, худощекий. Обеими руками он держал ее голову, как держат воздушный шар, и словно не целовал, а пробовал, прикасаясь и тут же отстраняясь, заглядывая ей в глаза. Лицо у него было задумчивое и такое, будто он о чем-то жалел и с этим прощался, а у девушки лицо было печальное, даже показалось, почти страдающее, но как-то при этом и радостное, словно она тоже о чем-то жалела и с чем-то прощалась, одновременно встречаясь с этим же, но уже с другим, удивляясь ему. Степа тогда не умом, а всем собой, холодком в животе и воробьиным стуком сердца понял: это и есть любовь — когда двое не могут друг на друга налюбоваться и при этом не понимают, что происходит, и от этого им страшно и счастливо. Он потом не раз видел обнимающихся и целующихся, но, когда слышал про любовь, вспоминал именно тех, между тополем и гаражом, и даже не их, а то, что сам тогда почувствовал.

Вот и с Таней будет так же. Ее нога совсем заживет. Они будут помогать старухе, посадят в огороде картошку, всякие овощи, решат остаться здесь, у Тани родится сын. Степа научится мастерству плотника и столяра, а заодно и всем другим ремеслам, сделает из кожи и дерева протез, на котором Таня даже сможет бегать.

Тут размечтавшегося Степу тряхнуло на глубокой выбоине, руль дернуло так, что машину понесло на обочину, и она чуть не слетела с дороги, но Степа умелыми и четкими движениями выправил ее.

Одновременно его воображаемый фильм словно перемотало куда-то вперед. Вглядевшись, Степа понял, что нет, это не фильм персмотало, а он видит совсем другое кино. Он ранен, но не как простой боец, а как командир подразделения, он лежит в госпитале, в отдельной палате. В госпиталь приезжает с концертом красавица-певица Няша, которую Степа любил, она и поет хорошо, и собой очень хороша, он не раз имел с нею дело в интернете. Няша, конечно, этого не знала, но сближение было полным, особенно с ее изображением на обложке русской версии журнала «Playboy». И вот Няша влюбляется в Степу-героя. Она уговаривает его бросить войну и уехать в Москву, но Степу ждут его верные солдаты, он не может их оставить. Победа близко, говорит он Няше, езжай домой и жди меня. Но она решает остаться с ним в качестве боевой подруги.

И тут опять кино скакнуло, причем без выбоины в дороге, а само по себе, Степа увидел Таню горюющей на берегу пруда, она похожа на несчастную девушку с какой-то картины какого-то художника, Степа не помнит, но картина известная. Таня не одна, а с ребенком. Ребенок тоже пригорюнился. Степе стало жаль их. Экран словно разделился на две части – в одной Степа видит себя на белой, как облако, постели, в сладком соединении с красавицей Няшей (видимо, перерыв между боями), а в другой он, с забинтованной головой и рукой на перевязи, выходит из-за кустов к берегу, и Таня радостно вскрикивает, сынок бежит к нему, обнимает, прижимается всем тельцем к коленям, бормочет: «Папа вернулся!»

Что за ерунда – он не только в жизни, но и в собственном кино попал сразу в две истории! И Степа начал выправлять, выбирая одну. Подумав, выбрал все-таки ту, где Таня и сын. Опять все стало хорошо: любят друг друга, работают. Но тут является муж соседки, бандит, воевавший поочередно на всех сторонах ради мародерства. Он видит свою жену постаревшей и подурневшей, зато Таня ему очень нравится. Начинает к ней подкатывать, Степа, не чинясь, дает ему по морде, сосед просит прощения, зовет на охоту, они идут стрелять зайцев или кабанов. Правда, кабанов в этих лесах нет, да и зайцы повывелись, но Степа наскоро внес поправку: это не просто лес, а заповедник, тут не только зайцы и кабаны, тут и косули, и волки, и лисы, и олени. И там, на охоте, сосед убивает Степу.

Степа увидел это ясно: вот он стоит за стволом и целится в кабана, а сосед сзади целится в него. Выстрел – и дырка в затылке Степы, и он падает. И вот Таня уже рыдает над Степой, а сосед стоит и усмехается.

Такой финал Степе не понравился, но он не стал ничего менять, а просто вернулся к истории с Няшей. Там все получилось красиво. Ночью тревога – в ружье!

по машинам! враги окружают! Степа одевается за десять секунд, хватает автомат, видит: Няша тоже одевается.

– Куда ты собралась?

– С тобой.

– Не первый раз я иду в бой, любимая моя, спи спокойно и жди меня!

– Обычно я сплю, но в этот раз меня тревожат предчувствия. Я пойду с тобой, и даже не спорь!

Степа дает Няше запасной автомат, заставляет надеть бронежилет и каску.

Появление Няши на линии огня вызывает восторг солдат. Они еле держались под натиском превосходящих сил противника, некоторые бросились бежать, и тут Няша вскочила на бруствер и закричала:

– Назад, трусы! За мной!

И бросилась в атаку. И все как один побежали за ней, сметая все на своем пути ливнями огня. Степа первым ворвался во вражеский окоп, двоих застрелил в упор, третьего прикончил штыком, четвертому разнес башку прикладом, аж мозги брызнули во все стороны. Стоял, озирался – кого еще? И тут послышался голос:

– Всё, командир, чисто!

Степа вытер взмокшее лицо, солдат предложил ему сигарету – не услужливо, а с достоинством фронтового братства. Степа закурил, с наслаждением затягиваясь, посмотрел вокруг:

– А где Няша?

– Прости, командир, – говорит солдат охрипшим голосом.

– Где она? – Степа хватает солдата за грудки, трясет, словно желал вытряхнуть из него жизнь Няши, которую боец зачем-то спрятал за пазухой.

Няша лежит в чистом поле, раскинув руки, а в нежном горле ее, которое Степа так любил целовать, зияет черно-красная дыра.

Да что ж такое, удивился Степа, в одном фильме я погибаю, в другом моя девушка застрелена, как-то странно у меня фантазия работает!

Нет, любовь будет потом. Не до любви, когда такое творится. Степа будет воевать – отважно, изобретательно, с умом. Быстро выдвинется в командиры сначала подразделения, потом соединения, потом всего фронта. Несмотря на молодость, ему доверяют важную операцию. Наступление. Степа мчится в бронированном автомобиле, отдает приказы по рации и по телефону.

Он видит все словно сверху, из самолета.

Ну да, он не в автомобиле, он именно в самолете, откуда удобнее наблюдать за ходом боевых действий. Наши первые атаки отбиты, подчиненные растеряны, Степа кричит, что самолично расстреляет трусов, и вот последняя отчаянная попытка – и победа. Степа облетает поле сражения, где валяются кучи вражьих трупов. Но один враг остался живой, он засел в кустах с ракетой «земля – воздух». Ракета летит, попадает в самолет. Все погибают, Степа успевает выпрыгнуть. Он раскрывает парашют. Планирует. Но тут случайный снаряд попадает в парашют. Тот сгорает в один миг. Степа летит вниз. Смерть близко. Но он попадает в реку, в глубокий омут. Выныривает, плывет к берегу. Вылезает и ранит ступню речной ракушкой – он почему-то босиком. С ним был такой случай в детстве, порезался осколком ракушки, нога распухла, потом гноилась, отец отвез к хирургу, тот резал под местным наркозом, Степе было не больно, а смешно: его режут, а он не чувствует! Но на этот раз не обошлось: Степа обработал рану спиртом, замотал бинтом, принял спирта и внутрь и опять приступил к командирским обязанностям, нога болела, он не обращал внимания, однажды ночью проснулся весь в жару, отвезли в госпиталь, резали, кололи лекарства, но поздно, общее заражение крови...

И вот Степа видит, как его везут в красном гробу на передке бронетранспортера, везут по улице Мира в родном Грежине, люди скорбно выстроились по сторонам. Рыдают отец и мать, плачут девушки. Стоят здесь и Светлана, и Леся, и Тая с ребенком на руках, и Таня с сыном-подростком, успевшим когда-то вырасти, сын по-мужски сдерживается, не плачет, только хмурит брови. И Няша здесь, в черном платке, скорбно молчащая, прекрасная. И тут Степа поднимается и говорит:

– Довольны? Ведь это из-за вас я погиб, это вы меня потянули туда, куда я не хотел! Радуйтесь теперь!

Степа хохочет над этим странным финалом, в котором сошлись все варианты сочиненных им фильмов, он ему нравится.

Только надо придумать, что потом делать. Если геройски погиб, все понятно: получить почести и лечь на кладбище под памятником в виде скульптуры (интересно, из бронзы сделают или из камня, и как Степа будет выглядеть в таком виде?), а если останется жив – опять проблемы. И как с ними справиться, непонятно.

Загрустив, Степа включил радио, чтобы найти веселую музыку. Попалась классика, рука потянулась нажать на кнопку, чтобы переключить, однако музыка заставила слушать себя – мощная, властная, воинственная, полная одновременно и жизни, и смерти.

Вот, подумал Степа, слушаешь вечно всякую чепуху, а тут, надо же, как гениально, просто всю душу переворачивает. Под эту музыку хочется что-то такое сделать. Необычное.

Дорога огибала холмистое редколесье, по этому естественному изгибу когда-то была проложена граница между союзными республиками Россией и Украиной; ее, собственно, так везде и проводили, считаясь скорее не с количеством пространства, а с естественным рельефом местности. Никаких обозначений не было, а потом, когда страны разделились, поставили столбики с двух сторон, потом пропахали меж столбиками полосу, которая каждое лето зарастала бурьяном. Ее опять вспахивали, изредка проезжали вдоль нее пограничники, не раз видели следы людей и машин и относились к этому вполне фатально. Иногда сами брали грабли и заравнивали следы, а то вдруг нагрянет какая-нибудь инспекция, начнутся вопросы: кто шел, кто ехал, почему не организовали погоню и поимку?

По асфальту до Грежина оставалось двенадцать километров, напрямик через холмы — всего около четырех. Многие, кто на тракторах или грузовиках с сильной тягой, предпочитали напрямик. Степа обычно берег машину, но на этот раз музыка так и подмывала, так и звала махнуть по бездорожью.

– Танки грязи не боятся! – воскликнул вслух Степа, включил в помощь заднему передний привод, обычно на хорошей дороге отдыхавший, решительно свернул и, почти не сбавляя скорости, рванул по ложбинам, ямам и горкам, не жалея любимую машину, потому что какая уж тут машина, если кругом война?

Он ехал, прыгая и ударяясь головой о крышу кабины, иной раз было больно, но, опять же, на войне как на войне, разве это боль по сравнению с настоящей, от ранения?

Он ехал и подпевал музыке:

– Там-тарам-тарам-тарам, тарам-тарам-тарам-та! Тарам-тарам-тара, тарам-тарам-тара! – а при звуках барабана ударял кулаком по рулю.

Черт, какая музыка! Интересно, откуда она, кто ее написал? Вот счастье – иметь такой талант, радовать людей. Ты сочинил неизвестно когда, а другой будет слушать, как вот сейчас Степа в машине, и уважать.

Степа, как истинный патриот, зауважал бы еще больше эту музыку, если б знал, что написана она русским композитором Сергеем Прокофьевым. Именно ее он слушал, а точнее – танец рыцарей из балета «Ромео и Джульетта».

Надо запомнить эту музыку, подумал Степа. Нет, сложно. Записать! – догадался он, радуясь своей сообразительности. Включил в своем телефоне микрофон и положил на сиденье рядом с динамиком, встроенным в дверцу. Потом даст послушать тете Даше, двоюродной сестре мамы, которая преподает в музыкальной школе, она уж точно узнает, чья эта музыка.

Тем временем на одном из холмов под прикрытием густой листвы одиноко стоящего дерева двое возились с устройством для стрельбы. Будучи любознательными, они сначала все осмотрели, восхищаясь приспособлениями, потом засунули туда, куда полагается, небольшую красивую ракету с крылышками, и стали смотреть в прицельный окуляр.

– Глянь, Матвей, а вот и цель, – сказал один из них и засмеялся.

Матвей посмотрел на едущую машину и, желая показать товарищу, что смех неуместен, что оружие – дело серьезное, сказал, задумчиво прищурившись:

– С такого расстояния, Богдан, можно прямой наводкой шибануть.

– Ты с глузду съехал? Надо навесом. – Богдан показал рукой дугу в воздухе. – Дивись, видишь – траектория?

Рядом с прицелом имелся небольшой экран, откидывающийся, как у фотоаппарата или кинокамеры, на нем была видна машина, а над машиной нависла пунктирная изогнутая линия.

– Без тебя вижу, – солидно сказал Матвей.

И, нашарив какую-то ручку, начал ее крутить. Дуга стала сдвигаться, своим концом упершись в автомобиль. Но тут же он выехал дальше. Матвей повел дугу за ним.

– Ты наперед закидывай, – посоветовал Богдан, заглядывая сбоку.

– Не мешай! Так... Сейчас мы тебя накроем... – бормотал Матвей. – На что тут нажать?

– А вот кнопочка. Ты давай нацелься, а я натисну!

– По моей команде!

– Жду!

Богдан приготовил большой палец, Матвей пристроил конец дуги чуть спереди по ходу машины и скомандовал:

– Пли!

Богдан нажал.

Степа услышал сбоку странный свист.

Он посмотрел и каким-то невероятным образом догадался, что это такое приближается прямо к нему.

– Вы с ума сошли? – спросил он неизвестно кого, и тут все взорвалось.

Вы с ума сошли? – спрошу я вслед за Степой.

Ведь предполагалось, что он будет одним из главных героев этой книги, которая написана по давно прошедшим, но реальным событиям, где люди большей частью не придуманные, слегка дофантазированные, в них действительное смешалось с авторским деликатным домыслом.

Я был уверен, что Степа, вернувшись домой, будет необыкновенно ласков с отцом и матерью. За вечерним столом они с отцом по-мужски выпьют – не для хмеля, а чтобы преодолеть ту легкую скованность, которая бывает даже у самых близких людей, которые некоторое время не видели друг друга и, следовательно, стали иными, изменились. Выпив, отец негромко затянет любимую «Ніч яка місячна, зоряна, ясная», мама, стесняясь, подпоет тонким голоском, Степа тоже подтянет, хотя обычно молчит, чтобы не мешать. Ночью он будет ворочаться, принятое решение покажется не таким уж твердым. Повернется на правый бок и подумает: нет другого выхода, надо ехать на войну, иначе – как быть с Лесей и ее вот-вот готовым родиться ребенком, как быть с Таей, как быть со Светланой, которая ждет его, по выражению отца, как земного бога? Что он скажет отцу? А Лесе? А Тае? А Светлане? Как будет доучиваться, кем работать, чтобы обеспечивать семью – причем до сих пор непонятно какую? Повернется на левый бок, переворачиваются и мысли: а может, не все так плохо? На войне запросто могут убить, а тут пострадаешь, конечно, да, но останешься живым. Выложить все начистоту родителям, мать поплачет, отец посердится, но он же и выручит. Если так уж хочет, чтобы он женился на Светлане, пусть поговорит по душам с Лесей, он умеет убеждать людей, а потом побеседует и с Таей. Обе отстанут от него, Степа женится на Светлане, она, по крайней мере, красивей всех прочих и пока без ребенка. Женится, уедут в Белгород, а потом в Ростов или, еще лучше, в Москву, Степа устроится через отцовского приятеля в ФСО, то есть Федеральную службу охраны, потом найдет повод развестись со Светланой и заживет опять свободной и самостоятельной жизнью. Выдвинется, попадет в президентскую охрану, его увидит на одном из мероприятий Няша, влюбится...

Вот далась мне эта Няша! – Степа перевернулся бы и на третий бок, если бы он у него был. Но есть спина, он и на спине лежал бы, глядя в потолок. И на животе, уткнувшись горячим от пылающих мыслей лицом в прохладную подушку. В любую жару подушка прохладна, удивится он мимоходом, и эта простая домашняя мысль что-то в нем переключит. Что-то новое начнет грезиться. Какая-то еще не думанная им мысль.

И вдруг – озарит.

Да, пойти на войну, но не с этой стороны, а с той! Столько он успел наломать дров в этой жизни, что поздно ее менять, легче начать заново. Совсем. Взять себе другую фамилию и другое имя, он читал, что на той стороне многие волонтеры из других стран так делают – для конспирации. Война рано или поздно закончится, он уедет куда-нибудь в небольшой украинский город, а то и в Европу, а то и в Америку, будет заниматься бодибилдингом, станет знаменитым, снимется пару раз в кино, а потом будет преподавать свою систему тренировок, женится, купит дом у моря, в Майами где-нибудь, и там будет всегда уютно, чисто. И прохладные подушки. И главное, сам себе хозяин в своей абсолютно новой жизни! Без повторения глупых ошибок, нежелательных детей и всего прочего, что при иных вариантах неизбежно: на дубе березовая ветка не растет. Так выкорчевать этот дуб и посадить другое дерево!

С этой мыслью Степа заснет и будет спать до полудня.

Проснувшись, вспомнит свой план и спервоначалу испугается его смелости. Но умоется, сделает привычный комплекс упражнений, позавтракает и успокоится. Да, пропасть насовсем, исчезнуть, чтобы возродиться в другом месте. Сегодня же ночью он уйдет.

А потом, предполагал я, он отправится в музыкальную школу к тете Даше, но ее там не будет. Зато в одном из классов Степа увидит молоденькую преподавательницу с ученицей, спросит у нее про тетю Дашу, выйдет, но тут же опять зайдет.

– А вы тоже здесь работаете?

– Как видите.

– А можете музыку послушать и сказать, кто написал?

– Попробую.

Степа даст ей послушать в телефоне поразившую его музыку.

– Не узнаешь? – спросит она ученицу.

– Нет.

– Надо знать такие вещи. Это Прокофьев, «Ромео и Джульетта».

– Опера? – спросит Степа.

– Балет. Если у вас телефон с интернетом, наверняка там есть какие-то записи.

И точно, записи найдутся, и не одна. Юля, так будет имя девушки, посоветует посмотреть и послушать целый фильм-балет с замечательной Натальей Огневой в главной роли. И они будут сидеть плечом к плечу, глядя в небольшой экран, слушая для лучшего качества через наушники, один у нее, второй у него, ученица уйдет, а они, не отрываясь, досмотрят и дослушают до конца.

– Прямо мне целый мир открылся, – скажет Степа. – Прямо, знаете, будто часа два в качалке железо тягал, а потом сауна и бассейн, и весь выходишь такой... Все поры открыты, каждая клетка дышит, тело улыбается, душа тоже. Обожаю это состояние. Сейчас – очень похоже.

– Я рада за вас.

– А вы кто? Я вас раньше не видел.

– Я с Донецка, наш дом там разбомбили, родители к брату отца в Воронеж уехали, а меня подруга сюда позвала, она здесь тоже работает. Временно, конечно, но мне у вас нравится. Тихо, красиво.

– У нас да. Насчет тихо и красиво, это к нам.

И тут Степа разглядит Юлю как следует. И удивится: как он сразу не понял, что она – точь-в-точь Таня из его мысленного фильма? Тоненькая, маленькая, шибздenькая, как говорят в Грежине, она вовсе не похожа на Няшу, с которой Степа провел не один интимный односторонний сеанс, нет у нее изобилия ни спереди, ни с обратной стороны, но Няша все же для другого, она только для удовольствия, как и ее песни, а Таня в мыслях и Юля наяву – для жизни.

Степа это сразу поймет.

И выйдет из музыкального училища счастливый.

Но тут же вернется и спросит:

– Извините, а вы не замужем?

– Нет.

– И парня нет?

– В Донецке был... Сейчас нет.

– Хорошо. Ты мне очень нравишься, Юля.

– Да и ты мне тоже, – отзовется Юля с легкостью.

— Черт, как мне говорить с тобой просто! — удивится Степа. — Будто я тебя давно знаю!

— Это после музыки. После хорошей музыки всегда так.

— Точно. Я же говорю: все тело дышит! Ты не думай лишнего, — спохватится Степа, — я не в смысле тела тебя имею в виду, а вообще. Как человека.

— Я поняла. Я тоже.

Это была бы первая настоящая любовь Степы, любовь безоговорочная и решительная. Он потом, видел я, вернется домой и подробно, спокойно и здраво расскажет про себя всю правду. Мать поплачет, радуясь, что сын раздумал идти на войну, и огорчаясь, что у него такие неприятности, и скажет:

— Ну что ж, женись, раз ребенок. А то нехорошо.

— На ком, мама?

— Да хоть на ком. На одной женишься, на второй уже не надо будет.

— Я на Юле хочу жениться! Я ее люблю! — с гордостью заявит Степа.

Отец будет бушевать, клясть сына на чем свет стоит, а потом твердо приговорит:

— С девками этими я все улажу. А женишься ты на Светлане!

Но Степа упрется. Он пойдет к Юле и скажет:

— Собирай вещи, Юль, в Белгород поедем.

И она соберет, и они поедут, и начнут вместе счастливо жить. Степа будет работать, а на досуге увлечется музыкой, начнет, сам над собой посмеиваясь, учиться играть на пианино взрослыми неловкими пальцами, у него будет получаться все лучше, а потом вдруг сорвется с клавишей обрывок красивой мелодии, Юля удивится: что это, откуда? «Само придумалось», — смущенно скажет Степа. Потом появится еще одна мелодия, и еще, Юля начнет подбирать слова, они вместе сочинят десяток песен, запишут их на компьютер, исполнив собственными голосами, и пошлют, ни на что не надеясь, любимому певцу Диме Билану, и тот через месяц позвонит, наговорит восторженных слов, попросит никому больше не показывать этих чудесных песен, потому что он берет на корню все, что сочинили и сочинят Юля с Степой, и вообще, надо обязательно встретиться и обговорить условия дальнейшего сотрудничества.

Но тут в Грежине случится такое с отцом, со Светланой, с мамой и с другими людьми, что Степа не выдержит, поедет все улаживать, чувствуя себя возмужавшим сразу на десяток лет. Там как раз начнется заварушка со стрельбой, с участием всех сторон, включая загадочных третьяков. Юля, страшно тревожась за мужа, помчится в Грежин и первое, что увидит: колонну боевой техники, движущуюся с поля боя, а на переднем бронетранспортере, укрытый флагом, лежит ее Степа, навсегда мертвый...

Ничего этого не произошло, ни будущего счастья, ни будущего горя (что, между прочим, еще не предопределено, Степа вполне мог остаться в живых), вместо этого — чадящий остов машины, разбросанные вокруг обгоревшие ее части, выжженная трава...

Вы с ума сошли? — хочется мне спросить всех, кто к этому причастен, потому что несправедливо все сваливать только на Матвея и Богдана, хотя и оправдывать их, конечно, нельзя.

А Матвей и Богдан сперва плясали от восторга, увидев красивый взрыв, но потом слегка смутились. Да, они хотели попасть в машину, но как-то не подумали, что в ней кто-то погибнет.

— Смотри, — сказал Матвей, — если кому скажешь, я тебе башку отшибу!

Богдан кивнул, признавая право Матвея грозить — он ведь и умнее, и старше: Богдану еще и двенадцати нет, а Матвею уже тринадцать.

ГЛАВА 10

БИЙ, ЖІНКО, ЦІЛЕ ЯЙЦЕ В БОРЩ: ХАЙ ПАН ЗНАЄ, ЯК ХЛОП УЖИВАЄ![1]

У Прохора Игнатьевича Крамаренко, главы районной администрации, в кабинете имелся черный телефон. На самом деле телефон такого цвета существвовал лишь в преданиях — массивный, эбонитовый, с диском набора, но без дырочек в этом диске: прямая связь с областным руководством через коммутатор. А однажды побеспокоила Москва, было это в незапамятном 1961 году, 12 апреля. Тогдашнего председателя райсовета ликующим голосом попросили любым способом довести до широких слоев населения, чтобы все включили радио и слушали, что там скажут.

Но это был случай особенный, обычно по черному телефону прилетали вести не радостные. В частности, второй в истории советского Грежина звонок из Москвы был связан с гибелью того же Гагарина. Просили: слухи среди населения пресекать, ползущим извне сплетням не верить. Тогда еще, помнится, объявили общенациональный траур, причем впервые за пятьдесят лет существования советской власти траур назначен был не по главе государства, а по человеку. Прохору Игнатьевичу было одиннадцать лет, и он помнит, как слушал по радио медленную рыдающую музыку и рыдал сам.

В последующие годы по черному телефону передавали из областного Белгорода указания и требовали сво-

---

[1] Бей, баба, все яйцо в борщ: пусть пан чует, как холоп жирует!

док, доводили до сведения тайные государственные новости, сплошь почему-то нехорошие, потом аппарат сменился на красный, потом на белый с золотым гербом. Потом появилась современная кнопочная трубка – без провода, бордовая с блестками, заместитель Прохора Игнатьевича сам выбирал, помня требование начальника: любого цвета, лишь бы не черный!

Но слова, как я не раз говорил, прочнее предметов. Сообщая подчиненным об очередной конфиденциальной неприятной новости из областного центра, Прохор Игнатьевич невольно начинал так: «Мне тут позвонили по черному телефону» – и уже не надо было объяснять, кто позвонил, коллектив тут же замирал в повышенной готовности ко всему.

Тот самый звонок из Москвы о приезде Самого, о котором Евгению рассказывал брат Аркадий, сделал этот телефон окончательно черным. Прохору Игнатьевичу оставалось два года до пенсии, и он твердо решил не перебирать свыше положенного ни одного дня. А эти два года тихо отработать, делая все что нужно и не увлекаясь посторонними инициативами. И вот пожалуйста – кто-то, видите ли, приедет из Москвы, чуть ли не сам Сам. Мало того, через неделю начали прибывать московские люди: планировщики, архитекторы, экономисты, железнодорожники, эксперты-строители, а с ними зачем-то какие-то аналитики и политологи. Заняли почти всю гостиницу «Грежа», шатались по городу, вламывались в кабинет Крамаренко без записи и без очереди, с чисто московской наглостью, произнося пугающие слова: правительственное задание, дело государственной важности, масштабное строительство, экспертные мероприятия, мониторинг, подготовка почвы...

Выяснилось: эта группа должна к приезду Самого создать на месте проект железнодорожного узла с чертежами, расчетами и всем прочим, и этот проект Самому с блеском предъявить.

Но выяснилось и другое: никакого узла здесь, скорее всего, не будет. Однако деятельность эта, тем не менее, крайне важна по многим причинам. Первая: Сам любит, чтобы там, куда он приезжает, что-то строилось или готовилось к строительству. Он любит видеть энергичных людей, вершащих будущее. Вторая: важно увидеть, как отреагирует украинская сторона. Желательно, чтобы она заподозрила здесь возведение военного объекта. Пусть они напустятся с клеветой, пусть закричат караул на весь мир, а мы их с позором разоблачим. Третья: не исключено, что подготовительные работы, которые начнутся независимо от того, продолжатся ли они, будут вести военные строители, это пойдет в плюс к пункту второму и визуально добавит количество военных в поселке, а Сам любит, когда много военных, их вид его успокаивает. Четвертая: проект, который не нужен здесь, может пригодиться в другом месте. Пятая: при этом не исключено, что строительство железнодорожного узла все же по какой-то неожиданной причине может стать необходимым.

Все это объяснил Прохору Игнатьевичу молодой человек, который представился так:

— Ростислав Аугов, креативный руководитель проекта! Если есть какие-то соображения и предложения — ко мне, вопросы к нашей команде — тоже ко мне, вопросы к центру — ко мне или через меня.

А после бойкой россыпью слов обозначил перспективу и задачи — с удивительной при этом откровенностью. Мог бы ведь напустить на себя суровую серьезность, как это полагалось в советскую эпоху. Тогда говорили о государственных задачах торжественно и с оттенком печали, будто произносили речи на важных похоронах, а уж если об идеологии заходила речь, тут никаких улыбок не полагалось: один строго излагает, другие строго слушают, хотя и излагающий, и слушающие часто, а к исходу социализма почти всегда, знали, что говорится полная неосуществимая чушь.

Ростислав же все барабанил с улыбочкой, Прохор Игнатьевич, чувствуя себя отставшим от жизни старым дурнем, тоже пытался скосить рот в улыбку, кивал и сочувственным поддакиванием одобрял выпавшее ему лично и всему поселку счастье потрудиться на благо Родины, пусть и без результата.

Крамаренко вообще побаивался нынешних молодых людей, не местных, а таких вот, деятельных, бодрых и говорливых, которых он встречал в областном центре и при редких наездах в Москву. Сам он всю жизнь в чем-то сомневался. Был районным комсомольским работником, послушно исполнял свои руководящие обязанности, но тайно сомневался в непогрешимости коммунистической идеи и советской власти, а потом, когда советская власть ушла, сомневался в правильности ее ухода, потом строил новую жизнь, сомневаясь, что ее нужно строить так, а не иначе. А сейчас он вообще сомневается во всем – и в прошлом, и в будущем, не говоря о зыбком настоящем, но продолжает жить по принципу – глаза боятся, руки делают. Эти же, похоже, не сомневаются ни в чем, для них главное – личный рост и продвижение. Надо отдать должное, не засушивают, формальное умеют подать неформально, с виду даже шаловливо, скучное слово «доклад» у них стало – «презентация», и всё с улыбочками, шуточками, на возражения легко отвечают – о'кей! – и тут же поясняют, уточняют либо предлагают другое решение, часто прямо противоположное. Шутить вообще стали густо, вздыхал мысленно Прохор Игнатьевич. Советские начальники страны себе такого не позволяли. Может, между собой вольничали, а с трибун – ни-ни. Или в телевизоре – даже представить странно. А как настало новое время, один начал остроумничать, второй рискованно шутковать, третий же настолько зашутился, что уже не поймешь, где он говорит прямо, а где посмеивается сам над своими словами и заодно над теми, кто их выслушивает.

Ростислав, все расписав и обозначив, перешел к делу: для нормального функционирования приехавшей группы классных специалистов нужны нормальные условия.

– А гостиница ваша, Игнат Прохорович, уж простите, полный отстой!

– Прохор Игнатьевич.

– Извините, заговариваюсь, не выспался. А почему не выспался? Потому что в четыре утра меня, не поверите, петухи разбудили! Какие-то феноменальные у вас петухи, их на Евровидение посылать! Там же частные дома под боком! И машины постоянно ездят, будто я в Москве на Садовом живу, я, кстати, там и живу. О самом номере даже не говорю – говорить не о чем.

– А где же? – растерялся Прохор Игнатьевич. – У нас одна гостиница.

– Мы в нее военных строителей поселим, когда приедут. Они хоть и военные, но вольнонаемные, в палатках жить не станут. А для нашей группы можно какой-нибудь пансионат. Или кто-то из ваших богатеньких чиновников особняк временно выделит. Лучше два.

– Особняк? То есть...

– То есть нормальный дом, метров пятьсот – шестьсот, несколько спален, желательно корт и бассейн, но можно и без бассейна. Ну, как у вас, например! – лукаво прищурился Аугов. – Не будете же говорить, что в квартирке живете? Дворец отгрохали себе? Ну, не дворец, дворчишко, дворчочек? А?

– Я в доме живу, да. Но у меня корта нет. И бассейна нет. Да и площадь в доме всего сто двадцать метров, жилая девяносто. Участок хороший, пятнадцать соток, но я на нем сыну дом поставил, – словно оправдывался

Крамаренко. – Сын сейчас в Белогороде с семьей, можно в этом доме и пожить, раз такое дело. Два этажа, три спальни.

– Отлично! Значит, я уже пристроен, другим тоже что-то придумаем. И насчет питания нужно организовать, а еще персонал подобрать, транспорт выделить для команды – пару минивэнов и несколько нормальных машин, не пешком же мы будем передвигаться, время дорого!

– У нас такси есть, – сказал Прохор Игнатьевич. – Сто рублей в любой конец.

– Вы еще маршрутку предложите, Игнат Прохорович, дорогой!

Прохор Игнатьевич на этот раз даже не стал поправлять. Он понял – чем быстрее закончить разговор с этим шустрым молодым человеком, тем дешевле это обойдется для поселка. И применил старый проверенный способ, сказав:

– Не беспокойтесь, Ростислав – как по отчеству?

– Спасибо, обойдусь, не привык. Вячеславович, вообще-то.

– Не беспокойтесь, Ростислав Вячеславович, абсолютно все сделаем как надо! А если что упустим, обсудим в рабочем порядке.

И глянул на часы, и встал из-за стола.

Но не тут-то было.

Развалившийся перед ним в кресле Ростислав остался на месте, достал из портфеля папку и положил на стол:

– Всё нам не надо, мы работать приехали, а не развлекаться. А чтобы вам голову не ломать, вот райдер[1] самых необходимых вещей и условий. Это меня касает-

---

[1] Райдер (от англ. *rider*) – перечень условий и требований, предъявляемых артистом, музыкантом или творческим коллективом к организаторам выступлений. Почему Ростислав Аугов употребил это слово, неизвестно.

ся и моей помощницы. Остальные, полагаю, сами о себе позаботятся.

– Вы с помощницей?

– Зачем мне в Тулу со своим самоваром, Игнат Прохорович? Неужели не найдете грамотную и смышленую девушку? Только не спешите, предложите несколько кандидатур, я им кастинг устрою. Ведь у вас тут цветет южнорусская красота, тут лучшие девушки мира, я бывал в Ростове, в Ставрополе, да и на Украине – таких девушек нет нигде! И вообще, я бы на вашем месте гордился, что в таких местах живете, к старости перееду сюда и навечно поселюсь, честное слово! Тут плавильный котел у вас, все нации и народности: Кавказ, Россия, Украина, татарки крымские и обыкновенные, средние азиаты, да все! Заметьте, все правители советские откуда были? Сталин с Кавказа, Хрущев и Брежнев – хохлы, Горбачёв тоже южанин! Ельцин с Урала, да, но с Урала южного, что тоже характерно! Если Россия будет прирастать Сибирью... Помните, кто сказал?

И ведь Прохор Игнатьевич помнил! Со школы помнил – а сейчас остолбенел, напрягся, озадаченный, не смог вспомнить, хоть ты тресни, и такое у было него чувство, будто он провалил экзамен.

– Ломоносов сказал! – Ростислав не очень долго мучил Крамаренко, сам выдал ответ. – И правильно сказал, да, богатство будет прирастать Сибирью, которую сейчас, конечно, грабят, полностью с вами согласен, но именно в этом направлении развернут курс власти, вы же не можете этого не видеть? Вы же не оппозиция на местах, не сепаратисты какие-нибудь, это пусть Украину пучит от сепаратизма, сами виноваты, а мы-то единая и неделимая! Мысль мою понимаете, да? Если Россия будет прирастать Сибирью, то этносом она будет прирастать отсюда! Красивым смешанным этносом! Я только приехал, зашел в магазинчик у вокзала воды купить, там, кстати, сигареты продают, это как бы мелочь, но неприятно, у вокзала ведь запрещено сигареты продавать...

– Надо проверить... – пробормотал Прохор Игнатьевич.

– Да я не к этому! Зачем проверять, что, нет у вас других дел? И, между нами говоря, я не сторонник этой вот ловли блох, этой вот строгости по мелочам. Те же сигареты или пиво. Почему человеку перед поездом пива-то нс выпить? С другой стороны, должны быть какие-то общие правила, должны мы рано или поздно цивилизоваться, у нас Европа под боком, и пусть она сгнила во всем, но лучшее почему оттуда не взять? У нас свой путь, да, но это же не значит, что всем футболки снять и косоворотки напялить, тот же Петр Первый бороды стриг и переодел не просто так – и вшей меньше, и попробуйте поскакать по вантам в боярской шубе!

Ростислав засмеялся: представил, наверное, человека, скачущего по вантам в боярской шубе.

Прохор Игнатьевич невольно тоже хихикнул, хотя чувствовал в голове тошнотворную муть, ничего не понимая: какие бороды, какие боярские шубы, какие еще ванты, что это такое, о чем он?

А Ростислав продолжал сыпать, как молотым горохом из дробилки:

– Дело в конечном итоге все равно в людях, в наших корнях, а корни, хотим мы того или нет, отсюда, из Южной России, я же вам рассказываю: только сошел с поезда, зашел в магазинчик, а там продавщица такая, что любая Мисс Вселенная рядом просто мартышка, то есть великолепная совершенно фактура, просто царица, а стоит себе за прилавком, воду с газом и без газа продает, но при этом цену себе все-таки знает, понимаете, да? То есть вот эта еще гордость девичья южнорусская, даже такое высокомерие слегка, на севере тоже такие попадаются, но там другой типаж, там гордость холодная, а здесь другая, здесь с виду гордость, а внутри, в душе, там все горячо, но это как раз интересно, понимаете, да? Вы посмотрите, посмотрите!

– Что? – не понял совсем выпавший из реальности Крамаренко.

– Райдер. Список.

Крамаренко открыл папку, взял из нее листки. Похоже, резко поднялось давление: строчки расплывались перед глазами. Сосредоточился, прочел пункт первый: «1. Автомобиль классом не ниже Executive cars (Mercedes-Benz, Audi A6, BMW-5, SAAB 9-5, Infiniti M, Volvo S80/V70. Примечание: BYD G6 и Geely Emgrand E8 НЕ ПРЕДЛАГАТЬ)». И тут же взгляд скакнул вниз: «27. Яблоки “голден”, желтые, но крепкие, 2 ежедневно».

Прохор Игнатьевич не стал вчитываться, сказал:

– Хорошо, посмотрим, что сможем.

– Уверен, что сможете! – обнадежил его Ростислав.

И исчез, растаял, как дурной сон.

Все, что он тут наговорил, через минуту показалось пригрезившимся, не бывшим. Прохор Игнатьевич тяжело сел, вытер платком взмокшее лицо, открыл дверцу стола, подумал, надо ли, решил, что надо, достал бутылку коньяка, пузатый фужерчик и конфетку, налил, выпил, откусил от конфетки, пожевал, еще налил, еще выпил. В голове стало проясняться. Он сунул листы обратно в папку, не глядя на них, и неожиданно само собой пробормоталось:

– Яблоки «голден», желтые, но крепкие, два ежедневно. Черт бы тебя!

Он нажал на кнопку, вошел секретарь Тима, Тимофей, недавний выпускник школы, племянник мужа двоюродной сестры, которого она попросила пристроить к себе кем-нибудь до осени. Как раз в декретный отпуск ушла секретарша Люся, вот Прохор Игнатьевич и предложил это место, Тима согласился и работал на удивление охотно и четко.

— Возьми и ознакомься, — сказал ему Крамаренко, подавая папку. — Подумай, как сократить до минимума. По причине, что у нас этого в помине нет. Яблоки «голден», желтые, но крепкие, два ежедневно, чтоб вас!

— Какие яблоки?

— Сам увидишь. А я съезжу пообедаю.

Но тут раздался звонок черного телефона — не успел Прохор Игнатьевич спокойно пообедать.

— Вы уже в курсе? — спросил кто-то Прохора Игнатьевича, не представляясь.

— В курсе чего? — спросил Крамаренко, наливая задрожавшей рукой третий фужерчик.

— Погиб ваш человек. Из Грежина. По документам — Степан Трофимович Мовчан. Разбомбили машину, есть такая информация, с украинской стороны. Сами понимаете, что из этого следует.

— А что?

— Политика украинского государственного терроризма, — внушительно продиктовал голос, предлагая готовую формулировку.

Прохор Игнатьевич человек опытный, сразу же уловил суть и, чтобы не забыть, схватил ручку, торопливо записал: «Политика государственного терроризма».

— Мирный российский житель расстрелян на нейтральной мирной территории со зверской жестокостью.

Прохор Игнатьевич записал и это.

— Отцу сообщили? — спросил он.

— Пока только вам. Сами сообщите.

И — отбой.

Прохор Игнатьевич выпил четвертый фужерчик.

Вот уж беда так беда, не сравнить с приездом нахальных москвичей и даже с грядущим визитом Самого. И Степу жалко по-человечески, и Мовчана, и неприятна необходимость сообщать ему такую весть, но главное — Прохор Игнатьевич чутьем пожившего человека догадался, что смерть Степы станет началом чего-то очень серьсзного и очень плохого. Будто война, полыхавшая близко, но все же не мешавшая нормально жить, взорвалась шальным снарядом прямо у твоего дома; со звоном вылетели стекла из окон, зашатались стены, задрожал потолок, чашка упала со стола и разбилась, дремавший кот вскочил, выгнул спину и зашипел, а ты, оцепенев, ничего не понимаешь, кроме одного: так, как раньше, теперь не будет.

Может, поручить Тиме, чтобы позвонил отцу Степы? Мовчан, странный человек, почему-то решил, что Крамаренко, сев на власть в районе и поселке, до этого многие годы проработав на разных административных должностях, будет мести новой метлой и в чем-то ущемлять Трофима Сергеевича. Будто Мовчан не знает, что в любом населенном пункте нашей обширной страны властные структуры между собой административно дружат, чтобы противостоять агрессивным аппетитам вечно недовольного населения. Конечно, внутренние конфликты везде имеются, каждый каждого готов при удобном случае съесть, но без повода и причины никто никого не трогает. А Мовчан какой-то особенный человек, любит показать свой характер, свою самостоятельность. Ему, наверное, для тонуса необходимо такое противостояние, подумал Прохор Игнатьевич современными словами. Что-то похожее было у покойной тещи Прохора Игнатьевича Антонины Петровны, которая сама с хохотом признавалась: «Что я со своим характером сделаю: если хоть раз с кем на дню не пособачусь, заснуть не могу!»

И в работе Мовчан ведет себя так же: ему неинтересно брать там, где сами дают, хочется взять там, где противятся. И в личной жизни то же: приспичило выдать за сына красавицу Светлану, отца ее не пожалел — и именно потому, что Светлана за Степу не хочет. То есть теперь можно говорить в прошедшем времени — не хотела.

Однако, если сообщит Тима, Мовчан все равно поймет, что Прохору Игнатьевичу известно. Известно – а не позвонил сам. Значит, думал Прохор Игнатьевич о себе вероятными мыслями Мовчана, либо побоялся, что заметно будет злорадство, либо не захотел выразить сочувствие.

Может, подождать? Так или иначе, Мовчан все узнает. Но Трофиму Сергеевичу известно, что такого рода информация первым делом попадает к главе администрации. Не позвонил Крамаренко, не сообщил, подумает он – и разозлится.

Взвесив и то, и се, выпив пятый фужерчик, Прохор Игнатьевич решил все-таки позвонить Мовчану.

Странно равнодушный, как ему показалось, или какой-то отрешенный, бесцветный голос Мовчана сказал в трубку, не дожидаясь слов Прохора Игнатьевича:

– Я знаю.

Трофим Сергеевич узнал это еще полчаса назад, позвонили свои люди из областного УВД, но при этом предупредили, что сведения секретные, распространять не следует. Они пошли на прямое нарушение, потому что служба службой, но кем надо быть, чтобы отцу не сказать? Кто убил, почему, как это вообще случилось, неизвестно. Ясно одно – укропы[1] вконец обнаглели.

Мовчан сидел неподвижно, сцепив пальцы, и боялся сам себя. Будто, если расцепит пальцы и встанет, сделает что-то непоправимое. Сядет в машину, например, взяв автомат и несколько рожков с патронами, поедет

---

1 Укропами в ту пору шовинистически настроенные русские называли украинцев, а шовинистически настроенные украинцы называли русских в ответ ватниками и колорадами (по цвету георгиевской ленточки, которую цепляли в ту пору многие патриотично настроенные россияне, – и к месту, и так, для хвастовства правильностью своей позиции, чтобы все видели).

на украинскую сторону и постреляет там всех, кто попадется на глаза, только за то, что они граждане страны, убившей его сына.

Но были мысли и еще страшнее. Да, он очень хотел, чтобы сын женился на Светлане. И одновременно не хотел этого, потому что полюбил ее. Но отцовская любовь и чувство долга были сильнее даже этой нестерпимой любви. Теперь препятствия нет, и больше того, все, что он может сделать со Светланой, оправдано гибелью сына — ведь ехал-то Степан к ней, то есть получается, из-за нее убили. Это дает право поступить со Светланой так, как заблагорассудится желающей мести душе. Да, она, возможно, не виновата. А сын в чем виноват? Его за что?

Значит, в любой бочке дегтя есть ложка меда, если даже в смерти сына видится ужасающая капля сладости? Трофим Сергеевич ненавидел тех негодяев, которые убийством сына вызвали в нем эти черные мысли. Но теперь хода назад нет. Простить злодейство можно, только став таким же злодеем. Уравнявшись. Иначе горе будет жечь тебя изнутри и сведет в могилу.

А Светлану надо выпустить. Он обещал — он сделает. Сын не приехал, не стал мужем, женился на другой, как в песне поется, и нет смысла ее держать. Сейчас пойдет, увидит ее с любовью и злобой (она-то жива, а сын уже нет!) и отвлечется от желания ехать и стрелять. Потому что рано.

И Мовчан пошел выпускать Светлану.

Взял у дежурного ключ, направился к обезьяннику.

Она стояла у двери решетки, будто ждала.

— Степу убили, — сказал Мовчан и посмотрел на Светлану, чтобы увидеть, что будет с ее лицом.

Глаза у нее сделались круглыми, как у куклы, а губы некрасиво искривились, она заплакала. Значит, и ты можешь быть уродиной, подумал Мовчан. Погоди, то ли еще будет.

– Как это? – спросила Светлана.

– Расстреляли на дороге, – ответил Мовчан, отпирая замок.

– Кто?

– Менше знаэш, краще спиш, – ответил Мовчан на ненавистном украинском, растравливая себя и не желая признаться в позоре – в том, что он, отец, до сих пор не знает, кто убил сына.

– Как это случилось? – продолжала растерянно спрашивать Светлана.

– Иди до дома и радуйся, что жива!

Светлана пошла, оглядываясь на провожающего ее взглядом Мовчана.

А Мовчан вдруг мысленно представил, что идет она не одна, а рядом со Степой, а меж ними, держась за их руки, скачет шустрый симпатяга-малышонок. Внук.

И он наконец заплакал. Плакал, как стонал, из горла вырывалось:

– Ых... Ых... Ых, не могу...

Дежурный беспомощно стоял рядом и глупо спрашивал:

– Чего вы, товарищ майор? Товарищ майор, чего вы?

ГЛАВА 11

БРЕШИ ГУСТІШЕ, ПОВІРЯТЬ БІЛЬШЕ[1]

Зря темнили люди из областного УВД: не прошло и трех часов с момента гибели Степы, как все каналы российского телевидения передали сообщение о том, что близ российского поселка Грежин украинской стороной осуществлен ракетно-артиллерийский налст. Много разрушений, пока известно об одном погибшем российском гражданине, количество жертв уточняется. При этом показывались взрывы, разрушенные дома и лежащее среди улицы тело в луже крови.

Одновременно украинское телевидение передавало текст официального протеста по поводу артобстрела исконной украинской земли в районе украинского поселка Грежин. Сердца зрителей холодели и руки сжимались в кулаки, когда они видели взрывы, разрушенные дома и лежащее среди улицы тело в луже крови.

Независимые студии, которых было мало, но тем уважительней они к себе относились, считая своей обязанностью во всем идти против течения, выдвигали версии о том, что это могла быть акция боевиков с Кавказа, не исключено также, что свои стреляли по своим, как не раз уже бывало в путанице этой войны, есть вероятность и того, что показывает себя таинственная третья сила, о которой давно уже говорят – и говорят, судя по всему, неспроста.

---

[1] Ври гуще, поверят пуще.

ГЛАВА 12

ЖИТТЯ ПІШКИ ЙДЕ, СМЕРТЬ НА КОНІ СКАЧЕ[1]

Кристина Игоревна встретила дочь неласково. Она и на покойного мужа до сих пор была обижена, считала, что умный человек в тюрьму не попадет и убить себя не даст. Виноват или не виноват, это другое дело, не виноватых вообще на земле не водится, но, если есть в тебе соображение, всегда найдешь выход. Незадачливый ее Михаил не сумел. Светлана могла помочь — не захотела. Сама Кристина Игоревна хотела — не смогла. Мовчан ей сказал с полным уважением: для вас всегда рад, но вы же свои мозги мужу не вставите? А собственными он думать в нужную сторону был не способен!

Мать корила дочь, но кормила, весь стол заставила тарелками, мисками, глечиками, подкладывала ей, глядела с жалостью.

— И чего ты добилась, скажи мне? Хотела сгинуть в тюрьме, как отец? И останусь я с Русланом, а ему тринадцать всего. Пока он начнет работать и матери помогать, я вся вымотаюсь! Оно мне надо? И так сколько лет горбатилась на отца твоего, царство ему небесное, на тебя, на Руслана, родителям еще помогаю, вы имеете совесть или нет!

— А где Руслан?

— С друзьями где-то. Опять, ты посмотри, он учится хорошо, помогает, но ты же тоже и училась, и помогала, а теперь что? Я тоже дура, своими руками отправила тебя

1 Жизнь пешком идет, смерть на коне скачет.

учиться, и что с той учебы? И себе, и другим жизнь испортила! Доча, давай вот что. Брось эти все свои дела, давай поработай на хозяйстве. Я вон, посмотри, все руки облезли: двадцать две банки огурцов закатала, помидоров пятнадцать, винограда надавила и вина сделала сто литров уже, а там еще на столько же осталось, капусты нарубила, кабанчика засолила, яблок замочила бочку, варенье наварила из вишни, из абрикосов, из дули, из китайки, да что же я! — воскликнула Кристина Игоревна с досадой и радостью. — Что ж я не угощу-то, ведь у китайки в этом году первый урожай, я боялась, кисловатая будет, а она такая получилась, что лучше любого другого варенья, немножко на айву похоже, но совсем другой вкус, сейчас!

Мать подхватилась, выскочила в кладовку, которая была размером с хорошую комнату, там был еще и лаз в просторный подвал, принесла банку варенья.

— Я закатывать не стала пока, для еды оставила. Руслану очень понравилось.

Она зачерпнула ложкой и поднесла ко рту Светланы.

— Пробуй!

Светлана коснулась ложки губами, попробовала и заплакала.

— Ты чего? — удивилась Кристина Игоревна и осмотрела ложку, ища причину. — Семечки, что ли, остались, укололась? Они же все уварились до мягкости, быть того не может!

— Степу убили, — сказала Светлана.

— Ох ты ж!..

Кристина Игоревна покачала головой, обдумывая известие.

Сунула в рот варенье, чтобы не класть обратно в банку, жевала, думала еще.

Сказала:

— Вот надо было выйти тебе замуж за него. Тебе бы Мовчан, как вдове сына, отличную жизнь устроил, особенно если бы ты от Степы еще и ребенком забеременеьла. Господи, почему я одна за всех жизнь понимаю, а вы такую хрень разводите, что зло берет!

– Мам, человек погиб.

– Ясно, что не курица! Думаешь, не жалко? Совсем ведь молодой!

Кристина Игоревна зажала рот, сморщила глаза, из них потекли слезы. Но тут же она взяла себя в руки, вытерла глаза и начала распоряжаться.

– Значит, так. Я тебе сказала мне помогать, так вот, не надо мне помогать. Справлюсь. И вообще, езжай-ка ты в Белгород или в Ростов. А то и в Воронеж. Я чую, начнутся тут дела. Может, еще тебе придется нас к себе взять.

– Странно, – сказала Светлана.

– Чего странно тебе?

– Я ведь даже не сказала, как Степу убили, а ты сразу такие выводы.

– Все думаешь, мать глупая у тебя? В такое время похорошему не убивают! Либо хохлы пристрелили, когда он сюда ехал, либо свои по ошибке. Или за чужого приняли. Так ведь?

– Я это выясню, – твердо сказала Светлана.

Кристина Игоревна сразу же поняла: дальше говорить бесполезно. Она знала этот голос дочери и этот ее взгляд. С детства такая: если в чем упрется, не пробьешь, не убедишь, не проймешь ни лаской, ни таской. Но все же сделала попытку достучаться:

– Ну, выяснишь, и что? Легче тебе будет?

– При чем тут легче? Людям нужна правда. Ты посмотри, никто уже ничего вокруг не понимает! Из этого теперь точно провокацию сделают какую-нибудь!

– Из тебя провокацию сделают! – горестно вздохнула мать. – Варенье будешь еще, или я убираю?

– Буду, – сказала Светлана не потому, что хотела варенья, а чтобы сделать приятное матери и примириться с нею. Кристина Игоревна поняла это, потянулась через стол и положила руки на плечи Светланы, обнимая ее.

Голова была опущена, поэтому Кристина Игоревна увидела на скатерти пятно, которого раньше не замечала, и сделала себе мысленно заметку на ближайшее будущее постирать скатерть, вспоминая, есть ли у нее перекись водорода, которой она отдавала предпочтение перед всеми этими новомодными и бесполезными химическими отбеливателями. Да и дорогие, собаки.

А Светлана разумно понимала, что мама не та женщина, которую ей в идеале хотелось бы иметь мамой, но мало ли какой у человека идеал! Мать родила ее, Светлана – ее результат, в том числе, задумайтесь на минуточку, и с мыслями об идеале. Все просто на свете: тем, у кого нелюбовь к своим матерям и отцам, всегда можно напомнить, что они их родили – следовательно, получается, родили и нелюбовь к себе? Это, конечно, полная глупость.

Аркадий с утра находился в редакции. Он рассказал Вагнеру о вчерашней встрече с Мовчаном, о том, что Мовчан пообещал выпустить Светлану, и высказал желание написать статью о необходимости создания народной дружины.

– Какой дружины, зачем?

– В помощь официальным структурам. Трофим Сергеевич одобрил эту идею. Предложил брату принять участие. – Аркадий указал на Евгения, которому разрешили почитать новости в одном из редакционных компьютеров.

– Хочешь сказать, он его всерьез принял?

– Более чем!

Вагнер вспомнил свои ночные мысли, вызванные впечатлениями от знакомства с Евгением. Если уж на него так подействовало, то Мовчан тем более мог охмуриться этим загадочным человеком.

Но Вагнера смущало, что Аркадий до сегодняшнего дня скептически относился ко всем инициативам сверху.

Явный этот патриотический оттенок в его речах – откуда? То все хохлов защищал, а теперь намекает, что это могут быть происки именно с хохлацкой стороны.

На самом деле Аркадию было почти все равно, какую писать статью, лишь бы опять взяться за работу. Вчерашняя ночь с Ниной получилась правильной: и он был горячий молодец, и Нина отвечала страстной нежностью, как любящим супругам и положено. Аркадий даже забыл на время о Светлане. А утром они с Ниной завтракали, с улыбками поглядывая друг на друга. От этого возникло ощущение налаженности, вхождения в мудрую житейскую колею, а колея эта предполагает, что у тебя, отца семейства, есть работа и ты ее достойно выполняешь.

Тут Вагнеру позвонили. Он взял телефон, послушал. Лицо стало серьезным и подчеркнуто ответственным. Положил телефон на стол, выждал паузу (все вокруг стихло) и огласил голосом Левитана, диктора Великой Отечественной войны:

– Убили Степана Трофимовича Мовчана! Расстреляли на украинской территории, когда ехал домой по пустоши около Кривого Яра.

Сказав это, он перешел на гражданский тон, недоуменно вымолвив:

– Черт, я же там сто раз ездил!

Ему было странно, перед глазами возникла пустошь, по которой не только он, многие спрямляли путь и на машинах, и на велосипедах, и пешком. Место тихое, как бы нейтральное, ничье. Учитывая рельеф и глинисто-песчаную почву, там и в советское время не пахали и не пасли скот, а теперь тем более.

– Кошмар! – сказал Аркадий. – А вы спрашиваете, Яков Матвеевич, зачем дружина!

– Ужас! – схватилась за щеки тридцатипятилетняя Наташа Шилкина, одинокая мать одинокой пятилетней девочки; Наташа гибель мужчин в этой войне воспринимала как вероятный ущерб ее личной жизни.

Остальные тоже сокрушались, сожалели, сочувствовали.

Евгений, оторвавшись от компьютера, сказал:

– Евгений, наблюдая за людьми, получившими известие о гибели человека, заметил, как он это замечал не раз в таких случаях, оттенок радости. Это была, конечно, и древняя инстинктивная радость любого стадного существа, когда кого-то из стада убивает хищник для еды, а ты пока остаешься жив. Но это была и радость, свойственная только человеческому виду. Люди, с одной стороны, любят спокойствие и стабильность, не хотят ничего менять, а с другой, пожив в спокойствии и стабильности, устают, им хочется перемен. Чья-то смерть – тоже перемена, вот мы и радуемся: что-то будет теперь не так, что-то надо сделать иначе, будет не так скучно.

– Помолчал бы ты! – строго посоветовал седовласый Маклаков, ничего не понявший в словах Евгения, но увидевший в них неуважение к смерти, а он терпеть не мог в современной жизни эти вот смехотунчики, эти черные комедии в интернете и по телевизору, которые любит смотреть его младшая дочь, из-за чего у них вечные споры, как и с другими членами семьи, которые, по мнению Маклакова, слишком легко предались бесовскому очарованию легкомысленного времени.

Но остальные почувствовали правду в том, что сказал Евгений. В самом деле, они, жалея Степу, в то же время взбодрились, посвежели душой, есть теперь о чем говорить, думать и писать.

Тот же настрой был и у Вагнера.

– Так, – сказал он. – Ты, Евгений, со своей философией сидишь там и ни за что не отвечаешь, а нам надо...

Он не сказал, что надо, только приподнял согнутую руку, сжал кулак и слегка потряс им. Но все поняли.

– Так я пишу о народных дружинах? – нетерпеливо спросил Аркадий?

– Конечно!

И Аркадий сел за свой стол, к своему компьютеру. Место у Аркадия было удачное, в углу, спиной ко всем. А ему как раз очень хотелось, чтобы не видели его лица, на котором может проступить та самая радость, о которой толковал Евгений. Степу он всегда считал недотепой, но опасался, что рано или поздно сын главного поселкового полицейского каким-то образом победит Светлану. Теперь, получается, одной помехой меньше.

Но, кем бы ни был Степа, это все-таки мерзость – расстрелять средь бела дня мирного жителя только за то, что он пересек границу, да и пересек-то где? – на земле, где сроду ничего не росло, не строилось, пользы от нее никакой, кроме повода украинцам называть этот бесплодный кусок земли частью суверенной территории!

А Евгений подсел к Наташе Шилкиной, которая держала платочек у покрасневшего носа, и сказал:

– Хотя Евгений не собирался общаться с этой женщиной, но он видел, что она хочет, чтобы он с ней поговорил, хотя и непонятно зачем.

– Вы сидели там и сидите, – шмыгая, ответила Наташа. – Не надо со мной говорить.

– Надо, но дело ваше.

– Не приставай к людям! – обернулся Аркадий, стесняясь за брата. – Иди воздухом подыши. Только не уходи далеко.

– Что такое далеко в твоем понимании? – спросил Евгений, но брат отмахнулся, слишком занятый написанием статьи.

В ней основной мыслью было то, что и русскому, и украинскому народу как воздух нужно ощущение, что все в их руках. Нужна гражданская самодеятельность. Конечно, советский строй во многом отучил мыслить и поступать общинно, а не по указке сверху. Но теперь без этого не обойтись. Важно при этом не перепутать гражданскую активность с деструктивными действиями, не поддаться на провокации. И помнить о равенстве: если какое-то национальное сообщество желает самоопределиться, оно должно спокойно относиться к тому, что внутри него есть и другое сообщество, имеющее точно такие же права. Не скрою, писал Аркадий, я был сторонник той мысли, что это самоопределение должно осуществляться в мирных условиях, но как быть, если не дают таких условий, если звучат выстрелы и раздаются взрывы? Переходя конкретно к Грежину, зададимся вопросом: почему так называемые третьяки появились именно сегодня? Кому это выгодно? И что могут сделать наши силовые органы без поддержки населения? Кто, если не мы сами, наведет порядок?

Строчки возникали быстро и бойко, как стежки на швейной машине Нины — она иногда любила что-то скроить и сшить для собственного удовольствия.

При воспоминании о жене Аркадию стало тепло. Хорошо все-таки, что он любит свою Ниночку, несмотря на любовь к Светлане, если бы иначе, он чувствовал бы себя предателем.

И Аркадий писал дальше с удвоенной скоростью под взглядом Вагнера — доброжелательным, почти отеческим.

А Евгений, выйдя из редакции, осмотрелся и сказал:

— Впервые Евгений увидел этот поселок сам по себе, без событий. До этого Евгению что-то было надо или его куда-то вел брат. А сейчас Евгению ничего не надо было, его никто не вел, можно идти на все четыре стороны, которых на самом деле было всего две — или направо по улице, или налево. Справа виднелось какое-то бело-зеленое здание старой постройки, оно показалось интересным, Евгений пошел туда.

И он сделал то, что сказал: пошел туда.

Здание оказалось вокзалом. Вокзал был построен еще в начале двадцатого века, одноэтажный, небольшой и очень красивый: посредине вход с аркой, с массивными дверьми, высокие окна, по четыре с каждой стороны, на крыше квадратная башня с проемами-бойницами наверху, напоминающими о том, что железная дорога по своей сути всегда связана с войной, а на этой башне еще одна башенка, круглая, венчал ее шест со звездой.

Евгений был доволен увиденным и вошел в вокзал. Там было пусто, прохладно и довольно просторно, несмотря на скромные размеры. Два-три человека стояли у кассы, продавщица продуктового киоска сидела за прилавком и читала книгу.

– Мирная жизнь, – сказал Евгений и подошел к продавщице.

Он стоял перед прилавком, а продавщица продолжала читать. Если подошедший хочет что-то купить, сам скажет, а если просто смотрит от скуки, коротая время, то зачем и отвлекаться?

Евгений увидел за стеклом холодильного ящика мороженое.

– Можно мороженого? – спросил он.

– Какого?

– Пломбир. Вот этот.

Продавщица достала мороженое, Евгений расплатился, но не ушел.

– Жаль, что эта женщина, – сказал он, – принимает все таким заурядным и обычным. – Ей кажется, что она просто продала мороженое, а на самом деле все намного интереснее.

– А чего еще? – насторожилась продавщица, женщина неопределенной внешности, неопределенного возраста, с неопределенным цветом волос и глаз. Даже голос ее был каким-то неопределенным, словно не только ее голос, а всех продавщиц на свете, суммированный и поделенный на их количество. – Мороженое отличное, не просроченное, у меня вообще просроченного никогда ничего нет! Какие претензии, командир?

– Я не командир, но буду, – ответил Евгений, вспомнив о своей миссии. – Просто я хотел вам напомнить, что в мороженом, кроме разных витаминов, минеральных веществ и жирных кислот, содержится вещество триптофан, а триптофан вырабатывает гормон счастья. Вот почему его так любят дети, они всегда знают, где счастье.

— А взрослые не знают?

— Забывают. И ищут то, чего на самом деле искать не надо. Оно уже было, надо только вспомнить.

— Гормоны какие-то... У меня вон в щитовидке гормоны нашли, ничего хорошего.

— Это другие. А эти — счастья.

— Такие тоже есть?

— Вообще-то счастье — химическая реакция под воздействием эндорфинов. А выработку эндорфинов в человеке можно увеличить также физическими упражнениями, приятной работой в саду. Особенно интенсивно они увеличиваются при половых контактах.

— Какие еще контакты? — продавщица подняла голову и посмотрела на Евгения внимательно. Он показался ей довольно привлекательным мужчиной. Но странная эта форма... Не дошла она еще до такой степени, чтобы с военными связи заводить. Не дай бог влюбишься, а его завтра убьют.

— Иди, командир, служи службу, — сказала она. — Не накапай на полу тут.

Евгений отошел, следя, чтобы мороженое и в самом деле не капнуло на гладкий пол, где не было ни одной соринки. А продавщица, дождавшись, когда он скроется, взяла себе мороженое и стала сдирать упаковку.

— Гормон счастья, выдумают тоже! — сердито проговорила она.

Но откусила мороженое с жадностью, чувствуя, как заломило зубы, покатала холодный сладкий комок во рту, дала ему растаять, проглотила и вдруг почувствовала, что в нее будто и впрямь провалилось немножечко счастья. Совсем чуть-чуть, но много ли человеку надо?

ГЛАВА 13

ЯКЩО ЙШОВ НІКУДИ, ТО І ПОТРАПИШ ТУДИ[1]

Выйдя из вокзала, Евгений доедал мороженое, которое таяло все быстрее, и все труднее было уследить за тем, чтобы с него не капнуло. Пусть тут не лакированный пол, как в вокзале, а просто асфальт или земля, но чистота людям везде нужна.

Потом он искал урну, чтобы выкинуть обертку.

Урны не нашлось, зато впереди виднелась небольшая кучка мусора возле забора, Евгений пошел к ней, бросил обертку и проследовал дальше вдоль этого забора. Увидел выломанные доски, к которым вела среди бурьяна протоптанная тропинка. Если туда кто-то ходит, значит, там что-то важное, нужное или интересное. Евгений пошел по тропке, проник через лаз, огляделся и ничего особенного не увидел, кроме того же забора, но с другой стороны. Тропинка вилась и дальше – следовательно, если тут ничего нет, то что-нибудь будет там, куда она ведет.

Она вывела к железной дороге.

По шпалам шагали две женщины в мешковатых оранжевых куртках и резиновых сапогах, с лопатами на плечах.

– Трудятся, – тихо и одобрительно сказал Евгений.

– Куда собрался, солдат? – весело спросила одна из женщин.

– Туда, – кивнул Евгений на другую сторону дороги.

– А с нами?

[1] Если шел никуда, то и попадешь туда.

— Евгений порадовался приглашению женщин, — сказал Евгений, — но ему было бы стыдно не работать, когда они работают, поэтому он отказался и поблагодарил: нет, спасибо!

— На здоровье, разговорчивый!

На другой стороне тоже была тропинка среди бурьяна, а потом была асфальтовая дорога, пыльная и разбитая. Перейдя ее, Евгений оказался на улице, пошел мимо разномастных домов, большей частью деревянных, окруженных палисадниками и садами. Улица была пустой, не у кого спросить, где он находится, но Евгения это не особенно волновало.

В конце улицы, на повороте, громоздилась груда бетонных колец, поставленных друг на друга в виде неровной пирамиды, за нею виднелся пустырь прямоугольной формы, посреди которого торчал домик-вагончик с зарешеченным окошком, обитый ржавой жестью. На кольцах сидели, взобравшись наверх, молодые люди, шесть человек от пятнадцати до двадцати лет, среди которых была одна девушка.

Евгений достал диктофон и, приближаясь к молодым людям, стал описывать увиденное:

— Евгений наблюдал грустную картину: кто-то собрался строить дом, но умер или кончились деньги, участок зарос травой, бетонные кольца для колодца не понадобились, если не считать того, что их использовала молодежь, которая любит такие пустыри и брошенные стройки. Может быть, недоделанность этих мест приятно соответствует ее собственной недоделанности. А еще в таких местах всегда есть лестницы, строительные леса, этажи или, как вот тут, бетонные кольца на разных уровнях, это позволяет молодым людям выстраивать свои отношения тоже по уровням, потому что им кажется это главным, как и взрослым людям.

Меж тем Евгения увидел Юрик Жук, тот самый, который героически возвращался домой, а потом придумал, что на него напали замирные. Когда он протрезвел, приятели посмеивались над его фантазиями, а Юрик уверял, что все чистая правда, но доказать не мог.

И вот он увидел Евгения.

Он смутно помнил, что его приключение связано было с этим человеком. Деталей Юрик не помнил, но это и неважно. Главное, теперь он может наконец предъявить доказательство своей честности.

— Вот он! — сказал Юрик. — Сам в руки идет. Меня ищешь, что ли? Ну, радуйся, нашел!

— Дивний хлопец, — сказал старший из братьев Поперечко.

— Крепко он тебе навалял? — ехидно спросил Юрика Рома, его соперник по борьбе за симпатию Ульяны, которая сидела рядом.

— Да их целая куча накинулась! — оправдался Юрик и крикнул Евгению: — Эй, иди сюда! — хотя Евгений и сам шел к ним.

Евгений приблизился и сказал:

— Евгений увидел молодых людей, которые, судя по их ничего не делающему виду, были жертвами скуки, а жертвы всегда ищут, кого бы другого сделать жертвой. Евгений почувствовал опасность, но сохранял хладнокровие и приветливо сказал: здравствуйте!

Малолетний Нитя так засмеялся, что даже завизжал от смеха. Он засмеялся потому, что ему стало очень смешно.

Другие тоже заулыбались. То есть и они были бы не прочь посмеяться от души, как Нитя, но после его детского смеха хотели показать, что они взрослее и умеют сдерживать эмоции.

— Ну? — Юрик соскочил и подошел к Евгению, готовый на любую храбрость перед своими друзьями.

— Что? — уточнил Евгений.

— Он спрашивает! — возмутился Юрик. — Забыл, да?

— Смотря что.

— Сам знаешь что!

— Я знаю многое, уточни.

— Я тебе сейчас так уточню, что никакие врачи не помогут! — пообещал Юрик.

— Постой, — сказал старший Поперечко. — Лучше спроси, откуда он такой. Он, может, шпион?

— Ты шпион? — спросил Юрик, будто был переводчиком при старшем Поперечко.

— Нет, — ответил Евгений.

— Так он и признается! — сказала Ульяна. — Вы прямо смешные какие-то.

— По роже дать — скажет, — сумрачно произнес Рома, чтобы не выглядеть смешным в глазах любимой девушки.

Юрик возразил:

— Разобраться надо! Если шпион, то чей, российский или украинский? Или ты не глядя знаешь? И что хуже, можешь сказать?

Вопрос озадачил Рому, и не только его.

Дело в том, что молодежь украинского Грежина в своем большинстве была за отделение от Украины и присоединение к России. Причин для таких настроений было несколько. Во-первых, они противились изучению в школе украинского языка, хотя их никто ему и не учил — просто некому было. Во-вторых, у них в домах работало российское телевидение, поэтому они, как и их родители, переживали за Россию, считали Украину очумевшей, а Америку и Европу — совсем охреневшими. В-третьих, они давно намеревались разобраться с замирными, то есть с враждебной по жизни молодежью российского Грежина, но сделать это при наличии границы, хоть и почти открытой, непросто, а вот воссоединятся они с замирными на государственном уровне, тогда и покажут им, где раки зимуют. В-четвертых, каждый хочет прислониться не к побежденному, а к победителю, Россия в ту пору многим казалась победительницей. Правда, никто толком не мог объяснить, в чем эта победа выражалась, поскольку фактически, как после любой своей победы, Россия стала жить в описываемый исторический период ощутимо хуже.

Были и другие причины, личные, как у Ульяны, которая, проводя время с Ромой и Юриком, за неимением других, мечтала о большой и красивой женской судьбе рядом с красивыми мужчинами на красивых автомобилях или в красивых загородных домах. Примеры таких судеб она видела в журналах с фотографиями, что кипами лежали в парикмахерской, где работала ее мать, и почти все эти журналы издавались в Москве. Значит, в Москве и делаются большие судьбы. А поехать туда гражданкой России проще, чем гражданкой Украины.

Но имелись и те, кто хотел жить в Украине при условии, что она присоединится к Европе. Тогда не будет виз, то есть формальностей, а молодежь не любит формальностей, она хочет свободно передвигаться, даже если годами не двигается с места. В Европе можно будет найти работу за валюту, а не за рубли или гривны. И там, хочешь, не хочешь, придется изучать иностранные языки, это поможет в тамошней жизни. Здесь их тоже можно изучать, но скажите на милость, кому нужен в Грежине английский, испанский или французский?

Как и в предыдущем случае, тут тоже были личные причины: старший Поперечко, в частности, знал, что подержанные машины в Европе стоят дешевле, чем здесь. А Ульяна знала, что красивую судьбу где-нибудь в Париже или в Риме устроить еще проще, чем в Москве. Украинок там любят, а кто Ульяна, если не украинка, если фамилия ее — Пироженко? Сестра ее одноклассницы Ани Хвилько уже второй год живет в Италии, где-то около Венеции, работает разменщицей монет при платном туалете — да, туалете, но при вип-туалете, роскошном туалете, куда чуть ли ни на машинах заезжают, а главное, у нее уже появился итальянский друг, который готов жениться, как только позволит его мать; итальянские матери, рассказывала Аня, могут проклясть сыновей, если они женятся без их разрешения, а они же все страшно верующие, итальянцы, они католики, у них папа вместо царя, они проклятий очень боятся!

Некоторое время у наших молодых людей ушло на обдумывание, чьим шпионом является Евгений. Тот спокойно стоял и ждал результата.

– Хохлацкий он, – огласил приговор старший Поперечко. – Все же знают, сегодня хохлы русского убили, вот их шпионы тут и ходят!

– Признавайся, гад! – закричал Рома и спрыгнул сверху прямо перед Евгением.

– Евгений не мог в который раз не отметить это удивительное слово – гад, которым люди ругают друг друга, – сказал Евгений. – Оно ведь на самом деле обозначает всего лишь пресмыкающееся типа змей, а змеи редко нападают сами. От их укусов в год на всей Земле гибнет около пяти тысяч человек, хотя, по другим данным, намного больше, но все равно это не сравнится с числом жертв москитов, от укусов которых погибают миллионы. Но в голову никому не придет применить слово «москит» как ругательство – может, потому, что москиты кажутся на вид не такими страшными, как змеи. Характерно, что во многих странах существуют даже культы змей, как, например, в Индии, где многие считают этих рептилий священными животными. Есть легенда, что однажды на берегу реки Наиранджана Будда пытался достичь просветления, а демон Мара, мешая ему, напустил бурю. И тут появилась огромная кобра, она семь раз обвила тело Будды и защитила его от непогоды.

Нитя даже забыл смеяться, хотя надо бы, слушая во все уши интересную историю.

Но старший Поперечко не дал сбить себя с толку.

– Ты давай не надо тут про змей. Документы покажи.

– Евгений в тот день вышел налегке, – сказал Евгений, – у него ничего не было с собой, кроме плеера и небольшого количества денег. Документов тоже не было.

— Ясно. Вот что, — решил старший Поперечко. — Ведем его в ментуру. К Вяхиреву.

Все сразу же согласились.

Забегая вперед, коротко расскажем о капитане Вяхиреве, начальнике украинско-грежинского отдела милиции. Он был человек подвижный и беспокойный, редко сидел в отделе, любил колесить по городу и наблюдать, нет ли где беспорядков. Вел профилактические беседы, особенно с подростками и молодежью. Но не оставлял без внимания и взрослых, и стариков. Увидит, как со двора выходит старуха Лопушиха, она же Лопушинская Галина Валерьевна, обязательно остановится и спросит:

— Самогонку несете продавать, Галина Валерьевна?

— А ты ее видишь? У меня и в руках-то ничего нет, Веня!

— А может, ты ее заранее в овраге, в лопухах, схова- ла? Я проехал, ты взяла — и вперед!

— Ты сперва спроси, я ее вообще варила когда-нибудь, гидоту эту?

— Неужели не варила?

— Да ни разу! Я тебе лучше скажу, я ее даже и не пила!

— Быть не может! Но водку-то вы пили? Или вино?

— Ну, бывало на праздник. И чсго?

— А того! Логика подсказывает: если вы водку или вино пили, значит, и самогон могли пить. А раз вы могли пить самогон, то можете его и варить!

— Городишь ты, Веня! — смеется Лопушиха. — Делать тебе, что ли, нечего?

— Я делаю. Я выявляю. И если человек что скрывает, я сразу вижу. Но вы не скрываете, я это понял методом перекрестного допроса. Доброго утречка!

— И тебе того же!

Капитан Вяхирев и впрямь считал, что люди всегда что-то скрывают. Его мучила загадка — откуда что берется? Нет, он не имел в виду нескромные особняки, построенные скромными людьми на неизвестные деньги, или еще что-то в этом сугубо материальном роде – там всегда можно докопаться до источников. Намного удивительней то, что неожиданно выскакивает из человека. Это началось, когда Вене было тринадцать лет. Он лежал во дворе на надувном матрасе, загорал, ел яблоко и читал какую-то книгу перед обедом. Услышал в соседнем дворе крик. Встал, пошел к забору, посмотрел. Сосед Ефимцев, водитель грузовика, худой до костей, обычно спокойный, молчаливый, выскочил в одних трусах из дома, гонясь за женой Людмилой. Она вопила что-то неразборчивое, Ефимцев догнал, схватил за ворот халата и ударил жену молотком по голове. Она упала, он стоял над ней, глядя на нее. Потом заметил Веню, сказал:

– Чего стоишь, зови милицию.

На суде, который был открытым, и Веня пробрался туда, хотя несовершеннолетних не пускали, Ефимцев отвечал односложно:

– Не знаю... Нет, не изменяла... Был трезвый... Не знаю... Психанул... Кипятком ошпарила она меня... Не помню... Что-то сказала, мне не понравилось... А я ей... А она кипятком... Да еще обозвалась... И побежала... Если бы не побежала, я бы... А она побежала... Я рассердился, за ней... Вижу – молоток... Не знаю... Просто взял... Не хотел... Просто взял... Не знаю... Лежал, я и взял... Не лежал бы, я и не взял бы, – бубнил Ефимцев монотонным голосом с нотками осуждения по отношению к молотку, который неудачно лежал на видном месте. Похоже, именно молоток он во всем и винил, хотя и жену тоже.

– Не надо дразниться, вот и все, – единственное, что он сказал в свое оправдание.

Этот случай Веню поразил.

Жил человек – нормальный, обычный, ничего в нем не было от убийцы. Но вот взял и убил. Есть закоренелые преступники, убивают ради денег или чего другого, это понятно. Но как становятся преступниками обычные люди, этого Веня не мог понять. Чтобы разгадать мучивший парадокс, пошел служить в милицию, но до сих пор не смог постичь этой тайны. Вот и ездит, пытается упредить, вглядывается в повседневную жизнь, чтобы найти в ней ту грань, которую люди почему-то и зачем-то переступают.

Он любил, когда земляки чем-то заняты: и статистика, и простой здравый смысл говорят о том, что занятые люди преступлений совершают меньше. Поэтому летняя бездельная молодежь его нервировала, он обязательно подъезжал, спрашивал: куда идем, зачем, с какой целью. А если сидят, то: почему сидим, делать, что ли, нечего? Этого ему казалось мало, он беседовал с родителями, родители потом, спохватившись, начинали воспитывать детей – кто словами, кто руками, а кто-то, по старой грежинской традиции, хватался за ближайшую жердь или хотя бы веник.

Привести шпиона к Вяхиреву – доказать свою деятельность и пользу, заслужить одобрение и избавиться хоть на какое-то время от нотаций, вот чего хотел старший Поперечко и захотели все остальные.

Они вели Евгения к милиции, а Ните не терпелось услышать продолжение интересного рассказа про змей и насекомых.

– А эти москиты, у нас они есть? – спросил он.

– Мало. Они больше в тропиках.

– А змеи какие самые ядовитые?

– Есть разные мнения. Кто-то считает – тигровая змея, кто-то – черная мамба.

– У нас не водятся?

– Нет, у нас гадюки.

– Я видел один раз гадюку! Они смертельные?

– Если вовремя оказать помощь, нет.

– А какое животное вообще самое сильное?

– Есть сила абсолютная и относительная. По абсолютной из наземных животных самый сильный – слон. По относительной сильней всех жук-навозник., он может тащить груз в тысячу сто сорок один раз тяжелей себя. Есть мнение, что жук-олень еще сильнее, ученые не пришли к единому выводу. Если бы человек был таким сильным, он мог бы поднять восемьдесят тонн.

— Ничего себе! Нет, но жук-то не животное, он насекомое!

— Все живые существа — животные.

— Разве? А я думал, животные это, ну, те же слоны, лошади там, ну, домашние, дикие, типа, ну, тигры. А остальные, ну, там птицы, — это птицы, насекомые — насекомые.

— Они тоже животные.

— Даже рыбы? — с неожиданным интересом спросила Ульяна.

— Конечно.

— Больше говорить не о чем? — прекратил пустяки старший Поперечко. — Лучше скажи, солдат, сколько тут твоих и какое у вас вооружение?

Он, конечно, не надеялся на правдивый ответ, но неожиданно получил его.

— Нас пока мало, — сказал Евгений. — Народная дружина только формируется, это мое поручение. Вооружения пока нет, но со временем, я думаю, дадут.

— А что лучше, пистолет или ружье? — тут же спросил Нитя.

— Все зависит от цели использования.

— А если два человека, один с пистолетом, другой с ружьем, кто кого раньше убьет?

— Помолчи, Нитя! — приказал старший Поперечко, почуявший возможность заслужить не только одобрение Вяхирева, но и благодарность за ценные сведения. — И где вы базируетесь? Дружина ваша?

— Можем хоть здесь.

— А точнее?

Но тут важную беседу прервали.

Плачущий голос закричал на всю улицу:

— Убийцы! Вы все убийцы!

Это кричала Леся. Она узнала о гибели своего жениха из телевизора. Включила его, чтобы посмотреть любимую передачу «Модный приговор», где обыкновенных женщин наряжают и делают элегантными красавицами. Лесе это было очень близко, ей рано дали понять, что она слишком рослая и не очень привлекательная. «Ростом дылдовата, а рожей бульбовата», — огорченно говаривал ее отец; для молодых современных читателей поясним, что слово дылда означает — «очень высокий человек», а бульба на многих славянских языках и диалектах — картошка. Леся понимала, что отец страдает из-за ее некрасивости. Может, поэтому и ушел из семьи, когда Лесе не было еще десяти лет. Мать пожелала ему на дорожку сдохнуть в ближайшее время и, оставшись одна, злилась на Лесю, на весь божий мир, начала крепко попивать, и то, что она сулила мужу, пало на нее: умерла. Подруги жалели Лесю, но и завидовали ей: она осталась в пятнадцать лет полной хозяйкой сама себе, могла делать что хотела. Правда, хотеть ей было некогда, надо было кормиться, и Леся, не закончив школу, пошла работать на кухню большой столовой, взяла ее туда родственница, сначала просто помогалкой — подать, принести, унести, потом поставили к плите, и выяснилось, что Леся неплохо готовит, при этом отдельно ценно, что не зовет никого в помощь, когда надо передвинуть десятилитровую кастрюлю с борщом или принести из подсобки двухпудовый мешок с крупой.

Она работала сменами, два полных дня на кухне, два дня дома. И в эти свободные дни, вернее, вечера, у Леси царило веселье. Понимая, что от парней она не добьется любви внешностью, Леся поставила на щедрость и не прогадала. Она дарила первый опыт пятнадцати- и шестнадцатилетним юношам, и ей понравилось быть чем-то вроде крестной матери. Она так и говорила, видя выросших, оперившихся под ее крылом и вылетевших оттуда птенцов, прогуливающихся с невестами или уже с молодыми женами: «Вон мой крестник идет!» Зато другие девушки и женщины ее не ревновали — взрослых чужих мужчин она не трогала. Иногда некоторые из ее крестников возвращались — вечное человеческое неосуществимое желание дважды войти в первую воду, повторить открытие уже открытой Америки. Леся знала, что ничего хорошего из этого не получится, и со смехом, с шутками отбивалась. Серьезных отношений никто не предлагал, и Леся привыкла, что она одна, что ей уже двадцать пять, двадцать шесть, двадцать семь, впереди еще два-три года, когда можно на что-то надеяться, а потом... Что потом, про это лучше не думать.

Когда к ней ввалилась компания друзей Степы и сам Степа, она не собиралась долго их терпеть: час-другой пусть поугощаются, а потом проваливают. Но разглядела Степу, которого раньше видела только издали, заинтересовалась, уединилась с ним в комнате, запиравшейся на ключ, чтобы спокойно поговорить, и через три минуты поняла, что полюбила его так, как никогда никого не любила. Ее восхитило в нем то, что он был одновременно и мощный и беззащитный, и смелый и робкий, и смышленый и глуповатый, и себе на уме и простой. Такого сколько ни крести в том смысле, в котором Леся крестила своих новобранцев, он все равно будет вечным девственником, для него каждый раз будет как первый, он тот редкий человек, который, сколько ни живет — не привыкает к жизни, то есть вечно новый. Леся и сама была такой. Она даже не спросила, как обычно, есть ли у него девушка. Впрочем, смутно помнила какие-то слухи о какой-то красотке из замирного Грежина, но разрешила себе не думать о ней, взяла юношу в кои-то веки не потому, что он этого хотел, а потому, что она этого хотела.

И вообще все изменилось. Леся до этого не уважала девушек, цепляющихся за парней, тех, кто шантажировал будущим ребенком, но, когда узнала, что беременна, поняла, что на все готова, лишь бы Степа стал ее мужем. Упрекала себя за бессовестность, говорила себе, что только навредит, но не могла удержаться, писала Степе, звонила ему, грозила скандалом, совсем потеряла стыд, но потеряла с наслаждением и с чувством правоты. Ждала лета с нетерпением, досрочно ушла в декретный отпуск, чтобы не навредить здоровью будущего сына. В здравые минуты пыталась себя образумить, глядя на свое отражение в зеркале, на широкое свое лицо, рябое от природы и пятнистое от токсикоза: ведь не любит он тебя, Леська, и никогда не полюбит, не сходи с ума, не порти жизнь человеку. Но тело пело наперекор разуму: он мой, мой, мой! Хочет, не хочет, а мой! Вместе с ребенком. Потому что – а как же иначе? Его часть во мне, а сам он не во мне, не мой? Это неправильно!

И вот она сидела, смотрела передачу «Модный приговор», поглаживала живот, пила уже третью чашку чая с лимоном, с утра захотелось сладкого чая, и именно с лимоном, и все не могла напиться, и вот передача кончилась, пошли новости. Тут-то и сообщили. Показали, назвали имя и фамилию.

Леся некоторое время сидела неподвижно. Она боялась, что, если сейчас встанет, потеряет равновесие и упадет, и навредит ребенку. Но потом все же потихоньку встала и пошла из дома, держась за стены и косяки. Она не могла находиться там, где находился телевизор, – будто в одном доме с трупом. Вышла и села на крыльцо. Но и тут долго не оставалась, хотелось туда, где люди. Не для того, чтобы найти у них утешение, а чтобы быть на виду, если с ней что-то случится – потеряет сознание или вдруг настолько помутится рассудок, что начнет биться головой о землю (ей этого очень хотелось), и это опять-таки повредит ребенку.

Встала, медленно пошла к калитке.

У забора был небольшой штабель бревен, которые когда-то для чего-то привез да так и не пустил в дело ее пропавший отец. Бревна от времени стали светло-серыми и гладкими, на них Леся иногда сидела с соседками, щелкая семечки.

Она осторожно села на эти бревна, прислонилась спиной к теплому забору, пощупала живот, словно проверяя, на месте ли, и тихо сказала:

– Господи, да не хотел ты за меня, и не надо бы. Дурак какой-то. Что я, съела бы тебя? В суд бы подала? Родила бы одна, не я первая, не я последняя. Захотел бы посмотреть на ребенка – пожалуйста. Нет – твое дело. Дурак какой-то. Ну, наехала я на тебя, обнаглела немножко, а ты что, женщин не знаешь? Мы без этого не можем. Самый умный из мужчин знаешь кто? Кто смеется. Ему хоть ты что, а он смеется. А ты как дурак какой-то. Зачем ты это сделал?

Леся говорила это, сама себя не слыша, с застывшим взглядом, раскачиваясь.

Но вот что-то услышала, повернула голову.

Увидела молодых людей, включая старшего Поперечко, одного из своих крестников. И какой-то военный среди них. Из-за этого ей и остальные показались военными, вернее, имсющими отношение к той войне, которая идет неподалеку и о которой она в счастливые, хоть и трудные месяцы своей беременности начисто забыла. А ведь именно война виновата в смерти Степы, а не он сам. Они, ничего не сделавшие для того, чтобы война прекратилась, тоже виноваты.

Вот она и закричала, не в силах стерпеть своей боли:

– Убийцы! Вы все убийцы! – имея в виду и их, и всех остальных вообще, в том числе этот страшный надгробный телевизор, который разогревает войну каждый день, потому что она его кормит. Отключи его от электричества, все равно будет работать, подпитываемый войной.

Но старший Поперечко ее выкрик понял по-своему. Он воспринял его как подкрепление своих подозрений, поэтому подошел к Лесе, сделав знак другим, чтобы крепче держали Евгения, и спросил:

– Ты что, видела его? Узнала?

– Всех я вас узнала, сволочи. Убийцы, – сказала Леся не очень громко, чтобы не тревожить сына.

– Я про всех не спрашиваю, я про него.

– Отстань от меня. У меня мужа убили.

– Когда ты замуж успела, Леся?

– Не твое дело, когда успела! Спрашивает еще! – ответила Леся и вдруг улыбнулась. Она поняла, что неожиданно попала прямиком в правду: Степан теперь ее муж. Навсегда. Никто не отнимет. Если бы он стал мужем формально, то есть после загса и по документам, могли отнять. Если бы стал мужем гражданским, то есть жил бы с ней без регистрации, тем более могли отнять. А теперь – никто.

Она бережно встала и пошла в дом, неся сына и это новое для себя открытие.

– Вот так вот, – сказала она там телевизору. – Понял? Можешь что хочешь теперь говорить, мне все равно. А лучше помолчи.

И выключила его.

– Чего это она? – спросил на улице Нитя.

– Беременных всегда колбасит, – ответила Ульяна с сочувствием, предвидя и свои будущие мучения.

– А Евгений догадался, что она плакала о войне, – сказал Евгений. – О той, что уже есть, и о той, что будет.

– А что будет? – тут же цепко спросил старший Поперечко, надеясь подловить Евгения.

– Будет все так, как к этому идет, – сказал Евгений.

И они пошли дальше, продолжая свой интересный и бессмысленный диалог.

А младший Поперечко шел, слушал и молчал, потому что никак не мог придумать, что бы такое сказать в тему. Да ему и не очень-то и хотелось говорить, если честно. Старшего брата было так много, а младшего так мало, что, казалось, не будь младшего вообще на свете, абсолютно ничего не изменилось бы – старший жил бы и действовал за двоих. Так бывает не только с братьями: в меру своей жизни мало кто живет, поэтому одни существуют на четверть, треть или половину, зато обязательно есть те, кто берет на себя эти невостребованные излишки, – в мире все стремится к равновесию, включая те процессы, которых мы не увидим, потому что они произойдут без нас.

ГЛАВА 14

СЛУХАЙ, ЩО СКАЖУТЬ, А ВІР, ЩО ПОКАЖУТЬ[1]

Жизнь иногда любит пошутить: фамилия главы украинской Грежинской администрации была Голова. Марина Макаровна Голова, пятидесятипятилетняя женщина, весьма моложавая и симпатичная, которую как избрали двадцать с лишним лет назад в ходе демократического эксперимента по продвижению молодых кадров, так и переизбирают вот уже четвертый или пятый раз, не видя смысла менять, ибо если не Марина Макаровна – хозяйка района и поселка, то кто же еще? Никого на ее месте уже и представить невозможно. Официально она именуется председателем Совета, но звали ее все, конечно, Голова – имея в виду и фамилию, и ее место в районе, а еще то, что сильно умная она женщина. Даже другие женщины поселка, любящие позубоскалить о ком угодно без всякого стеснения, при упоминании Марины Макаровны уважительно качали, извините за повтор, головами, которые у них тоже имелись, и говорили: «Марина Макаровна – это да! Это, конечно, нечего даже и спорить!»

С пионерского детства она любила субботники, которые регулярно устраивались в школе с целью воспитания коллективным трудом и просто потому, что надо было ухаживать за школьным двором: вскапывать, сажать деревья, сеять траву, разбивать клумбы, а специ-

---

[1] Слушай, что скажут, а верь, что покажут.

альных работников для этого в штате не предусматривалось. Обычно это было осенью и весной, в теплые солнечные дни. Марине нравилась деловитая суета, звонкие голоса в прозрачном воздухе, она и сама бойко работала, и другим не давала лениться, строго и весело покрикивая на отлынивающих, имея на это право как председатель школьной пионерской дружины. Застала она субботники и комсомольские, и общие поселковые перед Первомаем или ноябрьскими праздниками, которые до сих пор так и называют — ноябрьские, хотя они исчезли, сейчас вместо них осенью назначили День защитника Украины[1], эту дату Марина Макаровна в своем служебном календаре обвела красным, как и другие новые праздники: она никак не могла запомнить, когда что. И всегда она видела, что большинство нормальных людей субботники воспринимают как праздники, как отвлечение от повседневной рутины — не каждый день выпадает возможность поработать вместе, не за деньги, а для удовольствия и общей пользы. Поэтому, став главой, она первым делом восстановила добрую традицию. В советские времена было просто: сверху приказано — снизу исполнено, все включено в единый государственный круговорот. Частники нового времени, наглотавшись пьянящего воздуха воли, пытались спервоначалу бастовать: мы теперь сами себе хозяева и сами знаем, когда убирать нашу часть общей территории! Но Марина Макаровна спокойно напомнила, что она может ответить тем же, когда они придут за очередным разрешением или с очередной просьбой: дескать, сама знаю, когда вам разрешение выдавать и выдавать ли вообще!

---

[1] День защитника Украины был объявлен 14 октября 2014 года. В 2015 году стал выходным днем. Заменил День защитника Отечества, который праздновался 23 февраля, но в 1993 году его отменили, в 1999-м (по другим источникам — в 2009-м) восстановили, а в 2014-м он опять был отменен.

И частники послушно выходили с метлами, граблями и лопатами, в первые разы как бы по принуждению, а потом всё охотнее и охотнее. Кстати, если случалось Марине Макаровне вести теоретические разговоры на темы идеологии и политики, она частенько удивлялась гибели социализма. Ее личный метод доказывал, что люди склонны отнекиваться от общего дела, но, если их немножечко стимулировать или вежливо, но убедительно заставить, потом входят во вкус так, что не оторвешь. Вот и с социализмом было так, рассуждала она: дожидаться, когда люди сами воспитаются, нет времени, помаленьку их воспитывать — тоже долго, учитывая мировую окружающую конкуренцию, поэтому советская власть подпихивала граждан на благие свершения, рассчитывая, что вскоре им самим понравится. Но в итоге все же не понравилось, так что, извините, говорила Марина Макаровна, в гибели социализма виноват не социализм, а неисправимая человеческая природа. И всем, кто ее слушал, казалось: дай социализм в руки Марины Макаровны, он, может, и не кончился бы так бесславно. Вы скажете, что она слишком все упрощала, но, согласитесь, для небольшой начальницы небольшого района уровень размышлений вполне достойный. По крайней мере, никак не глупее тех речей, что вели тогда государственные деятели с трибун украинской Рады или российской Думы; если кому интересно, сам может порыться в архивах и убедиться.

Когда Марина Макаровна утомлялась от повседневных одинаковых хлопот и скуки личной жизни, где полная пустота — муж погиб, дочь в Киеве, — она, глянув в окно, брала трубку внутреннего телефона и звонила своему заместителю по хозяйственным и жилищно-коммунальным вопросам Чернопищуку Виталию Денисовичу:

— Виталя, мы долго будем вот так вот пыль ковтать и грязь топтать?

— Да я уж сам думал...

— Ты думал, а надо делать! Давай в эту же субботу организуем.

И организовывали, и поселок себя чистил, убирал, наряжал; Марина Макаровна сама в первых рядах и мела, и копала, и граблила, и ей становилось легче.

Когда какие-то неприятности случались в мире дальнем, то есть за пределами поселка, района или даже страны, они отзывались в чутком сердце Марины Макаровны болью и привычным желанием тут же устроить субботник, только непонятно где. Помнится, увидела по телевизору, что произошло в Нью-Йорке 11 сентября, все эти страшные руины и завалы, так чуть ли не всерьез хотела взять билет на самолет, выхлопотать визу и полететь туда, помочь этим несчастным людям все разгрести и почистить.

Так же на нее действовали чрезвычайные ситуации и известия.

Поэтому, узнав о трагедии, случившейся на территории ее района, она сразу же позвонила Чернопищуку:

— Слышал?

— Ох, слышал...

— Вот что, озадачь своих людей: пусть обзванивают всех сверху донизу, чтобы немедленно вышли на уборку благоустройства!

— Как бы не суббота сегодня...

— Первый раз, что ли, субботник не в субботу устраиваем?

— Нет, но зачем, Марина Макаровна? Что это даст?

— А сообрази сам! Позвонят, спросят: что вы делали, когда у вас под носом, на фактической территории вашего района, ЧП произошло? И что скажем? Что ничего не делали?

— Работали, как всегда...

— Ну да, у нас тут людей обстрелом убивают, а мы работаем и ухом не ведем? Никакой реакции? Нет, Виталя, я им скажу: у нас субботник был! И кто позвонит, он, вместо того чтобы шпынять, что на месте сидели, спросит обязательно, какой субботник, почему? Его это с темы свернет, уже плюс! А добавочно у нас будет... как это называется, когда человека подозревают, а он в другом месте? Ну, в детективах? Слово забыла, ну?

– Алиби?

– Вот! И мероприятие организовывали, и алиби у нас, никакого отношения не имеем, район большой, за всем не усмотришь. Понял?

– Понял, уже действую, – сказал Чернопищук, в который раз оценив глубокий ум этой женщины.

И тут же дал сотрудникам соответствующис указания, зазвонили по всему украинскому Грежину телефоны, и вскоре на улицах и центральной площади появились работающие люди.

Кто-то знал о гибели человека, кто-то не знал, субботник с этим не связали, приняли просто как неожиданную инициативу Марины Макаровны и откликнулись без вопросов, потому что привыкли ей доверять. Чернопищук до того проникся, что из личного гаража привез три банки личной зеленой краски, чтобы подновить ограды цветников, по периметру окаймляющих площадь.

Сама Марина Макаровна была на субботнике в косынке, украшенной изображениями Эйфелевой башни и надписями «Paris», в синем халате, который ладно прилегал к ее крупным, но гармоничным очертаниям, разрумянилась, успевала и указывать объекты работы, и браться то за грабли, то за метлу.

Был тут и отдел милиции в полном составе: капитан Вяхирев, старшина Таранчук, мужчина в возрасте, и молоденький сержант Евдоха.

Когда появилась группа молодых людей, ведущих Евгения, Марина Макаровна обрадовалась и крикнула им:

– Ну вот, а говорят, у нас молодежь необщественная! Сами пришли, молодцы, Виталий Денисович, распорядись им лопаты выдать, пусть деревья окапывают!

– Мы хотели к капитану Вяхиреву, – сказал старший Поперечко.

– Чего вам? – расслышал капитан свою фамилию и распрямился.

В азарте работы он скинул китель и рубашку, был в одной футболке, и это смутило старшего Поперечко. И лицо у капитана веселое, разрумянившееся, видно, что ему сейчас не до службы. К тому же могут принять их поступок не за бдительность, а за отлынивание от работы, Марина Макаровна рассердится, а ее сердить – себе дороже.

– Ладно, – сказал старший Поперечко.

И пошел получать лопату, а за ним и остальные, догадавшись о ходе его мыслей. Евгений тоже взял лопату.

Его одеяние никого не удивило, жители украинского Грежина привыкли к тому, что с началом военных действий появилось много людей в самой разной форме – и армейские солдаты, и нацгвардейцы, и те, кто называл себя ополченцами, и зеленые человечки, о которых уже упоминалось, и казаки – коренные и самозваные, у них вообще каждая станица, каждый полк рядится в свои колера и фасоны, да еще навешивают на себя какие-то цацки, медали и ордена, неизвестно за что полученные.

Евгений пристроился поближе к Марине Макаровне, сразу угадав, что она здесь главная.

Он ковырял лопатой землю там, где ему указали, а сам смотрел в ее сторону и говорил:

– Евгению всегда нравились руководители, ему нравилось начальство. Он уважал смелость, граничащую, на его взгляд, с безумием, – брать на себя ответственность за судьбы людей. А руководящие женщины поражали особо. Что-то есть вообще привлекательное в женщине, которая находится в несвойственной для ее пола роли, особенно если смотреть в историческую перспективу. То есть — ведет машину, одета в военную или полицейскую форму. Или работает судьей в суде, это нелепо и опасно, ведь женщина от природы не может быть логичной и объективной, она настроена на защиту своих детей и своего очага, возле которого нет никакой логики и объективности, кроме борьбы за свою плоть и кровь, а очаг для женщины там, где она находится. Когда она сидит за судейским столом, этот стол и есть для нее очаг, а вместо детей за спиной кишмя кишит государство, сильное снаружи, но на самом деле очень робкое и уязвимое изнутри, вот этот стол и это государство женщина-судья и защищает, а не какой-то абстрактный закон, который для нее такой же отдаленный, как раскаты грома для пещерной женщины доисторической эпохи. Гром как бы и есть, и вспышки молнии отражаются бликами в кварцевых частичках породы у входа в пещеру на радость детям, но к нашему очагу, слава богам, все это отношения не имеет. Еще Евгению нравились женщины, мчащиеся на лошадях, женщины-политики, но не нравилось, когда женщины играют в футбол или поднимают штангу, это, конечно, дань искусственному равенству наперекор естественным отличиям, заложенным самой природой.

— Что ты там бормочешь? — прислушалась Марина Макаровна.

— Евгений был рад, что она обратила на него внимание, хотя, если честно, этого и добивался, — сказал Евгений.

— Какой Евгений, ты про кого? Кто чего добивался?

Евгений распрямился, посмотрел на нее и сказал:

— Есть женщины, с которыми хочется быть и сыном, и мужем, и отцом, и братом сразу. Всеобъемлющие женщины.

— Ничего не поняла. Как лектор какой-то. Ты откуда вообще?

— Я заблудился, я ищу, где и у кого остановиться, соврал Евгений и покраснел, опустив от стыда глаза, — сказал Евгений, не покраснев и глаз не опустив.

— Чудной, — усмехнулась Марина Макаровна. — Хотя много вас сейчас бултыхается тут, не пойми-возьмикто, откуда и зачем.

— Евгению хотелось спросить эту прекрасную женщину, замужем ли она, но он стеснялся, — сказал Евгений.

— Можешь не стесняться, вдова я, — спокойно ответила Марина Макаровна.

— Евгений даже внутренне вздрогнул, — сказал Евгений. — Женщина легко поддержала разговор, показав этим, что Евгений ей не неприятен. И он подумал, что, наверное, у нее проблема, которую некоторые обозначают как синдром Снежной королевы. Снежная королева прекрасна, ею можно любоваться, ей можно служить, но никому не приходит в голову, что она живой человек, что с ней можно иметь нормальные человеческие отношения. Ее все боятся, она от этого устала, но, увы, к этому привыкла.

— Угадал! — отозвалась Марина Макаровна, энергично налегая на лопату, успевая контрольно посматривать вокруг, поэтому из речей Евгения выхватывала лишь отдельные слова. — Я в школе, постановка была, сказку играли, я там как раз Снежную королеву играла.

— Странно, подумал вслух Евгений, — подумал вслух Евгений. — В таком молодом возрасте и уже вдова? Неужели муж погиб на этой войне?

— Пятьдесят пять мне, голубчик! — засмеялась Марина Макаровна.

— Потрясающе! — обомлел Евгений. — О своем возрасте женщине сказать еще труднее, чем о своем одиночестве. Как это вы так смело, извините, не знаю имени?

— Марина Макаровна. А тебя?

— Евгений.

— Так ты про себя говорил?

– Да.

– А я не поняла сразу. А про возраст легко признаюсь – чего в этом трудного? Чтобы недоразумений не было. Я же не виновата, что моложе выгляжу.

Марина Макаровна сказала это почти печально.

Это было действительно странной грустью ее жизни, хотя, конечно, и радостью. До тридцати трех лет Марина взрослела и выглядела соответственно возрасту. А потом будто перестала стареть. При этом никаких, естественно, операций, никаких кремов, никаких процедур, а кожа гладкая, без морщин, тело атласное, ничего не висит, как все к тридцати трем годам налилось и определилось, так и остается. А ведь она курит, выпивает частенько после работы пару рюмочек коньяка или фужер вина, спит не больше семи часов, а случается, и шесть, и пять, и четыре, иногда сутки подряд не спит, но отражается это только небольшим потемнением и припухлостью век, что Марина легко снимала старым маминым рецептом: прикладывала влажную чайную заварку, завернутую в марлю.

Дочь Дарья, приезжая, говорила с завистью:

– Да ну тебя, мам, с тобой рядом даже быть неинтересно, я в свои тридцать четыре старше выгляжу, а уж в смысле привлекательности на внешность вообще молчу! Ты почему мне свои гены не передала? Папе спасибо низкое, прямо до земли, уроду такому, царство ему небесное!

Отец Дарьи Максим действительно был не красавец. Он был дальнобойщик. Ездил с грузами по всей стране – имеется в виду бывшая ее территория, – от Калининграда до Владивостока. Пропадал на неделю, на две, возвращался с запахом бензина, дорожной пыли, сухого степного ветра, иногда пахло чем-то женским, не духами даже, а тонким, еле уловимым запахом чужой кожи. Марина, уже начавшая успешную административную карьеру и научившаяся так задавать вопросы подчиненным, что их корчило, как живых карасей на сковородке, Максима ни о чем не спрашивала. Боялась: спросит, а он возьмет и скажет все как есть. Однажды под Новый год, который отмечали всей семьей, еще родители были живы, Марина выпила шампанского, сначала развеселилась, а потом вдруг загрустила и сказала Максиму:

– Скучно тебе, наверно? Сейчас бы в кабине с молоденькой девчонкой, у заправки какой-нибудь романтикой заниматься. Прошлый Новый год застрял же ведь где-то. Машина поломалась. Знаю, как у вас машины ломаются!

– Рассказать? – спросил Максим, нисколько не смутившись.

– Обойдусь. Ты и правду скажешь, как соврешь, а соврешь, как правду.

А потом была авария.

То раннее утро Марина никогда не забудет. Она вышла из дому на работу и увидела в конце улицы машину ГАИ. Эта машина могла куда угодно ехать, но у Марины вдруг ослабели ноги и стало нехорошо на сердце. Машина неотвратимо приближалась, и, когда остановилась, когда вышел оттуда, хмурясь и глядя под ноги, молоденький милиционер, Марина уже все знала и спросила:

– Где?

Как после выяснилось, Максим погиб от лобового столкновения. Сразу. Погиб и встречный лихой водитель на грузовике, ставший причиной его гибели. Водителя того принесло из тумана по гололеду, как посланца самой смерти, а не как живого человека, поэтому Марина никогда его не винила и даже не спрашивала, кто он, была ли у него семья, – не хотела ничего этого знать.

И вот живет дальше, оставаясь почти такой же, какой была в год гибели Максима. Может, потому, что ей часто снился один и тот же сон: входит в дом вернувшийся Максим, пахнущий бензином, машинным маслом, степным ветром и чужой женской кожей, входит, смотрит на нее и одобрительно говорит: «Молодец, все такая же». А Марина отвечает: «Как же я могу постареть, если ты не стареешь? Ты меня разлюбишь тогда».

Несмотря на ее привлекательность и внешнюю молодость, никто из мужчин не делал попыток скрасить ее одиночество, включая посторонних, кто впервые видел Марину где-то в неслужебной обстановке, ничего о ней не зная. Не потому, что она держала себя заносчиво и неприступно, просто у нее был вид женщины, которая кому-то уже крепко и преданно принадлежит. Евгений был, пожалуй, первый за долгое время, кто так откровенно говорил с ней и так откровенно на нее смотрел. И ей было, конечно, приятно, но тут же стало и стыдно за то, что в мыслях чуть не изменила Максиму.

– Не отвлекаемся, работаем! – прикрикнула Марина то ли на Евгения, то ли на других, то ли на себя.

Все и так с увлечением работали.

Был тут, кстати, и Алексей Торопкий, который, увидев Евгения, удивился, но решил пока ничего не предпринимать, понаблюдать, а уж потом сделать выводы.

Тут на площадь, пыля и грохоча, въехал грузовик с крытым брезентовым кузовом, из кабины выскочил человек в пятнистой одежде (то ли коричневые пятна по зеленому полю, то ли зеленые по коричневому), взобрался на кучу мусора и веток и крикнул:

– Друзья, граждане, товарищи! Давайте не допускать паники и скороспешных действий! Мы должны защищаться от агрессии украинских карателей, применивших огонь на поражение по русским людям на собственной территории, но одни только баррикады не помогут, хотя они тоже нужны! – указал он себе под ноги. – Еще нужнее сейчас усиление нашего личного состава людьми, не позволяющими, чтобы их безнаказанно убивали ни за что! Как вот эти свободные и инициативные ребята, которые взяли на себя смелость и ответственность за всю глубину и масштаб происходящих событий!

Он вытянул руку в сторону выпрыгивающих из кузова людей, одетых разношерстно, но у каждого было что-то военизированное — на одном камуфляжная куртка при джинсах и кроссовках, на другом, наоборот, камуфляжные штаны при гражданской рубашке в полоску, а третий и вовсе был в костюме, но на ногах – тяжелые и грозные берцы, предназначенные для боевых пеших действий в условиях пересеченной местности. Впрочем, все они держали в руках то, что делало их похожими друг на друга и окончательно военизированными, — автоматы.

Люди, работавшие на площади, ничего не поняли и растерялись.

Но Марина Макаровна сохраняла полное спокойствие.

Она спросила:

– Тебя какого лешего принесло сюда, Стиркин? Ты воюй там у себя, а у нас нейтральная территория!

ГЛАВА 15

СТУКНУ ЛОБОМ В ЛОБ, БОЛЬНІШ БУЛО ЩОБ[1]

Да, это был легендарный Артем Стиркин, о котором все знали, что это бескорыстный человек идеи. Правда, мало кто понимал, какой именно, хотя сам Стиркин неоднократно объяснял ее в интервью различным каналам и газетам, упирая на слово возрождение.

— Возрождение чего? — спрашивали журналисты.

— Русского духа, — отвечал он.

— В чем он заключается? — спрашивали журналисты.

— В преобладании духовного над материальным, — отвечал он.

— Почему к победе духа вы стремитесь материальными средствами, то есть оружием? — спрашивали журналисты.

— Вы посланцы сатаны и пятая колонна, — отвечал Стиркин. — Неужели вы не знаете, что бесы без боя не сдаются?

Артем рос необычным мальчиком. Он был как разведчик в этом постороннем мире и даже придумал себе игру, будто ему дали задание освоиться здесь, так себя вести, чтобы никто не догадался, кто он и зачем послан. И это удавалось: стал своим до неразличимости. Нормально учился, нормально общался с одноклассниками и дворовыми приятелями, ничем не выдавая себя, а вечером, в постели, закрывшись с головой, передавал по воображаемой рации сведения воображаемым руково-

[1] Стукну лбом в лоб, больней было чтоб.

дителям на странном языке – известном, впрочем, многим нам, кто в детстве, а некоторые и во взрослом состоянии, вели подобные разговоры. Что-то примерно в таком духе:

– Джучамба газа тарагат! Абына тубрин, мубрин, бинамета акан! Бинмин щицы черер, мерер! Повторяю. Емпен, кампен, венпен! Чикадык дикти, викти, шикти! Как поняли, прием!

И слушал в ответ азбуку Морзе, получая очередное задание.

Задания были разные. Например, уличить отличника Камышина в том, что он вовсе не умный, а просто задалбливает, как дятел, параграфы учебника. Артем слушал Камышина и смотрел в учебник. Точно, один в один. Или: представить доказательство того, что директор Леонид Петрович Олешич, жестко преследующий старшеклассников за курение, сам в своем кабинете курит. Косвенных улик – запах от костюма, желтизна указательного и среднего пальцев, покашливание в конце урока – этого было недостаточно, требовалось проникнуть в кабинет и добыть неопровержимые данные. А это было непросто: там всегда секретарша, рядом дверь в кабинет завуча, все время толкутся учителя и ученики, но Артем все же улучил момент, когда был дежурным, школа была пуста, а дверь в кабинет Олешича оказалась не заперта. С бьющимся сердцем он проскользнул туда, увидел на столе большую хрустальную пепельницу, полную окурков, схватил горсть, завернул в тетрадный лист, припасенный заранее, вынес и спрятал, сунул в подвальное окошко своего дома, чтобы потом с курьером передать кому следует.

Артем ежевечерне отчитывался о проделанной работе, но только своим, в школе стукачом никогда не был, учителям не ябедничал, причем не из опасения раскрыть свою миссию, а потому что презирал стукачей и ябед. Они ведь всегда имеют какую-то свою выгоду, Артем же за свою работу ничего не получал, кроме регулярных благодарностей, да еще ему выдали два ордена, которые он сам смастерил из фольги и бутылочного стекла, скрепив их клеем БФ.

Конечно, это была игра, затянувшееся детство, но игра потом преобразилась в профессию, в жизненный стиль. Дополнительный толчок Артем получил тоже в детстве, когда к отцу приехал друг, майор дядя Толя. Это было зимой. Артем, войдя в квартиру, услышал громкий голос и учуял новый запах — незнакомый, волнующий. Запах исходил от шинели дяди Толи, еще влажной от снега, с мельчайшими, как роса, капельками на ворсе сукна, от его сапог, стоявших в прихожей, черных снаружи, желтоватых внутри — запах настоящей кожи, настоящего мужского пота, при этом не столько личный запах дяди Толи, а дух мощного единства, которое он представлял, дух армии и службы, терпкий и приятный.

Артем поступил в военное училище и успешно его закончил. Стал служить. Ему нравилось, что в армии имеется четкая естественная субординация, соответствующая званиям и занимаемым должностям. Но вскоре он понял, что не все так просто, есть еще субординация неписаная и неуставная (в хорошем смысле слова), когда какой-нибудь капитан, приехавший из округа с некой никому неизвестной целью, был явно указующим и наставляющим по отношению ко всему командному составу, независимо от званий и должностей, и сам командир части, строгий и не скупой на слово полковник-служака, стоял перед ним неподвижно, как рядовой в строю, багровел лицом, но ничего не возражал капитану, который что-то ему снисходительно втолковывал.

В то время проводился негласный набор добровольцев в одну из так называемых горячих точек, которых много было на постсоветском пространстве, и Стиркин записался одним из первых. Показал себя как прекрасный, умелый, инициативный воин, хороший организатор, его назначили командиром спецподразделения. Так и пошло: командировки, бои, секретные операции, постоянная перемена мест дислокации. Стиркин не был тщеславен, он не хотел выбиться в высокое командование – уже потому, что генералы руководят штабами и соединениями, а не живыми конкретными людьми, Артему же всегда нравилось быть командиром и товарищем именно живых, настоящих людей.

Годам примерно к тридцати пяти Артем догадался, почему играл школьником в шпионские игры и чувствовал себя чужим и засланным. На самом деле не он был чужим, а большинство населения чуждо собственной стране, точнее говоря – ее коренному духу, неистребимому духу русской жизни, который прочнее всего сохранялся, конечно, в Вооруженных силах, недаром ведь когда-то белые офицеры пошли служить в Красную армию, это было не шкурничество, они знали, что именно в армии и только в армии, будь она хоть красной, хоть серой, хоть зеленой в желтую полоску, остается, несмотря на все смены режимов, этот самый русский дух. Артем без гордыни, с чувством долга понял, что он является кем-то вроде посланца высокой идеи. И, конечно, везде натыкался на извращения этой идеи, сталкивался с людьми, которые использовали ее в личных целях, что его очень огорчало. С готовностью получив новое задание уже не от воображаемых, как в детстве, а настоящих руководителей, он выезжал на место, организовывал, сколачивал, координировал, возглавлял, но часто сразу же после того, как одержана была победа, обнаруживал вокруг себя не только хороших и верных товарищей, но, к сожалению, кучу сомнительных и темных личностей, спешащих воспользоваться плодами успеха. Некоторые перерождались прямо на глазах: вчера он готов был тебя заслонить от пули с риском для собственной жизни, отдать последний рожок патронов, поделиться последней тушенкой, но вот отгремели бои, и этот же человек мог тебя подсидеть и уничтожить, борясь за право занять кормовую должностишку, завладеть ничейным трофейным автомобилем, занять симпатичный домик, из которого неизвестно куда убыли хозяева.

Только в борьбе и в бою живет русский дух, таков был вывод Стиркина, поэтому он, едва правое дело на той или иной территории побеждало, без сожаления снимал с себя все полномочия и возвращался в Москву, где ждал новых указаний и нехотя отвечал на вопросы назойливых журналистов: к сожалению, умея вполне ясно и четко мыслить, Артем не всегда умел эти мысли ясно изложить. Поэтому он, уважая великую русскую идею, не терпел тех, кто о ней рассусоливал: не трендеть о ней надо, а чувствовать ее!

Таков был Артем Стиркин, которому Марина Макаровна задала вполне логичный вопрос: зачем он тут, на нейтральной территории?

– Нет нигде нейтральных территорий, Марина Макаровна! – ответил Стиркин. – А если кто думает иначе сегодня, тот завтра поплатится жизнью – своей и своих детей!

– Вот завтра и приходи, – посоветовал Веня Вяхирев, надевая милицейский китель, чтобы было понятно, что его совет не гражданский, а официальный.

– И ты туда же, Вяхирев! – укорил его Стиркин. – Я же знаю, ты наш человек, зачем ты служишь нацистам?

– Я государству служу, – возразил Вяхирев. – И по закону обязан вас всех задержать хотя бы уже за ношение оружия.

– А задержи! – радостно воскликнул Стиркин, глянув на своих бравых ребят, и бравые ребята заржали, правильно поняв взгляд своего отца-командира.

Неизвестно, чем бы это кончилось, но тут на площадь въехали еще две военные машины – бронетранспортер и грузовик, тоже крытый брезентом, как и грузовик группы Стиркина, и оттуда тоже выскочили люди с автоматами, но одетые не так разношерстно, с погонами и знаками различия. Это были бойцы украинской армии.

Из люка бронетранспортера вылез юный лейтенант в новенькой форме, в каске, обтянутой материей, с каким-то прибором, прикрепленным к лобовой части, с двух сторон тоже имелись какие-то устройства, это была хорошо оснащенная, красивая каска, на которую сразу же засмотрелись все мальчишки, бывшие на площади, а было их здесь довольно много.

Лейтенант встал на бронетранспортере и сказал:

– Громадяни! Сьогодні був здійснений варварський артналіт з боку Росії! Для преотвращенія паніки, екстремізму і небажаних дій в районі оголошується надзвичайний стан! Прохання здійснювати спокій і припиняти провокації!

Ответом было молчание, а потом Марина Макаровна сказала с усмешкой:

– Хлопець, тут не все українську мову розуміють, переклади!

Лейтенант, не чинясь, повторил, упростив при этом голос почти до будничного:

– Чрезвычайное положение у вас объявлено. В связи с бомбардировкой территории со стороны России.

– Ничего не путаешь, служивый? – иронично спросил Стиркин.

– Не путаю, – ответил лейтенант, не глядя на Стиркина. Он, конечно, сразу же узнал его. Он знал также, каков авторитет в здешних краях имеет этот человек. Он видел людей с автоматами. Он понимал, что ситуация, как минимум, неприятная. Согласно уставу, он при обнаружении вооруженного противника обязан сразу же вступить в бой. Но вокруг мирные жители. Да и противник пока не нападает, все сгрудились вокруг мусорной кучи, на которой стоит Стиркин, враждебно смотрят на прибывших бойцов, однако тоже при этом понимают: стрелять сейчас нельзя.

– Слушайте внимательно! – призвал Стиркин. – Так как территория Грежина и района переходит в юрисдикцию, которую я представляю в своем лице, призываю в мирном порядке покинуть данную территорию!

– Вот ты сам и покинь, – тут же отреагировал лейтенант. – В своем лице! – передразнил он, и мальчишки на площади засмеялись, очень уж получилось похоже. – Кто ты в своем лице? У меня вот документы есть, – он хлопнул себя по нагрудному карману, – а у тебя что?

Это был коварный вопрос. Жители с любопытством смотрели на Стиркина, ожидая, как он вывернется. Ведь действительно, должно быть что-то, что удостоверяет человека, кроме его собственного заявления.

Стиркин не только не смутился, он засмеялся, зная, что масса податлива и всегда готова подхватить веселье. И действительно, кто-то хихикнул, но остальные остались суровы.

– У тебя бумажки, а у меня полномочия! – объяснил он лейтенанту.

Народ на площади молча одобрил: в самом деле, полномочия важнее бумажек, и перевел взгляд на лейтенанта, ожидая ответа.

Тот ответил без задержки, бойко и весело:

– Откуда я знаю, что у тебя полномочия? На лбу не написано!

Народ, крякнув от удовольствия, воззрился на Стиркина.

– А что ты вообще знаешь, юноша? – не растерялся Стиркин. – Ты, может, и меня не знаешь?

И опять в точку! – как можно не знать Стиркина? Ну-ка, чем отобьет это лейтенант?

Лейтенант отбил:

– Я тебя не только не знаю, но и знать не хочу, потому что ты самозванец. Слышал, что ты Стиркин, а ты, может, не Стиркин, а Гиркин, да и тот тоже не Гиркин, а Стрелков, да и Стрелкова вашего давно пес хвостом смахнул![1]

— В масть! — вырвалось у кого-то восхищенное.

Свой, родной, пряный южный юмор услышал народ на площади и проникся тут же симпатией к лейтенанту.

Стиркин стойко выдержал удар и, сохраняя душевное равновесие, спокойно сказал:

— Смахнул или не смахнул, но вы не забудете, хлопцы, как он вам лещей надавал, да и я о себе память оставлю!

И ведь правда, подумал народ на площади, ни Стрелкова-Гиркина, ни Стиркина этого, захочешь, да не забудешь.

— А кто тебя звал сюда лещей давать, Стиркин? — Лейтенант все больше входил во вкус перепалки, и народ оценил его реплику сочувственными кивками многих голов. — Или, думаешь, тут без тебя не разобрались бы? — закреплял успех лейтенант. — Или нам без твоих москальских лещей никак нельзя? Люди и без тебя знают, что им надо, лящів або горілки, випити або закусити, а краще і того, і іншого, а не як у вас — є пити, а жерти нічого, є закуска — горілки немає!

Народ одобрительно зашумел, загомонил. Люди в Грежине, как украинском, так и русском, всегда считали, что живут крепче, основательней, чем северная Россия или западная Украина, и уж что-что, а хорошая выпивка с хорошей закуской у них никогда не переводились.

Но Стиркин не дал долго торжествовать противнику.

— Что толку с твоей горилки и закуски, если вы русским людям дыхнуть спокойно и свободно не давали,

---

[1] Справка из интернета: «Игорь Иванович Стрелков, настоящее имя Игорь Всеволодович Гиркин, гражданин РФ, военный деятель самопровозглашенной Донецкой Народной Республики (ДНР). Командовал боевыми подразделениями в Славянске и Донецке». К моменту описываемых событий убыл в Россию, разочарованный.

если у вас Бандера герой, если ваша власть вся проворовалась, а простой народ за людей не считает!

Народ не мог не согласиться. Что власть проворовалась, это факт, не требующий даже доказательств, что за людей не считает — тоже факт, против которого не поспоришь.

Стиркин не давал опомниться, горячил:

— Горилкой и закуской будешь ты мне рот затыкать! Ты лучше автоматом заткни, оно вернее! Где это видано, чтобы армия против своего народа с танками и пушками пошла? — Стиркин указал на грузовик и бронетранспортер, и хоть это были не танки и не пушки, но тоже ведь военная, армейская техника. — Вы зачем сюда приехали, такие все до зубов вооруженные? С кем воевать? Со своими же гражданами? Ну, давайте, стреляйте!

Лейтенант на мгновенье опешил. И не сумел найти достойного ответа, выкрикнул:

— Да мы армия, а вы бандиты!

— Видите? — спросил Стиркин, который в нужные моменты умел находить самые верные и точные слова, попадающие прямо в сердце. — Видите, люди, ему даже сказать нечего! Они армия! А нас бандитами считают! И вас, люди, тоже! За что? За то, что вы хотите своей собственной жизнью жить? И вы это терпите?

Народ сердитым, хоть и невнятным ворчанием дал понять что терпит лишь до поры до времени. При этом толпа, сконцентрировавшаяся на пространстве между отрядом Стиркина и приехавшими солдатами, угрожающе колыхнулась в сторону солдат. Нервно клацнул затвор автомата.

— Убивают! — раздался заполошный женский голос.

Тут же заклацали все затворы всех автоматов, люди Стиркина заняли боевую позицию за мусорной кучей, а бойцы лейтенанта залегли под кузов грузовика, целясь в противника, плохо видного из-за людей.

Толпа колыхнулась туда, сюда, готовясь броситься врассыпную, но тут послышался звук моторов и на площадь въсхал большой зеленый джип, а за ним две боевые машины пехоты, новехонькие, будто прямо сейчас с выставки-продажи вооружений, из них посыпались люди в черной форме с желтыми шевронами на рукавах, похожие на охранников; это и были охранники, так называемый батальон Мельниченко, богатейшего человека. На совершенно законном основании он завел себе личную небольшую армию для обеспечения безопасности своих предприятий и территорий. Видя, как успешно он действует, ему поручили контроль над несколькими административными единицами, куда попал и грежинский район вместе с Грежином. Командовал батальоном Каха Мамашвили, брат жены двоюродного племянника Мельниченко, то есть почти родственник.

Народ, собравшийся разбежаться, застыл: любопытство пересилило страх. Каха уже бывал здесь, но с мирными целями, собирая долги и проценты с местных предпринимателей. Он, заметим, был единственный, кто не боялся прямо и откровенно любоваться Мариной Макаровной, не раз предлагал ей совместно и приятно отдохнуть, на что она, конечно, отвечала отказом.

Вот и сейчас, встав на подножке джипа и оглядев свои туфли (он был в черном костюме с черным галстуком), Каха первым делом нашел глазами Марину, улыбнулся и сказал ей:

– Здравствуй, Голова моя прекрасная!

– И тебе того же, – настороженно отозвалась Марина.

– Что происходит? – поинтересовался Каха, будто не замечая залегших и изготовившихся к бою людей.

Для Стиркина Каха был естественный враг, но и лейтенант не видел в нем однозначной поддержки: батальон Мельниченко частенько действовал самовольно, путаясь под ногами у армии, мешая ей, а иногда даже прямо противостоя, как случилось неделю назад, когда регулярные вооруженные силы пытались выбить ополченцев из городка Гривый Грай, и вдруг перед ними появился Каха со своими людьми и заявил, что будет защищать город. В результате дал ополченцам уйти. Дело было в том, что в Гривом Грае находился большой спиртозавод богача Редникова, и тот, испугавшись, что предприятию в ходе боя нанесут ущерб, попросил друга Мельниченко прислать свой батальон. Война войной, а дружба дружбой, Мельниченко пошел навстречу, батальон прислал. Потом был скандал на высоком уровне, чем все кончилось, осталось, как всегда, неизвестным. То есть что тут неизвестного вообще-то? — да ничем не кончилось.

Лейтенант насторожился, Стиркин еще больше мобилизовался, а жители, оказавшиеся меж двух огней, восприняли появление батальона Кахи как спасение.

— Совсем с ума сошли, чуть нас не перестреляли! — ответил Кахе тот же голос, что кричал «Убивают!»

— Делать больше нечего? — спросил Каха одновременно и лейтенанта, и Стиркина.

— У меня приказ, — коротко ответил лейтенант.

А Стиркин не удостоил Каху ни взглядом, ни словом, он только оглянулся на своих бойцов, словно проверяя, готовы ли они к отражению новой опасности.

— Сам-то с чем приехал, Каха? — спросила Марина по праву дружеских отношений и по обязанности главы населенного пункта.

— Сведения получил о скоплении техники и вооруженных людей. Решил посмотреть. Ты и здесь воду мутишь, Стиркин? Это даже хорошо, что ты так далеко забрался. Давно пора тебя обезвредить.

Больше Каха ничего не сказал, он не любил длинных разговоров. Махнул правой рукой своим черным людям, и те, равномерно распределившись, начали оцеплять отряд Стиркина справа. А левой рукой Каха приглашающе махнул лейтенанту и его бойцам. Лейтенант не стал спорить, кивнул, подтверждая команду, солдаты вскочили и стали окружать слева.

Стиркин почувствовал знакомый азарт смертельной опасности.

– К бою! – скомандовал он.

Отряд ощетинился дулами автоматов во все стороны.

Несправедливо, что мы, назвав командиров, совсем не упомянули этих людей, а ведь каждый из них по-своему примечателен.

Был здесь Петр Андрейченко, бывший рабочий рыбоконсервного заводика, разбомбленного вражескими снарядами, оставшийся без средств для прокормления семьи.

Был брат его Семен, тоже работавший на этом заводе, сгоряча уехавший с женой в Киев, распропагандированный там шурином Мыколой Садовничим и вступивший в «Правый сектор», но усомнившийся в правоте этого сектора и вернувшийся обратно, несмотря на протесты жены.

Был Иван Лодейник, совсем молодой, девятнадцатилетний, работавший таксистом от фирмы на отцовской машине; однажды сам Стиркин ездил с ним, похвалил Ивана за умелое вождение и ум, который тот выказал в короткой беседе, с той поры Иван стал одним из самых преданных сторонников Стиркина, уйдя к нему служить вместе с машиной.

Был Яша Громов, сосед Ивана, еще моложе его; Иван с детства был для Яши примером, авторитетом, защитником, Яша за него был на все готов и, конечно же, присоединился к Ивану сразу же, как только Иван присоединился к Стиркину.

Был Филимонов Сергей, россиянин, тридцатилетний отец двух малых детей, который отбыл срок на поселении за убийство по неосторожности, а потом завербовался повоевать и этим доказать, что он не какой-то там бытовой преступник, а человек с принципами.

Был земляк и друг Филимонова, Антон Сырбу, поругавшийся с любимой девушкой и сказавший, что, раз так, поедет к корешу Сереже сражаться за правду и там погибнет; ну и валяй, сказала девушка, не веря в это, а он взял, да и поехал, и воюет, зато девушка шлет ему каждый день призывные сообщения, но Антон держит марку, не возвращается.

Был там Мирон Левченко, пожилой бухгалтер; он всю жизнь был бухгалтером и умер бы бухгалтером, ненавидя свою участь и не видя возможности изменить ее, и тут грянули бои, и он однажды утром вместо того, чтобы пойти на работу, швырнул в угол портфель, оделся в простую и прочную одежду, в которой обычно ходил по грибы, обнял плачущую жену, велел беречь детей и внуков и решительно направился в штаб повстанцев, благо он располагался в соседнем доме.

Был Тормасов Юрий, диспетчер, человек чрезвычайной порядочности и горячности, вечно сердитый на других за то, что живут как попало; когда началась война, он ругательски ругал абсолютно все воюющие и конфликтующие стороны, но не усидел дома, решил принять участие, продолжая критиковать всех, включая Стиркина, за которого, однако, он готов положить голову, соблюдая установленный порядок воинской дисциплины и самоотверженности.

Был тезка Громова Яша по прозвищу «Одессит», о котором не знали, зачем он тут появился, в честь чего воюет и почему имеет такую кличку; Левченко, не раз ездивший в Одессу по аудиторским делам, после двух-трех вопросов понял, что Яша-Одессит в Одессе никогда не бывал, но зато все видели, что сам Стиркин иногда советуется с ним по каким-то вопросам.

Был Константин Недилюк, у которого на глазах шальной пулей убило жену, и он поклялся, что отомстит всем, кто в этом виноват, и воевал так мрачно, целеустремленно и жестко, что его даже свои иногда побаивались.

Был Александр Алексеевич Канашевич, сорокалетний степенный даурский казак, посланный своим войсковым кругом на подмогу братьям, русским христианам, во славу всего православного мира, где бы он ни находился.

И был Илья Подгородный, известнейший продюсер, который полтора года назад явился устраивать по всей Украине гастроли группы «Новый ласковый май» (в афишах под этим названием значилось — «Новий лагідний травень»), вложил большие деньги, причем деньги не свои, заемные, в аренду залов, в рекламу, в то, чтобы лично заинтересовать посредников, и в одночасье прогорел, остался настолько должен, что вернуться в Россию для него было смерти подобно, и он сказал: «Лучше я здесь погибну за идею, чем там сдохну за поганое бабло!»

То есть, как видим, люди в отряде Стиркина были отборные, не шкурные, тертые жизнью, имеющие твердые убеждения, но при этом боевых профессионалов среди личного состава не числилось, исключая разве что относительно военного Канашевича. Впрочем, все имели за плечами либо армию (некоторые украинскую), либо на худой конец, как Тормасов и Подгородный, военные кафедры вузов. На самом деле военспецы у Стиркина тоже были, но приберегались они для серьезных боевых операций; кто же предполагал, что выезд в Грежин обернется вероятным кровавым боем, который мог начаться в любую минуту.

Даже уравновешенная Марина Макаровна растерялась. И Вяхирев со своими двумя сотрудниками не знал, что делать. С одной стороны, он остается законным представителем силовой власти и имеет полное право всех поголовно арестовать, но как ты арестуешь сотню вооруженных людей? И кого первого арестовывать, вот вопрос.

Алексей Торопкий, понимая, что его долг журналиста влиять на события не только печатным словом, но и устным, тоже не мог сообразить, какое, собственно, слово сейчас нужно, чтобы все остановить.

Все застыли, все молчали. Догадывались: кто первый что-то скажет, тот и будет виноват. Не потому, что скажет неправильно, ошибочно, не к месту. Может быть, как раз все будет сказано толково, умно и даже мудро. Но так уж повелось: все плохие дела начинаются всегда с хороших речей. Лучше уж помалкивать от греха подальше.

Но голос все же раздался, и это был голос Евгения.

Каким-то образом он оказался на мусорной куче рядом со Стиркиным, чуть ниже его, зато на отдельном постаменте — на перевернутом пластиковом ящике из-под бутылок.

— Евгений понял, что пришел его час! — громко сказал Евгений. — Ему выпала удача совершить геройский поступок на глазах любимой женщины! — и он улыбнулся в сторону Марины Макаровны, хотя в ораторском самозабвении не сумел найти ее точно глазами, очень уж много народу было перед ним.

Люди слегка оторопели. Но они выхватили слова «пришел час», поэтому ждали продолжения, чтобы узнать, какой час пришел.

— Вы вот стоите и думаете, что делать? — спросил Евгений. — А я вам скажу, что делать!

После этого он выдержал паузу, и никто эту паузу не нарушил, все хотели узнать, что делать, даже Каха, который за минуту до этого готов был отдать приказ открыть огонь. Даже он засомневался, увидев человека с незамутненной никакими сомнениями уверенностью в глазах.

— Для начала давайте поймем, на какой земле мы стоим! — предложил Евгений.

Все молча согласились.

— Новороссия наша, иначе называемая Новороссийским генерал-губернаторством, еще иначе — Северным

Причерноморьем, имела население, если кто не знает, на момент конца восемнадцатого века: украинцев почти шестьдесят пять процентов, молдаван одиннадцать, русских десять, греков шесть с лишним! Исходя из этой статистики, чья это земля, спрашиваю я вас?

Эти цифры оказались новыми для многих присутствующих, в том числе и для местных, и все поневоле озадачились. Дополнительно смущало некоторых сведущих то, что окрестные территории на самом деле никогда Новороссией не считались.

– К чему ты клонишь, интересно? – спросил Стиркин, глядя на Евгения сверху вниз, но Евгений ответил таким взглядом, что показалось, будто они поменялись местами, будто Евгений воспарил над Артемом, хотя и оставался ниже его.

– А вы не понимаете?

– Получается, тут хохлацкая земля, что ли? – вслух удивился Виталий Денисович Чернопищук, заместитель, если кто не помнит, Марины Макаровны по хозяйственной части.

– Если бы так просто! – ответил Евгений с усмешкой опытного полемиста. – В Татарстане большинство – татары, но при этом Татарстан входит в состав России, являясь частью Приволжского федерального округа. Я уж не говорю о Чечне и других кавказских республиках, где местное национальное население составляет не просто большинство, но абсолютно подавляющее большинство!

– То есть мы должны быть в составе России? – спросил Стиркин, тут же сменив недоумение на милость и подсказывая своим вопросом верный ответ.

– Если бы так просто! Этнический компонент – одно, а государственные границы – другое.

– Что другое? Проще можно объяснить?

– Проще не могу, но могу детально, – сказал Евгений. И начал.

Он говорил не меньше часа, развернув перед слушателями широкое историческое полотно от времен палеолита через Средневековье к современности, и если в палеолите и Средневековье все было более или менее ясно, то потом обрушилась кромешная лавина имен, фактов и названий, замелькали Дикое Поле, Крымское ханство, запорожские казаки, Изюмская черта, Елисаветград, Ольвиополь, Донецко-Криворожская республика, махновцы, генерал-губернаторы Брандт, Воейков, Ришельё, Ланжерон, Строганов, Коцебу, населенные пункты Юзовка, Сталино, Тор, фамилии предпринимателей и руководителей – Боссе, Геннефельд, Чувырин, Саркисов, Прамнэк, Поплевкин, Качура, Янукович, Шишацкий, Тарута...

От этой путаной фактографии Евгений перешел к рассуждениям и призывам. Он говорил, что нельзя отдавать на разор клятым галичанам-бандеровцам землю, за которую русские веками с турками воевали, и Стиркин кивал, и грежинцы чувствовали гордость от побед над турками и горечь от возможного разора, они начинали уже сердито, а некоторые даже грозно посматривать на украинских солдат.

Но тут Евгений неожиданно изменил русло речи, взялся убеждать, что границы государств, сложившиеся в новейшей истории, нерушимы, что российская власть, деля меж собой и кое-кем из приближенных земли и богатства народа, решила упредить народный гнев, впрочем, почти уже невозможный, и коварно сделать народ своим подельником: от его лица и имени она хапнула кусок чужой территории, тем самым в одночасье превратив русских людей, где бы они ни жили и как бы к этому ни относились, в соучастников беззакония и позора. И грежинцы, чуя правду и в этих словах, устремили негодующие взгляды на Стиркина, словно именно он предлагал им стать подельниками и соучастниками беззакония.

А Евгений стремился дальше, он разоблачил тайные механизмы происходящего, сказав, что на самом деле нет русских и украинцев, а есть богатые и бедные, и все происходящее делается в пользу богатых руками бедных, недаром же Мельниченко нанял себе головорезов, которые защищают не русских и не украинцев, а карман этого самого Мельниченко, и грежинцы с негодованием посмотрели на черных охранников Кахи: эту ни в чем не повинную касту у нас не любят повсеместно, многие зрелые и пожилые местные жители хорошо помнили, как лютовали они на кирпичном комбинате и молокозаводе, отлавливая несунов, заделывая дыры в заборах и стенах, выставляя на позор в стенгазетах какую-нибудь многодетную мать, которая всего-то пыталась пронести под кофтой полдюжины глазированных творожных сырков, коими славился на всю страну грежинский молокозавод; в соответствии с парадоксальной политикой распределения эти сырки тоннами отправлялись в Москву, в самом же Грежине в открытой продаже их не было.

Пока грежинцы решали, на кого из трех военных групп обратить свой гнев, Евгений перешел к новой теме, он объявил, что если копнуть глубоко, то и Мельниченко лишь пешка в большой игре государств, в масштабной схватке с агрессивной и наглой Америкой, это бой во имя объединения всех славян, вместо чего мы видим предательство братского украинского народа, качнувшегося к Америке через посредство Европы, не понимающего, что Штаты используют его и вытрут о него ноги, как вытирали они ноги обо всех, кому сначала помогали, чтобы потом ослабить или вовсе уничтожить.

Настоящее же предательство, не давал опомниться Евгений, совершил по отношению к украинскому братский русский народ, который предал то, что выше государств, территорий и даже наций — идею человеческой свободы, идею справедливости и правды, и это обидно, ведь именно русский народ положил за эту идею миллионы своих и чужих жизней, именно русский народ всегда недоволен настоящим и глядит в будущее, но именно он вдруг выступил в роли охранителя настоящего со всеми его паскудными лишаями, даже гордясь ими!

При этом, развивал мысль Евгений, дело даже не в народах и нациях, не в их вождях и не в идеях, а в том, что каждый человек хранит в себе свет, называемый разными религиями по-разному, он пробивается из будущего в настоящее, как сквозь дырку в заборе, поставленном самим же человеком для охранения своей тьмы, поэтому, если довести до абсолюта, нет никаких мусульман, христиан, иудеев и буддистов, нет европейцев, азиатов и африканцев – есть разлитый по миру свет и разлитая по миру тьма, и там начинается путаница, где тьму называют светом, а свет тьмой!

Но есть способ все поставить на свои места, обнадежил Евгений вконец заплутавших в его словах грежинцев, надо просто посмотреть на детей, в которых есть свет от рождения!

– Посмотрите на этого человека, а потом на него и на него! – указал Евгений на Стиркина, на Каху и на лейтенанта. – Посмотрите и представьте, что им по десять лет. Стали бы они убивать друг друга настоящими пулями из настоящих автоматов? В самом худшем случае просто и честно подрались бы, вот и все, а потом сцепили бы пальцы и сказали: мирись, мирись и больше не дерись! Потому что дети понимают, что им еще жить и жить, их еще манит эта дырка в заборе, она всем им светит, а вы, получается, глупее детей, если заткнули эти дырки или пробили в других местах совсем другие, откуда на самом деле светит тьма! И в свете этой тьмы вы считаете себя, идиоты, взрослыми и умными людьми! Да дураки вы последние после этого!

Все это выглядело нелепо. Нелепой была фигура человека в допотопной военной форме, нелепы были многие его слова, нелепо было то, что все почему-то его слушают, но больше всего нелепыми в результате выглядели застывшие в боевой готовности фигуры бойцов, особенно когда Евгений сравнил их с детьми. Многие при этом, кстати, переглянулись и невольно усмехнулись, вспомнили свое детство, для большинства не такое уж далекое, и подумали: а ведь и правда, вряд ли они схватились бы за настоящие автоматы, да и кто бы им их дал.

– Наплел тут! – дружески укорила Марина Макаровна Евгения. – Лучше бы сказал, что конкретно делать.

Тут вперед выступил Веня Вяхирев. Всегда мучавшийся загадкой, как в обычной жизни, на ровном месте рождаются преступления, он вдруг понял, что и законность может возникнуть на ровном месте, как бы неожиданно. Но лучше, когда есть повод. И сейчас повод имелся.

– Так, – сказал он, застегивая пуговицы кителя и этим обращая внимание всех на то, что он в форме представителя охраны правопорядка, – прошу всех посторонних очистить территорию. Отказавшихся имею право преследовать в административном и уголовном порядке, так как присутствие военных и вооруженных лиц может быть оправдано только чрезвычайным положением, а оно официально не объявлено.

– Круто поворачиваешь, капитан! – заметил Каха.

– Не я поворачиваю – закон, – с достоинством ответил Вяхирев. – А если кто из вас плюет на закон, скажите об этом прямо, пусть народ услышит.

Никто не решился сказать об этом прямо. Однако Стиркин не удержался и начал было:

– Смотря какой закон...

– Действующий на данной территории для данных жителей! – оборвал его Вяхирев.

Все три предводителя задумались – тратя, как часто бывает у людей, время на то, чтобы принять то решение, которое уже было принято их душой. Но они мысленно как бы проговаривали все доводы, чтобы убедиться, что нет ошибки. Действительно, мыслили себе лейтенант, Стиркин и Каха, как ни крути, а этот капитан здесь единственный легитимный и облеченный полномочиями представитель закона. Вообще-то, конечно, можно поспорить с тем, работает ли закон в конкретных обстоятельствах, но споры неизбежно приведут к тому, что будет применено оружие и все друг друга покрошат к чертовой матери. Загвоздка лишь в том, кто первый даст ход назад. Я-то уж точно нет, думал Каха. Подожду, когда они стронутся, думал лейтенант. Стиркин без боя не сдается, думал Стиркин. Но ведь у детей первым налаживает мир самый старший и самый умный, вспомнили они практически одновременно, поэтому последующие действия совершились так согласованно, будто они об этом договорились: Стиркин спрыгнул с кучи, Каха сел в джип, а лейтенант направился к бронетранспортеру, за ним весело побежали его солдаты.

– Еще встретимся, я тебе рыло намну! – крикнул один из них в сторону бойцов батальона Кахи.

– Подивимося! – ответили оттуда.

– Знакомый? – полюбопытствовал лейтенант.

– Родственник, зараза. Теткиного зятя брат. Он нормальный парень вообще-то, зачем его туда занесло?

– Куда кого занесло, это теперь вопрос неактуальный, – сказал лейтенант вовсе не по-лейтенантски, не по-армейски. Может, оттого, что только недавно закончил научно-технический университет и военная служба для него была временной, хотя и осознанно выбранной.

Так закончилось противостояние трех сил, вернее, четырех, если иметь в виду и самих грежинцев, но закончилось не до конца. Наоборот, оно стало началом непредсказуемых событий. Ведь все три командира имели свое начальство и обязаны были отчитаться.

И они отчитались. Стиркин доложил чистую правду: возглавляемое им подразделение ополченцев выдвинулось к Грежину, где обнаружились скопления украинских силовиков, которые, не приняв бой, отступили, в настоящий момент ни армии, ни бандитов Мельниченко в Грежине нет. Лейтенант тоже не соврал: приказ выполнен, территория, подвергшаяся обстрелу, обследована, в украинской части Грежина был обнаружен батальон Мельниченко и бандиты Стиркина, в настоящее время бандиты из поселка выдворены, батальон за ненадобностью удалился. Каха Мамашвили, как и они, рассказал все как было: на опекаемой стараниями Мельниченко территории намеревалась утвердиться армейская часть (будто им по-настоящему воевать негде, добавил от себя Каха), с махновским рейдом нагрянули туда и люди Стиркина. Те и другие, не рискнув связываться с отборными бойцами мельниченковского батальона, отошли, порядок в Грежине охраняется силами регулярной милицейской группы.

Естественно, у непосредственного начальства было свое начальство, а у того свое, в результате эти сведения, попав в средства массовой информации, несколько изменились. Многие российские издания и каналы сообщили, что в непосредственной близости от российской границы и российского поселка Грежин выявлены скопления украинских войск, усиленные пресловутым батальоном Мельниченко, их целью является подавление протестных настроений местного гражданского населения, являющегося почти на сто процентов русским. Украинские же СМИ забили тревогу: ракетный обстрел украинского грежинского района был только первым шагом, тут же там появились боевики пресловутого Стиркина, которые были немедленно вытеснены нашими войсками, но нет сомнений, что готовится прямая агрессия с участием российских наемников и консультантов, так, как это было в Донецке и Луганске.

В русской части Грежина население приняло новость как ожидаемую: война полыхала слишком уж близко, все постоянно говорили о том, что не сегодня завтра все может начаться и в Грежине, – и вот, началось.

Но самой удивительной была реакция непосредственно украинских грежинцев, которые были и свидетелями, и участниками событий. Разойдясь по домам и обсуждая происшествия дня, они пришли к единодушному выводу: дело идет к тому, чтобы, отсоединившись от Украины и не примкнув к России, создать независимую Грежинскую республику – и покончить наконец с этим бардаком, когда живешь меж двух огней.

А еще забродили слухи о том, что третьяки наконец обнаружили себя, именно их представитель сегодня выступал на площади, а то, что его никто не знает, говорит лишь в пользу данной версии.

ГЛАВА 16

ХТО НЕ ЗНАЄ, ЩО ШУКАЄ, ТОЙ ЗНАЙДЕ, ЧОГО НЕМАЄ[1]

После субботников Марина Макаровна всегда устраивала в гостевой комнате администрации поощрительный фуршет для своих подчиненных, и сама демократично выпивала с ними рюмочку-другую, а потом удалялась по своим делам, понимая, что настоящего веселья на глазах начальства не бывает, пусть отдыхают без стеснения. И сегодня она тоже позвала сотрудников, но не всех и не для того, чтобы праздновать, а – обсудить события. Были тут, среди прочих, известные нам Алексей Торопкий, капитан Вяхирев и Виталий Денисович Чернопищук, позвали, конечно, и Евгения, и не просто позвали – он был в центре внимания, все хотели узнать что-то о человеке, который предотвратил кровопролитие своей замечательной речью.

– Вы все-таки кто у нас будете? – напрямик спросила Марина Макаровна, придвигая к Евгению тарелку с бутербродами.

– Евгения глубоко тронуло выражение «у нас», – сказал Евгений и двумя пальцами взял бутерброд, самый скромный из имевшихся, с сыром, хотя были и с красной икрой, и с ломтиками семги, и с бужениной.

– Но вопрос поставил его в тупик, – продолжил Евгений. – Самое сложное для человека – определить, кем он является.

---

[1] Кто не знает, что ищет, тот найдет, чего нет.

— Герой! — не удержался от благодарности Чернопищук, которому после пережитых волнений хотелось выпить, но первым он предложить стеснялся. За героизм же выпить никогда не грех, поэтому он после своего восклицания тут же разлил по рюмкам, чтобы все поняли, что наливается именно по поводу героизма, а не изза простого желания выпить.

Мужчины оценили его находчивость, Марина Макаровна тоже благосклонно подставила свою персональную хрустальную рюмочку.

Но при этом самому Евгению Виталий Денисович почему-то не налил, что заметил заместитель Марины Макаровны по культурно-досуговым вопросам, добродушный, веселый и вполне еще молодой Гриша Челкан.

— Герой, говоришь, а героя обнес!

— А разве ему можно? — простодушно вырвалось у Виталия Денисовича.

В его возгласе было то, о чем и другие думали: все-таки Евгений, как ни крути, выглядел довольно странно, а люди в администрации были здравые, глядящие на жизнь реальными, не склонными к преувеличениям глазами.

— Я, конечно, извиняюсь, — смутился Чернопищук, наливая Евгению, — я просто имел в виду, что, может, человек при каком-то исполнении...

— Не это вы имели в виду, Виталий Денисович, — сказал Торопкий, считавший своим долгом журналиста говорить правду в лицо, — а то, что наш дорогой Евгений — человек, мягко говоря, необычный.

— Ой, да прямо уж! — не согласилась начальница отдела здравоохранения Любовь Гаврилюк, статная женщина с румяными щеками, весь вид которой свидетельствовал, что дело охраны здоровья поручено соответствующему человеку. — Чего уж такого необычного? Мало ли кто как смотрится, а тем более говорит! Вон взять Ж., — она назвала фамилию известного российского политика, — или того же Л., — она назвала фамилию известного украинского политика, – их послушать и посмотреть, они ж такую дичь лепят, что просто мама дорогая, просто бери их за ручку и веди к психиатру, но их же почему-то переизбирают, они на трибунах выступают, значит, что-то такое все-таки есть дельное в них, не будут же держать полных идиотов, сами подумайте!

– Будут! – полемически заострил Торопкий. – Будут, если их идиотизм кому-то выгоден!

– Абсолютно согласен, – вступил Евгений. – Юродивые или, говоря грамотно, эксцентричные люди всегда нужны при власти. Во-первых, они своими откровенными, как бы сумасшедшими идеями выражают самые потаенные, самые сальные, злые и непристойные мысли и чаяния народа или его части, и озвучивают нагло, без всякого стеснения и рефлексии. Многим это нравится, они смеются, но голосуют, это оттягивает часть электората от людей разумных, но скучных. Во-вторых, они странные только по отношению к окружающему миру, но, как правило, очень умно и бережно относятся к себе, к своим интересам, значит, их всегда можно приструнить, чем власть и оперирует. В-третьих, власти всегда хочется в тестовом режиме проверить, какую меру государственного безумия способно усвоить, принять и одобрить население. В-четвертых...

– Где это ты вычитал, чьими словами говоришь? – невежливо перебил Торопкий.

– Зря ты, я и сама об этом думала, – сказала Марина Макаровна.

– Евгений с нежностью отметил защиту любимой женщины, – сказал Евгений, – хотя легко мог бы возразить, что все мы говорим чьими-то словами, потому что от рождения не имеем языка, а получаем его от той среды, где родились.

– Ну, ну, ты не очень! – остудила Марина. – Еще не выпил, а уже про любовь заговорил! Когда успел полюбить, интересно?

– Когда увидел. Сразу.

Марина хмыкнула. Каким бы ни был странным этот человек, но ей было приятно, даже если он, как многие мужчины, говорил не от всей души, а от настроения. У других и настроения не допросишься.

– Послушайте! – рассердился Торопкий и выпил, чтобы ожидание водки не мешало разговору.

Выпили и остальные.

– Послушайте, – сказал Торопкий, наскоро прожевывая кусок бутерброда, – я ведь знаю, кто он! Это брат Аркадия Мельниченко, он российский гражданин, Аркадий его к моей Анфисе приводил на предмет обследования!

– Не приводил, а мы пришли, и не на предмет обследования, а поговорить, – мягко поправил Евгений. – И вас взволновало не мое появление у Анфисы, будем говорить откровенно, а появление Аркадия, с которым у вашей жены близкие отношения.

– Правда, что ли? – спросила Любовь Гаврилюк, невольно улыбнувшись: она давно и безнадежно симпатизировала Алексею Торопкому, и это известие ее порадовало.

– Ерунда! – ответил Торопкий. – Да, Аркадий к ней заходит, как к бывшей однокласснице, но для чего? Для того, чтобы через нее узнать, какие тут у нас, в нашем Грежине, настроения! Они ведь спят и видят, чтобы мы устроили тут заварушку, чтобы присоединить нас к себе! Вот увидите, Марина Макаровна, к осени будете под Крамаренко, если он еще вас возьмет на службу, уж извините за пророчество!

– Ни под кем не была и не буду! – с достоинством оскорбилась Марина Макаровна, но тут же поняла, что слова ее могут истолковать двусмысленно, и, чтобы сбить с вероятного фривольного настроя, приказала Чернопищуку:

– Не бездельничай, Виталий Денисович, не томи людей, наливай!

В комнату заглянул и тут же после этого вошел, убедившись, что попал, куда надо, очень шустрый человек лет тридцати, в практичной одежде цвета хаки, с тисненной прямо на ткани куртки крупной черной надписью «PRESS». Это был Билл Конопленко, независимый журналист из США. Он являлся гражданином этой страны уже в третьем или четвертом поколении, рос полностью американцем, готовясь стать, как и все мужчины в их роду, специалистом по продаже недвижимости, но украинские события его всколыхнули, он взялся вести блог, этот блог быстро завоевал популярность, его несколько раз процитировали в авторитетных изданиях, а потом Биллу предложили поехать на историческую родину и давать оттуда горячие репортажи. Билл, не имея ни жены, ни невесты, собрался в один день и полетел, на ходу обновляя в памяти украинский и русский языки, которые в его семье традиционно изучали все, хотя и в очень ограниченных рамках.

И вот он уже больше года поставлял крупным информагентствам оперативные сводки, фотографии и аналитические материалы, стараясь быть при этом предельно объективным. Я не за украинцев, не за русских и даже не за американцев, говорил он, я за свободу и демократию, за человеческие ценности.

Билл человек жизнерадостный, представляясь, с юмором называл себя укроамериканцем. Он исколесил всю Украину, был период, когда его хотели объявить персоной нон-грата и в Киеве, и в Донецке, и в Луганске, но потом как-то так вышло, что при рассмотрении его материалов и киевские руководители, и правители тогдашних юго-восточных территорий увидели в них пользы больше, чем вреда. И позволили репортерствовать беспрепятственно.

Марина Макаровна и другие руководители грежинского района хорошо его знали: Билл в последнее время сюда зачастил, журналистским нюхом чуя какие-то надвигающиеся события. Его профессиональная честь была в том, чтобы первым сообщить о событиях, а еще лучше – предвосхитить, угадать их.

Билл направился прямиком к Марине Макаровне, улыбнувшись всем окружающим, и, не тратя времени на церемонии, задал серию вопросов по-русски, говоря очень быстро, хоть и не вполне грамотно, а иногда и не вполне ясно:

– Марина Макарова, привет, рад вас видеть, как вы можете прокомментировать решение местного населения, чтобы сформулировать независимую территорию? Означает ли это, что это есть появление третьей силы, о которой так долго говорила сплетня? Можете ли вы сказать что-то о лидере, который теперь откровенно проявился? Он и есть представитель тех, кто называет третьяки? Каковы планы дальнейших действий, как вы можете мочь противопостоять украинской власти, российскому влиянию и возможной экспансии со стороны юго-восточных территорий?

– О чем это он? – спросила Марина Макаровна присутствующих.

Билл терпеливо улыбнулся. Он привык, что на его вопросы никто никогда не отвечает сразу. Или делают вид, что не понимают, переспрашивают, таким образом выигрывая время для ответа, или переформулируют вопрос и отвечают не на то, о чем спросил, а на то, о чем желали бы услышать вопрос.

Он повторил, максимально упростив:

– Возможно, это держится в секрете, но я не хочу, чтобы вы мне предоставляли секретную информацию. Я вижу только очевидное и спросить о них. Проще говоря, грежинский район хочет стать автономным?

– Да мы тут всегда сами себе были хозяева, понял? – ответил за Марину Макаровну Чернопищук, никогда не любивший американцев. – И уж вас не спросим, если что!

— Понятно, — кивнул Билл и обратился к Евгению: — Вы как уроженец этой земли или послан какой-то миссией? Это внутреннее побуждение здешнего народа или внедрение инициативы извне? Если вам неудобство говорить здесь, мы можем уединить себя в другое место.

И, не дожидаясь согласия Евгения, он взял его под руку и деликатно повел из комнаты.

— Это чего такое вообще было? — спросила Любовь Гаврилюк.

— Да ну их к бесу, — махнула рукой Марина Макаровна. — Скорей бы день кончился, у меня от всего этого уже голова раскалывается.

Все с нею согласились.

— Чтобы ни у кого не раскалывалась, — сказал Чернопищук, разливая по новой.

А Билл Конопленко, как только вывел Евгения из комнаты в коридор, а потом и на улицу, подальше от любопытных глаз и ушей, повторил главный вопрос, который его интересовал:

— Так кто вы есть? Таинствующий командир?

— Евгению было интересно быть тем, у кого берут интервью, у него никогда не брали интервью, — ответил Евгений.

— Вы называться себя в третье лицо, это общий стиль третьяков?

— Я не знаю, какой у них стиль.

— О да, конечно, вам не можно это сказать! — закивал Билл. — Итак, возьмем начало, чей вы представитель?

— Вопрос понравился Евгению, — сказал Евгений. — Он давно знал, что человек не бывает сам по себе, он действительно всегда кого-то или чего-то представитель. И в любом своем действии он ведет себя не только как сам по себе, а как часть той группы, силы или идеи, к которым он считает себя принадлежащим. При этом сказываются факторы исторические, национальные, социальные, ментальные, но и, конечно, личные. Даже на самый простой вопрос, например, хотите ли вы чаю, реакция будет у всех разная, независимо от того, выразит ли спрошенный согласие или откажется. Англичанин посмотрит на часы, китаец отразит в лице гордость за свое сельское хозяйство, русский что-то заподозрит, норвежец уютно поежится, туркмен загадочно улыбнется, а эстонец на всякий случай насторожится. И это реакция не только китайца, русского или эстонца, а, можно сказать, часть реакции всего китайского, русского или эстонского народа. При этом нельзя исключить случаев, когда конкретные китаец, русский и эстонец только что пили чай и поэтому отказываются. Бывает и так, что люди просто не любят чай.

— Я хотел только узнать...

— Я помню вопрос. Чей я представитель? Точнее говорить не представитель, а посланник. Посланничество — одна из самых важных функций человека и вообще человечества. Недаром же учеников Христа назвали именно не учениками, а посланниками. Apostolos — это и есть посланник в переводе с греческого. Если есть Бог, то он послал человека на землю, чтобы посмотреть, как тот будет себя вести наедине с собой. Если Бога нет, а есть Вселенная, обладающая бесконечным набором случайностей, достаточных для того, чтобы возникли биологическая жизнь и разум, то она послала человека, чтобы увидеть и осмыслить себя со стороны и одновременно изнутри. В том и другом случае есть сила, которая очень хочет, чтобы ее назвали — папа. Или — мама. Потому что каждому хочется быть родителем чего-то. Акт рождения — самое гениальное, что придумано в природе. И все на свете сводится к посланничеству. Недавно в интернете был описан случай — комический и трагический. Мальчик шел в магазин за хлебом, переходил дорогу на нерегулируемом перекрестке, его сбила машина, в которой по жестокой иронии везли хлеб.

К счастью, не до смерти. Интернет обвинял тех, кто не поставил светофоры, и тех, кто заставил работать водителя, который выехал на неисправной машине и перед этим трудился целые сутки. Но при этом все – посланники. Мальчик – посланник мамы. Водитель – посланник пищевой промышленности, транспортной фирмы, своей семьи, для которой нужно зарабатывать деньги, при этом и мальчик, и водитель, и мама, и все остальные – посланцы голода, а говоря шире – посланцы закона перехода энергии из одного вида в другой: минеральные вещества земли питают зерно, из него вырастает колос, из колоса делают хлеб...

– Хорошо, извините, что перебил, – не утерпел Билл Конопленко, – но все-таки: чей конкретно посланник именно вы, а не человечество или Адам и Ева, или посланники хлеба и голода, что интересно, но потом.

– А вы?

– Что?

– Чей вы посланник? Чтобы ответить, я должен понять, кому отвечаю.

– Я ничей не посланник! – с достоинством ответил укроамериканец Конопленко. – Я независимый журналист, который освещает события так, как мне подсказывают факты и моя совесть. Да, я гражданин Америки, но все мои предки по отцовской линии были потомки украинцев, но там были и русские бабушки, поэтому я принимаю обе стороны на этот конфликт, пытаясь понять объективность. Почему вам смешно? – Конопленко увидел, что Евгений иронично улыбается.

– Потому что нет независимых журналистов, – объяснил Евгений. – Вы могли быть независимы только в один случай...

Тут Евгений запнулся и проговорил себе под нос:

– Странно. Евгений поймал себя на том, что тоже начинает не совсем правильно говорить русский язык. Манера иностранца, неграмотная и ошибковатая, обладала своеобразным очарованием, а нас очаровывает все непривычное, ибо привычное нам надоедает.

И продолжил:

– Вы могли быть независимы только в один случай: если бы вы писали факты, которые видели, но для только себя. Написали, прочли себе – и всё. Как только вы их подвергаете публикации, вам важен резонанс и то, что скажут, желательно с доминантой похвалы, потому что все мы хотим и любим, чтобы нас хвалили. Это природа человека: похвала подтверждает его ум, энергию, потенциальность и другие качества, которые пригождаются в том числе для репродукции, конечный итог может нам показывать, что все усилия направлены на доказать свою генетическую ценность. В этот смысл можно увидеть, что вы в лучшем случае посланник потребителей ваших текстов, на которых вольно или невольно ориентируетесь. Если они американцы, то они сами посланники тех стран, из которых когда-то приехали их родители, посланцы прерий, бизонов, индейцев, золотой лихорадки, первой конституции, Гражданской войны, промышленной революции, кризисов, войн, опять кризисов, опять войн, выборов, новых выборов, еще выборов, борьбы с терроризмом за демократию с помощью терроризма, толерантности и вседозволенности, протестантизма и атеизма...

– Я все понял! – почти закричал Билл Конопленко, всегда гордившийся своей выдержкой, но чувствующий, что уже изнемогает. – Скажем так: я посланник демократической общественности, которая желает разобраться в происходящих событиях, которые здесь происходят.

– Это невозможно, – опечалился Евгений. – Сами участники не разбираются в них, потому что разобраться можно, например, в том, как строится дом или в том, как он построен. Несущие конструкции, перекрытия, стены и так далее. А когда дом рушится, кто возьмет на себя смелость в момент обрушения объяснить, что именно рушится, в какой последовательности и по какой причине.

– Но ведь он из-за чего-то рухнул! – ухватился Конопленко. – Взрыв, пожар, попадание снаряда, бытовое утечение газа...

– А если одновременно и взрыв, и пожар, и утечение? Хотя все очень просто: не надо было трогать этот дом, вот и все. А если что не нравится, сначала сто раз обсудить.

– Май гад! – взялся за голову Билл. – Давайте отодвинем в сторону, очень вас пожалуйста, все эти посланники, мальчики с хлебом и рушащиеся дома, скажите просто: это правда, что вы тут будете устраивать автономию?

– Евгений видел много интервью в интернете и по телевизору, – сказал Евгений, – и давно догадался, что все журналисты своими вопросами подсказывают ответ. Что ж, почему не сделать приятное человеку? Да, автономия не исключсна нигдс, в том числе здесь.

– И какими методами ее устанавливать? – тут же вцепился Билл.

– Мирными. Народные дружины, например.

– И конкретно вы будете их организовывать?

– Если поручат, да, скромно сказал Евгений, – скромно сказал Евгений.

– На самом деле, судя по действиям сегодня вашим на площади, уже поручили? – проницательно догадался Билл.

– Может быть. Человек часто является уже посланником, не зная, что он посланник.

Билл испугался, что Евгений опять начнет развивать тему посланничества, и не дал ему уклониться:

– Я видел вас в начальном этапе событий, когда вы привели с собой молодежь, это уже есть дружина?

— Молодежь всегда дружина, им только свистни.

— Имеется в виду свист просто, whistle, или условный сигнал?

— Все любят сигналы. Сигналы и коды организуют вокруг себя группы людей, которые их знают, это дает им сознание своего избранничества, а человек любит чувствовать себя избранным.

— Понимаю, вы не можете сказать подробно.

И тут Билл применил ловкий журналистский прием, суть которого в том, чтобы сделать вид, что ты знаешь больше, чем тебе известно. Предположение выдать за истину и посмотреть, как отреагирует собеседник.

— Что ж, — сказал он, — то, что гражданину России поручили организовать такое дело, говорит в пользу желания российского правительства решить все мирным путем.

— Евгению нравилось чувствовать себя гражданином России, — сказал Евгений, — поэтому он, конечно, согласился.

— С чем вы согласились?

— С очевидностью.

— Отлично!

Больше укроамериканцу Биллу Конопленко и не требовалось.

Он любезно распрощался с Евгением, вручил ему сувенир — гелевую авторучку с логотипом информационного агентства UPI (United Press International), сотрудничеством с которым заслуженно гордился, и пошел готовить для отправки материал, который, без сомнения, станет сенсационным: впервые будет рассказано о существовании третьей силы, тех самых третьяков, о которых столько говорили, но никто их не видел. Интервью с одним из руководителей третьяков — это не просто cool, это Super Cool! — и, возможно, отец Билла, Джерри Конопленко, наконец признает, что сын все-таки не зря пошел не по фамильной дорожке, а по своей, и даже выскажет вслух пару слов одобрения, что у него бывает раз в пять лет, чего бы это ни касалось.

А люди, сидевшие в гостевой комнате администрации, увлеклись беседой и не спешили расходиться. Марина Макаровна, вопреки обычаю, тоже не ушла после первых двух-трех рюмок, потому что говорили не о пустяках, обсуждали очень важную идею. Идею выдвинул Торопкий. Если уж дошло до того, сказал он, что какие-то странные люди ходят туда-сюда, а завтра, может, вообще целый батальон зеленых человечков появится, как это было в других местах, не отгородиться ли от русской части Грежина стеной или хотя бы забором. Материал под боком – есть щебеночный карьер, есть пустующий бывший кирпичный комбинат. Да, будут некоторые неудобства, сказал Торопкий, я сам в каком-то смысле жертвую женой, которая не сможет туда на работу ходить, но ничего, как-нибудь справимся!

Идея эта сначала показалась нелепой, но постепенно, в ходе обсуждения, каждый находил в ней положительные стороны.

– Они надоели ходить к нам зубы лечить, потому что у нас дешевле в два раза, – сказала Любовь Гаврилюк. – Вроде мелочь, но тем не менее. Правда, у них томография там есть, а у нас нету, но вот и повод будет запросить оборудование наконец!

– И в кино все туда бегают, – обиженно сказал начальник культуры и досуга Гриша Челкан. – А у нас и кинотеатра нет, и самодеятельность завяла совсем. Какой был народный театр, до сих пор помню, как лихо «Наталку Полтавку» поставили! Я маленький был, а в голове на всю жизнь засело: «Ой я дівчина Полтавка, а зовуть мене Наталка. Дівка проста, не красива, з добрим серцем, не спесива!»

Он с таким чувством это пропел, что остальные не выдержали и грянули припев:

Начинаймо веселиться,
Час нам сльози осушити;
Доки лиха нам страшиться,
Не до смерті ж в горі жити.
Нехай злії одні плачуть,
Бо недобре замишляють;
А полтавці добрі скачуть,
Не на зло другим гуляють.

— Эх! — с чувством сказал Чернопищук и, конечно, налил еще по одной — как не выпить после такого пения?

А выпив, сказал и свое слово:

— Оно и правда, проще будет, если отгородиться. Опять же, у нас сколько молодежи бездельной? Будет им работа. Вон тот же Гитлер, сволочь, фашист, гад, но автобаны строил? Строил. Людям работу дал? Дал.

— Опомнись, Виталий Денисович, с кем ты нас сравниваешь? — урезонила Марина Макаровна. — Но подумать есть о чем. По-хорошему, не только Грежин, весь бы район по границе отгородить. И тогда бы никто не заехал к нам, как это вышло, не погиб бы зазря. А то ведь мы ни при чем, а на нас навесят. Только, конечно, калькуляцию бы для начала составить. Сумеешь, Константин Борисович? Подъемное дело, как думаешь? — спросила она пожилого заведующего бюджетными финансами по фамилии Взвейтис, который все это время молчал, потому что к словам относился так же бережливо, как и к деньгам. Пока денег не видно, пока слов нет, то и спроса нет.

— Надо подумать, — ответил Взвейтис.

Марина Макаровна уважала его неторопливость, она именно такого ответа и ждала. И подвела черту:

— Ну, на этом и порешим.

За это и выпили по прощальной порции, хотя на самом деле ничего конкретно не порешили. Торопкий хотел обратить на это внимание, но подумал, что лучше вернуться к теме на трезвую голову.

ГЛАВА 17

ХТО І ВДОМА ГІСТЬ, А ХТО І В ГОСТЯХ ГОСПОДАР[1]

Так получилась, что беседа Билла с Евгением и посиделки в администрации закончились одновременно.

Марина Макаровна, направляясь к своему дому, что был неподалеку, встретила Евгения, который стоял посреди улицы и смотрел то налево, то направо, размышляя, куда ему идти.

— Может, тебя куда надо отвезти, Евгений? — спросила Марина тоном радушной хозяйки, желающей помочь гостю.

— Как мужчина, я должен сам предложить вам помощь. В смысле — проводить.

— Меня? — удивилась Марина. — Это зачем?

— Ночь. Опасно.

— Мне? Ты шутишь? Кто меня тронет?

— А третьяки?

— Ты разве сам не из них?

— Такое мнение существует.

— Темнишь! Ладно, проводи. Не в том смысле, как мужчина женщину, а просто — погода хорошая.

Погода была и в самом деле волшебная: теплый легкий ветерок, листья тополей шелестели тихо, будто боялись чему-то помешать, звезды молча мерцали из далекой густой синевы.

— Марина шла и думала: хорошо все-таки идти рядом с мужчиной, особенно если он тебе не безразличен. Просто идти и быть не одной, — сказал Евгений.

---

[1] Кто и дома гость, а кто и в гостях хозяин.

Марина неловко засмеялась, недоумевая собственному смеху: она уже и забыла, что такое чувство неловкости – не какой-нибудь административной деловой, а женской или даже девичьей. Когда стесняешься. Возможно, неловкость возникла в ней потому, что Евгений почти угадал, о чем она думала. Это ее поразило, и Марина не обратила внимания на странноватую форму, в которой была выражена догадка Евгения.

– Вообще-то близко, но не про тебя, – сказала она. – Я вспомнила, как с мужем гуляла иногда по вечерам. В молодости. Нам действительно нравилось – просто гулять. Идешь и идешь. И хорошо.

– Понимаю. Вы больше всего, наверное, тоскуете об этих моментах. Не о том, как вы кормили своего мужа обедом или ужином. И даже не о том, как вы с ним друг друга любили в интимном смысле. А о том, как шли, и вам ничего не надо было друг от друга, но вы друг без друга не могли. Как раз в этом настоящее счастье. Вот звезды, луна, вот эта улица, деревья, заборы – нам от них ничего не надо, и им от нас ничего не надо, но звезд без нас нет, и нас не было бы без звезд, имея в виду Вселенную, из которой мы родились.

– Абсолютно! – воскликнула Марина, полностью поняв мысль Евгения и перестав скрывать свои эмоции. – Это ты даже не знаю как точно сказал! Сам придумал или вычитал?

– И читаю, и думаю, – сказал Евгений.

– А еще?

– Что?

– Да что хочешь. Ты прямо в настроение говоришь.

– Еще я вижу, что тебе хотелось бы увидеть во мне человека, с которым тоже можно пройтись. Но не получится. Ты думаешь, что после мужа ни с кем не получится. Но ты не хочешь в это верить и надеешься, что все-таки получится.

— Абсолютно! — опять согласилась Марина. — За вычетом того, что уже не надеюсь.

— Надеешься, — не согласился Евгений. — Только тебе неприятно, что ты надеешься. Стыдно.

— Абсолютно, — тихо, почти неслышно оборонила Марина, признаваясь в самом сокровенном. И тут же спохватилась: — Ладно, провожатый, спасибо, пришла я.

Они были у ворот красивого дома под черепичной крышей, дом этот увлеченно строил Максим на месте старого, родительского; муж так горел работой, что даже на полгода забыл о своей любимой дороге.

— Перестань, — вдруг довольно твердо сказал Евгений.

Марина даже слегка поежилась, хотя вечер был по-прежнему теплым и легкие ветерки были не прохладнсе окружающего воздуха: ей почудилась в голосе Евгения шутливо-приказная интонация Максима. Такой она бывала, когда он звал ее на ласковые дела.

— Сколько тебе одной в окна смотреть? — спросил Евгений. — Что ты там новое увидишь?

И опять попал: Марина часто сидела по вечерам у окна с рюмочкой, глядя на улицу, на которой никто уже не мог появиться, — то есть не мог появиться тот, кого она ждала.

— В гости, что ли, напрашиваешься? — усмехнулась она и замерла, ожидая ответа. На Евгения не смотрела, чтобы слышать только голос.

Этот голос, натурально голос Максима, сказал ей:

— Хозяева к себе домой в гости не ходят!

— Это кто у нас тут хозяин в моем доме нашелся?

— Человек везде хозяин, где ему хорошо.

— А кто тебе обещал, что будет хорошо? — спросила Марина, с ужасом слыша в своем голосе игривые нотки.

— Мне, Марина, уже хорошо, я хочу, чтобы и тебе хорошо было.

Марина попыталась повернуть ситуацию, напомнив и Евгению, и самой себе, кем он кажется другим людям.

— Очень уж ты странный, — сказала она. — Не хватало еще с психоватым связаться, на меня люди смеяться будут.

— Я знаю, что кажусь странным, — признал Евгений. — Но что ты хочешь после ранения и контузии?

— Серьезно? Где это тебя?

— Извини, не могу сказать.

— Ясно. Я не хотела тебя обидеть.

— Ничего.

— Торопкий сказал, ты у брата остановился?

— Да. Идти далеко. Да хоть бы и близко. Знаешь, ты не топчись, красавица, ты уж или зови в гости, или не зови! — сказал Евгений совсем голосом Максима.

Марине даже как-то нехорошо стало, она приложила ладонь ко лбу, подержала так и сказала:

— Красавица тут ни при чем, а место есть, где положить, переночуешь.

В доме она провела его сразу же в гостевую комнату на первом этаже.

— Вот, тут тебе и кровать, и все удобства рядом, — она приоткрыла дверь в ванную комнатку, — полотенца чистые, все чистое, как в гостинице, — скомкано и торопливо продолжила она. — И спокойной ночи, мне вставать завтра рано.

— К окну пойдешь? — спросил Евгений.

Марина наконец рассердилась — и очень рада была своей настоящей, не надуманной сердитости:

— Знаешь что, хватит мне в душу лезть, все равно не пущу!

— Не лезу я, Мариша, — сказал Евгений просто и задушевно, как давней подружке сказал. — Просто у меня у самого такая же ерунда. Не могу забыть.

— Кого?

— Женщину. Девушку. До тридцати с лишним лет не влюблялся, а потом встретил... Увидел и сразу понял: вот она, сказал Евгений, представив при этом Светлану и тяжело вздохнув, — сказал Евгений, в самом деле представив Светлану и в самом деле вздохнув.

— А что случилось? Расстались?

— Погибла. Двадцать три ей было.

— Господи, ужас какой. От чего?

— От смерти. Шальной снаряд.

— Что делается, вот уроды! — с горечью произнесла Марина. — Все шальное у нас. Сегодня тоже вот человек погиб, тоже, я так думаю, не специально, кто в тех местах специально стрелять будет? Прилетело, накрыло, и все дела.

— В ней мой ребенок был... — Евгений сел на край постели, будто его плохо держали ноги. И опустил голову.

— Мама ты моя! — Марина села рядом и прикоснулась ладонью к плечу Евгения. — Это ж с ума сойти, такую боль в себе носить.

— Вот и схожу. — Евгений рассказал историю, которую вычитал в интернете, но сейчас он воспринимал ее как свою. Это было несложно: на месте погибшей неведомой девушки он представлял Светлану, и сразу все становилось реальным.

— Что делается, что делается, — негромко и грустно проговорила Марина. — Может, и правда, отделиться совсем от всех? Чтобы ничего шального не залетало и не заходило. Мы вот забор решили между нами и российским Грежиным поставить. То есть я сомневалась еще, а теперь думаю: надо. Сколько же можно? Отделимся, поживем сами по себе, а там видно будет.

— Всякое отделение имеет смысл только для последующего соединения и всеобщей интеграции.

Марина убрала руку с плеча Евгения и встала. Голос был не Максима, он так не говорил. И таких слов не знал. То есть знал, но употреблять стеснялся.

— Ничего, — сказала она. — И это переживем. Устраивайся. Пить захочешь — можешь прямо из крана, у меня вода артезианская, а местную воду через водопровод пить нельзя, в ней и свинец, и железо, и чего вообще только нет. Травим людей, повинилась Марина в своем административном упущении, но без покаяния: и до нее травили, и после нее травить будут, так уж заведено. Да и виноват больше российский Грежин, потому что система водозабора и очистки с давнишних советских времен оборудована на его территории. Марина регулярно обращалась к главам администрации, сменявшим друг друга, с требованием решить проблему, они обещали и ничего не успевали сделать до момента, когда их смещали, назначая новых. А собственную систему проводить настолько накладно, что три годовых бюджета уйдет, и откуда тогда брать деньги на социалку, городские работы и все остальное прочее?

Эти хозяйственные думы окончательно отрезвили Марину, тень Максима исчезла, в Евгении не виделось и не слышалось никакой похожести с погибшим мужем. В Марине закипело раздражение: у меня горе, но я им не спекулирую, а ты, чую, неспроста про какую-то Светлану рассказал, расхлюпался тут, на койку как бы ненароком сел, плечики скукожил, чтобы обняли, будто ребенка, – знаем мы эти вашим приемы, знаем! Жаль тебя, конечно, еще бы, потерять любимую и ребенка, но это, извини, не повод, чтобы тебя приласкивать, всех не утешишь, учитывая, что известно, какое утешение вам нужно, душа у вас, может, и страдает, а тело ваше мужское все равно своего требует. То есть чужого, если разобраться.

С этими мыслями Марина отвернулась от Евгения, чтобы выйти, но вместо этого опять села, обняла его за скукоженные плечи, погладила по голове:

– Господи, что ж ты так... Страшно, грустно, да, но мы ведь живы еще! И будем еще жить! Да, Женя?

– Да, Марин. Постараемся. И Евгений заглянул в эти прекрасные глаза, полные печали за себя и всех одиноких женщин на свете, – сказал Евгений, поворачиваясь к Марине и глядя в ее прекрасные глаза. – Он потянулся губами к ее губам, – сказал Евгений, приближая лицо к лицу Марины и смешно вытягивая губы, округлив их трубочкой, как делают дети. – А она доверчиво закрыла глаза и тоже слегка приоткрыла губы, размыкая их горячим дыханием неудержимого желания, которое обжигало...

Он не договорил.

Марина, глядя на смешно сведенные в узелок губы Евгения, что было похоже на завязку воздушного шарика, прыснула, заколыхалась – и все сильнее, сильнее, аж кровать заходила ходуном. И начала хохотать. Хохотала взахлеб, не могла остановиться, била ладонью по покрывалу, падала на постель в изнеможении, поднималась, сгибалась от хохота. Еле-еле успокоилась, вытерла слезы обеими руками, встала, сказала:

– Ну, я и дура, вот дура-то! Все, солдат, концерт окончен. Найдешь, где подкормиться, не журись!

Она вышла, а Евгений достал из кармана диктофон и сказал:

– С этими загадочными словами исчезла эта загадочная женщина, которую Евгений пытался обмануть для ее же радости и пользы, но не получилось. Она ушла, оставив Евгению смертельную тоску за всех тех, кто потерял родных и близких или не приобрел их. Только притяжение человека к любимому человеку имеет смысл в этой жизни, больше ничто не имеет смысла. Евгению открылся момент просветления, когда он понимал, что его ненормальность не в том, что он имеет феноменально проницательный ум, а в том, что он никого после мамы еще не полюбил. Но тут он вспомнил Светлану. Да, с нею ничего не будет, это невозможно, но ее он все-таки почти любит, это самое главное. И тут же Евгению показалось, что на самом деле Светлана ждет его, скучает, тоскует. Ее жениха убили, она теперь свободна. Степан, конечно, был формальный жених, но людей и формальности связывают, а теперь ничего. Что же я тут делаю? – спросил себя Евгений. И не нашел ответа. Но и без этого ответа ясно, что пора уходить.

И он ушел.

А Марина долго сидела в спальне на постели, глядя в стенку, потом разделась, легла и сказала:

– Чепуха это все. Абсолютно! – еще раз повторив слово, которым сегодня будто заклинала себя; это было любимое слово Максима – ему скучно было отвечать на вопросы или соглашаться с чем-то простыми словами: «да», «ладно», «хорошо», «вот именно» и так далее.

– Ты к субботе вернешься?

– Абсолютно!

– Термос и сумку с едой взял?

– Абсолютно!

– Ты хоть немного меня любишь, гад ты такой?

– Абсолютно!

Через полчаса Евгений был возле железной дороги, на том участке, где проходила граница. Миновал одну пару рельсов, собирался пересечь и вторую, но тут сзади послышался голос:

– Стоять!

Это были украинские пограничники Коля и Леча.

Евгений повернулся к ним.

– Ко мне! – приказал Леча.

– А чего это вы командуете? – из темноты возникли еще двое, с российской стороны, – пограничники Толя и тоже Коля.

– Он границу перешел в неположенном месте в неположенное время! – объяснил украинский Коля.

– Вот мы сейчас тут с ним и разберемся, зачем перешел, – сказал российский Коля.

– С какой стати? – возмутился Леча. – Нарушение на нашей стороне уже было! Он уже перешел. А у вас нарушения еще не было, значит, отдыхайте пока.

– Когда отдыхать, мы сами решим, – заверил его Толя. – Нарушил он у вас или не нарушил, но шел он – куда? Догадайся с трех раз, кто умный!

– А может, он и не шел? – предположил украинский Коля. – Он на нейтральной полосе, между прочим. Зашел и вернулся.

– Я не вернулся, – опроверг Евгений.

– Слышал, что человек сказал? – Российский Коля обрадовался поддержке. – Иди сюда, мужик, не тронем. А они сейчас начнут шмонать до трусов, знаю я их.

– В трусы не лезем! – оскорбился Леча. – Я в трусы только к твоей бабе руки совал, сама просилась!

Российский Коля передвинул ремень автомата так, чтобы автомат был на груди, под рукой. Так получилось, что у него на настоящий момент не было бабы, то есть девушки. Он был не женат, и с подружками как-то не очень везло. Поэтому он воспринял слова Лечи как двойную обиду – как намек на то, что у него нет девушки, и одновременно утверждение, что, если бы и была, то такая, которая позволила бы лезть к себе куда попало. Если подумать, была и третья обида, нанесенная всем российским девушкам вообще.

– Если твоя хохлушка от тебя в Германию на проституцию уехала, по ней не суди, понял? – отбрил он Лечу.

Отбрил Лечу, а обиделся украинский Коля, девушка которого действительно уехала не так давно, но не в Германию, а во Францию, и не на проституцию, а на честную работу, сидеть нянькой у каких-то богатых французских арабов, которые своим пятерым или шестерым детям любили нанимать в сиделки славянок.

– Хохлушки у тебя в курятнике сидят, Колян, ждут, когда ты их щупать придешь! – презрительно сказал он российскому Коле и тоже передвинул автомат на грудь. Автомат, кстати, был такой же, как у его тезки, – АКМ, но с металлическим рамочным прикладом, что придавало ему, по мнению украинского Коли, вид более дерзкий и боевитый, автомат же российского Коли был с прикладом деревянным, колхозным, как мысленно называл его украинский Коля; именно на сельскую колхозность Колиной жизни он и намекал, когда сказал об ожидающих его хохлушках, то есть хохлатках, то есть курах.

И российский Коля чуткой мнительной душой молодого человека, которому не везет с девушками, разгадал этот намек – он увидел бы его, даже если б его не было. Он нажал большим пальцем на флажок затвора, приведя в положение одиночной стрельбы. Короткий тихий щелок услышали все.

Тут же послышался второй щелчок – украинский Коля ответил тем же.

И еще два щелчка – это Толя и Леча привели свои автоматы в боевое положение.

– Иди сюда, мужик, а то заденет, – сказал российский Коля.

– Это чем? – поинтересовался украинский Коля.

– Щепкой, – съехидничал российский Коля, но съехидничал неудачно, чем украинский Коля немедленно воспользовался.

– А я давно ведаю, що вы тильки тресками пулять могете! – засмеялся он, считая, что говорит на чистом украинском языке, которого, увы, не знал, да и родители его не были украинцами: мама с Урала, а папа вообще болгарин, приехал когда-то в составе интернациональной бригады строить железнодорожный узел. Стройку отменили, бригада уехала, а он остался, влюбившись в красавицу-уралочку.

– Хочешь попробовать? – Российский Коля направил на него автомат, лицо сделал злое, но при этом как бы не лично злое, а государственно злое, потому что обида была нанесена на этот раз не ему, а российскому оружию и в целом российской армии.

– Давай, кто первый! – вместо украинского Коли откликнулся Леча и выставил вперед дуло, заодно передвинув флажок на автоматическую стрельбу: уж воевать так воевать!

– Евгений не умел чувствовать опасности смерти, хотя давно пора научиться, – неожиданно сказал Евгений. – Но он умел чувствовать опасность глупости. Бороться с глупостью можно двумя способом: можно перебороть ее умом, доказательствами и доводами, это долго и часто бесполезно, а второй способ – усугубить ее еще большей глупостью, после которой сама собой станет очевидной глупость предыдущей глупости. Или она, что самое лучшее, просто забудется.

После этого он поднял со щебенки консервную банку и подбросил вверх, крикнув:

– Кто попадет, тот и победил!

Четверо пограничных воинов, словно услышав боевую команду, тут же задрали стволы автоматов и стали палить по высоко взлетевшей банке.

Они стреляли, а Евгений пошел своей дорогой, слыша, как, закончив пальбу, пограничники спорили:

– Я прсвый попал! Прсвый выстрелил, первый и попал!

– Промазал ты первый! Она после меня аж подскочила!

– Не подскочила, а в сторону отлетела! Я ее сшиб!

– Ты опять?

– Что я опять? Это ты опять!

Навстречу Евгению выехал пожилой человек на велосипеде, которого ночь застала за хозяйственными заботами: что-то у него лежало в свертках в корзинке-багажнике перед рулем, к заднему багажнику тоже было что-то приторочено, плечи оттягивал объемистый рюкзак. Остановившись, человек спросил Евгения:

– Кто это там?

– Да так, балуются, – сказал Евгений.

Человек кивнул, будто сразу все понял, и поехал дальше, медленно крутя педали и крепко держа руль, который вихляло на ухабистой дороге.

ГЛАВА 18

ТИ ЩЕ НЕ ДУМАВ, А Я ВЖЕ ЗДОГАДАВСЯ[1]

Ростислав Аугов вел совещание в просторной гостиной дома, который предоставил ему Прохор Игнатьевич Крамаренко. Он собрал людей, с которыми ему предстояло работать: проектировщики, социологи, экономисты-аналитики, экологи, представители разных партий и организаций, военный специалист с помощниками, группа медицинского обеспечения – врач и две медсестры, и так далее, и так далее, всего около пятидесяти человек.

Был здесь и Геннадий Владимирский.

Была и Светлана. С утра она пришла в редакцию, холодно поздоровалась с Вагнером, потому что еще не простила его, и сказала Аркадию:

– Надо ехать на место преступления. Я слушала радио, смотрела телевизор, уже запутали так, что через день никто не разберется.

– Мы же не следователи, – сказал Аркадий, улыбаясь.

– Тебе весело? – строго удивилась Светлана.

– Да нет, просто... Рад тебя видеть. А Степу жаль, конечно.

Аркадий был не просто рад, он чувствовал себя абсолютно счастливым. На него нахлынул прилив нежной влюбленности, усугубленный тем, что и на работе все в порядке: статья о необходимости народных дружин написана и выпущена, пусть и в сглаженном Вагнером ви-

[1] Ты еще не думал, а я уже догадался.

де, и дома все хорошо: после горячей супружеской ночи Нина рано проснулась, чтобы накормить его завтраком и проводить на работу; когда в делах и в семье порядок, любить удобнее и приятнее.

— Там оцепили всё, — подал голос Вагнер. — Ехать бесполезно!

Яков Матвеевич сказал это официально и категорично, будто именно он приказал оцепить место гибели несчастного Степы Мовчана и распоряжается, кого пустить, а кого нет. То есть поделился секретной информацией, но так, чтобы это не выглядело уступкой Светлане. Вообще-то надо бы, конечно, спросить, в каком качестве она сюда пришла и с какой стати зовет куда-то сотрудника газеты, не спросив разрешения Якова Матвеевича, но Вагнер еще не определился, как теперь относиться к Светлане, он не знал отношения к ней майора Мовчана. Выпустил, да, но это не значит, что дело закрыто.

— Оцепили — одно, а главное — не наша территория, — поддержал Маклаков начальника. — Наверняка хохлы там сейчас жесткий пограничный режим ввели. Да и в поселке у них тоже кордоны стоят, жена у меня с полпути утром вернулась, на рынок не пустили.

— Евгений вспомнил слова Марины Макаровны, — задумчиво сказал присутствовавший здесь Евгений, — и сообщил, что они решили вырыть ров и поставить забор. Они решили вырыть ров и поставить забор, — повторил он всем окружающим.

— В самом деле? — заинтересовался Вагнер. Информация была крайне важная и с человеческой, и с газетной точки зрения.

— Он вчера там был, — пояснил Аркадий. — Все знает.

— А почему я не знаю? Аркадий, дорогой, сколько раз просил: если вам что-то становится известно, сразу сообщаете мне! Газета должна быть в курсе всего! — упрекнул Яков Матвеевич и вдруг неожиданно добавил: —

Мягко, но решительно, сказал Яков Матвеевич, – глянув при этом на Евгения.

Все слегка удивились, однако новость о перекрытии границы рвом и забором была слишком значительной, чтобы фиксироваться на мелочах. У каждого с украинской частью Грежина были связи – и родственные, и приятельские, и бытовые, и другие прочие, как у Наташи Шилкиной, которая всегда стриглась в украинско-грежинской парикмахерской у замечательной и недорогой мастерицы Любы Пироженко.

Вагнер, покрутив в пальцах ручку, обратился к Светлане:

Что, если вам сходить на совещание москвичей, которые приехали? Они просили кого-нибудь из газеты прислать.

– Разве я тут работаю? – спросила Светлана.

– Строго говоря, приказ об увольнении еще не подписан.

– Опровержения вашей статьи тоже не было, – напомнила Светлана.

– Это вопрос полемический, – сказал Яков Матвеевич, с трудом удержавшись, чтобы не добавить «сказал Яков Матвеевич». – Но главное, Света, ты пойми, у человека сын погиб. Ты хочешь именно сейчас на него опять напуститься?

Светлана, помолчав и подумав, сказала:

– Ладно. Где это?

Вагнер объяснил: в резиденции Крамаренко, в доме его сына.

– Постарайтся быть объективной, – напутствовал он.

– То есть?

– Ну, чистая информация, голые факты, без аналитики.

– Меня учили, что голых фактов не бывает.

– Тебя учили теоретики, а я практик.

– Евгений с интересом наблюдал за этим разговором, – сказал Евгений. – Люди, почти всегда понимая друг друга, часто делают вид, что не понимают. Объективность для Вагнера означала: без критиканства по отношению к московским гостям, которым спасибо уже за то, что приехали. Но Светлане хотелось, чтобы он сказал об этом прямо, тогда у нее будет повод чувствовать внутреннее сопротивление, соответствующее ее характеру.

— Она и без повода чувствует, — усмехнулся Вагнер. Он не одернул Евгения, хотя следовало бы, потому что с неудовольствием чувствовал, что словно бы немного побаивается его. Начнет сейчас, как уже было, расшифровывать мысли, бродящие в голове Якова Матвеевича, а там мало ли что бродит, включая интерес к фигуре Светланы, очень ясно обозначенной белой футболкой и светло-голубыми джинсами. Глаза Вагнера так и магнитило в ее сторону, поэтому он, говоря со Светланой, смотрел или в монитор компьютера, или в окно, или общим взглядом в неопределенное пространство. В глубине души ему даже приятно было, что он способен еще взволноваться женской красотой, но это его личное дело, на свет божий вытаскивать не обязательно.

— То есть именно так? Без критиканства? — уточнила Светлана.

— Господи, да пишите что хотите! — закричал Вагнер, подняв руки, словно сдаваясь, но сотрудников это не ввело в заблуждение: писать-то они и раньше могли, что хотели, но напечатают ли, вот вопрос.

Так Светлана оказалась на этом совещании. И Евгений увязался за ней, причем по пути молчал, что было для него необычно.

— Мне как вас представить? — спросила Светлана.

— В этом вопросе был скрытый намек на то, что Евгений самозванец, что он идет просто так, ни в каком качестве, — отозвался Евгений.

— Да нет, я... Хотя да, честно говоря, не понимаю, в каком качестве.

— Я представитель грежинской народной дружины.

– А что, такая есть?

– Создается, – коротко ответил Евгений и тут же добавил: – Светлана не поверила в это, но решила не уточнять, потому что ей был симпатичен этот добродушный и мудрый человек, ей не хотелось лишаться его общества. К тому же Светлана знала, что ее появление где бы то ни было всегда вызывает довольно бурную реакцию из-за ее необыкновенной красоты, она не любила этого; так бывает у некоторых знаменитых актрис: они терпеть не могут, когда на них все глазеют. Евгений выглядит необычно и странно, он будет отвлекать на себя внимание, и это Светлане заранее нравилось.

– Точно! – засмеялась Светлана. – Какой вы интересный, в самом деле. Вам не тяжело вот так все понимать?

– Нет. Меня же это ни к чему не обязывает.

– Вы сейчас очень глубокую мысль сказали. – Светлана глянула сбоку внимательно, слегка прищурившись, словно засомневалась, что рядом с ней Евгений, а не кто-то другой, зачем-то притворяющийся и во что-то играющий.

Когда они пришли, многие воззрились на Светлану, а вот Евгений, вопреки его предсказанию, никого особо не заинтересовал. Ростислав весь встрепенулся, пошел навстречу Светлане, выделил ей место в первом ряду. Она оказалась рядом с Геннадием Владимирским. Оба расценили это как приятное совпадение, улыбнулись друг другу, поздоровались, Ростислав, увидев это, слегка нахмурился.

Он выдержал паузу, рассматривая собравшихся, видя на лицах многих москвичей готовность к скуке – они знали или догадывались о формальности тех мероприятий, которые предстояло здесь организовывать. Зато представители местного населения были оживленными, почти радостными, для них это было почти праздником: сразу столько новых людей, сейчас будут вестись важные разговоры государственного масштаба, чувство причастности их будоражило.

Наконец Аугов заговорил.

– Знаете что, – заявил он, – мне это не нравится. Будто в офисе на стафф-митинге сидим. А дело-то живое, веселое! Пойдемте на воздух, тут лужайка замечательная. Можете со стульями, а можно и на травке.

Естественно, все сразу согласились.

Ростиславу пришла в голову эта идея по трем причинам: во-первых, действительно, все слишком напоминало официальное собрание, во-вторых, он видел фильмы про американскую студенческую жизнь, и ему очень понравилось, что иногда занятия проводятся на травке среди кампуса, в-третьих, увидев Светлану, он сразу же понял, что будет ее добиваться изо всех сил, взаимно приветливые улыбки Геннадия и Светланы его обеспокоили, и он решил понаблюдать за ними. Тут, в комнате, они оказались вместе случайно, посмотрим, как сядут на лужайке. И сделаем выводы.

На лужайке Геннадий и Светлана сели рядом на траву, уже нагретую солнцем.

– Значит, вы тоже сюда по этим делам? – спросила Светлана.

– Я проектировщик, – ответил Геннадий.

– То есть правда, что тут будет что-то строиться?

– Очень вероятно. А вас, значит, отпустили?

– Да. Я журналистка вообще-то.

– Репрессии местных властей?

– Вроде того. Глупость сплошная. А я, знаете, тоже всегда интересовалась архитектурой. Особенно отделкой – всякими витражами, резьбой, орнаментами. Даже поступила бы куда-то по этой специальности, но совсем не умею рисовать.

– Рисовать умеют все. Если хотите, докажу, что и вы умеете, только не знаете этого.

– Даже интересно. Можно попробовать.

– Так молодые люди договорились о свидании, – послышался голос.

Они обернулись и увидели Евгения, который сидел боком к ним и глядел в сторону, имея вид доброжелательного, но постороннего слушателя.

– Это наш местный дружинник, – сказала Светлана.

Евгений тут же ее слова прокомментировал:

– Светлана поспешила и тоном, и смыслом сказанного отграничить, отделить от себя Евгения, чтобы молодой человек понял, что она не с этим мужчиной и вообще свободна.

– Вы весельчак, я вижу, – сказал Геннадий.

– Удачно сказано! – оценил Евгений. – Молодой человек показал этим свою деликатность, нашел самое мягкое слово из возможных. И заодно защитил Светлану, перевел слова Евгения в шутку. Светлана благодарно улыбнулась.

Светлана и правда в это время улыбалась.

Они с Геннадием переглянулись и отвернулись от Евгения, а тот печально сказал:

– Получилось, что Евгений, вместо того чтобы смутить и отдалить их, наоборот, объединил – общим отношением к его словам. Но, может, он этого и хотел? Любить девушку, которая любит другого, – самое счастливое мучение, которое существует на свете.

– Не обращай внимания, – прошептала Светлана.

– Она сказала тихо, но так, чтобы Евгений услышал, – сказал Евгений. – Он понял и отошел на несколько метров, чтобы мучиться издали.

С этими словами он переместился под тень старой яблони, оказавшись неподалеку от Ростислава, который тоже устроился в тени.

Ростислав начал говорить.

Он представился, заботливо осведомился, кто как устроился, есть ли претензии и просьбы. Претензии и просьбы были, Ростислав записал и пообещал принять меры. Затем он объявил, что нужно сформировать штаб.

Светлана тут же подняла руку. Ростислав спросил терпеливо, будто заранее прощал за те пустяки, которыми его сегодня будут отвлекать:

– Уже что-то не ясно?

– Почему штаб?

– Что смущает?

– Почему военное слово?

– Скорее оперативное. Дел много, времени мало, слово подчеркивает напряженность нашей будущей деятельности.

– Сказал Ростислав, глядя прямо в глаза Светлане, чтобы не глядеть на все остальное, что его страшно манило, и в глубине его глаз мерцала временно обузданная чудовищная похоть, – довольно громко произнес Евгений.

Все его услышали, некоторые от неожиданности рассмеялись, поворачивая головы, приподнимаясь, высматривая, кто это сказал.

– Деревенский дурачок? – осведомился Ростислав. И продолжил, как ни в чем не бывало: – Итак, штаб. Собственно, предварительный список у меня есть, имея в виду командированных сюда людей. Список согласованный. Но желательно включить кого-то из местного населения. Чтобы далеко не ходить, прямо из присутствующих и выберем. Вы друг друга лучше знаете, рекомендуйте. Полагаю, вы не будете против?

– Обратился Ростислав к Светлане, демонстрируя ей и всем остальным, что его не собьешь какими-то словами какого-то странного человека, показывая, что он ничуть не боится и не стесняется прямо обнаруживать свой интерес к девушке: что не положено быкам, положено Юпитеру, а он явно предъявлял себя Юпитером в этом сообществе, – сказал Евгений, и опять многие засмеялись: скучное мероприятие оказалось не таким уж скучным.

– Есть у меня в Москве знакомый, – вдруг доверительно, словно близкому человеку, начал кому-то повествовать Ростислав ; все посмотрели в направлении его взгляда и увидели зардевшуюся женщину лет тридцати пяти, из местных, ничем особым не выделявшуюся, разве что густотой медно-рыжих волос и почти молочной белизной кожи. – Он не шизофреник, скорее шизофреноид, то есть в целом нормальный, но регулярно впадает в дурость. Любое мероприятие, где он оказывается, старается любой ценой превратить в балаган. Почему? А потому, что он человек, который не способен ничего сделать. Не бездельник, просто руки не тем концом вставлены, мозги не туда заточены, органически не способен к созиданию. Отсюда отвращение к любой деятельности на уровне физиологии. Поэтому и чужую деятельность он всегда хочет десакрализовать, дезавуировать, скомпрометировать, – объяснял Аугов женщине, которая не знала, куда глаза девать, лицо и шея ее покрылись пунцовыми пятнами, но Ростислав не собирался щадить ее, обращался к ней и только к ней. – Однако я заметил: если ему дать что-то возглавить, любой пустячок, он тут же прекращает свои шуточки. Конечно, шизофреноидом остается, но уже не вредит. Хотите, я вам при штабе дам должность руководителя секции досуга и отдыха? – повернулся он к Евгению, и бедная женщина, отпущенная им, тут же начала часто и бурно дышать.

– Не смешно, но эффективно, – отреагировал Евгений. – Видимо, вы талантливый функционер и манипулятор.

– Не без этого, – согласился Ростислав и обвел всех взглядом, не пропустив ни одного лица. – А теперь уже без шуток, хорошо?

Все стали серьезными, всем стало совестно, что они смеялись над словами какого-то, как удачно сказал Ростислав, шизофреноида. Довольно быстро выбрали несколько человек из грежинцев в штаб, в том числе ту женщину, к которой обращался Ростислав. Она ему все больше нравилась, а особенно умиляла ее простодушная непосредственная реакция. Это была Рита Байбуда, работница районной администрации, не имевшая постоянной должности, но незаменимая, когда нужно было воплотить в жизнь какую-нибудь новую, спущенную свыше демократическую инициативу. Рита была координатором Экологического совета в пору повсеместного создания этих советов, потом они куда-то исчезли, появились зато Общественные комиссии Материнства и Детства. Кому поручить? – конечно, Рите. Потом и эти комиссии стали неактуальны, возник ОНФ, то бишь Общероссийский Народный Фронт. Кому стать оргсекретарем местного отделения? – конечно, Рите. Для ее деятельности в администрации была выделена комнатка со столом, шкафом и стендом для наглядной агитации, информация на котором регулярно менялась, как и табличка на двери.

Ростислав, со всеми переговорив и все обсудив, закончил совещание, но Риту задержал – оставил себе на сладкое.

– Сейчас помощь Народного Фронта нам нужна особенно, – серьезно сказал он, и лицо Риты сразу же стало виноватым, будто у нее было какое-то поручение, которое она не смогла выполнить. – Сколько у вас членов?

– У нас? Много...

– А точнее? Список есть?

– Список? Есть вообще-то... Собрание проводили в администрации, проголосовали, кто хочет вступить, все захотели, все вступили. Вот и список получился.

– А из людей? В смысле – из простых?

– Из простых? Ну да, есть. Не все помнят, правда.

– Что?

– Что они члены. Взносов все равно не платить, так что... Но мы справляемся...

– С чем?

– С работой.

– Какой, извините?

– Поп... Поп.. – вдруг стала заикаться Рита.

– Какой поп?

– Популяризации, – сказала Рита и заплакала. – Вы извините меня, я недавно на этом месте, не во всем ско... ско... Скоординировалась.

– А вы скажите проще: разобралась.

– Разобралась, да. То есть не разобралась, да.

– С чем не разобрались? – наслаждался Ростислав.

– С вопросами о функционировании.

– Чего? Да успокойтесь, я же просто спрашиваю.

– Фронта. Народного. Общероссийского.

– Который создан для... – подсказывал Ростислав, как добросердечный учитель подсказывает хорошей ученице, которая случайно не выучила урок.

– Для выдвижения инициатив в направлении ускоренного развития и модернизации производства, перевода экономики на инновационные рельсы и эффективного, справедливого решения социальных задач! – отчеканила Рита, радуясь, что дословно вспомнила текст, висевший на доске в ее кабинете. Пунцовые пятна на ее шее стали бледнеть, но на щеках еще пламенели.

– Отлично! – похвалил Ростислав, дотронувшись пальцами до ее руки. – А скажи, Марго... Можно, я тебя так буду называть?

– Да.

– Нет, если тебе неприятно... Как тебя обычно зовут?

– Рита.

– Марго звучит лучше. Но, если хочешь, я тоже буду звать Ритой.

– Можно Марго.

– Но тебе не нравится?

– Почему, нравится.

– Хорошо, Марго. Так вот, Марго, скажи, а какие конкретно инициативы выдвинуты для ускоренного развития и модернизации производства? Что придумано членами вашей районной организации для перевода экономики на инновационные рельсы, для эффективного и справедливого решения социальных задач?

Успокоившаяся было Рита опять шмыгнула носом, готовая вновь заплакать.

– Ничего, ничего, я не требую ответа прямо сейчас, – Ростислав опять дотронулся до ее руки. Кожа Риты была настолько белой, что ему казалось – после его прикосновений должны остаться следы. Но нет, следов не оставалось. А если слегка придавить? – размышлял Ростислав. Такую женщину хорошо рассматривать, уложив ее, обнаженную, на черных простынях или черном бархате, но разве в этом убогом доме найдешь черные простыни и, тем более, черный бархат? И еще интересно: в сумерках, в полутьме комнаты какой будет ее белизна? Наверное, резко выделяющейся. Он чувствовал в себе возрастающий интерес, понимая при этом, что настоящий вектор направлен на Светлану, которая его не шутя зацепила. Конечно, там другая история, придется потратить усилия и время, но он обязательно ее добьется. А сначала – Рита, Марго. Почему-то ему казалось, что победа над Марго – обязательный этап на пути к Светлане. Что-то вроде подбрасывания монеты: если выпадет орел, будет у него Светлана, выпадет решка – не будет. Следоватльно, надо обязательно сделать так, чтобы монета-Марго выпала орлом. И сегодня же.

– Давай так, Марго: сейчас сядешь и составишь список самых активных членов, человек двадцать –тридцать, и каждому сформулируешь инициативу, учитывая те мероприятия, которые мы должны тут осуществить. Вот папочка, тут в общих чертах эти мероприятия указаны, начиная с самого масштабного, с проекта железнодорожного узла. Но есть и попроще: благоустройство, наглядная агитация, опрос населения, доведение до его сведения в популярной форме целей и задач. Уверен, что справишься.

Рита кивнула.

На все готова, бедная, подумал Ростислав почти с жалостью.

Он дал Рите заветную папочку, дал бумагу и ручки и усадил за большой обеденный стол в гостиной. Она, маленькая и одинокая за этим огромным столом, выглядела ученицей, оставленной после уроков в пустой школе, это Ростислава дополнительно возбуждало. Сам он в это время что-то смотрел в интернете, кому-то писал, звонил, потом попросил Риту приготовить ланч — тосты с джемом и кофе, она послушно приготовила. Он предложил и ей выпить кофе, она послушно выпила. Ростислав за ланчем расспросил ее о семье, она послушно рассказала: о маме, о папе, о том, что в разводе, что у нее восьмилетний сын Захарка. После этого Рита возобновила работу, а Ростислав, обнаружив в полуподвале комнату с теннисным столом, спросил, не играет ли она, та виновато ответила, что играет, но очень плохо. Ростислав взялся учить — как держать ракетку, как подрезать, как бить, водя при этом ее рукой, стоя за спиной Риты. Она очень старалась.

Сопротивляемость нулевая, исполнительность стопроцентная, размышлял Ростислав, хоть сейчас ее бери, прямо на этом столе, но помедлить, оттянуть все же заманчивее.

Он вернул ее к работе, а сам ходил с телефоном мимо нее, то поднимаясь на второй этаж, то выходя в сад; этим кружением он гасил в себе растущее нетерпение, а еще ему нравилось смотреть, как, в зависимости от света солнца, проникающего через окна гостиной, меняется оттенок волос Риты. Черт побери, думал он, не Светлана, конечно, но красавица! А как освещена! Просто Ван Дейк с Ван Гогом какие-то, честное слово! Он был знаток и любитель живописи — по репродукциям.

А Светлана в это время была с Геннадием. Они сидели в том самом кафе «Летнее», где у Аркадия и Евгения чуть не случилась стычка с местным жителями, кончившаяся, как мы помним, договоренностью о создании народной дружины. На этот раз посетителей не было, Ольга и Сима скучали, издали глядя на Светлану и Геннадия, и, хоть те заказали только чай, не подходили, не предлагали ничего, женским чутьем угадав, что молодым людям мешать не надо.

— Дали задание написать что-нибудь, а писать нечего. Зачем они приехали? Я понимаю, зачем ты приехал, у тебя конкретное дело, проект, а они? — говорила Светлана, думая не о статье, а о том, почему она так быстро почувствовала своим этого человека, настолько своим, что ему можно сказать то, что она не говорила самым близким людям; и тут же она с горечью вспомнила, что близких людей у нее, пожалуй, и нет. Был папа, но это другое. Мама и брат — тоже другое. Одноклассники, сокурсники — все другое, со всеми она чувствовала себя отдельной, не вполне открытой, будто что-то утаивавшей, и это было Светлане неприятно, она подозревала себя в гордыне и недостатке любви к окружающим. Может, она и желанием как-то отомстить за отца загорелась потому, что любила его не так сильно, как любят настоящие дочери, вот и хотела восполнить — хоть так...

— Нет, у нас есть еще специалисты вполне конкретные — по инфраструктуре, по коммуникациям, я с ними общался. А остальные готовят визит, который сюда кто-то нанесет, — говорил Геннадий, думая о том, что красота Светланы не вызывает в нем почему-то естественной мужской жажды, есть в этой красоте что-то одновременно и постороннее, и близкое, сестринское — так в больнице называешь чужую женщину сестрой. Странное сравнение, удивился Геннадий, я ведь совсем не больной, наоборот, очень здоровый.

— Тогда я вообще не буду писать про совещание, а напишу про этот проект, если ты мне расскажешь, — сказала Светлана, думая о том, что ей все равно, о чем будет говорить Геннадий, она просто рада слышать его голос.

И Геннадий начал рассказывать, все больше увлекаясь, Светлана записывала на телефон, поэтому сама не вслушивалась, доверив это технике, только смотрела, чуть прищурившись, как говорит Геннадий, и это даже было интереснее — слушать, не вникая в слова, иногда даже не понимая их. Так слушают музыку, не ища в ней отчетливого разумного смысла.

А Геннадий был рад переключиться на свои любимые темы проектирования и строительства, он все рассказывал и рассказывал, углубляясь в подробности.

Странное дело, им обоим казалось, будто рядом кто-то незримо есть, а именно — Евгений. Слушает, улыбается и словно бы лукаво укоряет: зачем вы теряете время и говорите не о том, о чем хотите? То, что произошло в саду, когда Евгений своими неуместными, но точными словами раскрыл перед ними суть происходящего, не прошло даром. Да, они обычно и нормально общаются, но при этом чувствуют, что как бы немного врут. А врать и Геннадий не любил, и Светлана не любила.

Поэтому Геннадий скомкал финал своего рассказа и без перехода свернул на личное:

— А ты хорошо училась?

— Да. Отличница. Мне легко все давалось.

— Я тоже отличник был. А какие предметы тебе нравились?

— Литература, биология, история. Химия и физика меньше.

— Потому что литература, биология, история — там про человека? Я тоже их любил. Но и физику тоже, и химию, и математику. Там на самом деле тоже про человека, просто по-другому.

— А друзья у тебя были?

— Немного. Один друг на самом деле, старше. Сосед.

— И у меня мало. А книги какие нравятся? Кто любимый писатель?

— А у тебя?

– Я первая спросила.

И они начали наперебой задавать друг другу вопросы о детстве, о родителях, о книгах, о фильмах, взахлеб и с огромным интересом торопясь узнать друг о друге как можно больше.

В какой-то момент Геннадий засмеялся.

– Если бы я говорил, как тот чудак, я бы сказал: Геннадий впервые чувствовал такое влечение к девушке: одна только радость, и ничего лишнего. А еще он испытывал гордость за Светлану, будто в том, что она такая красивая и умная, есть и его заслуга, будто он ее отец, или учитель, или старший брат.

– А Светлана, – подхватила Светлана, – в свою очередь, гордилась тем, что в нашей стране есть такие люди, как Геннадий, умные, красивые, искренние, честные, умеющие делать что-то хорошее и серьезное.

– Геннадию в другой ситуации, с другой девушкой такой разговор показался бы игрой и даже жеманной глупостью, но сейчас он чувствовал, что все серьезно, при этом легко серьезно, не так легко, когда необязательно, а так легко, когда трудно, но ты справляешься, потому что этот труд дается без труда.

– Нет, даже не так, возразила Светлана, – возразила Светлана, – дело не в том, легко или трудно. У каждого человека есть потребность говорить откровенно, но у Светланы с Геннадием было иначе – не потребность, а естественность.

– Точно. В масштабе один к одному, – кивнул Геннадий. – Когда я равен себе, а ты себе. Так бывает редко.

– Очень хорошо ты сказал: один к одному. Замечательно. Ты сразу объяснил мне мои проблемы. Потому что я часто в масштабе ноль-пять, ноль-шесть. Редко – ноль-восемь. Часто вообще ноль-два, ноль-три. То есть общаюсь только своей третьей частью. А с тобой – целиком.

– И я.

– А бывает у тебя – один и два, один и три, полтора или совсем два?

– Да. Когда человек намного умнее и лучше, и ты к его уровню тянешься. У меня с папой так. Гениальный папа, геофизик. Но он и в других вопросах разбирается. А мама художница. График, оформляет книги, альбомы. Очень любит меня и сестру.

– Ты с ними общаешься? С родителями?

– Да, конечно, постоянно.

– А я с папой мало говорила. И с мамой говорю только очень конкретно.

– Когда мы поженимся и родим детей, будем с ними обязательно говорить. Чтобы всегда были общие темы.

– Светлана почему-то даже не удивилась, услышав это, – сказала Светлана. – Это прозвучало так естественно, будто Геннадий давно уже сделал ей предложение, а она согласилась.

– И Геннадию казалось, что он давно сделал предложение, – сказал Геннадий.

После этого он осторожно положил свою руку на руку Светланы, на ее пальцы, прикрыв их своей ладонью.

– Я тебя узнаю, – сказал он. – Пальцы твои узнаю.

– Я тоже.

– Выходи за меня замуж.

– Ладно. Хорошо.

– Я не знаю, что еще сказать.

– И я не знаю. Ничего не надо. Сейчас пойду писать статью, а ты работать. Вечером встретимся.

– Хорошо. Я в гостинице «Грежа» живу.

– Все, я ушла. А то как-то так хорошо, что даже слишком.

– Да. Ты иди, а я расплачусь и потом тоже пойду.

– Хорошо.

Светлана встала. Геннадий тоже встал и оглянулся на Симу и Ольгу, показывая этим, что они ему нужны для того, чтобы с ними расплатиться. Но они остались на месте: тут было так заведено, что расплачивались не за столиками, а у кассы. Геннадий меж тем уже отвернулся от них, уверенный, что подойдут, он смотрел на Светлану. Сделал к ней шаг, а она к нему.

— Кошмар какой-то, — сказала Светлана. — Кто бы сказал, не поверила.

И они обнялись. Не целовались, просто стояли, прижавшись друг к другу, его лицо было над ее плечом, а Светлана щекой прикоснулась к его груди, глаза ее были внимательными и сосредоточенными, как у врача, который слушает сердце.

Она не знала, что сравнение с врачом скорее подошло бы Геннадию, который в детстве некоторое время хотел быть именно доктором. Но, взрослея, обнаружил, что слишком болезненно ощущает других людей. Слишком чутко. Вздох человека рядом вдруг заставлял думать о том, откуда вырывается воздух, о легких, о сердце, печени, о внутреннем устройстве человека, о его судьбе и жизни, профессии, пристрастиях. С такой чувствительностью лечить людей нельзя: если чувствуешь боль пациента как свою, не сможешь обращаться с этой болью беспристрастно. Поэтому он и ушел в техническую сферу, чтобы соприкасаться больше с чертежами, формулами и конструкциями, а не с людьми.

Отделившись от Геннадия, Светлана пошла к выходу. Он не смотрел на нее, смотрел в стол, зачем-то взяв бумажную салфетку и комкая ее. Скомкал, положил шарик на чайное блюдце и тоже вышел, забыв расплатиться. А может, ему казалось, что он уже расплатился.

Сима, услышав какие-то звуки, повернулась к Ольге. Та шмыгала носом и часто моргала, чтобы из глаз стекли капли. Она не вытирала их, ей было приятно чувствовать, как слезы ползут по щекам, щекоча кожу и добавляя остроты переживаниям.

— Чего это ты? — спросила Сима.

— А сама-то?

– Чего сама-то? Я ничего, – сказала Сима и ушла в кухню, чтобы там поплакать без посторонних о Стасике Луценко: она уже неделю не имела о нем никаких известий.

Ростислав не выдержал. Он хотел дождаться темноты или хотя бы сумерек, но летний день все длился и длился. Аугов, как мог, занимал себя: созванивался с только что утвержденными штабистами, давал им задания и указания, назначил себе помощника-секретаря из младшего менеджерского состава, паренька смекалистого и понятливого, поручил ему найти обслугу для дома, включая повариху, та через час прибыла, получила привезенные продукты и тут же взялась готовить; Ростислав осмотрел две присланные машины, был недоволен, но одну все же пока оставил вместе с шофером – что-то отечественное, но сносно выглядящее. К обеду собрал за столом ключевых членов штаба, угостил и заставил отчитаться о проделанной работе, сочетая приятное с полезным. Работы за несколько часов, само собой, было выполнено немного, но Ростислав похвалил за старание и ясное понимание целей. Потом выпроводил всех, в том числе и повариху, поинтересовался, что успела сделать Марго. Успела она не очень много, мучилась, придумывая для каждого, кого внесла в список, какое-нибудь занятие.

– Тебе надо отдохнуть, – сказал Ростислав. – Врачи и психологи советуют: на десять минут лечь, закрыть глаза и слушать музыку. Не здесь, нельзя отдыхать там, где работаешь.

Он повел ее наверх, в одну из спален, где были задернуты плотные шторы, где уже звучала музыка, а постель была накрыта бордовым покрывалом, которое Аугов нашел в одном из шкафов. Белое на бордовом, возможно, еще интереснее, чем на черном.

– Устраивайся, – пригласил Ростислав.

Он хорошо понимал силу и слабость слов, их способность и насторожить, и успокоить. Мог бы сказать: «ложись», «приляг», но это звучит интимно и напряжет женщину; мог бы выбрать почти нейтральное «располагайся», но и в этом слове что-то домашнее, тоже может женщину насторожить. «Устраивайся» — слово гостиничное и одновременно рабочее, производственное, усыпляет бдительность.

Марго послушно стала устраиваться: сняла туфельки, легла с краю, оправив юбку и дотронувшись пальцами до ворота блузки, застегнутой до последней пуговки.

— Вот, молодец, — сказал Ростислав. — Закрывай глазки.

Марго послушно закрыла глаза.

— Расслабься, — сказал Ростислав. — Что ты вся съежилась? Вытяни ручки и ножки.

Марго послушно вытянула ручки и ножки.

Ростислав сел рядом. Веки Марго дрогнули, но она сдержалась, не открыла глаз.

— Трудно тебе, Марго, — ласково сказал Ростислав. — Одна в этой глуши, без мужа, с ребенком. А ты ведь уникальная женщина, ты это знаешь? Ты, наверное, мечтаешь жить в большом городе, лучше всего в Москве, где тебя оценят?

— Да, — послушно сказала Марго.

— И это сбудется. Мы будем много работать, уставать, отдыхать — и это сбудется. Ты не представляешь, сколько мне приходится работать. В этой стране миллионы людей, которым ничего не надо. Их приходится шевелить, убеждать, заражать энергией. Это страшно трудно. Можно я тоже прилягу на минутку?

Марго послушно кивнула.

Ростислав медленно прилег рядом с другой стороны, полежал, давая Марго привыкнуть к своему присутствию. Потом сказал:

— Я все время среди людей, но ты не представляешь, как я одинок. Знаешь, почему? Знаешь?

Ему обязательно было нужно, чтобы Марго ответила. Ответ — это контакт, это почти согласие, уж кто-кто, а он в этом разбирается.

И Марго тихо обронила:

– Не знаю.

– Потому, что я мало с кем существую в резонансе. Думаешь, я тебя случайно выбрал в помощницы? Нет. Я почувствовал резонанс. Я сразу чувствую такие вещи. А ты чувствуешь?

– Да, – послушно сказала Марго, но Ростиславу теперь мало было ее пассивной послушности. Для развития событий нужен более действенный отклик.

– Ты уверена? – спросил он. – Возьми меня за руку, и сразу поймешь, есть резонанс или нет.

Он пододвинул свою руку, чтобы Марго было легче ее найти.

Она нашла, обхватила слабыми пальцами.

– Крепче!

Марго послушно сдавила.

– Чувствуешь?

– Что-то да.

– Спасибо тебе.

– За что?

Ростислав резко повернулся, приподнялся на локте, посмотрел прямо в глаза Марго и заговорил, не отводя глаз. Он знал, что это действует гипнотически.

– За все, что будет. За счастье. Или за несчастье, как повезет. Мне уже повезло, что я тебя нашел. Боже ты мой, боже ты мой! – произнес Ростислав страдальческим голосом, прикоснулся рукой к волосам Марго, погладил их и стал медленно, не отводя по-прежнему глаз, приближать свое лицо к лицу Марго.

А она вдруг сказала таким голосом, будто дремала и вдруг проснулась, ясным и до обидного простецким:

– Это вы чего такое делаете?

– Ничего. Молчи.

– Чего это я молчать буду? Нацелился тут, губенки ширинкой расстегнул! А ну, отлезь!

И, грубо отпихнув Аугова, Рита встала с постели, поправляя волосы и всовывая ноги в туфли.

Ростислава обидел ее толчок, но еще больше поразила грубость слов. Эта провинциалка, ничего не понимающая в тонкостях общения мужчины и женщины, примитивной и тупой метафорой сравнившая его губы, его рот, довольно красивый, с застежкой для брюк, сразу же лишила его и вдохновения, и сил: Ростислав моментально расхотел двигаться в задуманном направлении, его заботило лишь одно – как выпутаться из дурацкой ситуации.

– Послушай, я не знаю, что тебе показалось... – начал было он, но Рита не дала ему говорить.

– Даже слушать не хочу. Ищи себе другую помощницу, козел московский.

– Насчет помощницы я вперед забежал. Ты мне нужна как представительница...

– Знаю, зачем я тебе нужна! Урод, вот урод!

Ростислав не узнавал Риту. Казалось: послушная милая курица, будет счастлива услужить ему всем, чем сможет. И вдруг – ироничная, гневная, оскорбленная рыжеволосая женщина с осанкой юной королевы, говорит с ним, как с наглым придворным, который позволил себе дерзкую вольность.

– Марго, постой...

– Рита я! Ищи в другом месте и фронт свой народный, и тыл, и все, что тебе надо. А на будущее запомни пословицу, нам ее в школе англичанка Ольга Борисовна говорила: no woman will make a fool wise, but on the contrary – any.

– Ни одна женщина не сделает дурака умным, а наоборот – любая, – машинально перевел вслух Ростислав. – Ты хочешь сказать...

– Да уже сказала. Будь здоров, nerd![1]

---

[1] Nerd (*англ.*) – многозначное слово: умник, лох, болван, тупица.

ГЛАВА 19

ВОЛА В'ЯЖУТЬ МОТУЗКОМ, А ЛЮДИНУ СЛОВОМ[1]

В то время, когда Рита выходила из резиденции Аугова, обиженная, но сама же собой и отмщенная, Евгений входил в управление внутренних дел, направляясь к Мовчану.

— Чего надо? — спросили его на входе.

— Евгений привык в последнее время быть чем-то занятым, поэтому пришел к Мовчану получить задание насчет народной дружины, — объяснил Евгений.

Мовчану позвонили, тот приказал впустить.

Он был один в кабинете, ходил взад-вперед и говорил по телефону. Вернее, кричал, напрягая жилы на шее, клонясь вперед и глядя в пол, будто обращался к кому-то непонятливому и плохо слышащему, кто был далеко внизу.

— Я по-человечески же просил! И вас по-человечески предупреждаю: не даете официального разрешения, я туда еду без всяких бумаг! По факту! По тому факту, что он мой сын, вам мало? А это уж как хотите! Наряд против меня высылайте, Вяхирев пусть приезжает со своей командой. Войска стоят? Пусть стоят! Ничего мне не надо, я посмотреть хочу! Пусть хоть воронка, пусть вообще ничего, хотя, если документы нашли, от него тоже что-то осталось, что вы мне голову морочите? Все, не о чем больше говорить!

---

[1] Вола вяжут веревкой, а человека словом.

Трофим Сергеевич сунул телефон в карман и пошел из кабинета, на ходу бросив Евгению:

– Поехали, ты вовремя пришел.

Во дворе он сел в «уазик», хотя были машины и получше: предстояла езда по проселкам. Те, кто был во дворе, ничего не спросили и ничего не сказали. Кто-то побежал и открыл ворота.

Мовчан некоторое время ехал молча, потом спросил:

– Ты, говорят, был там? В хохлацкой части?

– Присутствовал.

– Что там было?

– Были военные со всех сторон. Потом разъехались.

– Зашевелились! А правда, что будут ров рыть и забор городить?

– Правда. Мне очень жаль, что... В связи с вашим сыном... Евгений не мог найти слов, – сказал Евгений.

– И не ищи. Там, говорят, оцепили все. Боюсь – разозлюсь, скажу что-то не то. А ты умеешь людей убеждать, хотя и чудной. Может, им тоже найдешь что сказать. А не получится...

Мовчан оглянулся на заднее сиденье, где у него лежал автомат.

Еще в кабинете, когда он увидел Евгения, Трофим Сергеевич понял, что именно этот человек ему нужен. После известия о гибели сына он ни с кем не мог говорить. Пробовал, начинал, не понимая зачем. С утра собрал, как было заведено, планерку, слушал оперативные сообщения подчиненных, старавшихся не смотреть на него, даже кивал, а сам думал: зачем мне рассказывают, что внук старухи Юрихиной сломал грузовиком забор ее соседки, чтобы проехать к бабушке напрямик, зачем докладывают о драке трех заезжих кавказцев с двумя заезжими молдаванами в кафе «Летнее», зачем спрашивают, надо ли усилить патрулирование в районе вокзала, какое это отношение имеет к смерти Степана?

Накануне ночью он не спал, сидел с бутылкой за столом и слушал, как рыдает на постели Тамара. Понимал, что надо что-то сказать, и не мог. И она ничего не говорила. Иногда, затихнув и полежав, приподнималась и смотрела в его сторону. Начинала давиться, прижимая руку к груди, качаясь взад-вперед, как бывает у человека, которого вот-вот стошнит, — хотела произнести какие-то слова (Мовчану почему-то казалось — обвиняющие слова), но не получалось: падала, мычала от боли, все тело тряслось. Надо бы, надо бы если не словами утешить, то хотя бы подойти, положить руку на плечо. Но казалось, она отбросит руку, закричит на него с ненавистью. И как же так получилось, что у них не общее горе, оно ведь, говорят, объединяет, думал Мовчан, а отдельное, у каждое свое? Видимо, когда пройдет время, надо перестать врать, не мучить ее и себя. Уйти. И к Ирине больше не ездить, там вранье еще не началось, но скоро начнется. Хотя нет, там Оксанка, к Оксанке тянет, она одна теперь у него осталась.

А с Евгением Мовчан мог говорить. Он посторонний. И он не совсем в себе, хотя и обладает способностями, в частности, угадал в Трофиме Сергеевиче интерес к Светлане, а тот, кто не в себе, он будто пьяный, с пьяным можно говорить о том, о чем с трезвым не станешь, — во-первых, все равно не запомнит, во-вторых, любые речи воспринимает спокойно. Это как раз то, чего не хватало Трофиму Сергеевичу.

— Узнаю, кто это сделал, — заговорил он, — собственными руками порву. И никто меня не остановит. Порежу на куски, насажу на штырь, зажарю, как шашлык. Или к стенке поставлю, с автоматом встану и буду стоять и смотреть, как он ждет. Долго буду стоять. Сутки простою, а он пусть ждет.

— А если это не один человек?

— Всегда в кого-то упирается! Всегда кто-то конкретный виноват. Крайнего ищу? — спросил Мовчан не Евгения, а кого-то воображаемого, кто мог задать этот вопрос. – А хоть и крайнего! И он всегда имеется! Как думаешь?

– Что?

– Что виноватый всегда есть.

– Да. И вы тоже.

– Сам понял, чего сказал?

– Вы родили, значит виноваты. Не родили бы, он бы не умер.

– Ну, если так рассуждать, то в любой смерти любого человека родители виноваты!

Мовчан даже коротко рассмеялся – он рад бы вытеснить пустыми теоретическими рассуждениями ноющую неутихающую тоску.

– Дело не только в этом, – сказал Евгений. – Насколько я знаю, ваш сын уехал из родительского дома в другой город. Если бы не уехал, не возвращался бы обратно, не попал бы на место своей гибели.

– Годи, годи, чудик! Он не потому уехал, что дома плохо было, а учиться.

– Хорошо. Но он мог остаться там и жить. А Степан ехал не только к вам, но и к Светлане.

– То есть и она виновата?

– Конечно.

Эта мысль Мовчану понравилась. Понимал, что она нелепая, но все равно понравилась.

– Вы виноваты еще тем, – добавил Евгений, – что не приучили сына к законности. Если бы он не поехал по чужой территории, ничего бы не было.

– Какая законность, чего ты мелешь? Да там сроду все ездят – и мы, и хохлы! И всегда ездили, когда мы ни на кого не делились. И даже если, ладно, это считается чужой территорией, ты задержи, штраф возьми или что-то еще, а стрелять зачем? Убивать зачем? В этом тоже я виноват?

– В какой-то мере.

— Ты не просто псих, а псих в квадрате, Евгений! Ау, ты где там бродишь своей головой? Я виноват, что в сына стрелял неизвестно кто? Ты серьезно?

— Можно объяснить?

— Попробуй.

И Евгений объяснил, перечисляя конкретные факты и имена. Чтобы не запутаться, мы их опустим, обозначим только канву его рассуждений.

Евгений напомнил о событии, которое повлекло за собой другое событие, и, если бы граждане, включая Мовчана, отреагировали здраво и трезво, последствия были бы не такими тяжелыми или их вовсе бы не было. Но они были. И вызвали другие события. А другие — третьи. А третьи — четвертые. И так далее. И во всех этих событиях граждане всех участвующих сторон были пассивной стороной, в лучшем случае голосуя за то, что им показалось неизбежным, потому что им так объяснили, а чаще просто наблюдая и выжидая, что будет.

— Значит, — закончил Евгений, — все граждане, и вы тоже, Трофим Сергеевич, лично вы, хоть и не полностью, виноваты в гибели Степана.

— Рассудил! А кто реально воюет и войска туда-сюда посылает, они ни при чем?

— Тоже виноваты. Не меньше вас. Включая президентов.

— Ага. Прямо честь мне какая: моего сына сам президент расстрелял!

— Не он сам, но при его участии. Да и второй президент соучастник.

— Всё, я тебя понял. Ты по этой тропинке и до самого Господа Бога доберешься! — сказал Мовчан почти весело, глянув при этом на Евгения и поняв по выражению его лица, что Евгений именно готов добраться до кого угодно, поэтому прекратил веселье и строго предупредил: — Даже не пробуй. Я тебе лучше сейчас историю расскажу. Был у меня двоюродный дядя, Семен, то есть он и сейчас есть, но так есть, что все равно, что его нет. Судили его за то, что он убил свою тещу. А как было? Это давно, еще в восьмидесятые, я тогда пацан был. Борьба с алкоголизмом. В магазинах вино и водка пропали, но нас не касалось сперва, у всех виноград – давят, вино делают, нет проблем. Но стали вырубать виноградники. Ходили комиссии, милиция, все подряд корчевали. Ну, в смысле, найдут вино – рубят лозу. Да хоть и не найдут, тоже рубили. Не делаешь вино, но можешь делать, раз виноград есть. Ладно, стали гнать самогонку из чего попало. А Семен работал на грузовике от сахарного завода. Понимаешь логику, да? Там просыпалось, там порвалось, каждый день у Семена мешок сахара есть. Он везет теще, та и продает, и сама гонит с него, прям настоящий цех в подвале ее муж организовал. Один раз Семен приехал, она его угощает: попробуй первача. Семен: нет, дай бутылку, я дома с устатку. Она: да брось, тебе до дома три улицы, сними пробу. Он снял. Понравилось. Но больше не стал, он был такой упорядоченный вообще-то. Взял бутылку, поехал домой. Причем ехал не на грузовике, а на своей машине, он только что «шестерку» новенькую купил. «Шестерка» тогда была – что сейчас «мерседес»! Едет. А уже в организме зашевелилось, он не удержался и по дороге отхлебнул еще пару раз. А на перекрестке бензовоз. Причем у Семена главная, он даже не тормозит. И бензовоз не тормозит. И врезались. И то ли искра была, то ли водитель на бензовозе курил, бензовоз взорвался. Водитель погиб сразу. Семена тоже обожгло, но он выпрыгнул. А «шестерка» сгорела. Семен плакал прямо до слез, жалко машины было. Пошел к теще обратно, он же недалеко отъехал. И с порога ей: дура ты старая, я говорил, не наливай мне! А она не любила критики, тоже ему что-то такое сказала. Да еще чем-то на него замахнулась, он потом говорил, что будто топором. Короче, он хватает ее же бутылку, которую она ему дала, а он из нее, само собой, после аварии еще пару раз хлебнул, и бутылкой ее по голове. И насмерть. Бутылка потому что была шампанская, тяжелая. Даже, говорят, не разбилась. То есть у тещи голова вдребезги, а бутылке ничего, вот делали вещи, согласись. Короче, суд. Обвиняемый, последнее слово. Он встает и говорит: с приговором не согласен. Что я был пьяный – она меня сама напоила. Что врезался – бензовоз виноват. Что ударил ее – так это была самооборона, она меня сама убить хотела. А потом говорит: и вообще, если бы на сахарозаводе не была такого бардака, мне бы не позволили сахар таскать, машину бы не с чего было покупать, самогона бы теща не варила, меня бы не напоила, я бы на машине в аварию не попал. Народ прямо ржет в суде, даже судья, отец рассказывал. Хохот стоит, судья-женщина кулаком стучит, а сама не может, вся трясется. А дядя Семен дальше идет: говорит, в самом-то деле судить вообще-то надо президента Горбачёва. Или он тогда еще генеральный секретарь был?

– В каком году?

– Восемьдесят восьмой примерно.

– Генеральный секретарь. Президентом избран пятнадцатого марта тысяча девятьсот девяностого года на Третьем съезде народных депутатов СССР. И был им до двадцать пятого декабря...

– Не грузи. Короче, дядя Семен говорит: судить надо товарища Горбачёва за антиалкогольную кампанию: если бы ее не было, то ничего бы и не было. Такая вот история. Прав он или нет?

– Отчасти да.

– Вот и я так думал, когда отец рассказывал. Думаю, а правда, не было бы Горбачёва, не было бы самогона, ну, и так далее, то все бы обошлось. И отцу это говорю. А он мне говорит, причем так серьезно, папа у меня вообще был без шуток: запомни, говорит, Трошa: не Горбачёв бутылку в руку взял, не воры с сахарозавода, не водитель бензовоза – взял ее лично дядя Семен. Взял и ударил. А мог бы и не ударить. Что он, не справился бы с женщиной, даже если с топором? Так что, говорит, когда будешь что-то делать, не думай, кто тебя на это дело толкнул или не толкнул, у тебя своя голова, свои руки, а все остальное от лукавого. Это он из откуда из чего-то религиозного.

— Из Евангелия.

— Да. Грамотный у меня папа был, царство ему небесное.

— Евгений не мог не согласиться с принципом неумолимости личной ответственности, — сказал Евгений, — но он все-таки не мог забыть того обстоятельства, что Степан ехал к Светлане, и это сыграло свою роль. При этом он вспомнил о том, что Светлана сегодня встретила человека, который ей очень понравился. Он понимал, что не следует говорить это Трофиму Сергеевичу и дразнить его, но все же сказал, чувствуя себя подлецом. Трофим Сергеевич вряд ли останется в стороне, он постарается разрушить эти отношения, и Светлана опять станет свободной.

Мовчан, слушая Евгения, не вмешивался, не перебивал, хотя форма, в которой Евгений излагал свои мысли, была необычной. Но содержание важнее. А Евгений рассуждал дальше:

— Зачем, спрашивается, понадобилось Евгению сознательно стать подлецом, если ему это не очень нравилось? Может, потому, что он устал быть гением, захотел побыть нормальным человеком? А нормальных людей без подлости не бывает.

Трофим Сергеевич выделил главное:

— Кого это она встретила?

— Проектировщика из Москвы. Зовут Геннадий. Молодой, симпатичный. Они сразу полюбили друг друга.

— Так не бывает.

— Я видел. Бывает.

— И зачем ты мне это рассказал?

– Сами понимаете.

– Не понимаю и понимать не хочу!

– Сказал Трофим Сергеевич и отвернулся от Евгения, потому что на самом деле все понимал, но не хотел в этом признаваться, – пробормотал Евгений довольно тихо, поэтому Мовчан никак на это не отреагировал, тем более что он не поворачивался, смотрел на дорогу, значит, все это было неправдой.

На самом деле главная неправда была в том, что Мовчан ехал не мстить, не рвать кого-то на куски. Утром, когда он уходил на работу, Тамара подняла голову и сказала:

– Без него не возвращайся.

И Мовчан ее понял. Она дала ему настоящую цель сегодняшнего дня. И он этой цели во чтобы то ни стало достигнет.

Они пересекли границу меж двух холмов, там ничего не было, кроме столбиков и вспаханной полосы.

– Оцепления нет, – заметил Евгений.

– Где они его возьмут на всю границу? Оно там, где все произошло.

Вскоре показались люди и машины. Это и было оцепление, окружающее участок выжженной земли, среди которого лежала опрокинутая сгоревшая машина. Увидев это, Мовчан затормозил. Сжал руками руль, смотрел вперед, громко сглатывал горлом, будто пытался что-то в себя проглотить и никак не мог, не получалось. Потом решительно дернул рукоять переключения скоростей, надавил на газ.

От стоящего боком военного грузовика побежал украинский солдат с автоматом на плече. Автомат не снимал, только махал рукой и что-то кричал. Мовчан прибавил скорость, солдат отскочил. Мовчан проехал грузовик, за ним был еще один, а дальше тянулась во все стороны колючая проволока, закрепленная на вкопанных наспех шестах, столбах и досках.

Перед машиной Мовчана появился лейтенант, который участвовал в столкновении, что было накануне в украинской части Грежина. Звали его, кстати, Юрий Рядниченко – из-за горячих событий мы не успели его даже представить.

– В чем дело? – закричал он, видя российскую полицейскую машину и российского полицейского в ней. – С какой стати на украинской территории?

Мовчан остановил машину, вышел. Видно было, что он сдерживается.

– Не шуми, – сказал он. – Мой сын там погиб. Хочу посмотреть.

Рядниченко растерялся.

– Я вас очень понимаю, – сказал он. – Но, сами понимаете. Я тут не главный, там у нас вон из Генштаба приехали, полковник Задерий, сами понимаете. Если что, к нему, – снял он с себя ответственность.

А полковник, увидев неладное, уже сам приближался, он ехал, стоя на подножке военного джипа. Одно из его главных заданий было – пресечь любую возможность эксцессов и конфликтов. И ни в коем случае ни допускать до расследования никого с российской стороны во избежание искажения фактов, а то, что факты будут искажены, само собой подразумевалось.

– Лейтенант, в чем дело? – закричал полковник, на ходу соскакивая с подножки и этим показывая свои навыки умелых действий в обстановке, приближенной к боевой.

– Вот, – сказал Юрий, – это его отец.

– Кого?

– Степана Трофимовича Мовчуна, погибшего на вашей территории, – выговорил Трофим Сергеевич.

– А вы кто? – громко спросил полковник Задерий, словно вокруг была пальба боя.

– Я его отец, у вас со слухом плохо? Трофим Сергеевич Мовчан. Документы показать?

— Не надо мне ваших документов, езжайте отсюда, а если ваш сын на нашу территорию заехал, кто ему виноват?

— И его за это нужно было расстрелять? — спросил Мовчан.

— Кто и с чьей территории стрелял, это еще неизвестно, мы как раз этот вопрос решаем!

— А где...

Мовчан замолчал. Что сказать? Останки? Труп? Тело? Не может он так сказать.

— Где сын? — спросил он.

— Увезли на экспертизу.

— Куда?

— А я знаю?

— Полковник чувствовал себя неловко, — сказал Евгений. — С одной стороны, он не должен вступать в диалог с человеком ниже себя по званию, хоть тот и представлял силовые структуры другого государства. С другой, перед ним все-таки был отец погибшего, по-человечески это можно было понять.

— Не беспокойся, понимаю, — ответил ему полковник. — Но у меня приказ, у меня свое командование.

— Слушай, Задерий, — обратился Мовчан неформально, чуть дрогнув голосом и стыдясь того, что это дрожание было одновременно и естественным, но словно бы и показным — для полковника, чтобы его разжалобить. — Слушай, дай хоть посмотреть на это место. Может, осталось что-то. Ведь сын же все-таки.

— Там ничего нет.

— На кладбищах и могилах тоже ничего нет, но люди туда ходят, — сказал Евгений.

— Тут не кладбище! — тут же нашел ответ Задерий. — Тут для вас чужая территория, и я мог бы вас задержать, но этого пока не делаю.

— Задержи, полковник, — вкрадчиво сказал Мовчан. — И даже поднял руки, отступая при этом к машине. — Задержи, отвези меня в Киев! — с этими словами он открыл дверцу. – Отвези, я поговорю там с кем надо – хоть на вашем Майдане, хоть с правительством. Я хорошо поговорю. Подробно.

Он выхватил из машины автомат и вернулся на прежнее место – шагах в пяти от полковника.

– Б...! – выругался полковник. – Ты же военный человек, майор, хоть и полиция! Ты с ума сошел? У меня тут тридцать человек людей, со всеми воевать будешь?

– А у меня в рожке как раз тридцать патронов. Надо же, как хорошо получается, – улыбнулся Мовчан.

От этой улыбки день показался холоднее, чем был, и полковнику Задерию, и лейтенанту Рядниченко, и двум безымянным солдатам, которые вышли в это время из-за машин, чтобы узнать, что происходит.

Все молчали. Казалось, любое слово может привести в действие спусковой механизм автомата Мовчана, который казался отдельным, не принадлежащим своему хозяину.

Задерий принимал участие в боевых действиях, но ни разу не видел противника так близко. В той странной войне в тот период вообще мало было прямых стычек. Обстрелы артиллерией, ракетами, минометами, наезды механизированными группами и дальняя стрельба из-за укрытий, а чтобы вот так, лицом к лицу, этого у полковника не было.

Евгений, наблюдавший за ним, угадал это. Он угадал и больше, что выразилось в его словах:

– Полковник Задерий вдруг вспомнил фильмы, которые он видел в детстве в кинотеатре, а потом по телевизору или в интернете, фильмы про ковбоев, когда они становились друг напротив друга, и все зависело от того, кто первый выхватит пистолет и кто окажется более метким. У него был на боку пистолет, поэтому рука машинально потянулась к кобуре, хотя ясно было, что майор выстрелит первым.

А Задерий вовсе не вспоминал никакие фильмы в это время, но, когда он услышал слова Евгения, ему показалось, что на самом деле вспоминал. Да и другим это показалось, включая Мовчана. И, что самое интересное, рука Задерия действительно потянулась к кобуре, хотя за секунду до этого он не помышлял об этом.

– Но-но! – сказал Мовчан. – Не надо!

А Евгений повествовал:

– Тут лейтенант, интеллигентный молодой человек, понял, что у него есть возможность проявить себя, показать ум и инициативу, смягчив ситуацию. Он вежливо сказал Мовчану: с оружием вас тем более не пустят, зачем вы обостряете?

Рядниченко остолбенело посмотрел на Евгения, потом на Задерия и сказал, будто оправдываясь:

– Я ничего такого не говорил! Но вообще-то, в самом деле, товарищ майор, с оружием тем более нельзя.

– Какой он тебе товарищ? – процедил полковник, не сводя глаз с дула автомата, а косвенным зрением наблюдая, как подтягиваются солдаты вверенного ему подразделения, привлеченные появлением российской полицейской машины. Их было уже так много, что Задерий осмелел и сказал довольно твердо:

– Майор, я сейчас дам команду и тебя положат. В одну секунду.

– За секунду не успеют. За пять-шесть – может быть. Это много, я сам успею твоих с десяток положить. А тебя первого.

Опять получался тупик.

Задерий поневоле глянул на Евгения, будто ждал подсказки.

И Евгений не замедлил ее выдать.

– Полковник понимал, что пустить нельзя, ему снимут за это голову в служебном смысле. Мало ли что отец, но ведь россиянин, да еще и полицейский! Никто даже слушать не будет оправданий, учитывая, что все сейчас играют в жесткую принципиальность, неподкупность и патриотизм, и слетят с погон полковничьи звезды!

Задерию не понравилась речь Евгения, он хотел возразить, но лейтенант вдруг осмелился и шепнул:

– Товарищ полковник, давайте дослушаем. Он в Грежине сто человек от пальбы спас.

Задерий промолчал, а Евгений развивал свои мысли:

– С другой стороны, у него у самого были дети, дочь и сын (полковник дернулся: у него были не дочь и сын, а две девочки – правда, вместо старшей дочери он хотел сына, но это не считается, однако сдержался, решил дослушать). Полковник представил себя на месте майора и подумал, что вел бы себя точно так же. И покрошил бы к чертовой матери всех, кто стоял на его пути. Казалось, выхода не было. Но он был. Попросить майора снять китель и в рубашке, на которой не было погон, без автомата пройти на место происшествия, побыть там и вернуться. По факту это будет означать, что проникновение на охраняемую территорию было сугубо гражданским, больше того, если кто-то из свидетелей, лейтенант или солдаты, доложат по начальству (тут и лейтенант, и солдаты отрицательно замотали головами, показывая, что они не собираются докладывать по начальству), то у полковника, – продолжал Евгений, – будет явный и неоспоримый аргумент: он разоружил майора, не допустил эскалации конфликта, сообразуясь со словами, – тут Евгений назвал фамилию одного из первых лиц украинского государства, недавно выступавшего по телевизору, – о том, что, если есть малейшая возможность избежать кровопролития, ее следует использовать.

Лейтенанту так понравились слова Евгения, что он даже улыбнулся.

Да и полковник просветлел.

– Твой корешок дело говорит, – сказал он Мовчану. – В самом деле, майор, это вариант. Сними китель, автомат оставь. Слово офицера: никто не двинется. Все слышали? – возвысил он голос.

Ему ответили по-военному, хоть и вразнобой:

— Так точно!

А чей-то юный, почти мальчишеский, голос крикнул запоздало и не по уставу:

— Само собой!

Мовчан, помедлив не больше секунды, скинул китель, положил его на капот, автомат отдал Евгению, сел на землю, стал стаскивать сапоги, которые на нем были.

— Сапоги-то зачем? — спросил полковник.

— У них вид военный.

А заодно почему-то снял и носки.

Потом встал и пошел через расступившихся солдат к проходу меж двух столбов, где не было колючей проволоки. Все смотрели, как он шел босыми ногами по колкой выжженной траве, поднимая облачка черной пыли, как подошел к сгоревшей машине, остановился, потом опустился на колени, уронив руки и склонив голову. Он оставался в таком положении довольно долго.

— Чего лупитесь? — спросил полковник.

Все отвернулись, чтобы оставить майора одного.

А над людьми и полем было жаркое летнее небо, в нем где-то, невидимый, насвистывал и чюрлюлюкал жаворонок, которого до этого не слышали, а сейчас вот услышали, и он словно понял, что наконец его слушают, и разошелся трелями, будто на концерте; многие из солдат были городскими, они подумали, что впервые по-настоящему слышат жаворонка, а еще подумали о том, как это странно: попасть на войну, чтобы услышать жаворонка.

Вернувшись, Мовчан подал руку Задерию, не глядя на него.

Тот пожал и сказал очень тихо, секретно, но с секретностью не военной, а человеческой:

— В Сычанск его отправили. Там при больнице морг есть.

— Спасибо, — так же тихо ответил Мовчан. — Ты не беспокойся, я сейчас в другую сторону отъеду, чтобы твои думали, что назад.

И он сел с Евгением в машину, и они поехали обратно к российской границе, скрылись за холмом, за лесополосой, после этого Мовчан, проехав пару километров вдоль границы, повернул и направился в глубь украинской территории. Евгений смотрел вперед безмятежно и любопытно, Мовчан подумал, что именно с этим человеком его задача, невыполнимая, если посмотреть на нее обычным взглядом и в обычное время, может оказаться осуществимой.

Сразу скажем о том, какими последствиями обернулось это для Задерия. О его попустительстве каким-то образом узнали, начали выведывать подробности у бывших с ним солдат и лейтенанта Рядниченко. Солдаты делали вид, что не понимают, о чем речь, Рядниченко отвечал уклончиво, спрашивающие почуяли слабину, чуть надавили, пообещали отправить на самую переднюю передовую и живописно нарисовали картину будущего горя матери, которая узнает о безвременной гибели сына. Рядниченко, жалея мать и себя, а еще тех девушек, которых не успел полюбить, во всем сознался. И с погон полковника сняли-таки по одной звезде с каждого погона, он оскорбился, подал в отставку, его назвали дезертиром, что Задерия обидело еще больше. Он не боялся войны и смерти, просто не любил несправедливости. И, чтобы доказать это, отправился к ополченцам, учитывая, что в тех краях жили его родственники по жене. Его охотно взяли, и уже через неделю он командовал большим соединением, а потом выдвинулся в верхушку командования, то есть это не однофамилец того Задерия, известного любителям и знатокам истории, который осуществил так называемый «рейд возмездия», о котором много писали и говорили в средствах массовой информации того времени, а именно тот самый Задерий и есть.

ГЛАВА 20

РИЮТЬ НОРУ, НАКОПАЛИ ГОРУ[1]

Год назад ко Льву Кошелю, живущему в украинском Грежине, приезжал племянник Олесь. Увидев, что дядя его, как и все прежние годы, ковыряется простым коммунальщиком, то зарывая, то отрывая трубы и чиня их, не дослужившись даже до бригадира, сказал ему с почтительной укоризной:

– Дядя Лева, так и будешь жуком навозным в земле копаться?

– А тебе чего? Платят зато, и работа всегда есть, что ни день – прорыв, обрыв, авария. И строят сейчас довольно много за счет бывшего кирпичного завода, в смысле – стройматериала дармового полно. Дома, офисы. А туда коммуникации надо, для нас это подработка. Не жалуюсь, короче, сам видишь – на столе все есть. Угощайся!

– Ты мне про работу, а я тебе про бизнес! Давай я тебе подарю трактор. Есть такой специальный, с цепным траншейным приводом. Оформишься как предприниматель, будешь на себя работать, от тебя отбою не будет! Дом новый построишь, тетю Валю от печени полечишь, вон какая она уже желтая у тебя, ты не обижайся, теть Валь, – говорил Олесь присутствовавшей здесь же тетке, – я же любя!

– Это у меня не от печени, а колер кожи такой. И не желтый, а смуглявый, – сказала тетя Валя. – Бабка моя вообще коричневая, как та глина, а ей девяносто два уже, и все живая!

---

[1] Роют нору, накопали гору.

Кошель испугался:

– Какой еще трактор, он бешеные деньги стоит!

– Еще раз объясняю: дарю в рассрочку. Без процентов на пять лет. Да ты через год досрочно все выплатишь! А первый взнос вообще копейки!

И соблазнился Лев Кошель, принял дар племянника, оформился предпринимателем. Ждал, что посыплются заказы и от коммунальной поселковой службы, и от частников, и от организаций, и от простых людей. Но заказов не было. Совсем. Дело в том, что племянник строго-настрого велел дяде, прежде чем браться за работу, просчитать ее рентабельность, то есть посмотреть, что выйдет, если из стоимости заказа вычесть расходы на горючее, учесть амортизацию, свою личную зарплату и долю, которую необходимо ежемесячно выплачивать за трактор. Если получается минус или ноль на ноль, то либо не браться, либо повышать стоимость услуг. В реальности выходило, что, как ни считал Кошель, получалось ноль на ноль или минус. Он повышал стоимость, это не устраивало ни коммунальные службы, ни простых людей. Кошелю не терпелось начать, он решил сбавить, пусть даже сначала себе в убыток, но вскоре выяснилось: его не хотят нанимать не только за небольшие деньги, а вообще ни за какие. И коммунальные службы, и простые люди привыкли все копать вручную, изредка пуская в дело ржавый экскаватор, которого хватало на два часа работы, после чего он начинал чадить сизым дымом и умолкал. Главное же, из чего все исходили: чужая работа стоит денег, а своя – даром. Олесь, которому позвонил Кошель с отчаянной мольбой забрать трактор, примчался, ругался на закоснелую психологию грежинцев, пытался кое-кому из местных растолковать азы экономики, объясняя, что отрываться от своих дел для рытья траншей и ям – двойная потеря времени и денег.

— Времени у нас — хоть ухом ешь, — отвечали грежинцы, а насчет денег не волнуйся, чего нет, то не потеряешь.

Лукавили, конечно.

— Да забери ты его, и дело с концом! — просил Кошель.

— Дядя, я не от себя работаю, от фирмы! Я штраф выплатить должен буду за возврат после продажи и внести страховой залог в размере четверти полной стоимости, а полная стоимость у нас теперь... — И он назвал сумму, после чего Кошель спросил:

— Это почему такое? Получается, и я тебе столько должен заплатить? Ты меньше говорил в полтора раза! Значит — проценты все-таки?

— Дядя, ты за кого меня считаешь, при чем тут проценты? Инфляция!

Кошель совсем приуныл, а Олесь пошел к Чернопищуку и имел с ним какой-то разговор, после чего трактор был переведен на баланс поселковой коммунальной службы. А Кошеля взяли постоянным трактористом на постоянную неплохую зарплату, и он в итоге остался доволен, благодарил племянника.

— Ерунда! — отмахивался Олесь. — Если бы у вас тут нормальное было экономическое мышление, ты бы в золоте ходил!

Кошель исправно ухаживал за полюбившимся механизмом, но огорчался, что работы все равно немного: для трактора нужен простор, а в украинском Грежине все довольно тесно и закоулисто. Да еще одолели соседи, родственники, знакомые и приятели, то и дело просившие прокопать траншею для слива или водопровода не за деньги, а за водку, самогон, сало или в обмен на машину угля для зимнего отопления. Тоже как бы не даром, но не деньги, Валя за это Кошеля пилила, а Олеся ежедневно называла хитрым бандеровцем.

— Хитрый, согласен, но бандеровец тут совсем ни при чем, — защищал Кошель племянника.

И вот настал час, его вызвали в администрацию, к самой Марине Макаровне, у которой сидели и другие начальники, перед ним разложили большой лист с планом поселка, где прочерчена была красная черта, и объяснили: надо вырыть сплошную траншею по этой линии для последующей установки забора. Сколько времени уйдет?

Кошель задумался, попросил калькулятор, что-то считал, прикидывал. Все уважительно молчали.

– Дней десять, – сказал он наконец.

– Много! – не согласился Чернопищук по своей привычке не соглашаться с любым сроком любой работы, который ему объявляли подчиненные службы: был уверен, что набавляют.

– Меньше никак! – твердо ответил Кошель тоном знающего специалиста.

– Ну, десять так десять, – сказала Марина Макаровна. – А будет раньше, скажем спасибо. В том числе материально.

– А с чего начать?

– С улицы Мира! – высказался вне субординации Гриша Челкан. – Чтобы сразу всем видно было. Без разночтений!

С ним согласились.

И Кошель с утра начал – по улице Мира, по осевой линии. Правда, по воображаемой, так как от белой полосы дорожной разметки, когда-то здесь обозначенной, почти ничего не осталось, лишь кое-где виднелся бледный след; заново нанести ее должна была либо российская, либо украинская сторона, но так и не решили, кто именно.

Кошель прокладывал путь на глаз.

Естественно, сбежалось мальчишьё чуть ли не со всего Грежина – поглазеть на эту интересную работу. Трактор тарахтел, блестящие зубья привода вгрызались в асфальт рьяно и, казалось, с удовольствием, будто он им был вкуснее, чем обычная земля. Кошель, высовываясь из кабины, ругался на детей, взрослые их тоже отгоняли, потому что из-под пилящего шкива вылетали вместе с кусками асфальта щебенка и комья земли, кого-нибудь могло поранить. Дети отбегали подальше, ветками и палками замеряли глубину получающейся траншеи, прыгали через нее туда и обратно, жалея, что она не такая широкая – было бы интереснее.

Кошель работал в щадящем режиме, с перекурами, как, впрочем, и всегда, зная, что уставший механизм мстит за себя поломками, но все-таки дело продвигалась довольно быстро – или улица Мира оказалась не такой длинной. Уже был ясно виден впереди, где улица поворачивала, дом, стоящий в конце, там располагалась парикмахерская Любы Пироженко. Все знали, что она находится и на украинской, и на российской территории и гадали, будет ли Кошель своим трактором пилить дом или все решится как-то иначе. Сама Люба уже несколько раз выходила на крыльцо и смотрела на приближавшийся трактор, приложив ладонь козырьком ко лбу, но не шла навстречу, ни о чем Кошеля не спрашивала. А потом вдруг вышла окончательно, навесив на дверь замок с дужкой. Там был и обычный замок, врезной, навесным Люба обозначала, что парикмахерская закрыта не на перерыв, а надолго.

Наверное, она решила, что запертый пустой дом сам за себя постоит. С человеком можно спорить, всегда есть надежда его как-то убедить или обмануть, а дом не обманешь, он – имущество, а трогать без спроса чужое имущество не полагается ни при какой власти и ни в какой стране.

Кошель замедлил ход трактора, и, когда грызущая машина подобралась вплотную к дому, уже стемнело, был законный повод прервать работу ввиду окончания рабочего дня.

В российском Грежине вовсю обсуждали эту новость, в том числе в редакции газеты «Вперед!». Хромоногий Гусев, фотограф, успел съездить туда на велосипеде, с которым управлялся очень ловко, крутя одну педаль здоровой ногой, а другую подталкивая для завершения оборота, привез снимки. Но Вагнер решил пока не публиковать их. И вообще ничего пока не писать. Надо понять, как к этому относятся другие, в частности Крамаренко. Улучив момент, он вышел покурить и позвонил ему с улицы.

— С ума они там сходят, — сказал Прохор Игнатьевич. — Дорога общая, нейтральная, значит, это самоуправство.

— Может, статью дадим? — спросил Вагнер, уверенный в отрицательном ответе, и получил его:

— Не торопись. Я выясню сперва, откуда ноги растут.

— Из головы! — пошутил Вагнер, имея в виду не вообще человеческую голову, а конкретную — Марину Макаровну Голову.

Крамаренко его понял:

— Да вот именно, из нее, из нашей Марины-красавицы. Вот я ей позвоню, пусть расскажет, что к чему.

И Крамаренко позвонил.

У них с Мариной Макаровной были вполне приятельские, соседские отношения, в том числе из-за того, что обе части Грежина были повязаны многими общими вещами: водоснабжением, канализацией, где она имелась, электросетями, схема которых до сих пор была довольно запутанной, а главное — уникальной системой газоснабжения. Магистральная труба издавна шла из России в Украину, сначала в украинский Грежин, потом сворачивала в Грежин российский, а из него через несколько мелких населенных российских пунктов уходила опять в Украину и дальше тянулась уже чуть не до самого Киева. После разделения братских республик немедленно началась путаница с расчетами. То решали, что украинский Грежин будет просто платить по российским расценкам, да и всё, но тут оказалось, что украинские расценки ниже, и бывший до Марины Макаровны глава, мужик лукавый, потребовал от российского Грежина компенсации или отчислений за транзит. За наш же газ они же с нас и деньги хотят брать?! – возмутился предшественник Крамаренко. И не стал платить совсем. Никому. В отместку не стали платить и в украинском Грежине. Вмешалось верхнее руководство, сделали какой-то перерасчет, потом еще один, к описываемому моменту царила уже такая неразбериха, что никто не способен был понять, кто кому должен, поэтому пока остановились на том, что никто не должен никому.

Марина Макаровна, конечно, была готова к разговору и сказала, что возведение забора входит в перечень намеченных мероприятий по упорядочению границы.

– Марина, ласка моя, какой еще перечень, какие мероприятия, люди у нас там и там живут, там и там работают!

– Будет нормальный пограничный пропускной пункт, в чем проблема? Он и так есть, на самом-то деле.

– А почему с нами не посоветовались? Улица Мира не ваша только, она и наша тоже, а вы ее перепахали!

– Объезды будут.

– Главное, Марина, помнишь, я просил тебя Праздник Дружбы перенести с осени на лето, и ты ведь не против была?

– Это ты к чему?

– К тому, что как теперь мы его проведем? По разные стороны? Через забор?

Марина Макаровна, если честно, слега смутилась: да, Крамаренко ее просил перенести праздник из-за какого-то приезда какого-то большого начальства, и она согласилась, исходя из того, что в его положении просила бы о том же, но, если честно, запамятовала.

– Ничего, – сказала она. – Что-нибудь придумаем. Временно разберем забор в одном месте, вот и все.

Прохор Игнатьевич вздохнул и совсем дружески, даже сочувственно, как человек, понимающий обузу административных решений, спросил:

– Правда, что ли, отделиться хотите? И от них в том числе?

– Хотим, – ответила Марина.

На самом деле она еще вчера очень в этом сомневалась, но в ней с каждым часом нарастало желание перемен. Ее взбудоражили не нахлынувшие в Грежин военные люди и чуть было не случившееся побоище, ее взволновал странный этот человек Евгений, вернее, даже не он, а мысли, возникшие после общения с ним. Ей вдруг поверилось, что и после Максима возможна полноценная жизнь, возникло предчувствие какой-то встречи. И, если замутят они тут эту авантюру с забором (а Марина понимала авантюрность начатых дсйствий), само собой, появятся тут разные люди, мужчины всяких сортов, а значит, и возможности, с этим связанные.

Конечно, этого она Крамаренко не сказала и сказать не могла, но ей стало жаль этого усталого и озабоченного человека, и она на прощанье утешила:

– Да не журись ты особенно, Прохор Игнатьевич, на самом деле мы же с тобой всегда договоримся.

– Через забор?

– Ну, знаешь, и с забором соседи хорошо живут, и без забора собачатся, – почти поговоркой ответила Марина.

Это утвердило Крамаренко в мысли, что в газете ничего печатать пока не нужно, он позвонил Вагнеру и сказал об этом, а тот передал сотрудникам.

– Люди всё знают, а газета молчит, – осудительно сказал Аркадий.

– Люди никогда ничего точно не знают! – возразил Вагнер. – Они только предполагают. Может, так, а может, и не так. А вот если в газете появится, для них сразу станет так.

– Но оно же так и есть!

– Как оно есть, пока на самом деле неизвестно.

Аркадий замолчал, зная, что Вагнер умеет утопить любую тему такими вот беспредметными разговорами.

Да и не до этого ему было: он смотрел в окно и видел входящую в здание редакции Светлану.

Светлана принесла материал о планах преобразования поселка, которыми поделился с нею Геннадий.

– Вот, – сказала она, положив перед Вагнером флешку, где был текст, который она полдня сочиняла в саду материнского дома, под яблоней, сидя с ноутбуком в старом плетеном кресле.

Вагнер вставил флешку в свой компьютер, начал читать – как всегда, с непроницаемым лицом, чтобы автор ни о чем не догадался.

Светлана налила себе кипятку из редакционного электрического чайника, бросила чайный пакетик и села неподалеку от Аркадия. Аркадий, человек нетерпеливый и прямодушный, тут же задал вопрос, который его волновал:

– У тебя новый друг появился?

– Уже не друг.

– Рассорились?

– Нет. Он мне сделал предложение, я невеста теперь, – улыбнулась Светлана в чашку чая своему подрагивающему отражению.

– Ну-ну, – не поверил Аркадий.

– Я серьезно.

– И я серьезно, – все равно не верил Аркадий.

Светлана не стала убеждать, пила чай. И пила она его с таким удовольствием, с каким этот плохонький чай пить невозможно, если только не добавить варенья или лимона. Именно это, а не слова Светланы или ее многозначительное молчание, заставило Аркадия поверить, что всё – правда.

Ему стало горько, обидно: ведь он чуть не изменил жене, он почти уволился, поругался с Вагнером, он на все был готов ради Светланы, а тут появился залетный москвич – и все? И сразу замуж? Та ли девушка вообще Светлана, какой он себе ее вообразил?

– Яков Матвеевич, у меня статья не на полосу, неужели все еще читаете? – спросила Светлана. Сотрудники переглянулись: они не позволяли себе торопить редактора.

– Давно уже прочитал, – ответил Вагнер. – Просто смотрю, что есть в интернете на эту тему. И ничего не вижу.

– Значит, в государственном масштабе это не такое уж важное событие.

– Да? Строительство узла рядом с границей и фронтом боевых действий – не такое важное событие? А я думаю, просто серьезные средства информации поступают осторожно. И разумно. Чтобы не облажаться. – Вагнер иногда ради демократизма употреблял новые жаргонные словечки. А вот матом ругаться, заметим, в последнее время почти перестал. – Напишут, поспешат, а ничего не будет.

– Яков Матвеевич, здесь уже полсотни людей из Москвы, и еще приедут, включая военных строителей, у меня об этом тоже написано.

– Военных строителей, сразу скажу, вычеркну, скользкая тема. Вот приедут, тогда посмотрим.

– Хорошо, а те, кто приехал? Не считается?

– Мало ли. Посмотрят и уедут.

– Яков Матвеевич, они не смотрят, они уже готовят конкретные проекты! Узел, терминалы, здания, в том числе жилые. Я говорила с человеком, который этим занимается. Это масштабное событие для поселка – и мы об этом не напишем?

– Событие, Света, – разъяснял Вагнер Светлане, но все понимали, что он и им дает урок журналистской стратегии, – это то, что уже произошло. Вот землетрясение в Непале, весь интернет в страшных картинках. Оно уже произошло, это – событие. А до этого никто не писал, не волновал людей. И правильно, потому что поднялась бы паника.

– Потому что не предвидели. И это разные вещи.

– Ничего особо разного. В том случае не надо было пугать, а в нашем – не надо обманывать людей. Они прочитают, будут на что-то надеяться, а окажется, что ничего этого не будет, как мы будем выглядеть?

– А мы можем написать – предположительно! – вступился Аркадий за Светлану остатками своей любви. – Предположительно намечается строительство крупного узла. Ну, как мы про урожай пишем в районе или про погоду: предположительно ожидаются дожди и хороший сбор картошки. Будут дожди и сбор – попали, не будут – мы всего лишь предполагали, мы не синоптики!

– То есть заведомо вводить читателей в заблуждение? – с профессиональным негодованием вопросил Вагнер.

Светлана налила вторую чашку. Ей было скучно. Еще вчера и даже еще сегодня утром она сцепилась бы с Вагнером, отстояла бы или статью, или хотя бы свою точку зрения, но после того, что произошло между нею и Геннадием, ей все казалось пустяками. Она ждала вечера.

– Ладно, – сказала она. – В конце концов, газету вашу все равно никто не читает.

– Вашу? – переспросил Вагнер.

– Ну не мою же. Пишите о погоде и картошке. Предположительно, – сказала Светлана и, не допив чай, встала и вышла, сказав всем общее вежливое и равнодушное «до свидания». Но неожиданно тут же вернулась:

– Вы извините меня. Я нехорошо вам сказала, глупо. Я вообще поглупела, все девушки, наверное, глупеют, когда замуж выходят.

– А ты выходишь? – осчастливилась лицом Наташа Шилкина. – Когда, за кого, почему молчала?

– Да я сама узнала только что, – ответила Светлана. – Извините еще раз. До свидания.

На этот раз ее прощание прозвучало уважительно, и все ей ответили, даже Вагнер буркнул:

– Будь здорова. На свадьбу пригласишь?

— Конечно, всех, конечно, обязательно!

— Когда? — спросил Аркадий.

— Еще не знаю.

Ну, значит, на самом деле ничего не решено, подумал Аркадий. Надо узнать об этом Геннадии поподробнее. Вдруг он авантюрист, махинатор, бабник — да мало ли? Кто, если не Аркадий, выручит Светлану в таком случае, кто объяснит ей, с каким негодяем она имеет дело?

Мовчан ехал полями, холмами и перелесками к Сычанску. Места здесь не густонаселенные, но все же попадались машины на полевых дорогах; увидев их, Мовчан пережидал, если они ехали в сторону, или сворачивал, если ехали навстречу.

Но вот попался прямо на пути трактор. Он молча стоял за рощицей — тракторист чинил его или отдыхал — и вдруг затарахтел и выехал из-за деревьев. Тракторист затормозил и, не глуша мотора, высунулся, с удивлением посмотрел на российскую полицейскую машину и прокричал что-то неразборчивое.

— Езжай, езжай, — сказал себе под нос Мовчан и проследовал дальше.

— Евгений оглянулся, — сказал Евгений, оглянувшись, — и увидел, что тракторист достал телефон и что-то кому-то докладывает.

— Нехай докладывает, — сказал Мовчан. — Разберемся.

Разбираться пришлось довольно скоро: впереди показался «уазик», точно такой же, как у Мовчана, только с надписью «Милиція». Машина встала, перегородив дорогу, из нее вышла грежинская украинская милиция в полном комплекте: капитан Веня Вяхирев, старшина Георгий Владимирович Таранчук и сержант Петя Евдоха.

— Что, если не остановится? — спросил Петя.

— Стрелять по колесам, — ответил Вяхирев. — Да не хватайся ты сразу за автомат, подумает еще, что в него стрелять будем!

И Вяхирев поднял руку, помахивая ею, будто не останавливал, а встречал приветствием.

— Как ты там говоришь про себя? — спросил Мовчан, щурясь и сужая зрение, словно сидел не в машине, а в танке и смотрел сквозь прорези. — Евгений то, Евгений се? Хороший способ, сказал майор Мовчан, готовый ко всему!

— Это не способ, а манера.

— Да нет, способ. Чтобы не думать о себе. Чтобы и жить легче, и умирать.

— Евгений не думал об этом и был поражен неожиданным умом простого человека.

— Не такой уж я простой, майор все-таки! — весело воскликнул Мовчан. И продолжил говорить на манер Евгения:

— Майор Мовчан крепко держал руль, а нога его нажимала на газ. Он решил, что проскочит хохляцких ментов без остановки. Захотят догнать, пусть попробуют. Будут стрелять, Мовчан им ответит.

— Чем меньше конфликтов, тем выполнимее наша миссия, — сказал Евгений. — Если они будут стрелять по колесам, мы не сможем ехать дальше.

— Аргумент! Майор Мовчан стал притормаживать, — сказал Трофим Сергеевич, — но автомат на всякий случай держал под рукой!

С этими словами он дотронулся до автомата, который был засунут между сиденьями, между Мовчаном и Евгением.

Остановившись, Трофим Сергеевич приоткрыл окно.

Веня пошел к машине. Таранчук и Вяхирев тронулись за ним, но он сделал им знак оставаться на месте.

— Привет, Веня, — сказал Мовчан.

— Здравствуйте, Трофим Сергеевич, — по имени-отчеству и на «вы» назвал Веня Мовчана, как называют старших младшие издавна и в российском, и в украинском Грежине. — Далеко заехали, вам не кажется?

— Не кажется. Я в Сычанск еду, у меня сын там. Ну, в смысле... Забрать его.

— А документы на это есть? — с надеждой спросил Веня.

— Какие на это могут быть документы?

— А вообще какие-нибудь? Не ваши личные, а типа пропуска?

— Кто мне его выдаст? Может, ты?

— Не имею полномочий. Таких пропусков, наверно, и не бывает.

— А чего тогда спрашиваешь?

— Капитан тянул время, — ответил за Вяхирева Евгений, — потому что по всем правилам он обязан был задержать и арестовать майора Мовчана.

— Вообще-то да, — согласился Веня с Евгением. — Вы бы сами что сделали, товарищ майор? На моем месте?

— На твоем месте, Веня, я никогда не буду. Но и тебе не дай бог оказаться на моем месте. Чтобы ты не тратил время, скажу прямо: арестовать я себя не дам. Будешь препятствовать, начну стрелять.

И тут сержант Евдоха решил проявить службу. По молодости он не успел принять участия ни в одной серьезной операции, и ему не терпелось отличиться. К тому же он видел много отечественных и американских боевиков про полицию. То есть не отечественных, а российских. Евдоха, конечно, никогда не говорил, что они отечественные, он говорил — «наши».

Так вот, Евдоха вдруг прыгнул вперед, наставил на Мовчана автомат и заорал:

— Руки на руль, чтобы я видел! Не шевелиться! Буду стрелять! Товарищ капитан, он на мушке, одевайте наручники на него!

Мовчан хмыкнул и, будто не слышал угроз Евдохи, спокойно, не спеша взял свой автомат и наставил в ответ.

— Ну? — спросил он. — Что дальше?

— Отойди, — брезгливо сказал Веня Евдохе. — Скачешь, как блоха на блошиху.

– Нет, но...

– Отошел, сказано!

Евдоха обиженно вернулся на исходную позицию.

– Дальше там вообще войска, – сказал Вяхирев. – Будет только хуже.

– Если вы будете сопровождать, то хуже не будет, – высказал идею Евгений.

Эта мысль не приходила Вяхиреву в голову.

Конечно, затея дурацкая, подумал он. Украинская милиция, понимаете ли, с почетом сопровождает российскую, незаконно пересекшую границу!

С другой стороны, не такая уж и дурацкая, подумал он сразу же после этого. Это может выглядеть не как сопровождение, а как осуществление контроля.

Отличная идея, убедился он, еще поразмышляв: всегда могу сказать, что не просто контролировал, а что это было такое задержание, но без остановки, на ходу. С целью доставить для разбирательства в областной центр согласно компетенции.

– Ладно, – сказал он. – До Сычанска десять километров еще, мало ли что, в самом деле. Только так: заберете – и сразу назад.

– Мне ничего другого и не надо.

И они поехали: машина Вяхирева спереди, машина Мовчана следом.

Евдоха, чувствовавший себя виноватым, предложил:

– Может, закрасить ему «полицию» и «милицію» написать?

– Петя, ты лучше молчи, – посоветовал Вяхирев. – Я осуществляю патрулирование и конвой. А не укрываю представителя вражеской стороны. Есть разница?

– Не подумал, товарищ капитан.

– Ты как раз подумал, вот я тебя и прошу: не думай. Всем лучше будет.

По дороге пока не встречались армейские посты, военные машины или пешие солдаты, будто и не было войны. Впрочем, места здесь были довольно мирные.

Зато был пост украинского ГАИ при въезде в городок Сычанск, в живописном месте, на опушке окружающего город леса, кирпичное небольшое строение с застекленным вторым этажом для панорамного обзора дороги. Тут были двое дорожных милиционеров, один стоял с жезлом, второй сидел на втором этаже, ел колбасу с хлебом и пил чай. Тот, что внизу, не разглядев надписи на второй машине, поприветствовал оба «уазика», как своих. А верхний увидел, нацепил фуражку и сбежал вниз, крича напарнику:

– Тормози их, чего стоишь?!

И сам выбежал на дорогу, маша крест-накрест руками.

Веню не узнал, был из новых, недавних.

Приблизился, спросил:

– Что происходит?

– Конвоирую человека в Сычанск. У него там сын убитый в морге. Заберет и назад. Про стрельбу слышал? Про то, что человек погиб?

– Каждый день кто-то погибает. Он что, родственник тебе?

– При чем тут это? В одном поселке живем, в Грежине, он с той стороны, я с этой. Короче, под мою ответственность.

– Что-то вы путаете, товарищ капитан! Документы можно?

– Сержант, как тебя?

– Егоров.

– Егоров, ты дорожник, это вообще тебя не касается.

– Я, во-первых, гражданин Украины, – ответил сержант Егоров патриотическим голосом. – А в силу военного положения, в том числе на дорогах, меня вообще все касается. Российская полицейская машина – и я чтобы пропустил? Вы шутите, товарищ капитан? Да и вы, может, перекрашенный? В смысле – машина? Я никого не хочу обидеть, но сейчас сами знаете, что творится. Третьяки эти непонятные.

— У вас тоже есть?

— А то! Вчера от поста задержанную машину угнали. Причем я аккумулятор вынул из нее на ночь, вопрос — как?

— Хорошо, смотри, убедись!

Вяхирев вышел и показал сержанту документы, не выпуская их из рук. Мовчан и Евгений тоже вышли. Веня, оглянувшись, приподнял руку, этим жестом прося их оставаться на месте.

— Откуда я знаю, может, они поддельные? — спросил сержант.

— Егоров, не дури, пробей по базам, я в штате, ты меня сразу же найдешь. Начальник грежинской милиции, не хрен собачий.

Сержант посмотрел на напарника, тот пошел в здание.

— Даже если у вас все в порядке, — говорил сержант, — этих я по любому не пропущу. Я не самоубийца, сам понимаешь. — Давайте назад, и тогда я вас не видел! — крикнул он Мовчану и Евгению.

Напарник сержанта, сидя за стеклом, допивал чай сержанта и доедал его колбасу, наблюдая за происходящим. Пробить по базе он ничего не мог, потому что система вот уже третьи сутки не работала, в том числе не было входа через интернет, потому что сеть к их посту еще не протянули, а сотовая связь была маломощной.

Мовчан и Евгений, несмотря на предупреждение Вяхирева, приблизились.

— Хотите, чтобы я наряд вызвал? — спросил сержант. — Сейчас.

И достал телефон.

— Вы боитесь пропустить машину? — спросил Евгений. — Мы оставим ее здесь. Проедем без нее, с ними, — он указал на капитана и его помощников.

— Действительно! — подхватил Вяхирев.

— А как я машину объясню?

— В кусты загонишь, — посоветовал Мовчан.

— А если вас потом остановят и узнают, что я пропустил?

— Не узнают. Мы скажем, что вообще по другой дороге проехали, — пообещал Вяхирев.

— А если машину тут найдут?

— Судя по вопросам и колебанию сержанта, — вступил Евгений, — он на самом деле готов был решить вопрос положительно. Но, если вглядеться в его глаза, которые избегали соприкасаться со взглядами окружающих, он видел что-то другое. Скорее всего, что-то материальное.

— Чего-чего? — переспросил сержант. — Ты на что намекаешь?

А Мовчан сразу понял и сказал ему:

— Давай обсудим, в самом деле. Да не бойся, я без оружия!

Он мягко взял сержанта под локоть и повел за будку. Сержант не сопротивлялся — возможно, из уважения к майорскому званию Мовчана, пусть это звание и вражеское.

Они говорили не очень долго. Выйдя из-за будки, Мовчан пошел к своему «уазику» и загнал его в лес. Послышался треск: он ломал ветки и забрасывал ими машину.

Вышел из леса, сел в машину Вяхирева:

— Поехали!

Сержант стоял у будки, не приближаясь. Наблюдал, но как бы не имел к этому отношения.

Все разместились в «уазике» Вяхирева.

Отъехали.

— Дорого обошлось? — спросил Веня

— Не дороже денег. Хорошо, я сообразил захватить с собой. Кстати, Веня....

— Не надо. Я не по этой части. Мы земляки или нет, Трофим Сергеевич? Сегодня я вас выручил, завтра вы меня.

— Тоже верно.

— Если у вас есть деньги, Трофим Сергеевич, я бы на вашем месте заехал в магазин и переоделся, чтобы своей формой не вызывать вопросов.

— И опять умную вещь сказал! — похвалил Мовчан. — Только сам я не пойду, ты уж, Веня, подбери что-нибудь. Пятидесятый размер, третий рост, если по-старому. В этих новых размерах я путаюсь. Икс-эли какие-то придумали.

— Соображу.

При въезде в Сычанск увидели универсам, Вяхирев остановился, пошел туда и вскоре вернулся со свертками. Все вышли, чтобы дать Мовчану возможность переодеться. Сели опять. Трофим Сергеевич был уже в джинсах, летних недорогих ботинках и в цветастой безрукавке. Он был доволен, хотя над рубашкой посмеивался.

— Без цветуёчков не мог взять?

— Нормально! — смеялся и Веня. — Вам еще шляпу соломенную — совсем пасечник.

— И действительно, — не преминул отметить Евгений, — без формы у Трофима Сергеевича вид стал какой-то удивительно сельский.

Мовчан не обиделся:

— А почему и нет, если у меня все предки крестьяне? И этим я горжусь!

В Сычанске ехали без приключений и остановок, спросили у людей, где больница.

Нашли двухэтажное желтое здание.

— Пойду в приемный покой, спрошу, — сказал Вяхирев. — Будто по службе. Больничные милицию уважают.

Все согласились, остались ждать.

Веня зашел в приемный покой. Дежурная врачиха направила его в регистратуру. Окошечко с надписью «Реєстратура» было закрыто изнутри деревянной дверкой, Вене она показалась похожей на заслонку печи. Как всегда, в своем соку варятся и не хотят, чтобы видели, что варят, подумал он. Вежливо постучал в дверку. Тишина. Он подождал минуту, еще постучал. Тишина. Он еще минуту подождал и опять постучал, добавив голос:

– Есть кто-нибудь?

Дверка открылась, стала видна пожилая женщина за столом, которая, надо отдать ей должное, не отругала Вяхирева. Она вообще ничего не сказала, только смотрела и ждала.

Веня спросил, как найти морг и там ли находится Степан Трофимович Мовчан.

Та была глуховата, ему пришлось несколько раз повторить:

– Мовчан! Мовчан Степан Трофимович!

– А з якого дива ви цікавитеся?[1] – послышался вдруг голос.

Вяхирев обернулся и увидел двух человек: военного в звании подполковника и гражданского в костюме. По каким-то признакам, которые умеют безошибочно различать только наши люди, Вяхирев догадался, что именно гражданский его спросил и именно он тут главный, а не подполковник.

И он не нашел лучшего ответа, чем:

– Та родич він мені![2]

При этом мысленно похвалил себя за то, что еще помнил знаемую благодаря маме мову.

– Тобто ви теж з Грежіна?[3]

Веня почуял подвох и ответил:

– Я з нашого Грежіна. Українського. Моєї мами сестра живе за кордоном. А цей Степан, він чоловіка маминої сестри син чи племінник, там у нас заплутано все[4].

---

[1] А с какой стати вы интересуетесь?

[2] Да родственник он мне.

[3] То есть вы тоже с Грежина?

[4] Я с нашего Грежина. Украинского. Моей мамы сестра живет за кордоном. А этот Степан, он мужа маминой сестры сын или племянник, там у нас запутано все.

— И так у нас во всем, — сказал гражданский подполковнику. — Все запутано и перепутано. И некоторым это даже нравится.

Подполковник выразил лицом неприязнь к тем, кому это нравится.

— Я начальник грежінского селищного відділення міліції[1], — поспешил представиться Вяхирев. — Розумієте, яка справа: мати його плаче, просить привезти хоч щось, що від сина залишилося. Її можна зрозуміти, мати все-таки[2].

— Это пока не представляется возможным. Ведутся следственные мероприятия, — сказал гражданский. — Ждем экспертов из Киева. Не шутки: обстрел ракетами украинской территории.

— Але загинув щось не українець[3].

— И что с того? Нам всех людей жалко. Правда, надо понять, зачем он туда заехал. Может, он был наводчик и попал под обстрел своих же.

— Та який там навідник!

— Говори по-русски, не напрягайся, — сказал гражданский. — Тем более что на украинском ты говоришь, как полный кацап, прости за правду.

— Да я бы нормально говорил, но у нас в Грежине на украинском никто, вот я и отвык... — оправдывался Веня. — А наводчиком Степан вряд ли мог быть. Да там и наводить не на что. Он студент, к родителям ехал на каникулы, спрямил путь, вот и попал под чей-то снаряд.

— Ты считаешь — чей-то? Считаешь, это наши могли выстрелить?

— Да нет, с какой стати...

---

[1] Я начальник грежинского поселкового отделения милиции.

[2] Понимаете, какое дело: мать его плачет, просит привезти хоть что-то, что от сына осталось. Ее можно понять, мать все-таки.

[3] Но погиб-то не украинец.

— Недаром информация до нас дошла, — объединил себя гражданский с какими-то неведомыми людьми, — что в Грежине буза идет. Новый очаг сепаратизма созрел, так, капитан Вяхирев? — ошеломил гражданский Веню неожиданным знанием. И, не давая опомниться, разоблачал его дальше: — А ты, вместо того чтобы наводить порядок, привез контрабандой начальника грежинской российской полиции, да еще врешь мне тут, что его сын твой родственник. Маминої сестри син чи племінник! — с иронией повторил гражданский слова Вяхирева, и подполковник захихикал, оценив его юмор.

— Откуда вы... — растерянно пробормотал Веня.

Гражданский был доволен.

Этот пятидесятилетний человек, Олександр Остапович Колодяжный, был одним из самых опытных работников СБУ Украины, перейдя туда на службу на рубеже девяностых из украинского КГБ — совсем молодым, но уже зарекомендовавшим себя смекалистым и очень работоспособным кадром.

Был он родом все из того же нашего Грежина, из украинской части, но уехал оттуда очень давно с родителями. А старшая сестра Ганна, уже почти взрослая, не захотела, осталась из-за любви к местному парню, они поженились, родили дочь и сына. Сыну Владимиру уже тридцать четыре, что, конечно, хорошо, но он пошел воевать к луганцам, что плохо — особенно для его дяди, потому что крайние правые националисты уже не раз трсбовали подвергнуть Колодяжного люстрации. Начальство Олександра Остаповича пока отбивалось, не желая терять ценного работника, а Колодяжный удвоил и утроил рвение, если это вообще было возможно, он и без того, как выражалась его жена, умирал на работе.

Саша рос необычным мальчиком. Он был как разведчик в этом постороннем мире и даже придумал себе игру, будто ему дали задание освоиться здесь, так себя вести, чтобы никто не догадался, кто он и зачем послан.

И это удавалось: стал своим до неразличимости. Нормально учился, нормально общался с одноклассниками и дворовыми приятелями, ничем не выдавая себя, а вечером, в постели, закрывшись с головой, передавал по воображаемой рации сведения воображаемым руководителям...

Минутку! — скажут читатели. Чем это тут занимается автор? Он же переписывает один в один историю совсем другого человека, да еще из другого, вражеского лагеря, абсолютно то же самое он рассказывал про Стиркина!

И это правда. Но как быть, если на земле живет большое, даже очень большое, даже, не побоюсь это сказать, фантастическое количество похожих людей, настолько иногда похожих, что они кажутся двойниками.

Александр Колодяжный, впоследствии, при замене паспорта, переименовавшийся в Олександра, действительно во многом повторил путь и судьбу Стиркина (или тот повторил его судьбу), с тем лишь отличием, что Стиркин был как бы засекречен, а Колодяжный имел легальный статус государственного служащего. Хотя, конечно, дух подпольности остался — уже в силу специфики деятельности. И СБУ Украины, и ФСБ России в описываемые времена считали себя самыми важными силовыми структурами, недаром к их службам присоединялось слово «спец». Военные ведут войну только с внешними врагами, милиция и полиция — с внутренними, а спецслужба работает на всех фронтах, но главная ее сила — в тайном знании процессов, знании, недоступном простым людям. Да и те, кто стоит у власти, причем на самом высоком уровне, тоже часто не в курсе истинного хода вещей.

Преимущество в том, что спецслужбисты имеют сведения не только о причинах и развитии уже совершающихся событий, это при желании доступно многим, — им известно главное: как события должны развиваться.

Они предугадывают, предотвращают то, что не нужно, или стимулируют то, что желательно.

Парадокс украинской войны того периода заключался в том, что ни ополченцы, ни власти Украины не могли и, главное, не хотели ее закончить. И опасались при этом, сами себе не признаваясь, не поражения, а слишком скорой победы. Люди, управлявшие самопровозглашенными республиками, понимали: если завтра вдруг наступит победный мир, они тут же должны переключиться на решение житейских обычных проблем, а их скопилось столько, и они были так трудноподъемны, что страшно даже подумать. И уже на войну все не спишешь. Власти, сидевшие в Киеве, боялись того же самого: в случае победы на них ляжет обязанность победителей все восстанавливать и налаживать. А того страшнее: радикалы всех мастей дышат в затылок, а часто нагло и в самое лицо, и, если присоединится обратно чудодейственным образом юго-восточная Украина, немедленно потребуют вернуть и Крым. Будут ходить с демонстрациями, давить, без спроса влезать в кабинеты, как им свойственно, стучать кулаками и требовать решительных действий. А киевская власть при всех своих недостатках была тогда не полная дура, она понимала, что Крым в обозримом будущем не вернуть, хотя и заявляла обратное. Чтобы выпутаться из крымского вопроса прилично, не потеряв достоинства, нужно выждать время, имея возможность ссылаться на мешающие непреодолимые трудности. То есть — на войну.

Возможно, не все украинские властители так рассуждали, но многие. В частности, те, кто имел прямые связи с СБУ или сами были из этой службы. И вот, когда они узнали о третьей силе, о третьяках, а потом и о странной заварушке в Грежине, то увидели возможность возникновения нового очага напряженности и сообразили, что это им на руку. Да и российским властям подарок: те, как и ополченцы, были в ту пору заинтересованы в затяжном конфликте, он отвлекал население России от собственных проблем, он оправдывал конфронтацию с Западом. Стратегию российских правителей никто тогда толком не понимал; потом объяснили, что эта конфронтация была необходима для того, чтобы, временно поссорившись с Западом и вконец ополоумевшей от безнаказанности Америкой, вернуться в мировое сообщество уже другой страной, имеющей позицию силы. Почему эта сила обязательно должна быть военной, а не мирной, экономичссско-промышленной, на этот счет удовлетворительных разъяснений не последовало. Кое-кто догадался сам, что ларчик открывается просто: воевать быстрсй, чем что-то строить.

Колодяжному не так давно один из сослуживцев шепнул, что между ФСБ и СБУ состоялись секретные консультации, содержания которых никто не знает, но смысл сводится к тому, чтобы, не доводя до пожара, костер все-таки допустить. При этом, добавил сослуживец, чины ФСБ и СБУ обвинили друг друга в покровительстве третьей силе или даже в ее создании, следовательно, нужно доказать, что третьяки — дело рук противоположной стороны.

Именно это, отыскание таких доказательств, и поручили Колодяжному. В частности, расследовать обстоятельства гибели российского гражданина на украинской территории с желательным обнаружением следа третьяков.

Он тут же помчался в грежинский район, побывал на месте происшествия, потом поехал в Сычанск, сопровождаемый офицером военной контрразведки подполковником Денисом Лещуком, человеком исполнительным, но ума не очень быстрого, несмотря на свои молодые тридцать шесть лет.

Увидев во дворе больницы полицейскую машину, возле которой стояли, разминаясь и дыша относительным воздухом Мовчан, Евгений и люди Вяхирева, Колодяжный тут же почувствовал неладное (может, странная форма Евгения насторожила), и он тут же показал Лещуку класс оперативной работы: подошел и наводящими вопросами в две минуты расколол приезжих. Впрочем, чрезмерно стараться не пришлось: Таранчук, уставший от долгой поездки, голодный и злой, быстро понял, кто перед ним, и выложил всю правду. Оправдывая сам себя, он сказал:

— Да мы только заберем гроб и назад поедем. Никому ничего.

— Соболезную, — сказал Колодяжный, глядя на Мовчана. Он знал, да его и учили этому: вежливым быть всегда выгоднее для дела. До тех пор, конечно, пока не придет черед перейти к мерам воздействия не на ум человека, а на его более естественные составляющие: страх перед болью и желание жить.

Мовчан кивнул. Колодяжный, ничего больше не сказав, пошел к приемному покою, где, как он узнал от Таранчука, находился капитан Вяхирев.

То есть его осведомленность объяснялась просто. Вяхирев и сам уже сообразил, как все произошло и, не договорив свое: «Откуда вы...» — глянул на дверь и сказал: «А... Ясно».

— Ясно то, что налицо попытка похищения улик, — обвинил Колодяжный.

— Какие улики... Сын у человека погиб...

— Думаете, я не понимаю? Хотите меня зверем какимто выставить? Идет война, капитан. И дело не в том, кто чей сын, хотя тоже важно, а в том, что за этим стоит! Понимаете?

Веня не понял, но кивнул. Он чувствовал привычную тоску, как в тех случаях, когда областное начальство вызывало и давало руководителям подразделений указания, которые заведомо невозможно было выполнить, но невозможно было с ними и не согласиться.

— Тогда мы поедем обратно? — спросил он.

— Как дети, честное слово! — поразился Колодяжный. — Ты привез граждан другой страны, с которой мы воюем, один из них вообще майор, второй ополченец, судя по виду! Откуда я знаю, с какой целью они сюда проникли?

— Сына он хочет забрать, больше ничего.

— Это он тебе сказал! Короче, мы всю вашу группу задерживаем. Пистолет! — Колодяжный повелительно вытянул руку.

— Нет, но как... Я при исполнении...

— Уже нет!

Подполковник Лещук положил руку на кобуру своего пистолета и заслужил одобрительный взгляд Колодяжного. Польщенный, он отстегнул кнопку, готовый выхватить оружие.

Вяхирев медленно вытащил пистолет, отдал Колодяжному, тот передал его Лещуку.

— Пойдем, — сказал Олександр Остапович сразу смягчившимся голосом.

Они вышли из приемного покоя.

А в ворота уже въезжал военный грузовик, из которого выпрыгнула дюжина солдат с шевронами СБУ — синие четырехконечные кресты на малиновом фоне.

Когда успел? — с уважением подумал Лещук о Колодяжном.

Олександр Остапович подошел к людям возле «уазика» и четко, официально сделал заявление: все задержаны до выяснения обстоятельств. Он готов был дать знак прибывшим бойцам, но тут Мовчан хрипло выговорил:

— Слушайте, не знаю, как вас...

— Олександр Остапович.

— Слушай, раз такое дело, дай хоть посмотреть на него. Я ж никуда не денусь.

Колодяжный подумал, осмотрелся. Двор глухой, ворота под контролем. Почему не разрешить? Иначе майор будет психовать, затеет скандал, придется применить силу, а этого Колодяжный не любил, ему нравилось побеждать умом, а не руками или оружием.

– Хорошо, в нашем присутствии.

– Да все равно.

Колодяжный направился за угол здания, к моргу. За ним пошли Мовчан, Евгений и пара солдат. Лещук решил остаться во дворе – на всякий случай.

Работница морга, усталая женщина лет сорока, не сразу поняла:

– А чего смотреть? Там почти что нет ничего.

– Покажите! – приказал Колодяжный, не вдаваясь в объяснения.

Женщина подвела их к одной из больших металлических дверей, открыла. Там были лотки, сделанные из деревянных реек, похожие на хлебные, только намного больше. Три лотка друг над другом. Женщина потянула средний. Мовчан подошел. Там лежало что-то, завернутое в черный полиэтилен, похожее очертаниями на матрешку, размером намного меньше Степана.

– Хочу посмотреть, – сказал Мовчан.

– Не надо, – сказала женщина. – Только расстраиваться. Один уголь, ни лица, ничего. Извините.

– Тогда зачем? – спросил Мовчан Колодяжного.

– Что?

– Какая может быть экспертиза? Что там найти можно?

– Осколки.

– И что? Одним оружием все воюют, какая разница?

– У вашей стороны есть то, чего нет у нас. А у нас появилось кое-что, чего нет у вас.

– Да ерунда, всё гуляет во все стороны, я сам месяц назад у одного пьяного дурака гранатомет израильского производства изъял, говорит – в кустах нашел. Ничего вам это не даст. Если не хотите, чтобы я увез, запаяйте в цинк, что ли, как это делается, не знаю, отошлите матери, я адрес скажу. А меня можете задержать.

— При всем желании — не имею права.

— Конечно, — сказал Евгений, — этот тайный распорядительный человек сам понимал, что экспертиза бессмысленна. Понимал он также, что задерживать никого не нужно, шпионажем здесь и не пахнет. Но во имя государственной идеи экспертиза найдет то, чего нет. И шпионаж докажут. И эта неправда пойдет на пользу правому делу, на пользу государству. Он сам жертвовал семьей и детьми ради государственной пользы, ему даже иногда было обидно, что другие не жертвуют ничем, а живут припеваючи. Но тут он вдруг подумал, что на самом деле неправда правому делу служить не может, а главное — пусть будет похвала начальства и повышение в звании, но кончится все таким же моргом, где будет он лежать такой же мертвый, и будет ему все равно, а вот живым, стоящим над ним, не будет все равно. Он вдруг представил, что среди плачущих жены и детей, среди скорбящих сослуживцев появится отец этого сожженного сына и плюнет на его труп, на его гроб, на его могилу и проклянет его. Он сам удивился своим мыслям, но спокойно ждал, когда они кончатся.

Колодяжный действительно был спокоен, по его лицу невозможно было догадаться, о чем он думает. Он хотел приказать женщине задвинуть лоток обратно, но вместо этого неожиданно произнес, глядя на Евгения:

— Дальше!

— Евгений мог продолжать сколько угодно, — сказал Евгений, — но тайный человек и сам уже, без помощи Евгения, развивал свои мысли. Он будто увидел себя со стороны. Он увидел интеллигентного человека с умными глазами, довольно доброго и честного или, вернее сказать, доброватого и честноватого, потому что все стало переменчиво и относительно, честный и добрый — это когда всегда, а когда периодически, получается именно честноватый и доброватый, как бывают и вороватые, и, к примеру, негодяистые, то есть негодяи не до конца. Но все же доброватым и честноватым быть лучше. И вот он увидел этого человека, который стоит в морге и не отдает отцу сына под вымышленным предлогом, и ему вдруг стало до нестерпимости стыдно, он понял бессмысленность и бесчеловечность своих действий. Он понял также, что, если отдать тело, то окружающая смерть пойдет на убыль, а вот если не отдать, оставить его, оно обязательно приманит другие смерти. Он посмотрел на Трофима Сергеевича Мовчана и увидел в его глазах отчаянную решимость. Еще немного, и тот бросится, чтобы отнять оружие. Может, и отнимет. Его застрелят. А может, он успеет застрелить кого-то. Может, все перестреляют всех, включая ни в чем не повинную женщину. Подсознательным зрением он явственно увидел, как лежит она на белом кафельном полу в луже крови.

– Господи! – ахнула женщина, крестясь и отступая. – Вы чего тут городите? А ну, хватит! В самом деле, что ли, сына ему не отдаете? – спросила она Колодяжного. – Охренели совсем со своей войной что те, что эти! Экспертиза им нужна! Я тебе сейчас покажу экспертизу!

И она, подскочив, стала разворачивать черную пленку.

– Коблы неуемные! А умными считаются, вашу не хотеть! Офицер все! С погонами! С пистолетами! Нате, смотрите! Экспертиза!

Мовчан шагнул, глянул и тут же отвернулся.

Колодяжный тоже посмотрел и тоже отвернулся.

Солдаты издали вытянули шеи, ближе подойти не решаясь.

– Евгений смотрел на то, что было человеком, – сказал Евгений. – На самом деле это уже не человек, а оставшийся от него углерод плюс не выгоревшие до конца калий, натрий, железо, магний, медь и другие элементы. Горсть золы с органическими остатками из любой горящей помойки могла бы заменить прах покойного Степана, но люди умеют мыслить абстрактно, они видят не углерод, а то, что входило в состав живого человека, продолжая считать это его частью...

– Замолчишь ты или нет? – прикрикнула женщина. – Забирайте, нечего тут покойников смешить! Имейте уважение хоть какое-то!

Она завернула пленку, Мовчан поднял сверток и пошел к выходу. Солдаты смотрели на Колодяжного.

А тот задумчиво рассматривал Евгения, словно хотел что-то спросить.

Но не спросил, пошел вслед за Мовчаном.

Во дворе он смотрел, как тело еще раз заворачивают в брезент, нашедшийся в машине, как помещают его сзади, за сиденьями, стараясь так положить, чтобы не повредило в дороге.

Вяхирев подошел к Лещуку.

– Пистолет, пожалуйста, верните. Табельный все-таки.

Лещук, недоумевая, посмотрел на Колодяжного. Тот кивнул, он отдал пистолет.

И лишь когда «уазик» скрылся из виду, Колодяжный, потерев виски пальцами и тряхнув головой, растерянно огляделся и крикнул:

– По машинам! Догнать, задержать и обезвредить!

Ох, как умно! – восхитился Лещук. Зачем они приехали, это еще надо доказывать, а теперь всё, дело сделано, преступление налицо. Можно перестрелять их всех, как собак, начальство только спасибо скажет. Все-таки особые люди работают в СБУ, что и говорить. Он и сам по этой епархии, но у военных все прямее и грубее, а тут – диалектика!

Он наскоро думал об этом уже в машине, в «хаммере», который, взревев мощным мотором, стремительно вылетал из ворот, а за ним медленнее, но тоже довольно споро поспешал грузовик, в который ловко запрыгивали прямо на ходу хорошо обученные бойцы.

ГЛАВА | 21

У СВОЄМУ БУДИНКУ І КІРКОЮ СИТИЙ, В ЧУЖОМУ ПИРІГ НЕ НАЇСИСЯ[1]

Коридорная гостиницы «Грежа» Валентина Очешкина спрыснулась духами, которые обычно расходовала очень экономно, – два года назад дочь Ксана привезла из Франции, тут таких не найти, да и стоят, наверное, бешеных денег. Дочь не сказала, пожалела бедность матери. Сама она в невестах у какого-то москвича, только не говорит, кто он. Судя по тому, как он ее одевает и какие на нее вешает цацки, мужчина обеспеченный. Было дело, Валентина подозревала Ксану в нехорошем. Однажды спросила прямо:

– Дочь, скажи честно, я ругаться не буду, ты не проститутка там?

– А хоть бы и если? – спросила Ксана, которую с детства не собьешь никаким вопросом, очень хладнокровная всегда была девочка.

– Если так, то... А что, правда?

– Да нет, конечно, мам! Я в салоне красоты работаю, можешь позвонить туда и проверить! И книжку трудовую могу показать. С записью.

– Ну, прости, прости старуху, – повинилась Валентина, не поверив дочери, но при этом считая, что, пока человек стесняется того плохого, что делает, он еще че-

---

[1] В своем доме и коркой сыт, в чужом пирогом не наешься.

ловек, а вот когда нахально признается, значит, в нем уже нет совести. Да и не вечно же Ксана будет молодой и красивой, пристроится за кого-нибудь. И мать, может, пристроит под бок к себе, внуков нянчить.

Но это потом, а пока Валентина, называя себя старухой, на самом деле чувствовала себя вполне молодой, и желания ее были молоды. Странное дело: шестнадцать лет прожила с мужем и даже не думала о том, чтобы ему изменить. Не чувствовала такой потребности. И не то чтобы ей хватало довольно хилого Валерия, но она исходила из того, что свое есть свое, какое ни есть, а чужое – чужое. Даже и объяснять нечего, если кто не понимает. Но вот уехал Валерий в Белгород на заработки – и пропал. Сначала приезжал раз в три месяца, а потом окончательно канул, и никаких объяснений, никаких подробностей, только прислал по телефону одну строчку: «Считай себя свободной, люблю, но не могу, прости».

Валентина, подождав его год, решила: ладно, буду считать себя свободной, раз мужа нет и дочь уехала.

И как только она это решила, в ней тут же проснулось все, что дремало и ждало своего часа.

Первый раз было страшно и нервно, так, будто прекращала затянувшееся девство.

Принесла мужчине в номер чайник, эта услуга в гостинице предоставлялась за отдельную плату, спросила, как обычно:

– Не желаете ли еще чего? Пивка, водочки?

Доставка в номер пивка и водочки обеспечивалась уже не гостиницей, а лично Валентиной – небольшой приработок, на который администрация закрывала глаза, то есть даже не закрывала, а спокойно понимала с открытыми глазами: всем жить надо.

Обычно постояльцы или соглашались, или отказывались, но, бывало, кто-нибудь, осмелев и оглядев добротную Валентину с головы до ног, игриво говорил:

– А если желаю и если не водочки?

При этом на самом деле не то чтобы желал, просто напоминал сам себе, что он еще мужчина, всегда на все готовый.

Валентина отвечала удачно придуманной однажды фразой:

— Это в стоимость не входит, приятного аппетита!

И уходила.

Вот и тем вечером мужчина, такой весь свободный, со все умеющими, как у актера, глазами, сказал:

— Водочки не желаю, красавица. Ничего не желаю, кроме любви.

— Таких услуг в ассортименте нс имсем.

Валентина, кстати, обманула Геннадия, сказав, что может познакомить его с платной девушкой. В маленьком Грежине не было хода этой профессии, слишком все не виду. Просто ей было интересно увидеть его реакцию на тему.

— А мне не услуга нужна, — сказал артистичный мужчина, — я про любовь!

— На время, что ли?

Мужчина вдруг загрустил — красиво так, печально, будто по-настоящему.

— Примитивно меня понимаете, напомните, как вас зовут?

— Напоминать нечего, и я нс называлась. Валентина.

— Так вот, Валентина, я, конечно, утрирую. О любви можно только мечтать. Иногда просто хочется человеческого общения. Я, знаете, с женой разошелся. Если честно, не жалею, был к этому готов. А вот к одиночеству — не готов. Дома еще как-то — работа, друзья, а в командировку пошлют, просто волком вою.

Врал, конечно, но с душой врал, искренне, и Валентина видела, что врет, — не волк он, а кобель натуральный и безразборный, и он, похоже, видел, что она видит, что он врет, но все зависело от того, поддержит или не поддержит. Если поддержит, можно продолжить.

И Валентина поддержала:

– У нас в Грежине девушек симпатичных много, прогуляйтесь, пригласите в гости. С учетом, что после одиннадцати в гостинице оставаться нельзя.

– Валя, какие девушки? Вы, наверное, интим имеете в виду? А я про общение! Какое с девушками общение?

Вот именно, общайся, не общайся, все равно не дадут, прямолинейно подумала Валентина.

А вслух спросила:

– Не понимаю, чем я-то могу помочь?

– Да поговорить просто! Вечером, часов в десять, не заглянете на полчасика? У меня винцо хорошее есть, выпьем по бокалу.

– Я на работе.

– И я на работе. Не водки же, извините, предлагаю, вина. Не для пьянства, а для вкуса.

– Не знаю, – сказала Валя. – Вряд ли.

А сама была уверена, что придет. Ждала десяти часов, как приговоренный ждет казни и одновременного помилования.

Пришла к нему с холодными и влажными руками, пришла не в десять, а минут в пятнадцать одиннадцатого. Спросила:

– Я тут ведро с тряпкой не оставляла у вас?

Мужчина огорчился:

– Какое ведро, Валя? Я вас жду!

Он указал на столик, где была бутылка вина, два бокала, виноград, мандарины и цветок в стакане.

– Я думала, вы шутите, – сказала Валентина.

– Какие шутки? Проходите!

– Мне еще лестницу мыть.

Валентина, будто нарочно, снижала свою привлекательность: образ поломойки с тряпкой в руке мужчину может охладить. Она сопротивлялась тому, что должно произойти и чего она хотела, но хотела слишком уж сильно, ее, она помнит, даже подташнивало от волнения.

– Лестница никуда не уйдет! Я потом сам ее вымою! – мужчина протянул ей руку, будто на танец приглашал, и Валентина дала свою.

Он подвел ее к столику, она села.

Он налил вина и что-то сказал, она выпила.

Он включил телевизор для музыки (заранее нашел соответствующий канал), налил еще, она еще выпила.

А потом плохо помнит – не потому, что опьянела, просто, видимо, сама память не хочет помнить, стесняется. Мужчина оказался, спасибо ему, опытный, умелый, хотя, прямо скажем, эгоист: получив свое, тут же пошел в душ, где долго мылся. Прямо-таки очень долго. Валентина оделась и ушла, стукнув дверью, чтобы услышал и перестал там зря отмокать. Никто не напрашивается.

С этих пор и пошло. Не часто, но периодически. С отбором, но не таким уж строгим. Окружающие знали или догадывались. Однажды молоденькая сменщица в присутствии администраторши Натальи спросила со смехом:

– Теть Валь, у тебя что, сексуальная революция?

– А тебе завидно? – осадила ее Наталья, сорокалетняя милая женщина, у которой муж тяжело болел вот уже пятый год и которая однажды, в доверительную минуту, призналась Валентине: «Тяжело, ты не представляешь как. Я ведь его люблю, Валь, и мне его до сих пор хочется. И ему хочется, иногда подлезет, силится, жилится, а толку... Хоть плачь. Знаешь, иногда нехорошая мысль у меня: чем так человеку мучиться, лучше уж или туда, или сюда. То есть или уж выздоровел бы, или... Но врачи говорят: шансы есть. Этим и живу. Шансами».

– Было бы чему завидовать! – фыркнула сменщица.

Валентина и Наталья переглянулись и не стали с нею спорить.

Как-то раз Валентина, принеся чайник и задав вопрос насчет желаний, услышала от нового постояльца, мужчины лет сорока пяти, задумчивого и внимательного:

– Нет, спасибо. А ваша администратор, она давно тут работает?

– Да.

– И живет здесь тоже давно? В поселке?

– С детства. А что?

– Да похожа на мою жену-покойницу. Как сестра прямо. Странно – где Мурманск и где Грежин...

– Бывает. На меня недавно один тоже удивился, что я на его дочь похожа. Ну, ему за шестьдесят уже, хоть и бодрый. Такие вещи предлагал, вы не поверите!

– Почему? Сейчас такая жизнь, все будто что-то наверстывают. Особенно кто при социализме пожил.

– Ну да, понимаю. Но я ему категорически сказала: вы что, собственную дочь, что ли, хотите? Это чем попахивает, вы соображайте вообще-то! Он сразу смутился. Нет, говорит, что вы похожи, это одно, а что я заинтересовался, это другое.

– Но играет роль, – задумчиво сказал задумчивый мужчина.

– Эх! – с горечью выдохнула Валентина.

– Что? – насторожился он.

– Да ничего. Завтра вот уедете, будете вспоминать, что была хорошая женщина в Грежине. Понравилась. Будете жалеть, что даже не поговорили. А чтобы взять и сказать: Наташа, давайте пообщаемся, как люди! Что в этом такого?

– Считаете? Действительно... А какой номер администратора?

Мужчина взялся за телефон, но передумал.

– Нет. По телефону как-то...

– Так спуститесь.

– Нет. А если вы ей... Ну, мягко... Намекнете, что... Ну... Пообщаться, и все такое. Я совсем в этих делах.... То есть не в этих, которые... Ну, понятно, да? Пожалуйста!

– Ладно.

И Валентина поговорила с Натальей.

Та возмутилась, обидела подругу:

— Хочешь, чтобы я такая, как ты, стала?

И тут же извинилась:

— Прости, Валь. Просто — не могу.

А через час позвонила Валентине в ее комнатку и сказала:

— Посиди за меня, я отлучусь.

Валентина спустилась, Наталья ждала ее, перебирая бумаги, глядя в стол. Не поднимая глаз, сказала:

— Если кому... Убью и с работы выгоню!

— О чем речь!

И Наталья ушла.

Часа полтора или два ее не было.

Вернулась. Волосы слегка растрепаны, щеки в пятнах, помада на губах смазана.

— Ну? Получилось? — надеялась Валентина, улыбаясь, готовая поздравить.

— Нет. До самого дошли... До прямо до этого. Он даже начал уже. А я умом хочу, а чувствую — душа не принимает. Отпихнула его и... И все. Обиделся, наверно. Валя, давай договоримся: ничего не было.

— А разве было?

Сказав это, Валентина вдруг поняла: да и у нее не было, если по большому счету. Она половины мужчин имен даже не помнит, включая того первого, артистичного. Нет, когда это происходит, иногда бывает хорошо. Как пьянице, когда он пьет. Но потом у пьяницы обязательно похмелье, и у нее тоже что-то в этом роде. Не мутит, голова не болит, но какая-то распирающая изнутри пустота.

Но она привыкла к этому, как и пьяница смиряется с неизбежным похмельем. Проходит несколько дней, и то, как ему было плохо, забывается — участь любой боли, а то, как было хорошо, помнится, и возникает желание повторить.

И вот появился Геннадий, и все в Валентине смешалось. Никогда она не покушалась на молодых, кроме двадцатидвухлетнего беженца из Донбасса, потерявшего всю семью, худого, как рыбий скелет, нескладного, но это был особый случай, он прятался от войны даже как бы не в нее, а в женское вообще, что успокоило бы его и доказало, что на свете что-то остается еще неизменным. Никогда Валентина не позволяла себе ни малейшей привязанности к человеку, который наутро или назавтра уедет и, возможно, больше не появится. А главное, со всеми она была полностью сама собой, Валентиной Очешкиной, ничего из себя не изображая, не приукрашиваясь, если не считать обычных и естественных женских приукрашиваний. Не подашь же, к примеру, нечищеный чайник, немытые чашки и невыглаженные полотенца, если уважаешь себя и свою работу, вот и внешность надо держать в порядке. Геннадий ее взбаламутил, ей захотелось быть моложе, стройнее, умнее, образованнее — все сразу. Хоть как-то прикоснуться к той жизни, которая послала его сюда, к ней. Хоть на чуть-чуть стать интереснее себя самой, в том числе и для себя, а не только для него.

Да еще понимание безнадежности.

Но Валентина и не собиралась ни на что надеяться, она весь день хотела одного: увидеть его, поговорить с ним, просто побыть рядом.

Видела, что он вернулся еще днем, но терпела. Убиралась в номерах, пылесосила ковровую линялую дорожку в коридоре, поливала цветы, раскладывала привезенное из прачечной белье. Почему-то страшно устала, прилегла и заснула. Была рада этому — время во сне прошло незаметно.

Когда начало темнеть, но свет еще нигде не зажигали, пошла к его номеру с чайником. На подносе были также чашки, печенье, конфеты.

Постучала.

Геннадий открыл дверь, улыбнулся.

— Чаю не желаете? — спросила Валентина деликатно, вежливо и с некоторым оттенком служебной строгости. Ей хотелось, чтобы Геннадий забыл ту хохочущую разбитную тетку, которой она себя зачем-то показала при знакомстве, чтобы понял: перед ним женщина, знающая себе цену и имеющая достоинство.

— Да, спасибо.

Геннадий распахнул дверь, Валентина вошла и увидела Светлану. Та сидела в кресле, рядом на полу была сумка с ноутбуком, но явно не для работы пришла, это видно по всему. То есть на самом деле непонятно, по чему видно. Чувствуется. Сидит и молчит. Ждет, когда коридорная поставит поднос и уберется. Воспринимает ее как помешавшее обстоятельство. Держит в глазах какую-то незаконченную мысль разговора, уголок губ чуть изогнут в улыбке — разговор, надо полагать, был теплый, личный.

Валентина знала, кто такая Светлана, но родственных или дружественных связей между их семьями и окружением не было, Светлана была для нее посторонней, хоть и землячкой. Поэтому, расставив все на столике, Валентина сказала:

— У нас гостям до одиннадцати можно, напоминаю.

Разве этот порядок еще действует? — удивился Геннадий.

— У нас действует. Что еще желаем? Могу кофе принести. Растворимый, в пакетиках.

— Нет, спасибо.

— Всего хорошего.

Валентине нелегко дался этот спокойный тон, к себе она возвращалась со злым лицом, без зеркал видя, насколько это выражение неприятно и некрасиво, но она растравляла себя: да, такая я! Вам чай-кофе пить, а мне работать! И порядок действительно есть порядок. Тут гостиница, а не дом свиданий. Ровно в одиннадцать – будьте любезны! Облом у вас, детки, ничего у вас не выйдет!

Валентина не знала, что у Геннадия и Светланы уже все вышло. Светлана пришла два часа назад, когда Валентина дремала в своей комнатке. Войдя в номер, сказала:

– Нс дождалась вечера. Знаешь, давай это быстрей сделаем, чтобы уже об этом не думать.

– Не поверишь, я хотел предложить то же самое.

– Почсму, верю.

Они молча, посматривая друг на друга и улыбаясь, занялись приготовлениями, словно были супружеской парой. Гешадий задвинул шторы, Светлана, как хозяйка, деловито сняла с постели покрывало, аккуратно свернула, положила на столик. Потом она приняла душ, потом Геннадий принял душ. Она ждала. Он лег к ней под одеяло.

Повернулись друг к другу и долго смотрели друг на друга.

– Почему я совсем не стесняюсь? – спросила Светлана.

– А с другими?

– Думаешь, их было много? Всегда сначала как-то неловко. С тобой нет.

– Мне тоже.

– Ты не собираешься доказывать, какой ты умелый?

– Нет.

– Это хорошо. Давай обниматься.

Они обнялись.

– Так хорошо, что даже жаль, что потом будет не так, – сказала Светлапа.

– Будет по-другому.

– Тоже верно. Давай целоваться.

Они начали целоваться.

– Мне нравится, – сказала Светлана.

– Мне тоже.

– Ты не попял, мне очень нравится.

– Ты так и сказала.

– Ну да, извини. Давай опять целоваться.

Они продолжили целоваться.

Он начал опускать руку.

– Не надо, – попросила Светлана. – Это все потом, если захотим. Такие обязательные этапы, их уже все знают. Сначала он, потом она, потом вместе в позициях номер раз, номер два, номер три, далее везде.

– Точно. Техника секса называется.

– Да. Вот мы с тобой такие глупости болтаем, а мне все равно хорошо. И дурой себя не чувствую.

– Я тоже.

– Устала целоваться. Губы даже побаливают. Но все равно хочу.

– Я тоже.

– Эй, ты куда?

– Я просто перемещаюсь в пространстве.

– Понятно. Хорошо.

– Что хорошо?

– Перемещайся.

– Ну вот.

– Что?

– Мы странные. Говорим и говорим.

– Разве мешает?

– Наоборот, мне нравится.

– А давай так и будем говорить. Будто ничего не происходит.

– Ладно. Только не о погоде.

– Само собой. Ты мне нравишься.

– А уж как ты мне нравишься.

– Говори что-нибудь, я хочу тебя слушать.

– Я говорю. Я говорю, что я тебя люблю.

– И я говорю, что я тебя люблю.

– И нам повезло, что мы друг друга встретили.

– Еще как повезло. Или мы самые странные люди на свете, или самые нормальные.

– Мы понимаем, что происходит, вот и все.
– Это правда. Смотри на меня.
– Смотрю.
– Ты смотришь мне в глаза.
– Я смотрю тебе в глаза.
– Мы друг на друга смотрим.
– И нам это нравится.
Тихий стон.
– Что?
– Теперь молчи. Я сейчас от тебя уйду, прости.
– Я хочу с тобой. Не закрывай глаза.
– Не могу, сами закрываются.
– У меня тоже.
– Всё. Ухожу совсем.
– Я с тобой.
– Нет. Так не бывает. Потом встретимся.
– Ладно.

И они, оставаясь рядом и вместе, все-таки ушли каждый в себя, потому что так устроила природа, потому что каждый чувствует свое, даже если очень хочет почувствовать чужое, и даже когда ты все-таки его чувствуешь, оно все равно не твое, а частично присвоенное.

Вернувшись, они долго молчали, глядя друг на друга.
– Ты изменился, – сказала Светлана.
– Ты тоже.
– Зато теперь проще. Мы муж и жена. Муж, пойдешь в душ? Это я нарочно, потому что мы сейчас все пересластим.
– Не успеем. Иду в душ. Не смотри на меня сзади.
– Ты гомофоб?
– У меня на пояснице волосы растут. Смешно.
– Ну вот. Всю романтику испортили.
– И хорошо. Придется опять все начинать заново.

Потом был все-таки момент неловкости, когда им обоим опять захотелось туда, где они только что были, но оба понимали, что нужно подождать.

Но разговорились о разных вещах, успокоились.

Светлана решила застелить постель, привести все в такой вид, будто ничего не было. Чтобы постель не напоминала и не манила раньше времени своей разобранностью.

Тут и пришла Валентина.

У них появилось дело: пить чай.

Пили чай.

Говорили о разных вещах.

— Наверное, я пойду домой, — сказала Светлана.

— Ты же не хочешь.

— Нет. Но — до одиннадцати.

— Ерунда. Она это так, для проформы.

И все же ждали одиннадцати, не возвращаясь пока к тому, чего хотели. Чтобы не прерываться.

Ровно в одиннадцать раздался стук в дверь — жесткий, громкий, административный.

Это были Валентина и Наталья.

— В чем дело, девушка, вас же предупреждали! — сказала Наталья Светлане, будто совсем чужой, хотя хорошо знала Кристину Игоревну, мать Светланы, та с разрешения Натальи наведывалась в гостиничный буфет за пищевыми отходами.

— Здравствуйте, — сказал Геннадий, улыбаясь.

В руках у него был планшет, и неспроста. Он повернул его экраном к Наталье и показал:

— Видите? Это правила предоставления гостиничных услуг, утвержденные правительством Российской Федерации. Что гостям нельзя оставаться на ночь, здесь не указано.

— Думаете, я неграмотная? — оскорбилась Наталья. — Есть правила внутреннего распорядка, чтоб вы знали, в каждой гостинице! Я и в Москве бывала, и за границей, между прочим, тоже, и не раз, нигде гостей на ночь не оставляют!

— Ну, договориться всегда можно, — мягко сказал Геннадий.

— Сейчас взятку будут предлагать, — догадалась Валентина. — Молодой человек, тут не Москва, не всё за деньги покупается! — с гордостью за родину сказала она, посмотрев при этом на Светлану.

Та встала с кресла.

— Не надо спорить. Я пойду.

— Постой, — сказал ей Геннадий так по-свойски, так вежливо и строго, как мужья говорят с женами, и у Валентины от этого болезненно и обиженно сжалось сердце.

— Я не буду предлагать взятку, — сказал Геннадий. — Но я ведь проживаю в двухместном номере, правильно?

— В двуспальном! — поправила Наталья. — Вы сами такой захотели.

— Да, люблю спать просторно. Но двуспальный рассчитан на двух человек. Поэтому Светлана имеет полное право законно вселиться в номер с согласия проживающего в нем человека. — Геннадий опять указал пальцем на экран. — А я согласен. Будем оформлять?

— Пусть вселяется в отдельный номер, только не получится, свободных номеров нет. А здесь нельзя, — отрезала Наталья.

— Почему?

— Потому что вы разнополые и не в браке!

— Ну, тут уж у вас чистые фантазии пошли, — укорил Геннадий. — Может быть, когда-то, в вашей советской молодости, это запрещалось, а сейчас два человека имеют право жить вместе независимо от степени родства и половой принадлежности.

Валентина с горечью любовалась, хоть и не подавала виду, умным и красивым молодым мужчиной, который так умело ведет разговор, а Наталья окончательно осердилась. У нее не было советской молодости, было советское детство, но вполне счастливое. Как многие, кто толком не пожил при социализме, она имела стойкое и ничем не подтвержденное, но и не требующее подтверждения, фантомное представление о социализме как строе, при котором порядка было намного больше.

– Администрация, – отчеканила она, – отвечает за соблюдение порядка и морального недопущения, так как гостиница является общественным местом, поэтому не тычьте мне в глаза этой вашей ерундой, а имейте совесть! Вас тоже касается, – повела она головой в сторону Светланы.

Но теперь Светлана раздумала уходить. Она, как и Геннадий, терпеть не могла административного произвола.

– Послушайте, – сказала она, тоже, как и Геннадий, улыбаясь, – вы же сами понимаете, что все это чепуха. Оформите меня, у меня с собой паспорт, и не будет никакого морального недопущения!

Они переглянулись с Геннадием, одобряя друг друга.

Обе женщины возмутились, чувствуя, что над ними издеваются.

– Полицию вот вызовем, поговорите тогда! – пригрозила Валентина, заодно подсказывая Наталье, что нужно делать.

Наталья не хотела вызывать полицию, выносить сор из избы, она не любила конфликтов и скандалов. Но очень уж была обижена на Геннадия и Светлану – за то, что суют ей под нос правила, которые она знает лучше их, за то, что явно хотят выставить ее провинциальной самодурствующей начальницей, а она, между прочим, всю Цветаеву наизусть знает, за то, что молоды и красивы, за то, что любят друг друга и ничего не боятся, ничего не стесняются.

И она сказала:

– И вызовем. Ждите!

Валентина вместе с Натальей спустились в вестибюль. Наталья, включив кофеварку, резко и нервно нажимала на кнопки, задавая режим.

– Кофе будешь? – спросила Валентину.

– А звонить?

– Подождем. Если не дура, сама уйдет. Обнаглели вконец. И все правила знают! Помнишь, на прошлой неделе из двадцать второго мужчина люстру разбил и отказывался платить?

– Еще бы, полдня осколки выметала.

– Я ведь конкретно объяснила: раздел четыре, пункт двадцать шесть, вот. – Наталья выхватила из стола изрядно потрепанную брошюру, пролистала, нашла и прочитала вслух: – «Потребитель в соответствии с законодательством Российской Федерации возмещает ущерб в случае утраты или повреждения имущества гостиницы, а также несет ответственность за иные нарушения!» Что, не ясно?

– Если кто дурак, тому все неясно.

– Вот именно!

– А иные нарушения, это что? – спросила Валентина.

– Да все остальное. Любое безобразие, включая это! – Наталья ткнула пальцем вверх.

Они выпили по чашке кофе, ждали.

Светлана не вышла.

– Ну ладно, – сказала Наталья.

И позвонила в полицию.

Дежурным в отделе был лейтенант Россошанский. Наталья объяснила ему:

– У нас тут самовольное вселение, а уходить не хочет, пришлите кого-нибудь.

– Из москвичей кто-то? – поинтересовался Россошанский, опасаясь вляпаться в неприятную историю: кто знает, кто у них кто, у этих москвичей, нарвешься на непредвиденную важную персону, оправдывайся потом.

– Да наша, Светка Зобчик! Выучилась на журналистку и наглеет теперь. У меня приличная гостиница, а не притон какой-нибудь.

– Хорошо, понял.

– Что понял?

– Все понял.

– Так приедете или нет?

– Ждите, – ответил Россошанский и пошел докладывать Мовчану, который, несмотря на поздний час, был у себя. Лейтенант понимал, что все, связанное со Светланой, майору интересно, несмотря на личное тяжелое горе.

А Мовчан сидел в кабинете потому, что боялся идти домой, к жене.

С сыном все получилось, они, заметив погоню, сумели оторваться, рванув сначала поперек всех светофоров, потом свернув на проселок, в лесок, потом оврагом, а дальше до самого Грежина полями и буераками, без дорог, не рискнув заехать за машиной Мовчана, оставленной у милицейского поста. Выручат ее как-нибудь потом.

Мовчан не знал, что, если бы Колодяжный захотел, он догнал бы его в два счета – организовал бы перехват, взяли бы и майора, и сопровождающего его ополченца, и трех милиционеров-предателей. Лещук именно этого и ждал, ерзал на сиденье «хаммера», высовывался, азартно кричал:

– Не уйдут, гады!

Но, в отличие от него, Олександр Остапович умел одновременно и действовать, и думать.

И вдруг приказал остановить погоню.

Лещуку было так досадно, что он сказал Колодяжному почти обвиняюще, нарушая служебный этикет:

– Может, конечно, я чего-то не понимаю, но нехорошо получается. Дали выкрасть вещественное доказательство в виде трупа, а потом вообще отпустили.

– Не дали выкрасть, а позволили, – спокойно поправил Колодяжный. – Не отпустили, а спланировали их уезд в Грежин. Объяснить зачем?

– Хотелось бы.

– Ладно. Но между нами. В Грежине зреет сепаратизм. Внешних признаков мало, спецоперацию проводить – нет повода. То есть не было. А теперь есть. Потому что в Грежине укрываются трое милиционеров, пособников сепаратистов и явных сотрудников российской стороны. Хотя, скорее всего, это третьяки. Которых явно поддерживает опять же российская сторона. Теперь туда хоть дивизию посылай, никто не удивится. Нет, в самом деле, вы рейды тут устраиваете, вооруженные налеты на больницы, а мы будем это терпеть?

И опять восхитился Лещук умом Колодяжного и мысленно пообещал себе побольше читать и думать, чтобы достичь таких же высот, как Олександр Остапович. Ведь этот человек прямо у него на глазах, без особых усилий, только грамотной фантазией мысли, превратил частный случай в масштабное событие государственной значимости, которое еще не состоялось, но обязательно состоится.

Мовчан же, сердечно распрощавшись с Веней Вяхиревым, сержантом Евдохой и старшиной Таранчуком, поблагодарив их, отнес вместе с Евгением сверток с останками сына в частную автомобильную мастерскую Мусы Халилова, где тот был и хозяин, и работник. Муса уже кончил работать, был дома и готовился ужинать, но, узнав, в чем дело, отложил ужин. Мовчан попросил его сделать цельнометаллический гроб. Запаять туда Степана так, чтобы мать не смогла увидеть.

– Цинковые гробы делают, но ты столько цинковых листов не достанешь, а мне бы к утру.

– Цинковые делают для перевозки и чтобы вскрыть можно было, – объяснил Муса. – Цинк мягкий, если надо, взрезал, посмотрел, а обратно запаять – пять минут. Я тебе из нержавейки сделаю, хочешь? Есть у меня полосы – как раз подойдут.

– Ладно, спасибо. Только размером сделай не как... Ну, сам видишь. А в натуральную величину.

– Понимаю. Утром будет.

– Спасибо.

После этого Мовчан пошел в отдел. Евгений был с ним, это как бы само собой подразумевалось.

В кабинете Мовчан выпил, предложил Евгению, тот отказался.

Потом позвонил жене, сказал:

– Я все устроил, утром привезут.

– Ладно, – сказала Тамара выцветшим голосом. – А ты где?

– Да проследить надо, чтобы нормально все сделали.

– Ел что-нибудь?

– Конечно.

Мовчан еще выпил и сказал, будто подводя черту:

– Вот так, Евгений. Был у меня сын, и нет сына.

Евгений ответил:

– Вы еще молодой, у вас еще будут сыновья, – сказал Евгений то, что обычно говорят в таких случаях. – При этом говорящие понимают, что это не утешение, что скорбящий о ребенке не согласится: другого такого не будет. Но, может, в этом и есть настоящий смысл таких речей: не утешить, а, наоборот, растравить, как растравливают рану, чтобы оттуда вышла больная кровь.

– Больная кровь, да, – кивнул Мовчан, не особо вслушиваясь.

Евгений продолжил:

– Правда, майор Мовчан все же подумал о возможности второго сына – если от Светланы.

– Думаешь, я об этом подумал? – спросил Мовчан.

– Мне так кажется.

– А ведь пожалуй, – согласился Трофим Сергеевич. – Иногда сам не знаешь, о чем думаешь.

И как раз в это время заглянул Россошанский. Посмотрел на Евгения.

– Говори, говори, – разрешил Мовчан.

– Да смешно. Из гостиницы позвонили. Вроде того, Светлана Зобчик там окопалась и не хочет уходить.

– Что значит – окопалась? Интервью у кого-то берет или что?

– Не знаю.

– Она у Геннадия, – догадался Евгений.

– А чего они хотят? – спросил майор.

– Просят посодействовать, чтобы ушла. Я и говорю: смешно – девушку с полицией из гостиницы вытаскивать. Скоро кошек с деревьев снимать будем.

– А почему и не снять? Я, было дело, у одной бабушки канарейку ловил.

– Да нет, я ничего. Я вот – доложил, – поставил себе в заслугу Росссошанский. – Только у нас во всем отделе никого, Рябцев и Рябоконь на патрульной ездят, их послать?

– Сам пойду.

И Мовчан пошел к гостинице, что была на соседней улице.

Евгений последовал за ним.

– Тебе домой не пора? – спросил Мовчан.

– У меня нет дома.

– Имею в виду – к брату.

– Евгений грустно подумал, – сказал Евгений, – что для него, в отличие от большинства людей, нет понятия дома и нет понятия пора. Ему никуда не пора. Но он хотел увидеть Светлану, любовь к которой он понял, хотя сопротивлялся. А может, и не сопротивлялся. Но люди обычно сопротивляются, поэтому он все-таки, наверное, сопротивлялся.

– Ты о чем? – вслушался Мовчан. – Какая еще любовь?

– Евгений спохватился, что выдал свою тайну, – сказал Евгений. – Но тут же успокоился: опасен не тот, кто о любви говорит, а тот, кто молчит.

– Кому опасен?

– Вам.

– В голове у тебя, я смотрю, будто доминошки перемешались. То шесть-шесть, то пусто-пусто.

– Склонность к образному мышлению выдавала в майоре незаурядный ум, – невпопад ответил Евгений.

Майор хмыкнул – хоть и от дурака похвала, а все равно приятно.

Наталья и Валентина встретили Мовчана радостно, хотя и удивились:

– Что это вы сами, Трофим Сергеевич? Дело же пустяковое!

– Ведите, – велел Мовчан.

Повели на второй этаж, к номеру Геннадия.

Евгений шел поодаль, пока молчал.

Геннадий на стук открыл без вопросов и без промедления, словно ничего не опасался.

– Нарушаем? – спросил Мовчан.

– Ничего подобного. Человек хочет вселиться в гостиницу, администрация отказывает, несмотря на наличие свободного места.

– Типичный российский конфликт закона и произвола, – подал голос Евгений.

– Не надо врать! – крикнула и ему, и всем остальным, Наталья. – Она сперва сама закон нарушила, а уже потом придумали заселиться! А если кто еще до заселения хулиганит, имею право не вселять, чтобы он дальше не хулиганил, так ведь, Трофим Сергеевич?

– Трофим Сергеевич думал не об этом, – сказал, приблизившись, Евгений. – Он смотрел на Светлану, которая в позе готовности к действию стояла сзади Геннадия, и думал о том, что мысль, что ему подсказал Евгений, то есть иметь сына от Светланы вместо утраченного, самое лучшее, что можно придумать.

– Это что еще за бред? – спросил Геннадий – возможно, выразив общее мнение.

Общее – исключая Мовчана, он не считал это бредом. Но признаться в этом не хотел, даже себе.

– Помолчи, – сказал он Евгению. И обратился к Наталье. – Кто именно нарушал порядок?

Наталья тут же сообразила, что Трофим Сергеевич хочет принять меры к кому-то одному, но ему нужны формальные основания, конкретное обвинение конкретного лица. Но как понять, кого именно хочет взять Мовчан?

Впрочем, Трофим Сергеевич облегчил задачу: видя сомнения Натальи, он прямо посмотрел на Геннадия.

И Наталья указала:

– Он.

– Пройдемте, – сказал Мовчан.

– Вы совсем с ума сошли, господин майор? – спросила Светлана дерзко, не выбирая выражений. – Вы что, мстите мне за то, что Степан погиб? Может, лучше найти виновников и им отомстить, если уж вы крови жаждете?

– Светлана попала в самую точку, – подтвердил Евгений. – Да, Трофим Сергеевич хотел отомстить. Но не ей, хотя она была отчасти виновата, а Геннадию, который к смерти сына не имел никакого отношения. Это было несправедливо, но Мовчан именно хотел несправедливости в ответ на несправедливую гибель Степана.

– Помолчи, сказал! – прикрикнул майор. И вторично пригласил Геннадия: – Пройдемте. За нарушение общественного порядка.

– Это вы нарушаете все что можно! Я с ним пойду! – Светлана встала рядом с Геннадием.

– Кто пойдет, это я решу. Третий раз прошу добром, пройдемте.

– А четвертый будет не добром? – усмехнулся Геннадий.

Майор начал действовать оперативно – рванулся с места, схватил руку Геннадия, заломил ее на спину. Но тот, в прошлом лучший ученик районной спортивной секции гимнастики, крутанулся на месте вокруг себя и оказался свободен. Майор посмотрел на это с удивлением и опять напал. На этот раз обхватил сзади за плечи, а потом завел назад обе руки, заставив Геннадия согнуться лицом вперед. Но тот не согнулся, а неожиданно кувыркнулся через голову, и руки его выскользнули из фиксирующих рук Мовчана. Опять свободен. Удар вернее захвата, вспомнил майор и, одним прыжком оказавшись рядом с Геннадием, ударил его под дых. Но попал в воздух, Геннадий изогнулся так, как матадор изгибается, пропуская мимо рог быка. Мовчан оступился, чуть не упал, схватился о косяк.

Все это произошло быстро, никто ничего не успел сказать или крикнуть.

– Хватит, – сказал Геннадий. – Я уважаю закон и представителей власти, даже если они сами не уважают закон и себя. Так воспитан. Пойдемте, раз уж вам так приспичило.

– Не надо, – сказала Светлана.

Геннадий, успокаивая, обнял ее, поцеловал и тихо сказал:

– Все будет нормально. Не ходи со мной. Утром расскажи все Ростиславу, он поможет.

– До утра целая ночь.

– Ничего страшного. Прости.

ГЛАВА 22

У НАШОГО ПЕТРА ГОЛОВА МУДРА, ТАК СКАЖЕ, ЩО І САМ НЕ ЗРОЗУМІЄ[1]

Бывают ночи предчувствия: ничего еще особенного не случилось, но что-то томит, беспокоит; оглядываешься на прожитый день — может, что-то забыл сделать? — нет, все было обычно, нормально, как всегда. Заглядываешь вперед — просматриваются вполне обыденные события, ни важных встреч, ни поездок, ни решительных решений. Не спишь, ворочаешься, рад бы отвязаться от навязчивых мыслей, но в том-то и дело, что их нет. Даже нарочно думаешь о каких-то проблемах в жизни, в быту, со здоровьем, а они всегда есть, но понимаешь, что обманываешь себя — не в этих проблемах причина твоего томления, в чем-то другом. Может быть, это моменты, когда душа догадывается: суть не в том, что что-то не так, а в том, что *всё* не так. И такие глупые вопросы лезут в голову, что сам себе удивляешься — вернее, тому кому-то в себе, кто задает их. Думаешь: почему я Петр, Иван, Алексей, Ирина, Елизавета, Елена? Что было бы, если бы я был Афанасий, Василий, Натан, Лейла, Люба, Людмила? Почему я лежу в этой постели, в этом доме и считаю, что так оно и должно быть? Кто мне сказал, что так должно быть, почему я в этом уверен? Этот человек, кто рядом со мной, откуда он и зачем? Потому что жили на одном пространстве, среди определенного количества людей, и

[1] У нашего Петра голова мудра, так скажет, что и сам не поймет.

это пространство, это количество и определило твой выбор? Ведь так, разве нет? Почему ты столяр, а не академик? Или, наоборот, почему академик, а не столяр? Почему в тебе рост метр сто семьдесят шесть, вес семьдесят пять, глаза серые, легкий астигматизм, почему ты обязан завтра одеваться, потому что пришла зима, а если не оденешься, то замерзнешь? Почему ты должен заработать N рублей денег, иначе умрешь с голоду, не сразу, но умрешь? И все дальше, и глубже, все томительней — до тоски, сам не понимаешь своих мыслей, а мысль на самом деле всего одна — о том, что ты несвободен, зависим, связан цепями, веревками, нитями, при этом иногда даже цветными и шелковыми; ты зависишь от своего рождения и неизбежной смерти, ты раб — и хорошо, если божий, кто верит, потому что в вере упование и надежда, а если кто не верит, — чей раб? Общества? Семьи? Организма? Привычки жить?

И ощущение, что сейчас, вот сейчас, вот-вот, еще немного, и тебя осенит какое-то открытие, после которого все станет ясно и просто.

Нет, не осеняет.

Встаешь, идешь в кухню пить чай, включаешь там телевизор или открываешь захваченный с собой ноутбук, или планшет, или смартфон, много устройств появилось, отвлекающих нас от себя и показывающих чужую жизнь. Смотришь и читаешь все подряд — возможно, отыскивая там свободу, которой нет у тебя. Люди делают политику, вещи, деньги, заняты наукой, любовью, дружбой, повышают мастерство, качество, уровень, все нужно, все осмысленно, но во всем ты видишь невидимые цепи, связи, привязи, узлы, всех что-то куда-то влечет, тащит, волочет, а сколько смертей, боже ты мой, сколько смертей! Ты видишь вдруг не в интернете и не по телевизору странную и страшную картинку: миллионы, миллиарды людей движутся по огромному полю в карнавальном шествии, на ходу танцуют, пляшут, поют, любят друг друга, ссорятся, дерутся, мирятся, а впереди обрыв, и с него с равномерностью и мощью полноводного водопада срываются вниз ежесекундно десятки тысяч людей. Те, кто еще не приблизился, веселятся, как ни в чем не бывало, и это понятно, но веселятся и те, кому осталось несколько шагов или даже один шаг, они не верят, они надеются, что как-то все еще обойдется, может, на их пути будет более длинный, чем у других, выступ — значит, еще поживем! А может, им кажется, что водопадная вода помилует, она же мягкая, не утопит там, внизу, вынырнешь и продолжишь путь — до следующего обрыва...

Кончается обычно тем, что, належавшись в темноте или насмотревшись, начитавшись, ты устаешь и просто засыпаешь в утомленном и спасительном отупении. Или назначаешь причиной тоски что-то конкретное, хотя, возможно, наоборот, оно назначает тебя, и спасаешься от тяжких мыслей тоже тяжкими, но хотя бы понятными.

Аркадий в ту ночь неожиданно думал об Анфисе. Явившийся очень поздно Евгений рассказал о событиях, случившихся в гостинице, Аркадий слушал один, Нина и сын давно спали. Накормил Евгения разогретым супом, уложил спать, улегся сам — не с женой, а на диване в зале, чтобы Нина своим присутствием не стесняла его мыслей о Светлане. Он именно о ней наметил подробно подумать: как отнестись к тому, что у нее с Геннадием, попробовать ли ее, разлученную с женихом, как-то утешить, попытаться ли опять заговорить о любви? Но вместо Светланы в мыслях явилась Анфиса, да еще явилась как-то укоризненно. В самом деле, подумал Аркадий, нехорошо получилось: Торопкий наверняка устроил ей скандал и учинил допрос, а я даже не позвонил, не спросил, как она.

Он вспомнил, как был в нее влюблен в школе, но почему-то сразу решил, что ничего не выйдет. Потом оба оказались в браке, а потом он зашел как-то в поликлинику с больным ухом, увидел ее в коридоре, и оба вдруг страшно обрадовались. Анфиса открыла какой-то процедурный кабинет, сказав, что тут никто не побеспокоит, принесла из своего кабинета, завернув в полотенце, бутылку коньяка, стали выпивать и говорить, то и дело повторяя: надо же, как мы, оказывается, соскучились! И это очень естественно перешло в любовные занятия, будто они заранее договорились все так и сделать.

– Сколько времени я даром потерял! – огорчался Аркадий.

– И я, – соглашалась Анфиса.

Но к ночи он ушел в семью, а она к Торопкому.

Договорились созвониться – и не созвонились.

И с каждым днем позвонить было почему-то все труднее и труднее.

Она не хочет, для нее это эпизод, думал Аркадий. И она, наверное, тоже так считает про него – что он засчитал это эпизодом. Можно разубедить, но, если не эпизод, тогда что? Ведь у него семья, во-первых, и Светлана как раз в то время появилась, во-вторых. И все само собой сошло на нет, встретились через полгода на улице, говорили спокойно, будто условились забыть о том любовном вечере. Аркадия это устраивало, Анфису, наверное, тоже.

И вот он думает об этом, и вдруг понимает, что, если он что-то и несет в себе с юности, без перерыва, хотя иногда затихающее и почти незаметное, это – любовь к Анфисе. Чтобы избыть эту любовь, он женился на Нине, которую тоже, правда, любит, но иначе. И в Светлану влюбился по той же причине. За мечтой о Светлане он спрятался от реальной любви к Анфисе, вот что! – догадался Аркадий.

Надо ей позвонить. Ходит ли она сейчас на работу в российский Грежин? Что у нее с Торопким, был ли скандал? Главное: попытаться понять ее отношение к себе. Может, и она сейчас лежит там рядом с Торопким и думает с обидой об Аркадии?

Анфиса ни о чем не думала, она спала. И в этом нет никакого символа, образа, таинственного смысла. Она спала потому, что хотела спать.

А вот Торопкий ворочался. Мысли о судьбе Грежинской республики, как он уже назвал для себя будущее автономное образование, его волновали и возбуждали. Нет, а почему бы и не существовать такому государству? Есть же Монако и Лихтенштейн, где проживают несколько тысяч человек. Хорошо бы, мечталось Торопкому, к этой автономии присоединился еще и российский Грежин, отделившись от злосчастной своей Федерации! Была бы единая газета, Торопкий станет ее редактором, как один из самых молодых и талантливых, прямо скажем, журналистов. А потом и телевидение можно организовать, и Анфиса станет ведущей – у нее врожденный артистизм, прекрасная дикция, не говоря о красоте. В нее, конечно, будут многие влюбляться, но на расстоянии, это лучше, чем Аркадий, с которым, кстати, так ничего и не ясно. Вспомнив об Аркадии, Торопкий вспомнил и о том, как его сумасшедший брат Евгений уличил Нину в интересе к нему, и как он смутился, как тоже почувствовал неожиданный интерес. С чего бы? Нет, Нина хороша, мила, она, если объективно, как-то, что ли, теплее Анфисы, которая, несмотря на свою страстность, остается чужой. Если честно, то именно так – она до сих пор, хоть давно уже жена, все-таки какая-то чужая. По глазам видно: думает о чем-то своем, находится где-то далеко. Аркадий дотронулся до жены: вдруг не спит, а только дремлет? Нет, спала крепко. А вот Нина, наверное, как чуткая супруга, отзывается на первое прикосновение.

О чем я думаю? – удивился Аркадий.

Но продолжал об этом думать и не мог этого остановить.

Марина Макаровна думала о том, что наверняка уже завтра понаедет разное руководство, и гражданское, и военное, в том числе многие ее непосредственные начальники, привыкшие, что она исполнительна и послушна, и как же они удивятся, когда увидят перед собой совсем другую женщину – никого не боящуюся, самовластную, гордую. Они по привычке будут стращать административными мерами и взысканиями, не зная, что наплевать ей на административные меры. Одно жаль, нет рядом Максима, вот бы посмеялся.

В отличие от нее, Прохор Игнатьевич Крамаренко, ее российский коллега и совладелец, если можно так сказать, Грежина, ничего хорошего для себя не ждал. Он был не дома, он сидел в своем кабинете и размышлял. Эта заваруха с границей и автономией украинской части так просто не обойдется. Наверняка появятся еще беженцы, а они уже и сейчас проблема, учитывая, что своими силами мало кто пристраивается, прямиком идут к Прохору Игнатьевичу как представителю российской власти, и чуть ли не кулаками стучат, требуя жилья, работы и всего прочего, включая гуманитарную помощь: ходят упорные слухи, что в Грежин завезли два конвоя с продуктами, медикаментами и одеждой, которые якобы куда-то пропали. А было на самом деле всего несколько грузовиков – транзитом в Луганск, Крамаренко даже не знал, что везут. Подъехал к ним по долгу службы, спросил у водителя головной машины, предварительно представившись:

– Куда направляемся?

Обидно было, что водитель даже не нахамил, не огрызнулся – он даже не посмотрел на Прохора Игнатьевича, потому что в это время прислушивался к работе мотора, стоя возле открытого капота.

Сказал мотору:

– Ага! – будто понял причину неисправности, и полез туда ковыряться.

Крамаренко еще постоял немного и уехал.

Прохор Игнатьевич давно жил на свете, давно занимал руководящие посты, хоть и не стремился на самый верх, и всегда Грежин был довольно самостоятельным поселком, учитывая покровительство молокозавода и кирпичного комбината, которые были предприятиями республиканского подчинения, то есть в каком-то смысле сами себе хозяева, и начальство ездило прямо туда, в поселок не заглядывая. И никогда он не ощущал такой, как в последнее время, назойливости государства, которое постоянно напоминало о себе: вы — наша часть, наше дело — ваше дело, поддержите меня, одобряйте меня, возвеличивайте меня, учитывая исторический момент, когда посторонние меня по недоразумению разлюбили, если любили вообще. Крамаренко не мог это точно сформулировать, он только чувствовал, что государство все настойчивее заглядывает в каждый дом, в каждый угол — из телевизора, из интернета, да еще то и дело наезжают какие-то представители, агитаторы, уполномоченные, и каждый всматривается тебе в глаза, словно проверяя, достаточный ли ты патриот, готов ли к трудностям и готовишь ли к ним население.

Нет, на пенсию, думал Крамаренко. Или в отставку по состоянию здоровья. Не дожидаясь, когда прибудет тот самый Сам, который должен прибыть.

Пусть другой встречает его хлебом-солью, решил Крамаренко, зная, что назавтра от его решения не останется и следа.

Он собирался уйти, но тут раздался звонок черного телефона.

Об этом звонке мы расскажем чуть позже.

Капитан Веня Вяхирев пытался предугадать, какие последствия будут у его вылазки. Разжалование? Изгнание из рядов МВД? А может, и вообще суд? Как не поворачивай, хорошего конца не предвидится. Впору податься к ополченцам. Там все просто: вот наша земля, а там враг. Без разночтений. Но, если всерьез зашла речь об автономии, то ополчение может быть создано и здесь. И это совсем новый поворот, и не придется платить по прежним долгам: война закрывает старые счета.

Ну, ну, чего это я себя войной уже пугаю? – спрашивал себя Веня.

Однако чувствовал, что не только не напуган, наоборот, будет войне рад – она его сразу и моментально оправдает. Я, дескать, не как сотрудник украинской милиции действовал, а уже как представитель самостоятельной силы. Вам не нравится? Давайте обсудим на поле боя.

Светлана тоже долго не могла заснуть, переживала за Геннадия, но чувствовала себя счастливой оттого, что у нее теперь есть такая настоящая тревога и такая настоящая печаль. Она не верила, что это может плохо кончиться. Завтра поговорит с Ростиславом, тот, конечно, человек темный, мутноватый, но, когда узнает, что местная власть за пустяк схватила члена его команды, обязательно примет меры – и даже рад будет возможности показать свою настоящую власть, потешить свою гордыню, которую Светлана сразу же в нем увидела. Что ж, и плохое иногда может пойти на пользу.

Огневолосая Рита Байбуда, прилегшая рядом с сыном и глядевшая, как он спит (никогда не могла на это досыта наглядеться), думала, как она будет выстраивать отношения с Ауговым. Может, зря ей показалось, что у человека были только физические намерения, может, он влюбился в нее? Неспроста ведь сразу же обратил на нее внимание, выделил, а потом оставил при себе. Обычно такие люди работу и легкие отношения с женщинами в одном месте стараются не сочетать, вспомнила Рита житейскую мудрость. А что он слишком уж нагло полез – кто знает, возможно, от стеснительности. Ее бывший Данила, оставивший ей это чудо, Захаркукрасавца, тоже был страшно закомплексованный – и именно поэтому хам, забияка, драчун. Его наносное внешнее Рита готова была терпеть ради настоящего внутреннего, хорошего, но когда это внутреннее выглядывает все реже, когда его не видно неделями и месяцами – кто же выдержит?

Наталья и Валентина решили после нервного вечера успокоиться коньяком. Выпив, беседовали о том, как теряют совесть люди, если с ними ведешь себя по-человечески. Просто садятся на шею, делают что хотят, и хамят в глаза. И, что обидно, не понимают, что тут с утра до вечера стараешься для их же пользы! Никакой благодарности нет у людей.

И еще один человек не мог сомкнуть глаз в эту ночь – Олександр Остапович Колодяжный. Он уже доложил по начальству о задуманной операции, начальство посовещалось и одобрило, обещали прислать достаточное количество людей. Правда, при этом никто не собирался приехать лично. Значит, считают предстоящие действия хоть и необходимыми, но непредсказуемыми, боятся, что придется принимать экстремальные решения. Что ж, Колодяжный все возьмет на себя. Это его шанс, его Аркольский мост. Правда, поздновато совершать первые подвиги, но лучше поздно, чем никогда.

Но и его, четко мыслящего, все-таки томило, как и других, что-то неясное. И каждый из них, раскладывая все по полкам, видел: да, вроде бы все на месте, но чего-то не хватает. И непонятно, то ли оно было, но потеряно, то ли еще не появилось, но откуда эта странная убежденность, что оно должно здесь быть, если даже нет представления – что это?

ГЛАВА 23

ДОБРЕ СЕРЬОЗІ НА РІВНІЙ ДОРОЗІ, ЗА ЩО Ж МЕНІ КУПИНИ ДА ПНІ?[1]

Во дворе резиденции Аугова звучала бодрая, духоподъемная музыка, а именно «Утро красит нежным цветом стены древнего Кремля». Весело стучали молотки, вжикали пилы, жужжали дрели: строились павильоны для собраний, для работы, для отдыха, Ростиславу захотелось соорудить нечто походно-полевое в духе великих советских строек, чтобы все пахло свежей стружкой, новизной, чтобы каждый преисполнился чувством гордости: нас не было, и этого не было, но вот мы пришли, и все переменилось. Это создает необходимый настрой.

И действительно, всем, кто приходил, слышал эту радостную музыку и видел эту бойкую работу, хотелось тут же взяться за топор, лопату или кайло, из подсознательной памяти выплывали слова «свершения», «ударный труд», «неуклонное повышение», «растущий энтузиазм», «фронт работ», а рядом с ними неожиданно появлялись и слова неприятные: «саботаж», «вредительство» и совсем уж непонятное – «волюнтаризм».

Аугов переходил от человека к человеку, от группы к группе, со всеми говорил энергично, четко, со знанием дела.

Увидев Риту, подошел к ней с улыбкой и протянул руку. Она тоже неопределенно улыбнулась, подала свою. Ростислав крепко пожал ее, как товарищ товарищу, сказал:

---

[1] Хорошо Сереге на ровной дороге, за что же мне кочки да пни?

– Здравствуйте, Рита, видите – создаем условия! Заканчивайте, пожалуйста, свой список, потом обсудим в рабочем порядке. Хорошо?

– Хорошо...

– Отлично!

Ростислав еще раз тряхнул руку Риты, а сам глазами уже устремился к кому-то следующему. О том, что было вчера, – ни слова, ни намека, и Рите это понравилось. Можно спокойно работать, а там видно будет.

Светлана пришла одной из первых, Ростислав сразу же понял, что он ей зачем-то нужен, поэтому наскоро поздоровался и просил подождать, когда закончит начатые разговоры и освободится. Светлана, сев в стороне на свежеструганную скамейку, наблюдала за окружающим с удивлением и легкой иронией. Поглядывая на нее, Ростислав думал: ничего, ты мне за эту иронию еще заплатишь.

С одной группой он удалился в дом, это были самые главные люди в команде – те, кто готовил встречу того, кто должен был посетить Грежин двадцать девятого июля. Они занимались вопросами мониторинга настроений населения, внешним оформлением, подготовкой людей из народа, которые должны будут обратиться к приехавшему с бесхитростными, но достаточно острыми социальными вопросами. Они учили людей резать правду-матку, но аккуратно, наставляли – какую правду-матку можно и нужно резать, а какую не трогать.

Ростислав стал озабоченным и очень серьезным.

– Вы знаете, что происходит?

Все кивнули. На самом деле происходило много чего, они ждали продолжения, чтобы понять, о чем именно речь.

Но Аугов не так прост, он эту хитрость сразу разгадал и обратился к Альберту Шеину, моложавому сорокапятилетнему политологу, опытнейшему человеку, который принимал участие во всех президентских избирательных кампаниях, но чем-то, видимо, провинился, если его послали сюда, причем не руководителем и даже не первым помощником Аугова, а рядовым членом команды; держался он при этом с достоинством, с видом играющего тренера при молодежной команде, позиционируя себя как неформального лидера, и к нему уже многие обращались за советами.

– Что думаете по этому поводу, Альберт Иванович? – спросил Ростислав Шеина – вполне уважительно и даже с оттенком пиетета.

– Думаю, все очень серьезно. Возможно, серьезней, чем кажется.

– Почему?

Все с интересом слушали и наблюдали. Здесь много было новичков, они этот диалог воспринимали как мастер-класс на тему «победитель-ученик ставит на место побежденного, но несломленного учителя».

– Потому, – ответил Шеин, – что тут задействованы, как минимум, три фактора. Во-первых, украинские реалии, суть которых, я думаю, никому из присутствующих объяснять не надо, во-вторых, положение России относительно осей координат, возникших в так называемом мировом сообществе, в-третьих, местная специфика, неоднозначность отношения жителей к проблеме.

Присутствующие готовы были зааплодировать: блестящий ответ!

– Проблем на самом деле несколько, какую вы считаете главной? – спросил Аугов с интонацией телеведущего, который беседует с гостем программы, делая вид, что его страшно интересует мнение собеседника, но тонкая, тончайшая ирония над еще не высказанным мнением все же проскальзывает и видна самым опытным и умным зрителям.

А тут как раз зрители были квалифицированные, они оценили мастерство Ростислава и уставились на Шеина, ожидая, чем тот ответит.

Шеин был спокоен и уверен в себе.

— Ростислав, дорогой, — сказал он, закинув ногу на ногу и слегка разведя руки, как делают, когда говорят об очевидном, — главная проблема у нас всегда одна, она же забота. Жила бы страна родная, и нету других забот! — процитировал он древнюю советскую песню, процитировал как бы с долей усмешки над наивностью этих слов, но и с уважением к этой наивности, ибо шла она от сердца.

Браво! — читалось в глазах присутствующих. Они видели, как Шеип и отвстил, и одновременно ушел от ответа, и как при этом слегка опустил Аугова, но вполне доброжелательно, по праву старшего.

Черед был Ростислава. И он нс ударил лицом в грязь.

— Кто бы спорил, Альберт Иванович! — воскликнул он. — Но нам-то конкретно что делать в этой ситуации?

Вот и попался! — подумали присутствующие. Попробуй ответить неконкретно, когда тебя спрашивают о конкретных действиях!

Но плохо знали они Шеина, закаленного в многолетних словесных битвах. Он ничуть не смутился, лишь слегка пожал плечом.

— У нас есть перечень мероприятий, которые мы должны выполнить, несмотря ни на какие изменения конъюнктуры и обстоятельств, — сказал он. — Полагаю такжс, что, если и нужна какая-то корректировка, то в первую очередь с ее условиями ознакомят вас, как руководителя нашей группы. И лично я был бы признателен, если бы вы поделились этой информацией.

Опа! — мысленно воскликнули присутствующие. Вот это отбрил! Дал понять Ростиславу, что нечего приставать с пустыми вопросами, на которые рядовые члены группы не могут и не обязаны знать ответа. И заодно всю ответственность перевалил на Аугова, предложив тому предъявить доказательства своей компетенции. Раз ты тут главный, обязан знать больше всех, вот и показывай свои знания!

Аугов тоже оценил ход Шеина. И понял, что Альберта Ивановича лучше иметь союзником, не пытаясь больше его принизить. Ведь Шеин на самом деле вовсе не усел его, как, наверное, подумали глупые присутствующие, он дал подсказку: если хочешь утвердиться в своем лидерстве, не расходуй силы на то, чтобы кого-то притоптать, предъяви ресурс, которого ни у кого нет, — информацию, идущую сверху. И сразу все поймут, кто есть кто.

Одна закавыка: никакой новой информации у Ростислава не было. Он звонил ночью в Москву доверенным лицам, друзьям, тем, кто связан был с высокими сферами, спрашивал, известно ли, что в украинском Грежине затевается какая-то буча, связанная с гибелью российского гражданина на территории Украины, знают ли, что, похоже, возникает, наряду с Донецком и Луганском, еще один субъект сепаратизма, допытывался, какие на этот счет есть мнения. Но никто ничего вразумительного ему, увы, не сообщил. Видимо, позиции по этому вопросу еще не определены, мнения не сформулированы.

Что ж, придется выдумывать на ходу.

Ростислав выждал паузу, оглядел всех — и все приготовились.

— Информация такая, — веско сказал он. — Украинская власть идет по пути эскалации военной напряженности, осуществив демонстративные боевые действия в непосредственной близости от российских границ. Одновременно по команде из Киева в Грежине начато возведение капитальных пограничных сооружений с целью отделения братского русского населения от своих родственников, друзей и близких. Естественно, украинские грежинцы, почувствовав реальную угрозу, готовы провести референдум о присоединении к России, на самом деле речь идет о том, чтобы узаконить фактическое положение дел, то есть считать Грежин единым населенным пунктом, как оно всегда и было.

– Так было не всегда! – вдруг послышался чей-то юный неиспорченный голос.

Ростислав медленно повернул голову, посмотрел в ту сторону и так же медленно вернул голову в прежнее положение.

– Поэтому! – продолжил он. – Наша задача – всемерно поддерживать свободолюбивые устремления украинских грежинцев. А грежинцам российским разъяснять, что они обязаны оказывать помощь всем, чем могут. Мы своих не бросаем! – с болью и гневом сказал Аугов.

Шеин слушал и благосклонно кивал, одобряя речевые модуляции Ростислава (в смысл он не вдумывался), остальные, глядя на гроссмейстера политики, тоже преисполнились чувством уважения к произносимым словам.

На этом совещание кончилось, и Ростислав наконец счел возможным подойти к Светлане.

Она рассказала о том, что произошло вчера.

– Думаю, вам нужно вмешаться, Геннадий для вас важный и нужный человек, разве нет?

– Да, очень важный. Он душа проекта в каком-то смысле. Говорите, вломились прямо в номер? И увели? Беспредел полный!

– Конечно!

– А вы там как оказались? Можете не отвечать, если что-то личное, – поспешно оговорился Аугов.

– Почему не ответить? Я была у Геннадия на правах невесты. Хотела законно вселиться в его номер.

– Невеста – это хорошо. И давно?

– Мы вчера так решили.

– Да? Интересно...

Ростислав тянул время, он никак не мог понять, кто перед ним. То ли очень наивная девушка, то ли просто дурочка. А если она умна, то каким-то таким видом ума, с которым Ростислав еще не встречался. Нет, вообще-то он не против умных девушек. Но, как он сказал бы своим друзьям, если бы они у него были, настоящая девушка должна уметь переключаться, по выражению американцев, из режима Mind-Off в режим Mind-On[1]. То есть ум включен – ум выключен. Упаси боже столкнуться с особой, которая никогда не выключает мозги. Это ужас: ты ее имеешь, а она тебя – анализирует! И друзья посмеялись бы, оценив эту шутку.

– Давайте пойдем туда! – торопила Светлана.

– Куда?

– В полицию, он там.

– Объявление предъявлено?

– Нс знаю.

– Адвоката наняли?

– Нет.

– И хорошо. У нас свой юрист с адвокатской лицензией, законы наизусть знает.

– Это замечательно. Идем?

– Только не в полицию. Это неграмотпо: обращаться к тому, кто сам и виновник. Можно, конечно, позвонить сразу в областное управление внутренних дел и даже в министерство...

– Вы это можете?

– Конечно, но, понимаете, хоть они и начальство, а структура все-таки одна. Они своих прикрывают. Мы вот как сделаем: с Прохором Игнатьевичем, главой вашим, я в очень хороших отношениях. Во всем помогает, даже дом сына своего под офис выделил. Вот к нему и обратимся. Я знаю специфику провинции: либо администрация и силовики дружат, значит – договорятся, либо они в контрах, значит, Крамаренко использует это как оружие в борьбе, по результату будет то же самое – отпустят.

---

[1] Насколько известно, американцы так не выражаются. Просто Аугов частенько придумывал афоризмы, изречения, мудрые мысли, приписывая их каким-нибудь историческим авторитетам или даже, как в данном случае, целым нациям.

– Наверное, вы правы. Только, знаете, на Мовчана все-таки не надо очень давить. Лучше договориться. У него сына убили, надо учитывать.

– Тот чудик, которого подстрелили, его сын?

– Почему чудик? – Светлана нахмурилась. – Степан был хороший, нормальный человек вообще-то. Отец со странностями, это да.

– Извините, действительно глупое слово сказал. Ну, решили? – спросил Ростислав, великодушно делая Светлану соавтором уже принятого решения.

– Хорошо, звоните Прохору Игнатьевичу.

– Ну, нет, звонить не буду, так не делается. Надо – сразу в кабинет. Явочным порядком.

И Ростислав, не откладывая, усадил Светлану в выделенную ему машину, они двинулись в сторону администрации и двигались минуты три: она была рядом. Кстати, когда уезжали, Ростислав заметил, что Рита стоит на крыльце дома и смотрит в их сторону. Это ему понравилось.

У Крамаренко было расширенное совещание с участием руководителей всех административно-хозяйственных подразделений. Присутствовала и пресса, то есть Яков Матвеевич Вагнер, который прихватил с собой Аркадия – возможно, для того, чтобы тот взял Евгения, в присутствии которого Вагнер чувствовал все большую потребность. Не было Мовчана, но это никого не удивляло – человеку не до совещаний. Из силовых структур были известная нам, хоть и давно мы с ней не виделись, глава МЧС Ангелина Порток и районный прокурор Зямищев, мужчина хмурый и, в отличие от многих прокуроров, крайне немногословный. Восемь лет назад он вел трудный процесс, требуя строгого наказания для заезжего черного риелтора, обманувшего одинокую старушку, грудью встал на защиту закона, хотя у риелтора оказалось множество защитников, ходатаев и покровителей, даже собственная жена Зямищева уговаривала смягчиться, но это был тот редкий случай, когда, устав от неизбежных хитросплетений профессии и должности, хочется в кои-то веки быть предельно честным, учитывая, что дело было прозрачным, а старушка была последней оставшейся в живых подругой его покойной матери. И Зямищев победил, подлецу-риелтору впаяли максимальный срок, но в тот же вечер – и Зямищева поразило, что именно в тот же, через несколько часов после окончания суда, – старушку задавило маневровым тепловозом. Адвокаты же риелтора подали апелляцию, состоялось повторное слушание в областном суде, обвинение переквалифицировали, злодей получил год условно.

И с тех пор с Зямищевым что-то случилось, он перестал верить в справедливость, в правосудие, в то, что наказанием кого-то можно исправить, а оправданием осчастливить, он уверовал в Бога и пришел к мысли, что любое решение, принятое людьми, заведомо ошибочно, поэтому исполнял свои обязанности формально и ждал скорой пенсии – как и Крамаренко.

Прохор Игнатьевич собрал так много людей потому, что был растерян и надеялся на подсказки, которые могут возникнуть в ходе общего разговора. Вчера ночью, когда он уже собирался уходить, зазвонил черный телефон, причем в тот самый момент, когда Прохор Игнатьевич взялся за ручку двери, – словно подсматривал за ним и не дал ускользнуть от ответственности. Крамаренко глядел на телефон и думал: мой рабочий день давно и законно кончился, если ты свой человек, позвонишь на мобильный телефон, если чужой, подождешь до завтра. Не подойду. Хоть ты обзвонись. И вышел. И закрыл дверь. Но телефон продолжал звонить – размеренно и спокойно, словно был уверен, что трубку рано или поздно возьмут. А вот не возьму! – мысленно сказал через дверь Крамаренко. И пошел прочь. Он удалялся, удивляясь тому, насколько громок звук звонка. Весь коридор уже почти пройден, а все еще слышно. Ничего, сейчас он спустится на первый этаж — и звони себе в безлюдной пустоте. Но вместо этого Прохор Игнатьевич бросился назад. Вбежал в кабинет, бросился к трубке, боясь, что она замолкнет как раз тогда, когда он ее схватит (парадокс, всем нам известный), но нет, не замолкла.

Спокойный голос даже не спросил, почему так долго не отвечали, представился.

От пробежки и волнения у Прохора Игнатьевича колотило в висках и шумело в ушах, он, как и в тот день, когда узнал о предстоящем визите Самого, не расслышал, понял лишь одно — звонят из Москвы.

— Хотим узнать, что происходит у вас в связи с последними событиями. Нет ли демонстраций в связи с убийством украинской военщиной вашего земляка? Не вышли ли люди с его портретами, с плакатами «Нет фашизму!» или еще какими-то в этом духе? Не создаются ли отряды самообороны в связи со строительством украинским Грежином укреплений, позволяющих скрытно сосредоточить силы, нанести неожиданный удар или, как минимум, осуществлять диверсионные вылазки? Какова роль так называемых третьяков, то есть третьей силы, в этом конфликте, выяснилось ли, на чьей они стороне? Выражена ли активная поддержка желанию украинских по форме, но русских по содержанию грежинцев войти в состав России, а именно — вернуться в родной Грежин?

Голос в перечислительном порядке задавал и задавал вопросы, Прохор Игнатьевич слушал и болезненно соображал, как будет отвечать. Но, исчерпав свой перечень, голос не стал дожидаться ответа, а подвел черту:

— В общем, Прохор Игнатьевич, ждем сообщений о народных инициативах, если нужна консультация или помощь, обращайтесь.

— Да, конечно, — пробормотал Крамаренко, не понимая, к кому, собственно, обращаться.

Дома он излил свою печаль жене, и та дала дельный совет:

– Проша, тебе же это не по секрету все сказали? Вот и ты собери людей – и поделись. Пусть не у одного тебя голова болит.

Прохор Игнатьевич поблагодарил ее, поцеловав в мочку левого уха; так повелось с того вечера, тридцать пять лет назад, когда он провожал ее после танцев, вчерашнюю школьницу, робел, а у калитки она сама повернула его к себе и поцеловала; он тут же обхватил ее и прижал к себе, не зная, что дальше делать, а она тихо засмеялась и тихо сказала: «Вот сюда поцелуй. У меня тут местечко заводное». И он поцеловал, и она вся задышала, подалась к нему и даже тихо застонала, отчего у Прохора подкосились колени. Впрочем, и у нее тоже. С тех пор Прохор Игнатьевич не раз целовал ее в заводное местечко, но за все тридцать пять лет так и не смог привыкнуть, всегда стеснялся.

И Крамаренко поделился с решающими людьми поселка, пересказал им разговор так, как он его запомнил.

Ждал высказываний, но услышал только чей-то голос-вздох:

– Господи, да оставили бы уже нас в покое!

Похоже, и другие думали так же: смотрели в стол, в сторону, в окна. Молчали.

И были рады, когда кто-то заговорил, хотя этим кем-то был странный человек в военной одежде устаревшего образца.

– Евгений не первый раз наблюдал, как люди, которым доверяют самим решать свою судьбу, не хотят этого, отказываются от этого, – говорил Евгений. – Это приводит к удивительным парадоксам: феноменальная поддержка власти населением, девяносто процентов которого одобряет все ее действия[1], на самом деле озна-

---

[1] Исторический факт.

чает радость народа, что наконец-то за него кто-то все решает, радость освобождения посредством рабства, ибо рабство избавляет от мук выбора. Душа человека становится свободна от обязательств перед материальным миром, так в религии понятие раб Божий не считается уничижительным, — наоборот, четкие обязанности перед Богом освобождают от многих докучных повседневных обязанностей. Отдав свою судьбу в руки государства, человек становится чист и духовен, отрешается от своей индивидуальности, но не от всей, а от той ее части, которая угнетена эгоистическими потребностями.

Все слушали, не зная, как реагировать.

Смотрели на Крамаренко. Тот был внимателен и задумчив. Вот и к нам прислали зеленого человечка, мыслил он. Может, и к лучшему. Понять бы только, к чему он клонит.

— Я вас понимаю, — сказал Прохор Игнатьевич. — Но хорошо бы все-таки уточнить.

— Уничтожить самовольную траншею, которая идет по главной улице, — потребовал Евгений, который до начала совещания слышал чье-то возмущение этой траншеей, поэтому в какой-то степени высказывал не свое, а народное мнение. — Закончить формирование народной дружины. Сочинить гимн Грежина. Объединенного Грежина. Проследить, чтобы там были слова «единый, могучий».

— Не по́няла! — подала голос Ангелина Порток. — Мы в самом деле, что ли, с хохлами объединяемся?

— По их желанию, — ответил Крамаренко.

— Да откуда оно взялось, если ихняя Голова второй день траншеи роет на границе, если людей не пускают ни туда, ни сюда. У меня у родной племянницы вчера сарай сгорел, не в курсе? Так я рассказываю: звонит и — тетя Геля, у меня сарай занялся, то ли пацаны подожгли, то ли еще что, на дом может перекинуться, позвонила в нашу пожарку, а у них машина сломанная, пришли машину, пожалуйста. Я послала — и чего? А ничего! Не пустили к месту бедствия! Слава богу, ведрами сарай потушили, спасли дом. Это вы называете желанием объединиться?

— Может, траншею вырыли по приказу свыше, — предположил кто-то. — Голова рада бы отнекаться, а не дают! А военных сколько там ошивалось намедни? Целая армия!

— Начнут бомбить у нас под окнами, как в Донбассе, — грустно обронила Елена Сырцова, руководитель отдела соцзащиты, на ней было много хлопот по размещению беженцев, она предвидела хлопоты еще большие.

— Вот не понимаю! — хлопнул себя по коленке райвоенком Бжезинский, который всю жизнь терпел насмешки из-за своей фамилии и еще курсантом в советское время отмежевывался от злобного американского политика, говоря, что у него предки поляки, а там Бжезинских полным-полно, потому что фамилия происходит от слова «береза» (*brzoza* по-польски, произносится — «бжоза»), поэтому он на самом деле как бы Берёзин. «Или Березовский!» — хохотали насмешники.

— Не понимаю! — обвел он всех негодующим взором. — Американцы бомбили точечно Белград, почему Россия точечно не разбомбит Киев? И нет проблемы!

— Ну-ну, — не увлекайся, — охладил Прохор Игнатьсвич. — Воевать пока никто не собирается.

— А придется! — опроверг его Бжезинский.

— И все вдруг поняли, что он прав и что это уже не зависит от субъективных желаний, — огласил Евгений, как приговор.

И действительно, всем показалось, что они именно это и поняли.

— К нам приезжает сами знаете кто, а вы про войну, — укорил Крамаренко.

— Вот и будет ему подарок! — воскликнул Бжезинский. — Объединенный Грежин!

Не все разделяли его оптимизм, и неизвестно, как развернулась бы дискуссия, но тут в дверь вошли без стука Аугов и Светлана.

– Здравствуйте, извините, если помешал! – сказал Аугов и направился прямиком к Крамаренко. Сел на край его стола и заговорил так, будто никого вокруг не было:

– Спасибо, Прохор Игнатьевич, что приютили, мы отлично устроились! Конечно, машины так себе, остальное тоже, но вы не волнуйтесь, я сам не сообразил, что слишком как-то размахнулся, надо же учитывать местные особенности. Хотя яблочки можно было бы все-таки достать. Или нет?

Яблоки «голден», желтые, но крепкие, два ежедневно, – автоматически выговорил Прохор Игнатьевич.

– Вот, помните!

– Заказано. Три ящика из Белгорода едут.

– Отлично! Теперь по делу. Как получилось, что нашего ведущего специалиста практически ни за что арестовал ваш начальник полиции?

– Мовчан? Кого арестовал?

– Геннадия Владимирского, генерального проектировщика того самого железнодорожного узла, который мы тут будем строить.

– За что?

– Повторяю: ни за что. Мовчан ворвался в гостиницу, пытался избить, оскорблял его невесту Светлану, она может подтвердить. Это как расценивать вообще? Противодействие государственным мероприятиям? С какой целью?

– Кстати, – ухватился Крамаренко, встав с кресла, чтобы не сидеть под Ауговым, – насчет государственных мероприятий. Мы как раз хотели согласовать с вами. С Москвой был уже разговор, а вы ведь тоже оттуда, надо бы как-то... Вам там как объясняли насчет вопроса воссоединения Грежина?

– Однозначно.

— В смысле?

— Вопрос давно назрел.

— То есть воссоединять?

— Прохор Игнатьевич, дорогой, это решать не нам с вами!

— А кому?

— Ну, вы же помните, кто у нас по конституции носитель суверенитета и единственный источник власти? Кстати, по украинской конституции тоже.

— Кто? — совсем потерялся Крамаренко, но тут же попытался реабилитироваться в глазах подчиненных — попробовал догадаться с большой долей уверенности:

— Президент?

— Нет! — весело ответил Ростислав (многим его веселость показалась почти кощунственной).

— Госдума? — сделал Крамаренко вторую попытку.

— Нет!

— Совет Федерации! Правительство! Премьер-министр! — со всех сторон посыпались подсказки, все захотели помочь Прохору Игнатьевичу.

Даже послышалось совсем нелепое:

— Съезд депутатов трудящихся!

— Нет, нет, нет, милые мои! — веселился Аугов и наконец ответил сам, прекратив мучения.

— На-а-род! — раскатисто сказал он. — Только народ! Как народ решит, так и будет! А мы должны обеспечить свободное принятие решения. Совместно. Вот и все. Для этого мы здесь и находимся.

— То есть, — начал догадываться Крамаренко, — строительство узла обеспечит работой всех, кто присоединится?

— Именно!

Лица всех просветлели: наконец-то все стало ясно. Или почти ясно.

Светлана в это время напоминающе посмотрела на Аугова. Тот кивнул.

– Так как насчет нашего специалиста, Прохор Игнатьевич?

– Думаю, недоразумение. Позвоню и выясню.

– Извините, дело неотложное!

Крамаренко понял, что Аугов не отстанет. Набрал номер отдела милиции. Ему сказали, что Мовчана нет, он хоронит сына.

Прохор Игнатьевич передал этот ответ Ростиславу.

– Странно, – удивилась Ангелина. – Как это, он хоронит, а никто не знает? Разве так хоронят?

– Может, что-то напутали? – предположил Крамаренко.

– У меня Халилов в соседях, жестянщик, – подал голос начальник здравоохранения Богдан Григорьевич Чувак, человек пенсионного возраста, постоянно кашляющий от привычки к неумеренному курению листового табака, который он выращивал сам на своем подворье. – Всю ночь гремел железом. Я три раза ему по-доброму сказал, потом пообещал меры принять в смысле полиции. А он говорит: вы извините, я обещал не говорить, и вы никому не говорите, это гроб для сына как раз полиции начальника, Мовчана.

– Может, они не сегодня будут хоронить, а завтра? Когда Степан-то погиб?

И странно: такое значительное событие, но никто не смог точно вспомнить время гибели Степана Мовчана.

Взялись спорить, Ростислав сказал Светлане:

– С ними все ясно, поехали прямо к Мовчану.

– Неудобно.

– Ну, пусть твой Геннадий в тюрьме сидит.

– Поехали!

ГЛАВА 24

ОЧІ ВМІЩАЮТЬ, СЕРЦЕ НЕМАЄ[1]

В Грежине обычно похороны – событие всего поселка, потому что, учитывая его численность, смертей не так уж много, а люди известные умирают и вовсе редко. И если бы хоронили Степана Мовчана, здесь были бы все. Но его не хоронили, хотя на третий день положено, а был как раз третий.

Трофим Сергеевич привез гроб, сделанный Мусой Халиловым, рано утром, как и обещал жене. Сваренный из нержавейки, гроб получился красивый, все швы обточены и зачищены, поверхности отполированы, Муса даже выжег сварочным аппаратом крест, после чего умылся и, отойдя в сторону, встал на колени и сто раз произнес: «Астагфиру-Ллаха-ль-Азыма-ллязи ля иляха илля хуа-ль-Хайу-ль-Кайуму ва атубу иляй-хи!», что означает: «Прошу прощения у Аллаха Великого, помимо которого нет иного бога, Он – Живой, Вечно сущий, и я приношу Ему своё покаяние». Эту молитву ему записал лет пять назад белгородский муфтий Гайнутдин русскими буквами, Муса сначала читал по бумажке, а потом выучил наизусть: жизнь, увы, такова, что надобность в покаянии возникает постоянно, не по вине Мусы, а по вине жизни.

Мовчан привез гроб в кузове автозака, единственного на Грежин, это была «газель», похожая на маршрутку,

[1] Глаза вмещают, сердце нет.

только без окон. Въехал во двор дома, закрыл ворота, осторожно вытащил гроб у крыльца.

Из дома вышла Тамара.

– Это что?

– Вот...

– А где он?

– Тут...

– Не вижу. Откуда я знаю, что у тебя там?

– Тамара...

– Что Тамара? Тебя вечно просишь сделать одно, а ты делаешь другое!

– Просто... Вид такой, что... Если хочешь, я вскрою, только... Там узнать ничего нельзя.

– Это уж само собой! – сварливо сказала Тамара, и Трофим Сергеевич посмотрел на нее с удивлением. – Узнать нельзя! Я так тоже напихаю чего-нибудь, а сама скажу – узнать нельзя! Я тебя сына просила привезти, а ты что привез?

– Тома, не надо...

– Чего не надо? Чего вы мне вообще голову морочите? Ты его мертвым видел?

– Видел. То есть... Я же говорю – узнать нельзя.

– А кого ты тогда видел, если узнать нельзя? – с иронией спросила Тамара, усмехнувшись.

Мовчан хорошо знал эту усмешку недоверия, она всегда возникает у Тамары, когда он задерживается, когда возвращается после долгой или непредвиденной отлучки. Этим недоверием Тамара в последние годы защищалась от печали из-за нелюбви мужа, найдя в нем необходимую для жизни устойчивость.

– Нет, но мне сказали... – Трофим Сергеевич и сам уже не был уверен, что видел именно Степана. Да, ему сказали, что это он, и на этом все. А вдруг это вовсе и не Степан? Вдруг он жив, захвачен и находится в какой-нибудь украинской тюрьме? Зачем? А затем, чтобы не рассказал, что именно украинской ракетой с украинской стороны его расстреляли, а не с российской, как утверждают киевские деятели, Мовчан успел уже просмотреть информацию в интернете, поражаясь наглости вранья.

– Кто сказал? – продолжала допрос Тамара.

– Там... – Трофим Сергеевич махнул рукой куда-то в сторону.

Обычно он отвечал так на вопросы жены о своем пребывании. «Где опять блукал?» – спрашивала она для проформы. «Да там!» – отвечал он тоже для проформы, и оба этим успокаивались, словно выполнив необходимый обряд, после которого можно сесть и семейно поужинать.

– Где там? – не унималась Тамара.

– В Сычанске.

– Как тебя туда занесло?

– Сказали, что он там.

– Опять сказали! Мне вон сказали, что у нас тут атомный реактор будут строить, и я должна верить всякой чепухе? Я что, совсем неграмотная и необразованная? Кем ты меня считаешь, Трофим Сергеевич?

– Нет, но как...

Мовчан не знал, что возразить и как поступить.

Тамара помогла ему – как и всегда помогала, хоть муж это и не ценил:

– Задвинь в сарай с глаз моих эту железку. До выяснения. Завтракать будешь?

– Не откажусь.

Тамара ушла в дом, а Мовчан ухватился за гроб, поволок его в сарай. Там пристроил в угол, хотел уйти, оглянулся, вернулся, взял рулон черной непрозрачной пленки, хранившийся для хозяйственных нужд, отмотал от него несколько метров, отрезал, накрыл гроб. Сверху положил две доски. Перекрестился и вышел окончательно, даже запер сарай на висячий замок, что было лишним: никому в голову не придет проникнуть во двор начальника полиции. Но все-таки оно как-то спокойней.

Он поднимался на крыльцо, когда его окликнули.

Это пришли Аугов со Светланой. Евгения не было, хотя он тоже собирался пойти с ними, но его попросил остаться сам Прохор Игнатьевич – поучаствовать в обсуждении, дать советы.

(И Евгений давал советы, упирая на то, что задача объединения Грежина есть задача первостепенная, он видел: большинству нравится именно такой вариант, поэтому и предлагал его, умея угадывать не только желания отдельных людей, но и настроения масс. Аркадий мысленно посмеивался, видя, как уважительно слушают его братца-дурачка, но потом вдруг подумал: а ведь эта нелепая идея может, пожалуй, воплотиться в жизнь, как воплотилось многое, что еще вчера казалось не только нелепым, но и вообще невозможным. И тогда они с Анфисой станут согражданами. Кстати, он так и не позвонил ей. Ему захотелось сделать это немедленно, но неудобно было выходить, поэтому для начала послал сообщение: «Прости, что пропал. Думаю о тебе. Как ты?» Получил короткий ответ: «Плохо». Встревожился: «Что случилось?» – «Торопкий сошел с ума. Запер меня дома». Аркадий вспомнил дом Торопкого, в котором бывал. Обычный одноэтажный дом, не квартира на десятом этаже. Можно закрыть дверь, но есть окна, чердак... И тут Анфиса, будто догадалась о его сомнениях, прислала короткое разъяснение: «В подвале».

Аркадий тут же написал: «Жди, скоро буду». И сказал на ухо Вагнеру:

– Яков Матвеевич, у меня семейные сложности, надо срочно уйти.

– Иди, – сказал Вагнер, уважая семейные ценности, – сказал Вагнер, удивив Аркадия. И пояснил: – Это я дурачусь.

Что-то странное с ним творится, подумал Аркадий, пробираясь к выходу вдоль стенки, пригибаясь при этом, будто выходил из кинозала. Что-то непонятное. Да и с другими тоже.

Вагнер и впрямь чувствовал в себе что-то необычное.

Этот человек, конечно, сумасшедший, размышлял он, слушая Евгения и наблюдая за тем, как его слова действуют на окружающих. Но все гении – люди не совсем нормальные и при этом творят историю, разве нет? Сталина, вон, почитаешь всякие статьи, в параноики записали, Наполеон маньяк, Гитлер шизофреник, Ленин вообще сифилитик. Это политики, а ученые и всякие художники? Тоже все с какими-нибудь прибамбасами. Главное, веет какой-то совсем новой жизнью. Тот маленький мальчик Яша, которого разглядел в нем Евгений, все ощутимее, все активнее шевелился и задавал из глубины, из прошлого в настоящее, наивные вопросы тонким мальчишеским голоском: чего ты добился, дядя Яков? Где твои путешествия, приключения, подвиги? Чем ты гордишься? Тем, что стал редактором районной газетенки, научился ругаться матом и руководить коллективом из пяти человек, где ты царь и бог, а сам дома, по вечерам, закрывшись в комнатке-кабинете и ссылаясь на срочную работу, тайком смотришь с наушниками фильм «Пираты Карибского моря»? И ведь глупые вопросы: если вдуматься, что понимает маленький мальчик в большой взрослой жизни? Но Вагнер не запрещал звучать этому голосу, пытаясь понять, почему он возник, и по этой же причине не вмешивался в нелепые и мудрые речи Евгения.)

– Здравствуйте! – Аугов умудрился в короткое слово приветствия вместить и ноту обвинения в неправомерных действиях, но и оттенок уважения к должности Мовчана, а заодно и призвук сочувствия к его горю.

Трофим Сергеевич его искусство оставил без внимания, как Ростислава в целом, он смотрел на Светлану.

– Невестушка пришла! – сказал он. – Заходи, заходи! Степы нет, но должен быть.

– Как это? Он же... Нам сказали, что... Что вам уже и гроб делают. То есть Степе.

– Гроб – да. Но что Степе – кто сказал?

– А кому же?

– А может, я бизнесом решил заняться? Сейчас все бизнесом занимаются, а я, как дурак, только службой зарабатываю. Гробы – товар ходовой, востребованный.

– Нет, но Степан что, живой? – не могла понять Светлана.

– Пока не знаю.

– Тогда давайте решим другой вопрос! – веско произнес Аугов. – Задержан Геннадий Владимирский, наш ведущий специалист, присланный Москвой, у него каждая минута на счету, и я не знаю, как мы будем оправдываться перед теми, кто сюда прибудет, если вы в курсе, конечно.

– Как-нибудь оправдаетесь.

– А вы, значит, ни при чем?

Тамара была в доме, Тамара ждала, Тамара очень тревожила Мовчана, поэтому у него не было времени и охоты спорить по пустякам. Он достал телефон.

– С кем говорю? Там у нас ночевал москвич, отпустите его.

И – Ростиславу и Светлане:

– Всё?

– Оперативно, четко, справедливо! Благодарю! – похвалил Ростислав.

Мовчан поморщился:

– Да иди ты.

Светлана не могла успокоиться:

– Трофим Сергеевич, так что все-таки со Степаном? Во всех сообщениях его называют...

– Убитым? И что? Первый раз, что ли? Вон, ополченских командиров в неделю по два раза убивают, а они всё живые![1]

Светлана хотела еще что-то спросить, но Мовчан уже открывал дверь в дом.

Он вошел.

На столе были вареники с вишней, которые всегда любил Степан и мог съесть их без счета.

Мовчан сел, придвинул к себе миску.

Начал есть, обжигаясь: вареники были только что из кипящей кастрюли, где, на случай, если не хватит, варилась вторая порция.

– Ты не торопись, – сказала Тамара так, как сказала бы сыну и как давно уже не говорит мужу.

– Горячие, – невпопад ответил Мовчан.

– Я и говорю – не торопись.

Трофиму Сергеевичу вареники не лезли в горло, вязли в зубах, он жевал так неловко, будто разучился. Но Тамара смотрела на него, поэтому он давился, но ел. Хоть бы позвонил кто, Мовчан уже изнемогал от тишины, а сам начать разговора не мог. Слов Тамары тоже боялся. Полез за телефоном, будто вспомнил о деле. При нажатии высветился последний номер – дежурного. Мовчан повторил вызов.

– С кем говорю?

– Это опять я, Сергей Клюквин. Здрасьте еще раз.

– А Россошанский где?

– У себя в кабинете. Позвать?

– Не надо.

Мовчан не хотел кончать разговор, а темы не было.

Спросил:

[1] Характерная особенность информационной войны того времени: противники регулярно сообщали о гибели вражеских командиров, те выступали с ироническими опровержениями, если не были и впрямь убиты, что тоже случалось.

– Что по сводкам?

– А что?

– Это я тебя спрашиваю!

– Извините. Вы про район или поселок?

– Про все.

– Ничего такого.

– А не такого?

– Да вообще ничего. Затишье перед бурей.

– Какой бурей?

– Это я так.

– Болтаешь, сам не знаешь чего. Москвича отпустили?

– Нет еще. Я тут один, отойти не могу, а послать некого.

– Тогда пусть побудет до меня. Я приду, разберусь.

– То есть не выпускать?

– Клюквин, ты меня нарочно дразнишь, что ли? Если я тебе говорю: пусть побудет, это что значит – отпускать или не отпускать?

– Не отпускать.

– А чего ж ты спрашиваешь?

– Я уточняю.

Положив трубку, Мовчан сказал:

– От уроды! Ничего сами не могут. Придется ехать.

– А когда же... – Тамара начала и замолчала. Ждала, когда муж сам спросит и вопросом обозначит, чего она ждет.

Но он не обозначил, спросил без содержания:

– Что?

Пришлось все-таки сказать:

– Когда ты его все-таки привезешь?

– Тамара, не все просто. Ты слышала? – границы возводят. Рвы, заборы. Но я сделаю, что смогу.

– Конечно, Троша, я понимаю. Извини.

Да не говори ты со мной, как с человеком! – хотелось закричать Мовчану во все горло. Я теперь не человек уже!

Но промолчал, вылез из-за стола, сказал:

— Спасибо, — и пошел к двери.

Глядя на его плечи, Тамара подумала, что не заметила, как муж состарился. Не старый еще, но уже пожилой. Значит, и она тоже? Надо в зеркало посмотреться. Если что не так, исправить. Сейчас сколько косметики чудодейственной. И операции делают. Степану будет приятно, что у него молодая мать.

Ростислав предложил Светлане дойти до отдела полиции пешком. Чтобы было время с ней поговорить.

Они шли, а он все не начинал. Искал безошибочные слова. Но для этого надо хотя бы приблизительно понимать, кто эта девушка, а он до сих пор не понимал, и это его раздражало. Его молчание уже было похоже на ступор стеснительного старшеклассника, поэтому Ростислав сказал наугад:

— Тебе повезло. Журналисты со всего мира в ваши края едут, а ты здесь живешь. В гуще событий.

— Везде гуща событий, — ответила Светлана, думая о своем, а Ростиславу послышался в ее словах оттенок насмешки, он почувствовал себя уязвленным. Надо отыграться.

— Гуща гуще рознь. Где-то самый большой конфликт — сосед у соседа козу украл, а тут каждый день — война миров.

— Да нет никаких миров, — ответила Светлана. — Сами с собой воюем. Если и миры, то не наши. Обычная история — паны дерутся, а у холопов чубы трещат. И сами, причем, друг друга за чубы дергаем.

Опять проигрыш. С какой стати я ляпнул про козу? — сердился на себя Аугов. Подлаживался под сельский стиль, чтобы стать ей ближе, но, значит, заведомо и ее записал в сельские жительницы — ну, не дурак ли?

Надо заговорить о чем-то важном для нее. Не о Геннадии, это уж слишком — играть на соперника. А вот об этом Степане, который то ли погиб, то ли нет, – надо попробовать.

– В самом деле, темная история с этим вашим хлопцем, – сказал он. – Везде информация: убит, расстрелян, но, между прочим, я фотографии видел, нигде нет тела. А где показывают кого-то убитого, явно не то место, город какой-то.

– Вот и я о том же! – горячо ответила Светлана, и Аугов порадовался – попал! Как в его любимом теннисе: проиграть одну подачу, другую, но взять себя в руки, хорошо прицелиться, правильно размахнуться, не побояться сильно ударить, и – эйс, на вылет, счет пятнадцать : тридцать, и вся игра еще впереди.

– Что-то тут явно не так, – вслух размышляла Светлана. – Ясно, что обе стороны трактуют по-своему, кому как выгодно, но ты представь: вдруг Степан жив, а выгодно окажется, чтобы он был мертв! Ведь могут опять убить... глупость сказала, не опять, а просто убить, в наше подлое время все возможно!

– Без контактов со спецслужбами Украины ничего узнать нельзя. Ты удивишься, но они у меня есть.

– Правда?

– Сокурсник бывший там служит. Он россиянин, но женился на украинке, остался в Киеве, понравилось, слил информацию о Москве, какую знал, его тут же взяли, как ценного агента и работника, направили в Харьков на хорошее место, чтобы с него вернуться в Киев на повышение. У нас тоже так делают: посылают в провинцию для выслуги, а потом в Москву сразу в министры или хотя бы замы. Главное, он мне по старой дружбе может кое-что шепнуть.

– Слушай, это же... Это же мировая сенсация!

Ага, подумал Аугов. Любовь любовью, а журналистское честолюбие играет, да еще как! Он рискнул, направил мяч в линию, еще бы немного, и аут, полный проигрыш – если Светлана заинтересуется, с какой стати сотрудник украинской спецслужбы, пусть даже и перебежчик, захочет шептаться с бывшим сокурсником (учтем при этом, что этого сокурсника Ростислав выдумал только что, на ходу). Не заинтересовалась, охваченная азартом, удар прошел. Тридцать : тридцать, ровно. И подачи по-прежнему его. И сейчас нужна такая, чтобы партнерша-соперница даже не пыталась дотянуться до мяча. И Ростислав подал:

– Естественно, на расстоянии это не делается, телефон и интернет исключаются. Только личная встреча.

– Каким образом?

– Придется съездить в Харьков. Это всего часа два, а то и меньше.

– Но это же Украина!

– И что? Ты в каких-то черных списках, тебе запрещен въезд?

– Нет. То есть мы легально поедем, через таможню?

– Конечно. У меня вообще двойное гражданство.

– Так можно?

– Можно, если необходимо. Итак, съездим? Или что-то смущает?

– Да конечно нет! То есть да, конечно, съездим!

Сорок : тридцать, подача блистательно прошла. Теперь – брейк-пойнт, подача на выигрыш в этом гейме. Можно бить не сильно, но точно, наверняка.

– Хорошо. Тогда я завершу неотложные дела и сегодня же поедем. Примерно так часа в четыре. Идет?

– Идет! – обрадовалась Светлана.

Гейм выигран. Впереди поездка вдвоем на машине – шофер только помешает, вечерний Харьков, который местами ничего себе городок, звонок в пустоту вымышленному другу, тот как бы скажет, что встретиться может только завтра утром, значит, придется переночевать в гостинице.

От сладких предчувствий в душе Ростислава или в каком-то другом месте разлилась теплота.

— До встречи, — сказал он, тронув пальцами плечо Светланы, пошел к машине, которая медленно ехала за ними, сел в нее и уехал.

А Светлана направилась к хорошо знакомому входу в изолятор, надеясь, что возле него ждет освобожденный Геннадий.

Но его там не было.

Она спросила у дежурного.

Дежурный ни о чем не имел понятия.

— Сидит какой-то, я только что на пост встал, даже не знаю кто.

— У вас что, учета нет?

— Все записано, — дежурный заглянул в журнал. — Геннадий Владимирский. Да, есть такой.

— А почему не отпущен?

— Девушка, вы меня спрашиваете?

— А кого?

Дежурный кивнул в сторону здания ОВД.

Светлана пошла туда.

Там тоже был дежурный, другой. Известный ей и нам Сергей Клюквин.

— Привет, — сказал он. — Обратно захотелось?

— Где начальник?

— Трофим Сергеевич?

— А есть другой?

— Другого нет.

— Он здесь?

— Нету.

— А почему Геннадия не выпустили? Мовчан при мне звонил.

— Какого Геннадия?

— Который в изоляторе.

— Вот там и спрашивай. А с Аркадием у тебя, значит, всё?

— Что всё?

— То самое.

– Позвони Трофиму Сергеевичу, пожалуйста, и дай мне трубку. Он же велел выпустить, ничего не понимаю!

– Да он сам придет.

– Когда?

– А я знаю?

– Сережа – тебя ведь Сережей зовут?

– Так точно! – улыбнулся Клюквин.

– Меня с детства загадка мучает, Сережа, почему люди так часто притворяются идиотами? Это игра? Или просто нравится? Или способ других сделать тоже идиотами? Знаешь, иногда мне кажется, хотя я понимаю, что это не так, что в нашей любимой стране огромное количество людей заняты тем, что дурачат друг друга. И даже не по службе, не ради выгоды или денег, тут хоть понятно, и даже не ради развлечения, а просто способ общения такой. У меня вот даже братик такой. Просто спросишь его: уроки сделал? Как думаешь, что отвечает?

– Сделал. Я всегда так говорил.

– Нет. Он говорит: а чего? Понимаешь? И на любой вопрос у нас так – не да или нет, а – а чего?

Клюквин не понял, но ему приятно было говорить с красивой девушкой. И именно поэтому он дурачился, не права в данном случае была умная Светлана.

И готов был дурачиться дальше, но тут появился Мовчан.

Вошел быстро, служебно. В руках держал объемистый пакет.

– В чем дело, Трофим Сергеевич? – спросила Светлана. – Почему Геннадия не отпустили?

– До выяснения.

– Какого выяснения?

– Отойдем.

Светлана, недоумевая, отошла с Мовчаном в сторону. А Клюквин удалился в другую – чтобы наверняка не слышать.

– Вот что, Света, – сказал Мовчан. – Есть у меня предположение, что Степан жив.

– Знаете, я тоже думаю...

– Подожди, дослушай. Вот что. Дай слово, что, если он жив, выйдешь за него замуж.

– Трофим Сергеевич...

– Постой, сейчас поймешь, я объясню. Ты кино видела про войну – «Жди меня?»

– Нет.

– Ничего вы не видели, молодежь! Там жена мужа с войны ждала – и он вернулся. Если кого ждут, он возвращается. Если ты согласишься, он это почувствует. Это не фантастика, Света, на расстоянии и мысли передаются, и все остальное! У меня было: в Ростове одна зна комая жила, то есть и сейчас живет, но мы уже... Короче, я к ней хорошо относился, не сказать больше, и вот однажды она мне вдруг вспоминается, причем так, что даже нехорошо сделалось. Места себе не находил. Поехал в Ростов, и что ты думаешь?

Мовчан даже усмехнулся, вспомнив эту историю, но тут же застыдился этой усмешки и оборвал сам себя:

– Ладно, это я потом расскажу. Короче, ты поняла?

– Трофим Сергеевич, если Степан жив, то будет жив независимо от...

– Зависимо! Иначе что хочешь обо мне думай и куда хочешь жалуйся, Геннадия – не отпущу!

Он просто не в себе от горя, подумала Светлана. Но давать обещания не хотела даже ради свободы Геннадия. Впрочем, она была уверена, что его все равно отпустят.

– Трофим Сергеевич, послушайте меня. Давайте не будем про обещания, есть более важные вещи. Мы сегодня с Ауговым, это тот, с которым я у вас была, у него очень большие возможности, мы с ним поедем...

Мовчан не слышал и не хотел слышать, опять оборвал ее:

– Света, я прошу! На колени встать?

– Мы как раз по этому делу!

– Хорошо, встану!

И Мовчан встал на колени.

Клюквин отвернулся.

– Прошу, Света! Дай слово: если жив – выйдешь.

– Порадуюсь. Но не выйду. Это нелепо.

– Ладно.

Мовчан встал, долго отряхивал колени, тщательно тер материю брюк руками, словно выглаживал, говоря:

– Тогда пусть твой Геннадий сидит. Беззаконие? Да. А где вообще закон остался? Моему Степану плохо, а всем другим – хорошо? Это неправильно!

И он пошел к выходу.

Светлана не стала окликать и догонять, поняла, что Мовчан сейчас в состоянии, близком к невменяемому.

Мовчан отправился на штрафную стоянку, где среди других машин была подержанная «шестерка» с украинскими номерами, которую конфисковали месяц назад у контрабандистов. Выехал на ней из поселка. Переоделся в гражданское. Форму упаковал в пакет, сунул в багажник, подумал, достал и спрятал под кустами, заметив место: справа сломанная береза, слева воронье гнездо.

Он все больше утверждался в мысли, что его обманули, выдали сгоревший труп какого-то другого человека, нарочно отпустили, хоть и устроили для вида погоню. Степан же сейчас сидит в каком-нибудь подвале, в том же Сычанске, недаром там ошивается этот чин из спецслужбы. Он сидит, а эти гады решают вопрос его жизни и смерти.

То есть Трофим Сергеевич самостоятельно пришел к той же версии, что возникла у Светланы и Ростислава.

И еще он думал о том, как все быстро меняется. Еще вчера бродила в голове шальная мысль добиться, чтобы Светлана родила ему сына, как бы второго Степана.

А сегодня думать об этом смешно и странно. Зачем другой сын, если цел первый? И любви к Светлане никакой нет, это Евгений ему внушил, странный и, пожалуй, опасный человек, с которым Мовчан обязательно разберется, как только завершит неотложные дела.

А Степе, когда найдет, скажет, что Светлана согласна. Да, немножко обманет. Но она согласится, Мовчан придумает, как ее уговорить. Например, скажет ей: хотя бы на полгода. А потом разводись, выходи за своего Геннадия. Если захочешь. Ведь когда-то Трофим так Тамару уговорил, которая не хотела за него. Вернее, сомневалась, говорила: ты хороший, но характер у тебя дурной. Однако за других-то тоже не за кого было. Вот он и придумал: выходи временно. То есть на время. Попробуешь быть женой, в будущем пригодится, когда найдешь подходящего. Она рассмеялась и согласилась. Потом это стало их семейной шуткой: «Ну что? – говорит она. – Еще месяц поживу с тобой, и пора уже разводиться!» – «Я уже заждался!» – говорит Мовчан правду под видом шутки.

А сам понимает: она его любит и будет любить до самой смерти. Не повезло женщине.

ГЛАВА 25

ДЕ БЛИСКАВКА, ТАМ І ГРІМ[1]

Анфиса, сидя в подвале, вспоминала, как нелепо началась ссора с мужем.

Торопкий завтракал и увлеченно излагал идею автономии Грежинского района.

– Да, я всегда был сторонник украинской государственности и нерушимости границ, – говорил он. – Я был противник российской экспансии и сепаратизма. Но кто у нас пришел к власти, если вглядеться?

И он подробно, со смехом и сарказмом описал тех, кто пришел к власти.

– Получается – шило на мыло, хрен редьки не слаще! И не надо бояться, что страна рассыплется, если ее субъекты получат самостоятельность! Потому что самостоятельность приучает к ответственности! Раздробленность, как ни странно, – путь к последующему объединению, но уже сильных, ответственных субъектов! Германии до середины девятнадцатого века не было, но был союз суверенных государств. А потом – империя!

И Торопкий вкратце, но со знанием дела пересказал историю создания Германской империи.

– На самом деле, конечно, время империй прошло. Возможно, и национальные государства не устоят. Всё объединяется – Европейский Союз не придумка политиков, а необходимость. Но для нормального объединения необходимо равноправие субъектов, а это равноправие нужно иногда отстаивать с боем! Вот Шотлан-

[1] Где молния, там и гром.

дия – всю историю воевала с Англией! И не раз побеждала. Результат? – Великобритания! Полная самостоятельность субъектов при полном единении и взаимопонимании!

Он еще приводил примеры того, как отделение ведет к соединению, а раздоры – к миру, Анфиса грустно слушала и думала, что не раз уже видела Алексея в состоянии охваченности большим делом, но всегда это кончалось разочарованием и апатией, граничащей с депрессией. Просто так жить он не умел, искал смысл, находил, терял, опять искал. Сейчас вот говорит, убеждает, но кого? Возможно, в первую очередь себя. Ребенок ему нужен, а лучше – два, три, четыре. Семья. Дом. Он любит возиться по дому, что-то делать и чинить, но хочется ведь кому-то оставить – а кому? Тоска по детям – главное в Торопком, понимала Анфиса, но не могла ему помочь.

А еще ей было неловко оттого, что он говорит с ней как с единомышленницей и союзницей, Анфиса чувствовала, что обманывает его, хотя молчит. Молчанием обманывает. Ей захотелось ссоры, чтобы Торопкий обиделся на нее, а она на него. И лучше, если обида будет несправедливой.

Она сказала:

– Ты посуду не мой, сложи, я вечером все сделаю, когда вернусь.

– Куда-то собралась?

– На работу.

– Анфиса, ты меня дразнишь? Ты еще не выздоровела.

– Я отлично себя чувствую.

– Мы же решили, что ты увольняешься и находишь работу здесь.

– Когда решили? Кто решил?

Торопкий слегка смутился. С ним это бывает: наметив какое-то дело или какой-то разговор, он, благодаря хорошо развитому воображению, видит это в подробностях и деталях, заранее все продумывает, поэтому иногда кажется, что дело как бы уже сделано и разговор состоялся.

– Я собирался как раз обсудить, – сказал он, отчасти признавая свою вину и не желая сбивать ссорой свой созидательный настрой.

– Вот вечером и обсудим.

– Анфиса, туда сейчас нельзя идти. Границу перекопали, усиленные кордоны с обеих сторон.

– Я там работаю, у меня пропуск оформлен, меня пропустят.

– А потом не выпустят! В заложницах оставят! Ты не видишь, что происходит?

– Пока не война.

– Да? Знаешь, думаю, что в Луганске и в Донецке за час до первых выстрелов тоже вот так сидели люди и говорили: пока не война. А тут и грохнуло!

Жизнь иногда слишком буквально отзывается на наши слова, это подтверждает давнюю мысль автора о том, что мы сами приманиваем все события, включая те, которых не желаем. Не успел Торопкий выговорить это – и грохнуло. Грохнуло не близко, но и не очень далеко, грохнуло явно чем-то артиллерийским, после чего простреготала запоздалой сорокой автоматная очередь.

И опять тишина, но не та, что была до взрыва и очереди. Иная. Тишина ожидания.

– Слышала? – спросил Торопкий.

– Не первый раз. То мальчишки снаряд или мину найдут, взрывают, то ракета откуда-то прилетит. Только что вообще человека убило.

– И ты хочешь в такое время идти на работу? Или тебя что-то другое тянет?

Не хотел, очень не хотел Торопкий касаться этой темы, боялся, что заведет она далеко, но все-таки не удержался.

Анфисе же того и надо было, она тут же ответила:

— Может, и тянет. Я должна во всех своих мыслях отчитываться?

— Счастье мое, давай потом поговорим, — Алексей посмотрел на часы, не имея в этом необходимости.

— Хорошо.

Анфиса встала и пошла одеваться.

Торопкий сидел за столом, ждал.

Она вышла — в бежевых брюках и темно-красной футболке, короткой, обнажающей талию.

— Пограничников собралась дразнить?

— Перестань, не смешно.

Торопкий понял, что сейчас произойдет то, чего в их совместной жизни никогда не было. Он этого не желал, боялся, но одновременно ему этого хотелось — как подтверждения того, что началась новая жизнь. Непростая, да, нелегкая, но надо быть мужественным. Надо приготовить себя к противостоянию и борьбе. Придется иногда быть жестким, а может, даже жестоким. Но только так победим и никак иначе.

Алексей встал и сказал:

— Никуда не пойдешь.

— Уже иду, — улыбнулась Анфиса.

Взяла сумочку, открыла, посмотрела что-то там, защелкнула и пошла к двери.

Муж встал перед дверью.

— Пусти, — сказала Анфиса, с наслаждением представляя, как сейчас ударит его, сделает то, что не раз хотелось сделать. И в идеале хорошо бы получить сдачи. Чтобы ударил до боли, до крови, чтобы наконец выкрикнуть ему всю свою ненависть, которая в этот момент представлялась Анфисе намного сильнее, чем была на самом деле.

— Нет, — сказал Торопкий.

Анфиса попыталась все же пройти, обогнув его, Торопкий передвинулся. Анфиса пошла с другой стороны, он опять передвинулся. Она толкнула его руками в грудь. Он схватил ее за руки, но не сильно и неумело, потому что никогда этого не делал. Анфиса вырвала руки и правой рукой ударила его по лицу. Ладонью. Подумала при этом, что надо было кулаком. Торопкий обхватил ее, поднял и понес в спальню. Она извивалась, вырывалась, он держал крепко. Повалил на постель. Тело Анфисы изгибалось с мускулистой силой, подбрасывая Торопкого. Никогда раньше он не чувствовал в ней этого. Так и весь их народ, подумалось мимолетно: в решающие моменты становится силен, ловок, гибок, хотя и без этих моментов достаточно энергичен, но в повседневности, намаявшись и наголодавшись за предыдущие тысячелетия, бывает расслабленным, к тому же очень уж любит сладость жизни в ее прелестных мелочах: вкусно покушать, понежить себя хорошими вещами, неосмотрительно похвастаться талантами и умом...

Анфиса рвалась, он не пускал. И вдруг поцеловал ее. И она ответила, впилась в его губы. Они начали срывать друг с друга одежду, словно боялись, что куда-то опоздают.

В это время зазвонил телефон Торопкого. Они замерли. Звонок напомнил им, что, кроме того, чего они сейчас очень хотят, есть другое – есть внешний мир, а в этом мире существует не только настоящее, но и прошлое, и будущее. В ближайшем будущем, думал Торопкий, после того, что произойдет, он уже не сможет остановить Анфису, если она захочет уйти, не сможет встать перед нею, не сможет удержать. Анфиса же думала, что она свободу, возможность ухода приобретает не совсем честной ценой – тем, что называют женской хитростью, а она это в женщинах как раз и не любит.

Момент был упущен. Анфиса поправила полуснятую футболку, Торопкий встал, пошел к телефону. Но он уже умолк. Перезванивать Алексей не стал. Сказал:

– Давай больше не будем.

– Иди на работу, тебе уже звонят!

– А ты?

– И я пойду.

– Опять все заново?

Торопкий еще не остыл от схватки и чувствовал неудовлетворенность тела, не завершившего начатое действие. Тело хотело продолжения.

Перед глазами была дверца в подвал – именно в подвал, а не в подпол, как в большинстве грежинских домов, где можно пробираться только пригнувшись или вовсе на четвереньках и где, на сухом песке, по давнему местному заведению, хранятся банки с маринованными огурцами, помидорами, яблоками. Торопкий лет пять назад решил углубить подпол, сделал дренаж для отвода воды, гидроизоляцию, выложил пол и стены керамической плиткой, хотел сделать что-то вроде зимней мастерской, можно также поставить бильярдный стол, можно просто оборудовать уютную комнату отдыха для жарких летних дней, но что-то отвлекло, а потом интерес не возобновился, и подвал понемногу стал заполняться старой мебелью, домашним инвентарем, запасными колесами для машины и другими не срочно нужными вещами.

Пока не исчезло окончательно желание действия, Торопкий подошел к Анфисе, схватил ее за руку и потащил к подвалу. Открыл дверцу, сделанную из толстых досок, толкнул Анфису – на площадку, с которой начиналась лестница. Анфиса чуть не упала, схватилась за перила, а он захлопнул дверь и задвинул засов.

И крикнул:

– Остынь, ясно? – Крикнул с должной злостью, оправданной его, мужа, справедливым гневом. Он понимал, что Анфиса эту злость вполне слышит и в свою очередь тоже злится на него. И это хорошо. Остаться запертой в состоянии злости лучше, чем в состоянии обиды. Обида болезненна, злость намного здоровее, скучать Анфисе не даст.

Торопкий, ни в чем не сомневаясь, вышел из дома, направился к машине. Оглянулся. В подвале два окошка, одно со стеклом, маленькое, другое вентиляционное, еще меньше. Выбраться невозможно. Сел в машину. Подумал. Вышел, пошел в дом. Вышел оттуда с бутылкой воды и свертком, где были хлеб, колбаса, сыр. Сунул все это в вентиляционное окошко, крикнул:

— Возьми!

Анфиса не взяла.

Он бросил пакет на пол. Мягко упало. Бросил и пластиковую бутылку. Упала с пружинистым тяжелым звуком. Разбиться не должна. На крайний случай в подвале есть какие-то банки с овощами и фруктами, с соком — сами они не делают, но соседи регулярно угощают.

Анфиса просидела в подвале около часа, когда услышала звонок — телефон был в сумочке, которую она успела схватить, когда муж волок ее. Удивилась, что сама не догадалась никому позвонить. Может, не надеялась, что в подвале есть сигнал? Да нет, просто забыла о телефоне, как ни странно. Сидела и решала, как поступить, когда вернется Торопкий. Вариантов возникало много, фантазия разыгрывается, если некуда девать время. Это как гадание на ромашке с бесконечными лепестками, только не на любовь. На самом деле решение возникло сразу же, как только муж запер ее. Уйти. Как только откроет, собрать вещи и уйти, уехать из этого проклятого места, где она заживо умирает вот уже который год.

Сообщение от Аркадия было очень кстати.

Анфиса честно ему все написала — зачем придумывать, если реальность сама по себе хороша? Он сообщил, что придет. И сразу же стало невмочь оставаться в заточении. Это как в очереди: когда знаешь, что еще долго, томишься терпеливо и почти спокойно, а когда совсем близко, кажется, что время остановилось, очередь замедлилась, застыла, когда же это кончится?

Меж тем у Аркадия возникли трудности. Выйдя к улице Мира, он увидел, что она не только разрыта посередине — там появились пограничники через каждые сто метров, причем с обеих сторон. Видно было, как они вполне спокойно переговариваются, но, как только Аркадий вознамерился перепрыгнуть траншею, несколько голосов и с той, и с другой стороны закричали:

— Куда? Нельзя!

— Я журналист! — закричал в ответ Аркадий.

— Никому нельзя! Через КПП!

КПП, официальный контрольный пограничный пункт, был возле вокзала, и Аркадий пошел туда. Заодно узнать, действует ли он, как бывало раньше.

На самом деле, имея громкое название, КПП был всего лишь деревянным настилом через рельсы, с двух сторон шлагбаумы, рядом с ними — солдаты. Обычно двое-трое, сейчас не меньше десяти. И никакого движения — не едут машины, не идут люди.

Столпившиеся люди шумели и возмущались.

Кричала женщина:

— Мне маму из больницы забрать надо, вы чего творите тут?

Кричал старик:

— Ей забрать, а мне лечь, у меня операция плановая!

Кричал мужчина, хрипло и сердито:

— У меня там грузовик с товаром, вы соображайте, пропадет же все!

Громче всех кричала симпатичная женщина лет тридцати в нарядном не по-утреннему платье:

— Пустите Сашу Морозова, вон он стоит, Саша, ты чего молчишь, скажи им! Александр Морозов, у него и паспорт при себе, Саша, у тебя паспорт при себе? Саша, ты меня слышишь? Вот я, смотри сюда! Рукой махаю, видишь? Не туда смотришь, вот я!

И другие что-то кричали, все смешивалось в неразборчивый гам, солдаты же стояли с неодушевленными лицами, обозначая этим, что от них зависит не больше, чем от пограничных столбов.

Их командиры стояли отдельно, у шлагбаумов, спинами к своим толпам, лицами друг к другу. Они были близко, могли бы говорить друг с другом, но не говорили.

Аркадий до этого не видел их, солдаты тоже были все незнакомы. Откуда взялись, интересно, ведь кто-то дал команду?

Он подошел к офицеру, хотел представиться, достал служебное удостоверение, но тот упредил:

– Приказ – не пускать никого. Ни по каким пропускам и удостоверениям.

– Что, совсем не пускать? На какой срок?

– Не знаем.

Аркадий отошел. Что ж, придется пробираться нелегально, через заросшие бурьяном строения кирпичного комбината. Дальний, но самый надежный путь, известный всем. Там пограничников обычно не бывает, потому что до сих пор не решили, где именно проходит граница: на украинских подробных картах, включая интернетные, комбинат полностью находится на территории Украины, на российских – принадлежит России.

Сделав крюк, обогнув карьер, Аркадий вышел к комбинату, петлял меж его строениями, наполовину обрушенными, – тут была натоптанная тропа среди полыни и чертополоха. Благополучно миновал комбинат, приближался уже к первым домам окраины, и тут из-за трансформаторной будки вышли двое в украинской пограничной форме. Аркадий слегка испугался, но тут же успокоился – свои, знакомые, Коля и Леча, он не раз с ними беседовал вполне дружески, а однажды, возвращаясь с дня рождения приятеля, угостил их отличной самогонкой, которую на дорожку вручила ему заботливая жена именинника.

– Привет, – сказал им Аркадий.

– Привет, – отозвался Леча. – Несешь мне, да?

– Что?

– Забыл? Маслоприемник ты мне обещал для машины.

Леча забыл, что на самом деле маслоприемник ему обещал Торопкий. Но ведь легко спутать – и тот журналист, и этот журналист.

– Леча, дорогой, я ничего тебе не обещал. Какой приемник, ты о чем?

– Начинается! Коля, ты помнишь?

Коля ответил не сразу. У него было плохое настроение: кто-то доложил о ночной стрельбе по банкам, начальство объявило им устный выговор, к тому же на ключевые маршруты в поселке назначили новоприбывших пограничников, а его с напарником отправили шарить по окраинам, вылавливать перебежчиков. Коля не мальчик на побегушках, он контрактник, его обидело, что, вместо охраны важных рубежей, заставили бродить по пустырям. Правда, при виде Аркадия возникла мысль о возможности привести лазутчика и этим заслужить достойное к себе отношение. Поэтому, если до этого Коля хмурился от обиды, то теперь – в силу служебной строгости, выражение лица при этом не изменилось.

– Мы тут не для маслоприемников, Леча, – сказал он. – Налицо факт пересечения границы.

– Это само собой. – Леча сразу понял и скомандовал Аркадию: – Вы задержаны, пройдемте!

– Послушайте, ребята, я к вам сам потом приду, а сейчас срочное дело, человека нужно выручить!

– Вот и объяснишь там, – Коля кивнул в сторону поселка, – кого и зачем ты собирался выручить.

— Ходят, как у себя дома, обнаглели! — сказал Леча с гражданским возмущением. И, не удержавшись, добавил от себя лично: — Да еще не помнят, что обещали!

И они повели Аркадия.

В это время к поселку приближалась колонна военных автомобилей.

Это была уже вторая колонна, первая, небольшая, из нескольких машин, поджидала ее. Возле своего «хаммера» прохаживался Колодяжный, говоря по телефону. Вернее, слушая. Внушительный голос объяснял, что все нужно сделать мирно, но наглядно. Арестовать предателей из отдела милиции, остальных пока не трогать. Выяснить, насколько серьезны слухи о сепаратистских настроениях. В ближайшее время подтянутся армейские соединения и силы нацгвардии, надо согласовать с ними действия, но в Грежин войти пока малыми силами.

— Вы же понимаете специфику? — объяснял голос. — Грежин, на нашу беду, и украинский, и российский. И та сторона тут же затрубит: в Грежин ввели войска, а в какой, паразиты, уточнять не будут!

Колодяжный отвечал коротко:

— Да, конечно. Естественно. Само собой.

Ему скучно было слушать то, что он и так понимал.

А неподалеку нетерпеливо переминался Билл Конопленко, журналист, укроамериканец. Он присоединился к колонне еще в Сычанске, сказав, что его присутствие согласовано на высоком уровне. Если есть сомнения, можно позвонить и проверить. Колодяжный поручил сделать это Лещуку, тот начал названивать и выяснил: да, Конопленко разрешено присутствовать, но не помешает контроль — чтобы информация журналиста была объективной.

Дождавшись, когда Колодяжный закончит разговор, Билл тут же подошел к нему с диктофоном в руке.

– Час назад мы слышали взрыв снаряда и выстрелы автомата, что это было?

– Уберите эту гадость, – отвернулся Колодяжный.

Коноплевко сунул диктофон в карман и зашел с другой стороны. Повторил вопрос:

– Что мы слышали за взрыв снаряда и выстрелы автомата?

– Это был взрыв снаряда и выстрелы автомата, – ответил Колодяжный.

– Но они были со стороны Грежина или с посторонней стороны?

– Источник неизвестен.

– Готовы ли вы к тому, что в Грежине может быть создана линия обороны?

– Мы ко всему готовы.

– Ваши действия в случае действительного осуществления этого факта?

– По обстоятельствам.

– Думаете ли вы, что это дает о себе свидетельство третьей силы, то есть третьяков?

– Я думаю о том, что вижу своими глазами. И о том, что знаю. Чего я не вижу и не знаю, я об этом не думаю. Я не астролог.

– Но предположения?

– Никаких предположений.

– Хорошо, спасибо.

– Пожалуйста.

ГЛАВА | 26

НЕ ТОЙ ТОВАРИШ, ХТО МЕДОМ МАЖЕ, А ТОЙ, ХТО ПРАВДУ КАЖЕ[1]

Редакция газеты «Шлях» размещалась в том же здании, где была резиденция Марины Макаровны Головы И там же, на трех этажах неказистого кирпичного дома, построенного в семидесятые годы прошлого столетия, гнездились все отделы и подразделения районной администрации. Торопкий зашел в помещение редакции, состоящее из двух комнат, увидел, что сотрудники уже на месте – маленькая шустрая Варя Гейко и увалень Михалыч, рыхлый, сиплый и вечно над чем-то посмеивающийся, – поздоровался с ними и отправился к Марине Макаровне, чтобы согласовать статью, которую мысленно уже написал. Конечно, он свободный человек и журналист, но теперь пора общих дел, а общие дела требуют единства.

У Марины Макаровны сидел Чернопищук, с которым она всегда советовалась по самым важным вопросам, хотя формально он занимал не самое высокое место в ее окружении. Они обсуждали новость: появление вблизи Грежина войск. Откуда эта новость прилетела, неизвестно, но все в администрации уже об этом знали. В кабинет деликатно заглянула помощница Христя (Марина никогда не называла ее секретаршей), сказала, что пришел Торопкий.

— Пусть заходит.

Алексей сразу же начал излагать свои мысли.

---

[1] Не тот друг, кто медом мажет, а тот, кто правду скажет.

— Я вот что, Марина Макаровна, давайте наконец переименуем газету! «Шлях свободи», например!

— Почему свободи? Свободы?

— Точно заметили! Хватит, в самом деле, изображать украинскую принадлежность, когда ее нет! И не шлях, а путь. Тогда — «Путь свободы».

— Ну, пусть, — сказала Марина Макаровна, давним опытом знавшая, что от названия газеты ничего не зависит, как, впрочем, и вообще от районной печати, всегда существовавшей больше для форса, чем для дела.

— И я хотел бы посоветоваться. У меня тезисы передовой статьи, но, если вы что-то добавите и внесете, у нас получится что-то вроде манифеста нового Грежина, независимого и...

— Не гони, Алексей, — Чернопищук сразу же устал его слушать. — Мы тут как раз про новый Грежин. Не поторопились ли мы, вот вопрос. Марина Макаровна сомневается, и я с ее сомнениями согласен. Мы только пальцем шевельнули, траншею вырыли, а уже какой резонанс! Нагнали кучу пограничников, причем нас никто в известность не поставил. Думаю, там не только пограничники. И никого не пускают. А с той стороны войска подтягиваются.

— Я не знал. Я только какие-то странные выстрелы слышал.

— То-то и оно, — вздохнула Марина Макаровна, которая освободилась от своих ночных мыслей — словно протрезвела. — Окажемся меж двух огней, как в Донецке и Луганске, что будет? Сейчас у людей вода, газ, свет, все есть!

— Слава богу! — добавил Чернопищук с видом гордости, потому что вода, свет и газ были в его ведении. Может, именно поэтому Марина Макаровна и держала его при себе главным советчиком.

— Как же так, Марина Макаровна? — огорчился Торопкий. — Нам еще руки вверх не скомандовали, а мы уже подняли? Вы извините, но я со школы помню, — и Торопкий с выражением продекламировал: — «Лишь тот достоин жизни и свободы, кто каждый день за них идет на бой!»

— Вы тоже учили? — удивился Чернопищук. — А я думал, молодым уже этой рацеи не досталось.

— Это почему же рацея, Виталий Денисович? Это «Фауст», между прочим!

— Да? А я думал, Маяковский какой-нибудь. А мне, знаешь, Леша, дорогой, всегда непонятно было: если каждый день на бой идти, то жить когда?

— Но это же в переносном смысле! Не воевать, а... Ну, отстаивать, быть принципиальным, не прогибаться.

— Вот и отстоял бы ты мне трубы, если такой принципиальный.

— Какие трубы?

— Такие! Четырехсотмиллиметровые, которые мне из Харькова полгода назад обещали прислать, восемьсот метров, позарез нужно! Я им все телефоны обзвонил, все пороги оббил, никакого толка! Вот и напиши статью — и лучше сразу в харьковскую газету, а то в республиканскую! А заодно в интернеты свои написал бы, вы там все сидите — ради чего? У меня три пятиэтажных дома считаются с канализацией, а ее нет, люди зимой из квартир на улицу срать бегают, это нормально? Там два инвалида войны на меня уже заявление в суд написали. Вот и отстаивай их жизнь и свободу!

— Это быт, Виталий Денисович, а я говорю о свободе духовной...

— Знаю! И я о ней же. Посиди, как они, на морозе с голой жопой, никакой свободы тебе не надо будет!

— Ну, если опускаться на уровень жопы...

— Мужчины, тут женщина вообще-то, — напомнила Марина Макаровна. — А что касается биться за жизнь и свободу, я скорее с Виталием Денисовичем согласна.

Каждый день, но понемногу. В рабочем порядке. Я даже вам так скажу: если бы у всех людей совесть была, то и биться не надо было бы. И всё, хватит тут теории. Надо решать, что делать.

— То есть вы от идеи автономии отказываетесь? — напрямую спросил Торопкий.

— А она разве была? Мы ее в порядке обсуждения имели в виду. Ты, Алексей, прямо как продавец в магазине: если взял покупатель вещь в руки — покупай! А мы посмотрели и на место положили.

— Тут вот что: из-за Вени Вяхирева буча поднялась, — сказал сведущий Чернопищук. — Он зачем-то в Сычанск ездил со всей своей командой и с Мовчаном, который начальник российского грежинского ОВД.

— Знаю, — кивнула Марина.

— Ну вот. И будто бы они выкрали из морга тело сына Мовчана. И была за Веней погоня, но они сбежали. Вот они и прибыли — Веню арестовывать за измену родине.

— Целой армией?

— Никто не считал и не видел, может, там пара машин всего. А ты, Марина, знаешь, как у нас народ приврать любит в сторону увеличения.

— То-то Веня на звонки не отвечает, — задумчиво сказала Марина.

— Надо с ним лично поговорить, а то придумает что-нибудь, — встревожился Чернопищук. И предложил Аркадию: — Ты бы его нашел и потолковал. Поборолся бы с ним за его жизнь и нашу свободу.

И Аркадий согласился: рассказанное его заинтересовало и как журналиста, и вообще. Да и Веню он давно знает, почти приятели, хорошо бы понять, почему он взялся помогать российскому своему коллеге и что собирается делать, если его действительно хотят арестовать.

— Хорошо, — сказал он. — Займусь этим. А потом и трубами, Виталий Денисович.

— Вот-вот, займись.

Зазвонил телефон Марины Макаровны. Она посмотрела на номер и не взяла трубку.

— С утра без конца — из Харькова, из Киева, со всех сторон звонят. А что я им скажу, если я сама ничего толком не понимаю?

Зная, где живет Вяхирев, Торопкий пошел к нему домой, не надеясь его застать. Но Веня был именно дома. Поев с утра окрошки, он сказал матери, что у него сегодня отгул, и лег в тени навеса у сарая на широкую лавку, застеленную старым матрасом. Поставил на специальную полку ноутбук и смотрел скачанный заранее сериал «Как я встретил вашу маму». Ему очень нравилась актриса, играющая главную роль. Когда-то Веня был влюблен в похожую девушку. Давно, еще в школе. Девушка уехала, вышла замуж, Вене уже двадцать девять лет, и он второй раз никого пока не полюбил. Вот и смотрит, сочувствует герою, смеется, а на душе тревожно, душа знает — что-то будет нехорошее, но не хочет об этом думать. И Веня не хочет.

Торопкий был посланцем внешнего мира, о котором Веня хотел забыть, поэтому Вяхирев встретил его не очень приветливо.

— Интервью не даем, зря пришел, Алексей.

— Я не для газеты, просто... К поселку войска подходят.

— С кем воевать?

— Есть такие слухи — с тобой.

Веня, хоть и собирался накануне обсуждать вопрос своей свободы на поле боя, сегодня был настроен фатально.

— Ну, пусть подкатывают пушки к моему огороду. А я их... — Веня взял из миски крупную ягоду черешни, сунул в рот, объел и обсосал косточку, достал ее и, надавив пальцами, выстрелил, попав в старое дырявое ведро, стоявшее вверх дном, отчего оно весело, по-молодому щелкнуло, будто радуясь, что наконец пригодилось. Чтобы сделать ведру приятное, Веня съел еще одну черешню и опять стрельнул косточкой, и опять попал, и опять ведро звонко щелкнуло.

У Торопкого аж во рту зачесалось, захотелось черешни. Веня угадал:

– Угощайся!

Алексей взял полновесную горсть и вдруг сказал:

– А я жену в подвале запер.

– С чего это?

– Разногласия.

– Зря. Она у тебя женщина хорошая. Красивая. Прямо завидую, если честно.

– Да я сам себе завидую. Это у нас так, вроде игры. Черешня у тебя – просто... – Торопкий покрутил головой, одобряя черешню.

– Сорт хороший. И возраст хороший – не молодая, не старая. А вот вишню не люблю, не мой фрукт.

– Это ягода.

– Разве?

– А сейчас посмотрим.

– Что, интернет подключен?

– Через вай-фай. Чтобы и со стационара зайти, и с планшета, и телефон тоже подключен, чтобы дома трафик мобильный не гонять. Удобно. Больше того, я из дома и звоню через интернет, даром получается.

– Надо и мне так сделать. Ну, что там?

– Ягода, ты прав. Тут и классификация есть.

– Ну-ка? – полюбопытствовал Торопкий.

Веня зачитал:

– Домен – эукариоты. Царство – растения. Отдел – цветковые. Класс – двудольные. Порядок – розоцветные. Семейство – розовые. Род – слива.

– Интересно. Вот так живешь, ешь черешню, а ничего про нее не знаешь.

Торопкий тоже стрельнул косточкой в ведро, но не попал. Или ведро того не захотело. Дескать, чужим не подставляемся.

– Если подумать, Леша, мы вообще ничего не знаем, – сказал Веня. – И ты со своим высшим гражданским образованием, и я со своим высшим милицейским. Нет, в самом деле. Вот та же груша. – Веня показал на высящееся неподалеку грушевое дерево с крупными, но еще зелеными плодами. – Это что за фрукт? Ближе к яблокам или к чему?

– А ты посмотри.

Веня посмотрел и с удовольствием прочитал вслух:

– Род плодовых семейства розовые. Слово «груша» в русских письменных источниках встречается с двенадцатого века в форме хруша. В семнадцатом веке потреблялось слово «дуля», заимствованное из польского.

– Вот почему у хохлов до сих пор дуля.

– А ты не хохол?

– Вообще-то да, в самом деле. А яблоки посмотри.

Торопкий посмотрел. И даже засмеялся:

– Тут столько наворочено, скажу я тебе. Вот, слушай. Яблоки играют большую роль в человеческой культуре. В древнегреческой мифологии золотое яблоко с надписью «прекраснейшей» богиня раздора Эрида подбросила на свадьбе Пелея и богини Фетиды. Гера, Афина и Афродита стали претендовать на это яблоко. Богини попросили Зевса решить этот спор, но Зевс повелел Гермесу передать яблоко Парису, чтобы тот присудил яблоко достойнейшей. Гера пообещала Парису власть и богатство, Афина – мудрость и воинскую славу, а Афродита – отдать в жены самую красивую женщину. И Парис признал самой прекрасной из богинь Афродиту.

– На бабу купился, – хмыкнул Торопкий.

– Ну. Дальше: Афродита помогла Парису похитить самую красивую из смертных женщин – Елену, супругу спартанского царя Менелая. С этого похищения началась Троянская война.

– А я ведь все это изучал – и все забыл, – посетовал Торопкий.

– Ты забыл, а я вовсе не знал. Я фильм смотрел «Троя», красиво снято. Но и там не сказано, что все из-за яблока началось. Ты представь, Леша, из-за яблока! Не идиоты люди после этого? Тут еще написано, – читал Веня, – что было яблоко искушения, христианский символ греха, запретный плод, росший в раю, которым дьявол в образе Змея-искусителя соблазнил Еву. Хотя в Библии яблоко не упоминается, возможно, что запретный плод стал ассоциироваться с ним из-за омонимичности латинских слов *malum* «зло» и *mālum* «яблоко». – Веня показал Алексею, как это выглядит на экране. – Это ты знал?

– Что яблоком Еву соблазнили – да, а про то, что зло и яблоко по-латыни близко звучат, впервые слышу.

– Вот я о том и говорю – что мы на самом деле ничего не знаем. О Грежине нашем – и то почти ничего.

– Я знаю, изучал историю. Были тут хутора малороссийских казаков, в конце восемнадцатого века разрешили селиться молдаванам, хорватам, сербам, болгарам. Потом начали строить железную дорогу, из России нагнали рабочих, многие тут осели. Был в составе Российской империи как часть Слободско-Украинской, а потом Харьковской губернии, с девятьсот девятнадцатого года частью достался Украине, частью России. Ощущение, что не глядя границу провели. Но как провели, так и провели, дело решенное.

– Это ты намекаешь, что и Крым не надо было трогать? – спросил Веня, который считал, что с Крымом Россия поступила правильно, исходя из принципа – кто смел, тот и съел.

– Конечно, не надо было, – загорячился Торопкий, это была больная для него тема. – Что там было, и кто там был до пятьдесят четвертого года, это для новейшей истории неважно, Веня, важно, что шестьдесят последних лет – шестьдесят! – он был частью государства Украина, понимаешь ты это?

– Я читал, что там хохлов было даже меньше, чем крымских татар.

– Читал он! Да хоть бы там вообще не было хохлов, я тебе о чем? Я тебе о нерушимости границ, понимаешь?

– Леша, люди сами в Россию захотели.

– И что? А завтра Монголия в Россию захочет! Их дело хотеть, а дело России и ее власти – принимать или не принимать.

– Ну и почему не принять?

Да потому, что незаконно! Потому что такие вопросы референдумами не решаются, я считаю, как и вопросы, например, объявления войны, всеобщей мобилизации, вопросы макроэкономики, да многие – уже потому, что не верю я в разумность массового разума, Веня! Хотели помочь своим? – так помогли бы без нарушения границ! Они все на Косово ссылаются, что тоже от Югославии отсоединилось после американских бомбежек – хамских, конечно, на то она и Америка, чтобы по всему миру хамничать, но главное забывают – что Косово к Албании не присоединилось, хотя албанцев там повальное большинство! Есть разница? А у нас так получилось, если сравнить, как если бы, к примеру, мужчина женился бы на женщине, которая еще не развелась!

– А если муж не обеспечивает, ведет себя паскудно, рот затыкает, да еще люлей навесить грозит?

– В суд и развод! Вплоть даже до отделения, хотя лично я против! И если мужчина женщину любит, он все сделает, чтобы ей помочь, но в загс до развода не потащит! А если потащит, значит, не любит он ее, а хочет иметь! Есть разница?

– Иметь и без загса можно.

— Я тебе не про секс, Веня, а про закон и порядок! Заметь, при этом к разводу толкает и в жены берет тот мужчина, который сам разводов не признает, красиво это выглядит? Но главное, Веня, — сторона моральная! С этой стороны, знаешь, что произошло? — И Алексей проговорил размеренно, как на лекции, потому что давно об этом думал и сформулировал обдуманное в ясных, как ему казалось, словах: — Государство, основная проблема которого — правовой нигилизм, воровство, беззаконие, самоуправство на всех уровнях, вместо того чтобы с этим бороться, совершило акт воровства, беззакония, самоуправства и тем самым окончательно узаконило творящийся бардак. Понимаешь, да? Если жулики и воры и до этого знали, что красть и захватывать чужое можно, только осторожно, то теперь государство подало всем наглядный моральный пример — ребята, успокойтесь, теперь окончательно можно, и даже не очень осторожно!

— Ну, знаешь! — начал помаленьку горячиться и Веня. — Не говори только мне, что на Украине нет жуликов и воров! Рассказать тебе, сколько я за экзамены платил, сколько от меня открыто за присвоение капитанского звания потребовали?

— А я и не спорю, Веня! В этом и проблема, что и тут у нас власть захватили, по сути, беззаконно. Вот и получается, что одно яблоко, раз уж мы про яблоки говорили, делят два вора! Или даже три, если с Новороссией этой самой! А то и четыре, и пять, если учесть, что Америка с Европой тоже яблочки любят! Понимаешь?

— И как быть тогда?

— А никак. Не трогать яблоко! Не хапать, по крайней мере. Спорить, решать, думать... Да мало ли!

— Умный ты вроде, Торопкий, а городишь полную хрень. Ты про закон поешь так, будто он общий для всех. А я тебе скажу: только один закон для всех действительно общий — нет никакого общего закона! Весь мир барак, а государства – зэки! – выразился Веня почти по Шекспиру, не зная об этом. При этом он слушал себя с некоторым удивлением, как всякий человек, который много молча думает, но этого не замечает, и вот начинает говорить, и сам поражается своим словам и собственному уму. – И если какая-то банда в этом бараке начинает гнуть всех под себя, – продолжил Вяхирев, вдохновившись удачным сравнением, – то любым способом надо ее окоротить, иначе опустят окончательно, да и всем будет хуже! И способы иногда выбирать не приходится – котел с баландой ухватить, нары свободные занять...

– Нс свободныс! – вставил Торопкий.

– Все воры, Леша, но одни как бы в законе, а другие как бы нет! Само собой, все на личико напускают милую рожу, никто в бандитизме не признается, дипломатию разводят, из-за этой дипломатии никто прямо не скажет: да, взяли – чтобы вам, суки, не досталось! А в этом вся правда и есть, хоть и неприятная. Думаешь, они там, в России, которые наверху, не понимают, что к чему? Все понимают, знают, что урвали незаконно, но это, друг мой, незаконность необходимая!

Торопкий был обескуражен: Веня, не самый красноречивый из его знакомых, разразился такой складной речью, что он не смог с ходу возразить. Слишком долгая пауза в споре может показаться поражением, поэтому Торопкий применил личный выпад:

– По себе, что ли, судишь?

Вяхирев от обиды даже сел. Потер руки, испачканные черешней, и спросил:

– Это ты что имеешь в виду?

– Ладно, проехали.

– Нет, начал – говори. Или ты получаешься полное брехло.

– Я брехло? Хорошо! Про Лилу забыл уже?

Веня слегка смутился.

– Это другое. И я там ничего не урвал.

– Но ее-то урвал!

Напоминание о Лиле было и приятно, и неприятно для Вяхирева. Лила была цыганка. Прошлым летом под Грежином расположился табор. Современный – не лошади и кибитки, а несколько машин с прицепленными к ним жилыми фургонами. Три цыганки пошли по Грежину, громко зазывали: «Золото покупаем, хорошие деньги даем!» Золото – колечки, сережки и все прочее – у грежинцев водилось. Если когда-то, в советские времена, этим хвастались, как и хрустальными вазами, большими телевизорами и холодильниками, то потом все изменилось, с каждым годом эти вещи дешевели и дешевели. Деньги тоже не дорожали, но, как ни рассуди, раньше на телевизор или холодильник надо было копить полгода, сережки и перстни дарили девушкам и женам только к круглым датам, теперь же для людей, имеющих самый средний заработок, все стало вполне доступно. Иногда позарез нужны не вещи, а именно живые деньги, попробуешь продать ту же вазу или колечко – никому не надо, хрусталь промышленной штамповки третий десяток лет пылится у всех в сервантах, кольца и серьги заводского литья лежат в комоде – каждый день носить как бы ни к чему, а на праздники, бывает, даже забываешь надеть. Поэтому цыганкам понесли это самое ненужное золото, получая взамен деньги, которые намного нужнее. Цены толком не знали, торговались на глазок, исходили из здравого смысла и из того, за сколько похожее кольцо продала соседка Марья Алексеевна.

Вяхирев, конечно, вмешался, как только узнал о незаконной торговле. Принял решение задержать. Цыганки загомонили, закричали так, будто их стало втрое больше, неизвестно откуда появился мужчина с красивой проседью и огромными глазами, похожий на актера из индийского фильма, за ним еще двое, моложе, за ними старуха, которая немедленно начала причитать, рыдать и рвать на себе седые волосы. Вяхирев был тверд, вел к отделению, схватив за руку одну из цыганок, остальные шли следом.

Да, предлагал ему цыган с проседью деньги. Хорошие деньги. Но Веня не взял. Поместил в зарешеченную камеру трех торговок. Но одна оказалась беременной, и у нее чуть ли не схватки начались. Отпустил. Вторая, объяснил цыган с проседью, — невеста. Для нее и золото собираем, на свадьбу — на свадьбу много золота надо. Если она не дома переночует, жених ее в жены не возьмет, будет смертельная трагедия у девушки, никогда замуж не выйдет вообще, отпусти, капитан, будь человеческим человеком!

Вяхирев отпустил. А Лилу оставил. Не беременная, не невеста, пусть посидит. Оформим акт, штраф, все, как положено. А для вас, ромалы, будет наука, чтобы больше в Грежин не совались.

Оказалось, что Лила — молодая вдова, муж погиб недавно в автомобильной аварии. Она охотно отвечала на вопросы Вяхирева, правда, во многом явно привирала. И чем дольше был с нею Веня, тем больше проявлялась ее красота. Сначала лицо показалось грубоватым: нос великоват, глаза, наоборот, не очень большие, губы длинноваты, скулы выступают, а цвет кожи какой-то грязновато-смуглый. Но все стало выглядеть иначе — может оттого, что в это время как раз смеркалось, а Веня не зажигал света. Лила постоянно менялась. Веня записывает в протокол ее слова, глядит в бумагу, поднимет глаза — одно лицо. Опять пишет, опять взглянет на Лилу — уже лицо другое. И опять пишет, и опять смотрит — чертовщина какая-то, будто уже третья женщина перед ним сидит, хоть начинай допрос заново.

А еще у Вени была за душой история. Ведь каждый человек, начиная с кем-то отношения (или не начиная, уж как получится), обязательно помнит что-то похожее, случившееся с ним самим или с другим в подобной ситуации. Историю эту рассказал харьковский сокурсник и дружок Костя Дрокин. Будто бы перед армией работал он в своем селе водителем, ехал однажды в дождь и наткнулся на застрявший в грязи табор, настоящий табор, с лошадьми и кибитками; будто бы погрузил он женщин, детей и стариков и отвез в город; и будто бы в городе старик, вожак табора, расплатился с ним молоденькой цыганкой. И эта цыганка, рассказывал с восхищением Дрокин, такое показала, такую цыганскую любовь, что ничего похожего он никогда до этого не пробовал – и это с моим-то послужным списком! – горделиво добавлял он. Дрокин в деталях описывал, что проделывала цыганка, особо восторгаясь моментом, когда – «вот представьте, хлопцы, я абсолютно неподвижный, она тоже, а оно, ну, вы понимаете, работает! Втягивает и отпускает! Втягивает и отпускает!» И он просто захлебывался от пережитого счастья.

Эта история и подтолкнула Веню к тому, чтобы принести по просьбе Лилы в камеру матрас с подушкой, а потом по ее же просьбе остаться. Помнится, больше всего его удивило то, что под цыганским нарядом у Лилы оказалось вполне современное белье, белое, с кружавчиками. Никакого особого цыганского искусства Лила не продемонстрировала, но ласкала Веню нежно, говорила хорошие слова, он оттаял, тоже говорил хорошие слова, утром сам отвез к табору. Днем явился цыган с проседью, показал справку от врача – и когда успели сделать? – в которой были разные неприятные формулировки: «насильственный половой акт», «телесные повреждения средней тяжести» и тому подобное.

И через пару часов уже не три, а дюжина цыганок несколькими группами безбоязненно шастали по Грежину, покупали золото и, были слухи, пытались продавать наркотики, но в Грежине молодежь слишком традиционная, наркоманов тут не бывало и нет до сих пор, всей этой гадости они предпочитают натуральное домашнее вино и натуральный самогон. Вяхирев срочно уехал по служебным делам в Харьков. Потом цыгане убрались, но история стала известной всему Грежину, причем в трех вариантах: одни считали, что Вяхиреву дали денежную взятку, другие – что Веня предпочел взять натурой, третьи – что и деньги взял, и натурой попользовался.

Лишь один Вяхирев знал, что во всем виноваты история дурака Дрокина и его собственное мужское молодое любопытство, что на самом деле никакой прибыли у него не было, а один только убыток, включая моральный – его вызвал замначальника УВД по кадрам и устроил нагоняй, не слушая и не принимая никаких оправданий.

– Чтобы больше ничего подобного! – кричал он.

А когда закончил распекать, вдруг спросил:

– Ну, и как эта Лила? Правда, что они что-то такое делают, ну, как бы типа тебя высасывают?

– Нет. Ничего особенного.

Веню тогда больше всего поразило, что все узнали имя цыганки, он ведь никому его не говорил, а протокол уничтожил. И вопрос начальника неприятно и больно уязвил, хотя, скорее всего, и у него в свое время был какой-нибудь приятель-врун вроде Дрокина и рассказывал не свою историю, а миф, передающийся из уст в уста, из поколения в поколение.

Главное же: Веня до сих пор уверен – нежные слова и горячие объятия Лилы были искренними, она любила его в ту ночь, просто ее потом заставили поступить по цыганскому воровскому обычаю, недаром она после этого пропала сразу же, еще до отъезда всех цыган. Веня пробовал потом ее найти, но не очень настойчиво, словно боялся окончательно разочароваться. Потому что, если женщины так умеют врать, тогда во что же остается на земле верить?

Таким образом, Торопкий попал в самое больное место Вени, но он не стал защищать себя или Лилу, не хотел этого трогать, он ответил оскорблением на оскорбление, нарочно обостряя конфликт. Ответил нелепо, не в тему, но действенно. Так бывает у пацанов, один другому кричит: «Ты по ночам в кровати плаваешь, мне сестра твоя говорила!» – а тот ему: «А у тебя отец алкоголик!»

Вот и Веня сказал:

– По крайней мере, я свою жену в подвале не запираю и не хожу потом, не хвастаюсь, как дурак! Могучий мужик, бабу одолел!

– Она не баба, во-первых, товарищ Вяхирев, потрудитесь не хамить!

– Ой! – как бы испугался Веня. – А то чего будет?

– Если бы ты был не при исполнении...

– А я не при исполнении, я дома и даже не в форме! Может, я как раз Анфису жду? Может, ты ее запираешь, чтобы она по мужикам не бегала? А то глаза такие у женщины голодные, даже жалко!

Торопкий, не размахиваясь, ударил Веню кулаком по скуле.

Венина голова качнулась, но он сохранил равновесие и бойцовскую ориентировку – немедленно ответил точно таким же ударом. Если бы они продолжили после этого драться так, как показывают в кино, то есть кулаками, ногами и подручными предметами, то это была бы серьезная драка. Возможно, с увечьями. Но ни тот ни другой этого не хотели, поэтому Торопкий налетел на Веню, обхватил, повалил, а Торопкий не бил его рукой или ногой, хотя имел такую возможность, а тоже обхватил, и они стали кататься, мять и трясти друг друга. Задели чашку, рассыпалась черешня домена эукариотов, царства растений, отдел цветковых, класс двудольных, порядка розоцветных, семейства розовых, рода сливы, которую они всю передавили, выпачкались в ней, стремясь забраться один на другого с переменным успехом.

И тут зазвонил телефон Вени. В это время Торопкому как раз удалось оказаться сверху, зажать тело врага ногами, он мог бы беспрепятственно ударить его в голову освободившимся кулаком, но не хотел этого, и звонок оказался очень кстати.

– Ладно, – сказал он, вставая и отряхиваясь. – Квиты.

– Смотри, а то могу добавить, – ответил Веня и пошел в дом.

Вышел с трубкой в руках, с озабоченным и тревожным лицом.

– Что? – встревожился и Торопкий.

Веня зажал трубку и сказал:

– Таранчука с Евдохой взяли.

– Твоих милиционеров? Как взяли? И что теперь?

– А то. Говорят, если не появлюсь, их расстреляют без суда по закону военного времени. А у Таранчука двое внуков, между прочим.

– Врут!

– А если нет?

– Постой, а где их взяли? Войска что, в поселок уже вошли?

– Сейчас узнаю.

Веня продолжил разговор с Таранчуком, а потом с кем-то другим, а Веня недоумевающе размышлял, каким образом могло свершиться такое странное дело.

ГЛАВА 27

СВОЯ СОРОЧКА БЛИЖЧЕ ДО ТІЛА[1]

Дело было так. Накануне вечером Георгий Владимирович Таранчук после испытанных приключений и переживаний решил выпить для снятия напряжения. Но супруга Римма позволяла ему это только в субботу, перед воскресеньем, и никогда в рабочий день или перед ним. В молодости он несколько раз спьяну попадал в неприятные истории, получал взыскания, был под угрозой увольнения, потом остепенился, но страх у жены остался навсегда. А в эти три недели она не разрешала Таранчуку даже и по субботам, потому что два внука, о которых упомянул Вяхирев, гостили у них, вырвавшись из пыльного и шумного Ростова, где дочь Таранчуков и ее муж были вынуждены торчать и работать.

– Ты что, дед? – спросила она, войдя в дом и застав Георгия Владимировича за откупориванием заветной бутыли. – Совсем, что ли? Не видели Данилка с Никиткой, как ты под столом валяешься, показать хочешь?

– Не собираюсь, – ответил Таранчук.

Римма слегка смутилась: муж не растерялся, как бывало в подобных случаях, не стал упрашивать, спокойно налил в стаканчик, будто так и надо. Но собственное смущение ее не смутило, она решительно подошла и протянула руку, чтобы взять и выплеснуть стаканчик в поганое ведро, а понадобится, так и в прямо в рожу обнаглевшему мужу.

Но тот необычно твердым голосом сказал:

---

[1] Своя рубашка ближе к телу.

– Не тронь!

И поведал Римме, что произошло с ним, с Вяхиревым, с Евдохой, с российским полицейским Мовчаном. Кое-что прибавил.

– Стреляли, конечно, но мы ушли. Можно сказать, побывал под страхом смерти. Весь до сих пор в душе трясусь, успокоиться надо.

– Господи! Зачем же вы туда поперлись?! Ну, Вяхирев ладно, понимаю, хотя тоже не понимаю, но ты-то что там делал?

– Вяхирев сопля, но мой начальник. Я служу или как ты думаешь?

И Таранчук взялся за стакан с видом полной правоты.

Римма положила сверху руку.

– Тем более нельзя! Начальник или не начальник, а отвечать будете все вместе. Думаешь, это просто так оставят? Да завтра же сюда какая-нибудь прокуратура приедет, если не вообще войска пришлют! – стращала Римма, не предполагая, что ее пророчество исполнится почти точно. – А ты будешь тут пьяный валяться?

– Со ста граммов?

– Чтобы ты остановился? У тебя пол-литра норма!

Таранчук не смог возразить. Действительно, его законная субботняя порция была пол-литра, меньше его просто не забирало. Правда, жена не знала, что норма на самом деле у него – семьсот, поэтому в сарайчике припрятана была емкость, из которой Таранчук доливал в себя перед самым сном недостающие двести граммов, и тогда уже чувствовал полное удовлетворение – до следующей субботы. Но вот похмелье у него действительно было тяжеловатое, и с возрастом все сильнее, а опохмеляться он отучился, зная последствия. Вдруг действительно утром кто-то приедет, начнут допрашивать. И без того мука, да еще сидеть перед чужими людьми, потеть, хвататься за сердце.

Пришлось в который уже раз признать, что жена несправедлива, но права.

А Римма не ограничилась запретом, посоветовала: ты, когда начнут допрашивать, вали все на Вяхирева.

– Скажи – силой заставил!

– Зачем силой? Все по форме: приказ начальника – закон для подчиненного.

– Без разницы! И Пете Евдохе то же самое скажи, если сам не догадается! Я бы даже, знаешь, что сделала? Написала бы начальству рапорт в виде жалобы. Ну, как в уголовных делах: явка с повинной засчитывается в плюс.

– Ты-то откуда знаешь?

– Телевизор смотрю, чтоб он сгорел, каждый день показывают сериалы про уголовников, поневоле все выучишь!

Идея насчет упреждающей жалобы показалась Таранчуку очень хорошей. Даже пить расхотелось, что его приятно удивило. Вот что значит сила умной мысли – с нею и без всякого хмеля жить интересно!

Утром он узнал от рано пришедшего Евдохи, что Вяхирев взял отгул.

– А мы отдувайся, значит?

Добавочная вина Вяхирева облегчила Таранчуку исполнение задуманного: он сел за старую пишущую машинку и начал одним пальцем выстукивать текст донесения. Начал: «Я, старшина Г. В. Таранчук...» Посмотрел на Петю. Тот безмятежно играл на телефоне в какую-то игру.

Когда пишет один, это личная жалоба, подумал Таранчук. А когда хотя бы двое, это уже заявление коллектива. И рассказал Евдохе о своем намерении.

– В самом деле, – сказал Петя. – Бросил нас, а мы-то ни при чем, если подумать. Могут и под суд отдать, а еще хуже, призовут насильно в действующую армию, прямо я сплю и вижу, чтобы под пули попасть!

Петя накануне, как и Таранчук, тоже решил использовать заслугу драматических переживаний в условиях смертельной опасности, но не во имя выпивки, а чтобы добиться утешения от Симы (та самая миниатюрная красотка из кафе «Летнее»), которую он давно уже любил, хотя Сима любила пропадающего где-то среди ополченцев Стасика Луценко. Он пришел к ней ранней ночью, постучался в заветное окно, Сима выглянула, еще не сонная.

— Прости, — сказал Петя мрачно. — Такое дело. Дай бутылку. Надо.

— А что случилось? — спросила Сима, не отказывая сразу, так как видела очень уж необычное состояние Евдохи.

— Ничего. Спасибо, что жив остался. Хочу в себя прийти.

— Без водки никак? И почему ко мне пришел? Будто в Грежине выпить проблема, да у тебя мать вино канистрами продавать ездит!

— Я хотел. Поговорить. Ты поймешь. У тебя Стасик тоже под смертью ходит.

— Почему тоже? Да расскажи!

И Сима впустила Петю, и он ей все рассказал. Водки уже не просил — не та была цель.

Сима округляла глаза, ахала, сопереживала — Петя, как и Таранчук, добавил в рассказ от себя, но побольше, были там и автоматные очереди, и разрывы снарядов, а венчал все вертолет, который сбросил бомбу, все успели выпрыгнуть, но машину Мовчана, майора из российского Грежина, разбомбило в хлам, так она там и осталась.

— Я чудом уцелел. Вот, только обгорело немного. — Петя показал черное пятно на рукаве, это было пятно от сажи, которая просыпалась на него, когда он помогал грузить прах Степана, он тогда хотел смахнуть, но только размазал.

— Главное — живой остался!

— Это правда. О тебе думал.

— Петя, не надо. Это другая тема.

— Та же самая, Сима. Сегодня жив, завтра легко могут убить. И останусь ни с чем. Стасика если убьют, хотя не дай бог, я ему смерти не желаю, но ему хоть будет что вспомнить, а мне что?

— Заведи себе девушку и вспоминай.

— Сим, зачем ты это говоришь? Ты же знаешь, кого я люблю. Я тебя люблю.

Раньше Петя никогда не выражал свои чувства так прямо, так серьезно и так, отметила Сима, по-мужски. Будто за один день превратился из вечного нескладного пацанчика, каким казался ей и в школе, и после, в зрелого мужчину, тоже довольно неуклюжего, но неуклюжего иначе — по-фронтовому, как и положено человеку, вышедшему из жестокого боя.

Что, если и Стасик попадет так к какой-нибудь дивчине, подумала Сима? После боя и перед следующим боем? Тоже будет сидеть, сгорбившись, ждать сочувствия и утешения, а дивчина, кроме жалких слов, ничего не захочет сделать для облегчения его души, гадючка такая, — осудила Сима неведомую безжалостную девушку. Убудет с тебя, что ли? А человеку достанется хоть немного счастья перед возможной гибелью!

И она обняла Петю за плечи. Тот сразу же повернулся к ней, обхватил, начал целовать. И Сима сгоряча ответила — ответила по-настоящему, позволив участвовать в поцелуе не только губам. Но и распалившийся Петя себе ни в чем не отказывал, и Сима представила, что это Стасик целует чужую дивчину, заморочив ей мозги своим геройством, а самому, гаду такому, хочется понятно чего, и про Симу даже не вспомнит, сволочь! Но и она, эта чужачка, тоже хороша, тварь такая, приманила самого симпатичного военного в округе, не подумав, что у него, может, невеста есть, и бесстыдно раздразнивает его, чтобы завалить на себя; толстая, рыжая, рябая, без войны на тебя разве позарился бы такой парень, как Стасик?

Запутав саму себя этими мыслями, Сима тут же утратила свой кратковременный пыл, резко оттолкнула Евдоху и сказала:

– Извини. Не могу. Водки дать?

– Нет, а чего? – не понимал Петя. – Все нормально, Сим! Чего ты? Может, изо рта у меня немного... Зуб никак не вылечу, гниет, зараза. Я и так жвачку жую все время.

Сима рассмеялась.

– Да успокойся, Петя, все у тебя хорошо, даже отлично! Хочешь, я тебя с троюродной сестрой познакомлю, с матерью из Луганска приехала, у тетки моей живут, девушке под тридцать, но выглядит на двадцать пять и очень симпатичная, хочешь?

– Не надо, – буркнул Петя, вылезая из окна и понимая, что план не выгорел.

И вот с утра он был печален, думал о том, что ведь и в самом деле могут убить, а у него никого нет. Может, зря он отказался от знакомства с троюродной сестрой? Тридцать лет – ну и что? Не жениться ведь. Наоборот, хорошо – наверняка опытная.

– Чего? – переспросил он Таранчука, который нетерпеливо смотрел на него.

– Я уж думал, ты заснул. Как лучше: неправомочные или неправомерные?

– А что?

– Действия.

– Хитро сочиняешь, дядя Гера. Пиши: неправильные.

– Это и дурак сможет. Надо официально, как положено.

И Таранчук продолжил тюкать, сочиняя, шевеля при этом губами.

Тут зазвонил телефон – стационарный, служебный.

Таранчук и Петя смотрели на него. Кто бы ни звонил, это касается не их, а начальства, начальство же отсутствует. Телефон умолк, но тут же зазвонил опять. И Таранчук не выдержал, взял трубку. Не представился, спросил по-граждански:

– Алё?

Чтобы сказать, что не туда попали, если услышит что-то неприятное, догадался Евдоха.

Но Таранчук молчал и слушал.

Потом положил трубку и обреченно сказал:

– Всё

– Что все?

– Уже.

– Что уже?

– Из областного управления звонили: на Грежин наступление идет. Советовали не поднимать сопротивления.

– Дела!

Таранчук смотрел на готовое заявление – только подписи поставить, и думал. Потом, крутя ручку, вытащил лист из машинки, встал и сказал:

– Едем туда.

– Куда?

– Навстречу. С этой бумагой.

– Дядя Гера, я еще с ума не сошел! Прямо им в лапы, что ли? Я лучше к своим замирным друзьям уйду. И вообще гражданство сменю, если такое дело! На своих с войной пошли!

– А мать тут оставишь? А дом?

И уже через четверть часа они выезжали из поселка на машине Таранчука, в окне торчала длинная палка с белой футболкой, которую из-под рубашки снял с себя Евдоха, она изображала знамя сдачи на милость противника.

Колодяжный узнал обоих милиционеров, сразу все понял, отвел их в сторону, выслушал сбивчивые речи о том, что они не хотели ввязываться в авантюру, но были вынуждены в силу приказа капитана Вяхирева, а сам Вяхирев скрывается. Возможно, прячется дома, они готовы указать, где его дом. После этого Таранчук протянул Олександру Остаповичу заявление, тот прочел, усмехнулся, свернул и положил в карман.

Отошел, начал о чем-то советоваться с Лещуком и каким-то полковником в форме вооруженных сил Украины. Таранчук и Евдоха ждали. Колодяжный вернулся и сказал:

– Вот что. Звоните вашему Вяхиреву. Скажите, пусть сам сюда едет, чтобы нам не штурмовать поселок.

Таранчук схватился за телефон, но уточнил:

– А если не захочет?

– В таком случае мы вас расстреляем, – улыбнулся Колодяжный.

Евдоха тоже хихикнул, приняв за шутку.

И тут Лещук, наблюдавший со стороны, получил еще один наглядный урок, как вести себя в зависимости от обстоятельств – вежливый и даже, можно сказать, галантный Колодяжный, закричал, нет, не закричал, а заорал, приблизив лицо к испуганной физиономии Евдохи, нависая над ним, как коршун над воробьем:

– Ты чего щеришься, щенок? Что тебе смешно, идиоту? Что война идет? Что людей убивают? Что сыновья к своим матерям не вернутся? Б... веселится он тут!

– Товарищ... Товарищ... – Евдоха рад бы как-то обратиться к Колодяжному, чтобы оправдаться, но не знал его звания и чина.

Но тот уже умолк и сразу же успокоился. И обратился к Таранчуку с подчеркнутой деликатностью:

– Звоните, Георгий Владимирович.

Имя запомнил! – растроганно подумал Таранчук и позвонил. И сказал все, что было велено. А потом передал трубку Колодяжному по его знаку, Колодяжный добавил:

— Следующим шагом, капитан Вяхирев, будет штурм поселка с целью вашей поимки. Если вы сбежите на российскую сторону, могут нечаянно пострадать другие люди. Которые вам этого никогда не простят. Это я говорю на всякий случай, вдруг у вас есть все-таки совесть?

Колодяжный, знаток людей, понимал, на что давить. Он не предполагал, а был уверен, что совесть у Вени есть, потому что далеко не всякий украинский милиционер согласится везти вражеского полицейского майора, забравшегося на чужую территорию, даже если бы тот ехал не к погибшему сыну, а к помершей родной матери. Вяхирев понимал, чем рисковал. Что, кроме совестливости, его могло побудить? Не деньги же, на такие дела за деньги не идут.

И все же для подстраховки Колодяжный добавил, что гарантирует Вяхиреву, как минимум, жизнь и соблюдение законности.

— Хорошо, скоро буду, — ответил Веня.

Он наскоро пересказал Торопкому содержание разговора, пошел в дом и вернулся одетым в форму, причем, отметил Алексей, с белой рубашкой.

— Я с тобой, — сказал Торопкий.

— Зачем?

— А не нравится мне все это. Какие еще расстрелы без суда, какой штурм? Это явно шантаж, Веня, они никогда на это не пойдут!

— Сейчас неизвестно, кто на что пойдет.

— Тем более мне нужно ехать с тобой! Я украинский журналист, в конце концов! И гражданин! И это моя земля, где пока военного положения не объявлено. А журналистский контроль в наше время надежней любого прокурорского и всякого прочего. Все знают — чуть что не так, весь интернет гудит.

— Ну, гудит, а толку? Ладно, поехали, если охота.

Пока ехали, Торопкий уже представлял, как будет брать интервью у какого-нибудь генерала, командующего операцией. Немного слукавит, представится патриотичным газетчиком, чтобы тот не насторожился. Но я ведь и так патриотичен, удивился своим мыслям Торопкий. Что-то со мной не то происходит.

Однако никакого интервью он ни у кого не взял. Когда приехали, Вяхирева, вышедшего из машины, тут же взяли, посадили в армейский фургон вместе с Таранчуком и Евдохой и тут же увезли. Торопкий бросился к Лещуку, к полковнику, к Колодяжному, пытаясь понять, кто тут главный, но они отказались давать какие-либо комментарии, разошлись по машинам, и вскоре колонны тронулись в обратный путь. Торопкий посмотрел на оставленную Вяхиревым полицейскую машину и решил вернуть ее в поселок, к зданию отдела милиции.

Он отъехал и поэтому не увидел, как колонны замерли, а потом развернулись и пошли опять к поселку. Колодяжному по спецсвязи сообщили, что с юга к Грежину приближаются боевики Стиркина. Надо спокойно войти в поселок и занять рубежи. С северо-запада на помощь движется резервное подразделение нацгвардии. Главное – не допустить провокаций.

Олександр Остапович, легко понимающий язык новой власти (мало чем отличающийся от языка власти старой), сообразил, что, раз провокации предполагаются, значит, они должны быть. Возможно, тогда и проявится эта самая пресловутая третья сила, которую Колодяжный должен обнаружить и нейтрализовать.

ГЛАВА 28

ХОЧ НЕ З КРАСОЮ, АБИ З ГОЛОВОЮ: КРАСА ДО ВІНЦЯ, А РОЗУМ ДО КІНЦЯ[1]

И не только он был озабочен поисками третьей силы.

Лейтенант украинской пограничной службы Дима Тюрин, присланный в Грежин со своим подразделени ем для укрепления границы, беседовал с Аркадием Емельяненко в домике-вагончике, который лет десять назад прикатили сюда и поставили в виде временного караульного помещения. Отец Димы был большой человек в Киеве, имел отношение к СБУ Украины и мог бы оставить сына при себе, однако послал его поближе к местам военных действий, хоть и не в сами эти места, чтобы Дима в биографии имел факт причастности к серьезным событиям. Это обеспечит продвижение вверх. Дима это и сам понимал и относился к службе ревностно. Он был ярый сторонник идеи интеграции с Европой, Россия представлялась ему огромным клещом, который впился в суверенного соседа, всячески отравляя ему кровь. Дима был уверен, что в Грежине и окрестностях зреет новый заговор, подогреваемый и прямо инициируемый российскими эмиссарами и диверсантами, которых глупый народ называет третьяками. Журналист Аркадий как раз и виделся ему таким диверсантом, надо только его разоблачить, выяснить, с какой целью он сюда проник.

---

[1] Хоть не с красой, зато с головой: краса до венца, а ум до конца.

При этом Тюрин видел себя в будущем мастером контрразведки, распутывающим клубки международного шпионажа, не исключая возможности, что и сам станет разведчиком высокого класса, кем-то вроде Бонда, но не киношного, а настоящего. Поэтому Дима усиленно занимался единоборствами, учил английский язык и тренировался побеждать красивых женщин, потому что это путь разведчика к секретным данным не только в кино, но и в жизни.

И как раз в вагончике был объект для тренировки – Арина Ожешко, военная переводчица, присланная неделю назад для реализации новой процедуры, которая обязала вести допросы и протоколировать их (можно с помощью диктофона) на украинском языке с параллельным переводом. Арина, правда, была не очень красива и слишком сухощава – тем удивительней была ее демонстративная холодность и официальность по отношению к Тюрину, симпатичному и остроумному человеку. Дима не верил в этот лед и собирался растопить его.

И это было одной из его задач во время допроса.

Вторая задача, основная – расколоть диверсанта.

А третья, в виде бонуса самому себе: он представлял себя на месте Аркадия. Когда станет международным шпионом, его ведь тоже могут схватить. Надо учиться на ошибках врага – как себя вести, как отвечать, как держаться.

– Итак, для чего вы незаконно явились на территорию Украины? – спросил Тюрин по-украински, как требовал протокол, а Арина перевела на русский.

– По личному делу, – ответил Аркадий.

Диму раздражало, что Арина переводит его вопросы каким-то странным тоном, ему чудилась скрытая ирония, будто она, переводя, посмеивается над слишком простыми до примитивности формулировками. Она, конечно, не понимает, что большинство вопросов должны быть формальными, почти безликими, тем эффектнее можно огорошить чем-то неожиданным. Заодно Дима отметил, что Аркадий, если он лазутчик, придерживается неправильной тактики. Надо всегда иметь легенду. Болезнь родственника. Встреча с невестой. На худой конец — коммерция. Или даже журналистское расследование с чисто профессиональными, а не шпионскими целями. У Аркадия же нет никакой версии — это неграмотно и просто глупо.

— По какому личному делу? — терпеливо, демонстрируя выдержку, спросил Тюрин.

Аркадий начал отвечать, не дожидаясь перевода, так как понять вопрос было несложно:

Вообще-то мужчина...

— Потрудитесь выслушать вопрос на вашем языке! — оборвала его Арина. — Не обольщайтесь, что вы все правильно поняли, вам это только кажется. И есть утвержденный порядок!

Как она его, подумал Дима. И смотрит с презрением, с ненавистью, будто на смертного врага. Или она на всех мужчин так смотрит? Минуточку, да не лесбиянка ли она? Это было бы неприятно.

— Уточните, по какому именно личному делу вы сюда явились? — отчеканила Арина, заодно изменив вопрос Димы, придав ему более жесткую и официальную форму.

Может, одернуть, чтобы не зарывалась? Некоторые девушки только и ждут, чтобы на них прикрикнули, проявили власть, такие попадались Диме и доставили ему (Тюрин мысленно улыбнулся, вспоминая) много удовольствия.

Он промолчал, а Аркадий ответил:

— Повторяю, то есть не повторяю, а говорю, что хотел сказать: мужчина мужчине таких вопросов не задает!

— В нашем случае играет роль не моя и не ваша половая принадлежность, которые важны, но в других случаях, а то, что вы находитесь на территории другого государства, где личные дела автоматически теряют статус неприкосновенности. Личное дело, если оно у вас действительно есть, становится вашим алиби, которое, кстати, мы обязательно проверим, а отказ сообщить о нем свидетельствует о каких-то преступных по отношению к нашему государству намерениях, что даст нам полные основания для ареста и проведения дальнейших следственных мероприятий. В ваших интересах ясно и четко ответить: куда направлялись, к кому и зачем.

Проговаривая эту длинную фразу, Дима не делал пауз – пусть Арина теперь попыхтит, переводя. Заодно оценит юмор насчет половой принадлежности. Правда, в самом конце этой фразы Тюрин вдруг подумал, что на самом деле говорит так не для создания трудностей Арине, а словно реабилитируясь за слишком простой предыдущий вопрос. То есть получается, он уже учитывает ее мнение, уже подстраивается под нее, почти лебезит перед этой невзрачной военно-полевой мышкой? Нет, есть все-таки у женщин потрясающее умение двумя-тремя словами, взглядом, оттенком интонации подогнать мужчину под себя, заставить его говорить не своим голосом, а тем, какой ей хочется слышать, – и ведь сколько раз Дима уже наступал на эти грабли, неужели опять?

Тем временем Арина, ничуть не затруднившись, перевела весь пассаж Тюрина. Диме показалось, что на этот раз она была довольна. Черт их, баб, знает, тут же изменились мысли Димы, да, умеют и подогнать, и заставить, но, кто знает, может, они просто хотят видеть мужчину умнее, красноречивее, вот и подсказывают – для его же пользы. Следовательно, есть все-таки у Арины какой-то к нему интерес, просто она это скрывает?

Аркадий сгоряча хотел ответить, что не боится ареста и следственных мероприятий, но кто тогда выручит Анфису, которая сидит в подвале? Конечно, Торопкий опомнится и выпустит ее, но хотелось бы его упредить, сделать это раньше. Поэтому он решил, не отвечая на вопрос, перевести его в другое русло — напомнить этим молодым людям, что они, как и Аркадий, все-таки какие-никакие интеллигенты, и им не обязательно играть в жесткие военные игры без необходимости.

— Послушайте, — сказал он мягко, с уважительной улыбкой, — вы же прекрасно понимаете, что в Грежине совершенно особые условия. У нас тут на обеих сторонах и друзья, и родственники, каждый день по сто человек туда-сюда ходит. Ну, хорошо, я вам скажу, но только без имен: мне нужно встретиться с женщиной. У нас любовь, — преувеличил Аркадий, при этом посмотрев сначала на Диму, а потом на Арину тепло и доверительно, словно приглашая вспомнить, что такое любовь, — но эта женщина замужем, так уж получилось. — И он опять взглянул поочередно на Диму и Арину: дескать, вы тоже ведь наверняка понимаете, как это бывает, когда женщина замужем или мужчина женат, а любовь отложить не получается. — И я просто не имею права по вполне понятным человеческим причинам открыть вам имя этой женщины.

И Диму он пронял, Дима забыл на минуту о своих трех задачах, потому что год назад была и у него история, горячая история длиной в три месяца с женой богатого человека. Ах, какие у них были встречи, как она его любила, отдельно приятно было то, что оба спокойно понимали, что будущего у них нет. И плевать, говорила она, чем меньше будущего, тем больше настоящего.

Тут раздался резкий голос Арины, которая, упершись в стол руками, подалась в сторону Аркадия и закричала на него:

— Вы чего это с нами так разговариваете? Чего вы тут развеселились, будто в русскую пивнушку пришли? Война идет, ты забыл? Украину терзают на куски, люди гибнут каждый день, а он хихикает тут! Дурачком прикидывается! Таких дурачков полон Крым был, не разглядели вовремя, платим теперь кровью! Смешно ему!

Ясно, подумал Дима. Вот кто она. Таких называют – овчарки войны. Встречаются подобные и среди мужчин истерического склада, но Тюрину больше попадались молоденькие девушки с похожими приметами: неугасимый огонь в глазах, жесткая принципиальность, готовность схватить автомат, пистолет, бутылку с зажигательной смесью, полезть на баррикаду и собственноручно казнить любимого, если он окажется врагом Родины. И при этом – безоглядность, нежелание слушать доводы собеседника и жгучее желание подвига. Нет, конечно, такие девушки нужны меняющейся и воюющей стране, недаром же в офисе отца год назад для нужного настроя работников и посетителей повесили картину Делакруа, где изображена женщина с обнаженной грудью на баррикаде, зовущая людей за собой, но Дима Тюрин все же предпочитал иных, ласковых и нежных, грудь которых предназначена не для призыва к бою, а для ласкания мужчинами и сосания младенцами. Вслух он свое мнение не высказывал, в их кругу оно было бы воспринято как неполиткорректное, хотя народ, был убежден Дима, в своем большинстве с ним наверняка согласен.

И он окончательно потерял интерес к Арине, утратил охоту тренироваться на ней, вспомнил зато, что не следует лезть переводчице не в свое дело. О чем прямо и сказал:

– Арина, спокойно, допрос я веду, что за самодеятельность? И не надо тут психозов, мы воюем с государством, а не с людьми, Аркадий... Иванович, – заглянул он в паспорт, который держал в руках, – является гражданским человеком и заслуживает человеческого обращения. Извините, что по-русски объясняю, но это не для протокола, а лично для вас.

– Ставите меня на место? – огрызнулась Арина. – На глазах врага меня унижаете?

– Да иди ты, дура, нашла тоже врага! – не выдержал Дима, забыв все свои задачи, а заодно даже преступив собственные установки быть всегда галантным с представительницами женского пола.

Арина сомкнула бледненькие губки, помолчала, а потом веско произнесла:

— Ваше «иди ты» — это что? Отстранение от работы в хамской форме или чисто эмоциональная нечистоплотность?

— Толкуй как хочешь, — не церемонился Дима. — Мои полномочия: задерживать, опрашивать и, если не вижу умысла против Украины, отпускать. Иначе у меня тут через час будет две сотни народа — и куда я их дену?

— Хорошо, — сказала Арина. — Надеюсь, вы понимаете, что я о вашем предательстве должна буду сообщить?

— Какое предательство, ты с какой печки упала, люба моя? Очнись!

— Это вы все никак не очнетесь! А очнетесь — поздно будет! И я не люба ваша, уж точно никогда ею не буду!

— Ох, ё, а я так надеялся!

Это было прямое оскорбление. Арина выпрямилась и подняла голову — для того, чтобы слезы, если непрошено появятся, не скатились и не капнули, удержались бы в глазах, остановленные запрудами нижних век. Но она выдержала, глаза лишь увлажнились, для слез не набралось достаточно влаги.

Аркадий решил воспользоваться моментом.

— Вы извините, я пойду? — спросил он у Тюрина, протягивая руку за паспортом.

В это время зазвонил его телефон.

Это звонила Нина. Она хотела узнать, придет ли Аркадий к обеду и чего он больше хочет — борща или окрошки? Нина и раньше позванивала мужу обычным супружеским образом, а в последние дни делала это чаще — как бы в благодарность за ласковые ночи, которых у них было несколько подряд; Нина после этого с удовольствием отмечала, глядясь в зеркало, легкую голубоватую синеву у себя под глазами, а губы сами собой изгибались в горделивой улыбке.

Аркадий достал телефон, но тут Тюрин сказал:

– Извините! – и выхватил трубку.

Это был импульс контрразведчика. И это было действие в ответ на угрозы Арины. Ведь не задержится за этой дурочкой, настучит, будут неприятности. Дима и без того уже думал, как выкрутиться, поняв, что хватил лишку, звонок очень его выручил.

– Вы с ума сошли? – возмутился Аркадий и вскочил. – Это личный звонок!

– Все у вас личное, я смотрю, – ответил Тюрин и тоже встал, отошел от стола. – А на самом деле, может, вам инструкции передать хотят?

И включил телефон для ответа, но ничего не сказал, ждал, приложив трубку к уху.

– Аркань, ты к обеду придешь? – спросил женский голос. – Чего хочешь, борща или окрошки?

– С кем говорю? – спросил Дима.

– А вы кто? – удивилась Нина.

– Отдай телефон! – крикнул Аркадий громко, чтобы Нина его услышала.

– Аркадий, ты где, кто это? – закричала и Нина. – Я его жена, отдайте ему телефон!

– Ваш муж задержан за незаконный переход границы, – сообщил Тюрин. – Вы можете помочь, если скажете, зачем он проник на территорию Украины. А то он тут врет, что к любимой женщине пришел, которая тоже замужем. А у самого жена, оказывается.

– Какая еще любимая женщина?

– Ерунда! – закричал Аркадий во всю мочь. – Нина, не верь, это я им для отмазки сочинил! Отдай телефон, говорят!

Он ринулся на Тюрина в обход стола, но забыл про Арину – и зря. Та сбоку напала, схватила Аркадия за руку и таким сильным, таким точным движением заломила ее, что Аркадий рухнул на колени и ударился лбом об пол. Арина заводила руку все дальше, одновременно коленом упершись в спину Аркадия.

— Больно, дура! — застонал Аркадий, чувствуя, как выламывается плечевой сустав.

— Что там происходит? — кричала Нина.

— Разберемся, сообщим, — ответил ей Дима и отключил телефон.

Теперь другого пути не было, придется Аркадия арестовывать. Хотя бы уже за факт нападения на пограничника.

Но какая Арина молодец! Да, овчарка войны, но при этом надежный товарищ. И как ловко она скрутила здоровенного мужика! Молодец, девчонка! И, кстати, овчарка не ругательство, овчарки — самые умные из собак, если кто не знает. И самые верные.

Дима выставил большой палец, показывая его Арине, она улыбнулась. Только что они чуть было не стали совсем чужими, а теперь опять свои, это хорошо и правильно.

Теперь не настучит, подумал Тюрин.

Да и Арине было приятно, что отпала необходимость докладывать по начальству — не любила она этого, хотя и приходилась. Не по злости натуры, а из принципа.

Вагончик, в котором они находились, имел глухой отсек с дверью. Когда-то там строители хранили инструменты, а пограничники использовали для кратковременного отдыха, смастерив нары и положив матрас. Вот туда Дима и Арина поместили Аркадия. Долго искали замок, не нашли, отыскался только кусок толстой проволоки, которым Дима замотал проушины.

— Вы мне плечо вывихнули! — сердито говорил Аркадий, стараясь сохранять достоинство, не съезжать на жалобный тон. — И дайте жене позвонить, хоть объясню, где я.

– О жене вспомнил, надо же! К любовнице бежал, о жене не думал! – сказала Арина насмешливо, но слышалась в этой насмешке и горечь будущей женщины, которой, возможно, тоже изменит муж, вот Арина и злилась заранее на него.

– Он сказал, что сочинил это, – уточнил Тюрин.

– Кацапу врать, что лыки драть, – ответила Арина. – Разберемся, что он сочинил, а что нет!

Тюрин хотел напомнить, кто именно должен разобраться, но промолчал.

А Нина была вне себя: одновременно и злилась на Аркадия, и ревновала, и переживала за него. Хотела позвонить отцу – тот, человек авторитетный, не раз имел дело с пограничниками, выручая задержанных людей и арестованные товары, но представила, как он будет злорадствовать, даже если не покажет этого, и передумала. Не любит отец Аркадия, считает не дельным, не оборотистым, профессию его журналистскую расценивает как несерьезную, посмеивается, когда Аркадий начинает отстаивать принципы и горячиться. Но что делать? Самой ехать туда? А почему и нет?

Нина торопливо оделась – не ярко, но эффектно: пограничники ведь мужчины, и мужчины при этом молодые, позвала Владика, они сели в ее машину, она отвезла Владика к матери и, сказав, что надо срочно по делам, поехала к границе. Там вышла, увидела, что творится, и поняла, что в Грежин придется пробираться в объезд.

Проезжая мимо кафе «Летнее», увидела выходящего Евгения. Видимо, он там обедал. Выходил не один, беседовал с двумя мужчинами.

Это были памятные нам высокий и от природы атлетичный Петр Опцев и сорокалетний Митя Чалый, телосложением и выражением лица похожий на подростка. Они уважительно слушали Евгения, который им что-то объяснял. Нина остановилась, открыла дверцу:

– Евгений, поехали со мной!

– По ее голосу Евгений понял, что что-то случилось, – сказал Евгений.

– Случилось, – подтвердила Нина. – Потому и зову, что ты догадливый!

– Может, возьмем моих дружинников? – предложил Евгений.

Нина оглядела линялую футболку и мятые штаны Опцева, шорты и босоножки с высовывающимися грязными пальцами Чалого и сказала:

– Не тот случай, лишнего народа нам не надо.

– А напрасно! – широко улыбнулся Опцев симпатичной женщине, как бы на что-то намекая.

– В другой раз, – сухо ответила Нина.

Евгений сел, машина отъехала, Опцев проводил ее ироничным взглядом и сказал другу:

– Они все такие, пока в моих руках не побывают.

– А потом от счастья скачут? – подыграл Чалый.

– Скачут. У кого силы остаются, – снисходительно изрек Опцев.

ГЛАВА 29

ГОВОРИЛИ, БАЛАКАЛИ — СІЛИ ТА Й ЗАПЛАКАЛИ![1]

Жизнь богата совпадениями, как прекрасными, так и нелепыми. Сразу несколько героев нашей истории одновременно оказались в заточении: Анфиса в подвале, Аркадий в глухом отсеке пограничного вагончика, Вяхирев с подчиненными сидел в кузове военного грузовика-фургона под охраной четверых солдат, а Геннадий Владимирский — в камере изолятора.

Недавно у Геннадия была Светлана, утешала, просила потерпеть, объяснила, что все зависит от майора Мовчана, который явно не в себе из-за гибели сына, но в том-то и дело, что сын, возможно, не погиб, значит, нужно его отыскать, она предлагала майору помощь, тот даже не стал слушать, что ж, Светлана сама попытается все узнать.

— Еду в Харьков с Ауговым, у него там знакомый в спецслужбах.

— Это странно. Мне показалось, он сам из какой-нибудь спецслужбы. Только российской.

— Мне тоже так кажется. Но все эти службы имеют какие-то между собой тайные связи, так что я не удивляюсь.

— Хорошо. Можешь узнать, есть ли протокол моего задержания?

— Попробую.

Светлана сходила, вернулась, сказала:

---

[1] Говорили, балакали — сели да заплакали.

– Темнят. Говорят, что есть, показывать не хотят.

– Если бы был, показали бы. Значит нет.

– Гена, только не надо ничего такого.

– Не бойся, на охрану нападать не буду.

– Ладно. Я тебя люблю.

– Я тебя люблю, скоро увидимся.

Светлана ушла, а Геннадий начал осматривать камеру. Если нет протокола, то его как бы и не задерживали. Следовательно, если он исчезнет, то исчезнет тот, кого не было. Да, нападать нельзя, это уже новое преступление. А сбежать можно – нет преступления в том, чтобы исчез тот, кого не было.

Зарешеченное окошко маленькое, но надо исследовать, нельзя ли расширить. Пол деревянный, из толстых досок. Что под ним – подвал, подпол? Не положены же доски прямо на землю. Хотя Геннадий понимал, что у нас и такое бывает.

Он начал обстукивать доски и всматриваться в щели.

Вяхирев сидел на полу, положив руки в наручниках на колени и глядя перед собой. Солдаты сидели на скамьях у двери, по двое, напротив друг друга. Таранчук и Евдоха сидели по бокам Вяхирева – так, как их сразу же посадили. Евдоха боялся глянуть на капитана, опустил голову, вздыхал, кашлял, перхал, сопел носом, будто от простуды. Так в нем искали выход слова, которые хотелось высказать Вяхиреву: что, дескать, это Таранчук все затеял, что сам Евдоха капитана всегда уважал за честность и справедливость, что, если только доведется схватиться с врагами в открытом бою, он, может, грудью защитит его от пули. Но в том-то и дело, что не было честного боя, все случилось по-подлому. Это обидно, ведь Евдоха не подлец и никогда им не был.

А Таранчук за долгую жизнь научился спокойно ждать и терпеть. Слишком часто в этой жизни, так уж она устроена, приходилось ждать и терпеть. И если начнешь думать – как, почему, зачем, становится все горше и хуже на душе. Поэтому Георгий Владимирович просто отпускал свои мысли, как сонный возница роняет вожжи и лошади бредут сами по себе. Умение впадать в безмыслие очень помогало Таранчуку на многочасовых милицейских дежурствах, которых у него бог весть сколько было с начала службы. Другие читают, слушают радио, смотрят телевизор, решают кроссворды или, кто современный, шарятся в интернете, Таранчук ничего этого не любил. Он наливал чай в большую кружку с рисунком горы и моря и надписью «Гагра» (там они отдыхали с женой по путевке тридцать два года назад), садился за стол и погружался в особенное состояние, которое ему очень нравится. Нет ни воспоминаний, ни образов, только какая-то дымка, а потом и она исчезает, появляется невесомость и прозрачность без конца и края, и ты словно плывешь в ней, не ощущая себя. То, чего десятилетиями неустанных упражнений добиваются буддисты, желая достичь нирваны и просветления, используя различные практики, в частности такую сложную, как медитация на пустоте, Таранчуку давалось легко и естественно. Но, блаженствуя, он не подозревал о своем блаженстве и удивился бы, если бы ему о нем сказали.

В отличие от него, Вяхирев строил планы самые фантастические. Напасть на одного из солдат, закрыться им, чтобы не стреляли. Солдат будет заложником. Вместе с ним он выберется, а дальше – видно будет. Или: попроситься в туалет. Рано или поздно выведут. Скорее всего, это будет не туалет, откуда он здесь, а какие-нибудь кусты. Пойти в кусты и дать деру. Да, будут стрелять, да, есть риск, но это лучше, чем сидеть унизительно в несвободе и темноте. Ну не дураки ли те, мимолетно подумал Вяхирев, кто совершает преступления, зная, что могут сесть в тюрьму, где ты становишься рабом чужого распорядка? Для профилактики каждого гражданина надо на один день посадить в тюрьму. Расход не такой уж большой, а эффект будет значительный. Или просто провести по тюрьмам и показать, каково там. Отличная идея![1]

Лишь бы открыли дверь, думал Вяхирев. Ему почему-то казалось, что, как только откроют дверь, появится шанс. Главное – увидеть волю, увидеть небо. Даже удивительно: всего-то час или полтора он не видит неба, а соскучился так, будто год его не видел.

Точно так же и Аркадий, щупая ноющее плечо, смотрел на дверь и думал: лишь бы она открылась. Пусть попробуют загородить, пусть бьют, стреляют, он будет ломиться с ураганной силой, он всех расшвыряет – Аркадий чувствовал в себе такой прилив гнева и силы, что ему всё казалось возможным.

Анфиса же заснула, полулежа на мешках с картошкой, и не слышала звонка телефона. Это звонил Торопкий, чтобы сказать, что он скоро приедет и выпустит ее.

Не отвечает, обиделась, подумал он.

Поставил машину Вяхирева у отделения милиции и на минутку забежал в администрацию, чтобы сообщить Марине Макаровне о происходящих событиях.

– Арестовали всю нашу милицию в полном составе! И увезли. Правда, и сами все уехали.

Но у Марины были уже новые сведения:

– Никто не уехал, только что звонила одна женщина, на окраине живет – опять на нас двигаются, будто штурмом хотят взять.

– Марина Макаровна, но это же полный произвол во всех смыслах! У нас разве тут уже война? С какой стати армейские забирают милиционеров, это же по другому

[1] Заметим, идея не новая, во многих странах это практиковалось, в частности в Китае. О том, было ли это эффективно, данных нет.

ведомству! И стрельба какая-то была, вы слышали? — это они уже пристрелку, что ли, вели?

— Может, третьяки?

— Третьяки — миф и выдумка!

— Если бы. Даже не знаю, что делать.

— Уж, по крайней мере, не субботники устраивать! — с либеральным ехидством сказал Торопкий.

Марина не сочла нужным обижаться.

— Да только что был, а то бы устроили, — вздохнула она.

— Еще можно с хлебом-солью встретить любимые войска, которые нас то ли освобождают, то ли защищают, только непонятно от кого!

— Ты, Леша, не юмори тут, а если умный, предложи сам что-нибудь.

— Предлагаю! Сделать официальное заявление. Я в экстренном порядке выпускаю газету. Размещаю информацию в Интернете.

— Про что?

— Про то, что армия воюет с собственным народом.

— Так не воюет еще.

— Будем ждать, когда начнет? И как не воюет, если троих уже арестовали!

— Не просто же так, они сами виноваты — ездили с этим Мовчаном, надо им это было.

— Ну да. Теперь объявят врагами народа и расстреляют на площади! При стечении народа, чтобы никому не повадно!

— Глупости какие ты говоришь. В общем, давай-ка пока не поднимать пыль. Посмотрим, а там видно будет.

— Пока мы будем смотреть, явятся какие-нибудь зеленые человечки, и завтра вот тут, в вашем кабинете, будет сидеть комендант, а во дворе будут рваться снаряды!

— Не пугай, Торопкий, у меня и так голова кругом, — устало сказала Марина Макаровна. — Трансформатор вот полетел, который у кирпичного, сотня домов без света остались, вот действительно проблема. Аскаридиса второй час не могу найти.

— Это который электрик?

— Именно. Главный энергетик по штатному расписанию. Был вот Митрофанов, царство ему небесное, главным не значился, выпивал каждый божий день, но любую поломку устранял в мановение ока.

— Мгновение.

— Что?

—Правильно говорить — мгновение ока. Мановение — это руки. Жест.

— Твою-то мать, Торопкий, прости на добром слове, нашел ты время меня русскому языку учить! Уйди, не мешай работать! А что там касается армии и прочего — не наше дело!

Торопкий хотел поспорить, но вспомнил об Анфисе и ушел.

В то время, когда он спешил домой, Нина и Евгений уже миновали границу в укромном месте, в объезд Грежина, и оказались у дома, стоящего на отшибе, над крутым склоном оврага. Здесь, на склоне, устроен был сад и огород, земля спускалась террасами, несколько ее плоскостей укреплены были широкими и толстыми досками, а также полосами вкопанного в землю шифера.

— Евгению это напомнило рисовые террасы Китая и других стран Юго-Восточной Азии, — сказал Евгений.

— Ты в Китае был? — рассеянно спросила Нина, внимательно глядя по сторонам и опасаясь, что ее российскую машину увидят те, кому не надо.

— Интернет, — коротко ответил Евгений. — С его помощью я путешествую по всему миру.

Дом тоже что-то напоминал, а именно — традиционную украинскую хату, он был обмазан и побелен, окошки маленькие, со ставнями, только крыша не соломенная или очеретяная, а из крашеной жести.

— Машину тут оставим, — сказала Нина. — Тут тетка моя живет двоюродная, по маме, тетя Поля. Старенькая уже, всю жизнь в местной школе проработала учительницей литературы, а дядя Ваня, Иван Афанасьевич, в той же школе был учителем труда. Тоже всю жизнь. Вроде того — сельская интеллигенция. Лет пятьдесят назад познакомились, поженились, потом вот этот домик купили, дядя Ваня садоводом хорошим оказался, видишь, сад какой — и яблони, и сливы, и груши, а за домом у него бахча, дыни выращивает, очень дыни любит. Пятьдесят лет — и все время вместе, и на работе, и дома, а детей нет, значит, все время друг другом занимаются, представляешь? Чтобы столько вместе прожить, это я не знаю, это прямо рекорд Гиннесса! Нет, живут, конечно, некоторые, и даже больше, но так, как они, ни разу не встречала. Друг друга зовут — Полина Ивановна, Иван Афанасьевич, не всегда и как бы не всерьез, а с другой стороны, может, и всерьез, привыкли, наверное, в школе, там же все друг друга по имени-отчеству. Сейчас нам главное — отбиться от обеда. Если начнут кормить — все, на два часа застрянем. Коржики, пирожки, вареники, а потом дядя Ваня дыню притащит, заставит попробовать.

— Пятьдесят лет — много, — сказал Евгений.

— И я о том же. Я вот с Аркадием почти десять лет, и уже кажется — целая жизнь прошла. А если представить, что еще сорок? Мы оба с ним не сахарные, как выдержим, неизвестно, — задумчиво сказала Нина.

Но задумываться было некогда, они уже подъехали к забору, увитому плющом, вышли и через калитку направились к дому.

Через крошечные прохладные сени, открыв уютно заскрипевшую дверь, попали в дом, первая комната которого была кухней, за нею, за белой двустворчатой дверью высотой меньше среднего человеческого роста, угадывалась еще одна комната, скорее всего, единственная.

Старушка в белом платке с румяным лицом стояла у конфорки газовой плиты и помешивала в тазике варенье деревянной расписной ложкой.

– Тетечка Полечка! – Нина обняла старушку, поцеловала в щеку. – Извини, что без предупреждения.

– Ничего, я рада, – сказала тетя Поля и отвернулась.

– Ты чего это?

Нина зашла с другой стороны, заглядывая в лицо, тетя Поля опять отвернулась, но зато теперь ее увидел Евгений. И сказал:

– Евгений много в жизни видел слез. Слезы боли, слезы обиды, слезы горя, слезы потери. Слезы потери самые печальные. Боль проходит, обида забывается, горе утихает, а потеря навсегда остается потерей.

– Господи! – Нина положила руку на грудь и села на стул. – Тетя Поля, не пугай меня! С дядей Ваней все в порядке?

– Нет, – ответила тетя Поля тихо, почти прошептала.

– А что с ним? Заболел? Почему не позвонила? Да не молчи ты, пожалуйста!

– Нет теперь дяди Вани.

– Умер?! И ты никому... Нет, но как? Мама моя знала бы... Да объясни ты, мне аж плохо даже!

– Для меня почти умер, – сказала тетя Поля.

Она выключила газ, накрыла тазик крышкой, села к столу, вытерла слезы и улыбнулась.

– Прости, Ниночка. Что же я, дура? Обедать будете?

– Нет, тетя Поля, сразу говорю – очень спешим. Аркадия моего... Ладно, долго рассказывать, я вот что, я хочу в ваш сарай машину загнать. Там же у вас места много.

– В сарае теперь Иван Афанасьевич живет, – сообщила тетя Поля. – Это его выбор. Я готова сама была там поселиться, но он решил себя показать мужчиной, спасибо и на этом.

– Что значит – живет? Поругались?

— Мы развелись, Ниночка.

Нина посмотрела на тетю Полю, на Евгения, словно спрашивала его взглядом, не ослышалась ли она, потом опять на тетю Полю.

— Ты не шутишь? Вы же полвека вместе, как это может быть? Прямо официально развелись, через загс?

— Пятьдесят два года, — уточнила тетя Поля. — Развелись неофициально, но это неважно. Как выяснилось, я совершенно не знаю этого человека.

— Тетя Поля, не верю! Вы просто какая-то пародия на нас, мы с Аркадием тоже три раза на неделе разводимся. Не поверишь — из-за политики, самой смешно!

— Ничего в этом смешного нет, — возразила тетя Поля, как бы даже слегка обидевшись. — Политика, между прочим, может открыть такие тайны в человеке, что ужаснуться можно. Это ведь страшно, Ниночка, пятьдесят два года прожить с человеком и не знать, кто он такой. Это ведь и не в мою пользу говорит! Значит, не настолько я интересовалась его внутренним миром! Хозяйство общее, обеды общие, даже работа была общая, хотя и разная по профилю, а стоило чуть-чуть друг друга копнуть — чужие люди! Я прожила с чужим человеком пятьдесят два года, Нина, вот в чем трагедия! Неужели мы все настолько равнодушны друг к другу?

— Хорошо, потом расскажешь, я машину, если не в сарай, то за сараем где-нибудь...

— Видишь, и тебе некогда что-то понять. Никто ничего не хочет понимать, вот в чем основной конфликт эпохи! Люди не хотят расставаться со своими заблуждениями! Да еще этот подогревает, враг рода человеческого!

Она кивнула куда-то себе за спину. Нина посмотрела в угол, увидела там икону Спасителя с лампадкой и испуганно перекрестилась, поняв, что смотрит не туда. В другом углу висела панель телевизора, который был не только выключен, но и занавешен кружевной накидкой. Очевидно, он и был назван врагом рода человеческого.

— Не включаю даже, — сказала тетя Поля. — А большой, который в комнате был, отдала ему в сарай, пусть наслаждается.

— Тетя Поля, если коротко, в чем суть?

И тетя Поля рассказала.

По ее словам, разногласия обнаружились, когда начался украинский кризис. Они тогда смотрели телевизор, как смотрели его вместе, сидя рядышком, десятилетия до этого, изредка обмениваясь мнениями, но чаще обходясь без комментариев. Ивану Афанасьевичу было интереснее обсудить, что еще посадить в огороде, а Полине Ивановне — что такое приготовить завтра на обед. Но Майдан вдруг их всколыхнул. Иван Афанасьевич начал высказывать мнения настолько резкие, что они изумили Полину Ивановну. Возникла полемика. И разгоралась она каждый день по мере углубления конфликта. У супругов оказались абсолютно противоположные точки зрения на события Майдана, Крыма, Одессы, Донецка, Луганска, потом выяснилось, что они категорически не совпадают в оценке многих фактов истории Украины, России, Европы и Америки, потом обнаружилось, что и к разным нациям они относятся очень по-разному, и в итоге им открылось, что в целом о целях, смысле и задачах человеческого существования они имеют несовместимые друг с другом мнения.

— И я поняла, Ниночка, ужасающую вещь: я полвека прожила с человеком, мягко говоря, неумным и, хуже того, в душе глубоко безнравственным!

— Ну, тетя Поля...

— Нет, ты дослушай! Я поняла, что не могу жить с глупым мужчиной, это меня унижает! Хотя, может быть, я бы это еще стерпела, но он до края дошел, Ниночка, он меня ударил!

— Быть того не может. Дядя Ваня?

— Дядя Ваня! — подтвердила тетя Поля. — Конечно, не сразу чудовище в нем проснулась, первый симптом был, когда он кинул в меня блином. Именно блином, что характерно, Ниночка, хотя на столе много чего было — и яблоки были, и солонка вот эта, — тетя Поля показала на маленький деревянный бочоночек с дырками, — и ложки, и вилки, но почему именно блин? Не такой простой вопрос, за ним целая психология! Потому, Ниночка, что блин был со сметаной и с вареньем, как он обычно любит, то есть он был жирный и в каком-то смысле грязный, и наш Иван Афанасьевич выбрал его сознательно. Блин в меня не попал, в стенку шлепнулся, видишь пятно? — Тетя Поля показала пятно на обоях ситчатого цветочного рисунка. — То есть блин был грязным, он и стенку выпачкал, и руки себе наш дядя Ваня выпачкал — это сознательное желание грязи, понимаешь? Он внес грязь в нашу жизнь, он ее выбрал! Ну, а потом много чего было, а потом дошел до края — ударил. Мухобойкой, Нина, и это тоже не просто так. Ты же знаешь, как наш дядя Ваня любит за мухами охотиться?

— Не замечала.

— Обожает! Лета ждет с нетерпением, чтобы сезон охоты открыть. И ведь мог бы сетки на окна поставить, руки есть у человека, учитель труда все-таки, нет, он нарочно не ставит, нарочно окна открывает, чтобы налетели. И начинается сафари! А мухобойка у него эксклюзивная, ручка деревянная, чуть ли не полированная, убойную часть из какой-то резины вырезал, щелкает так, что я всегда вздрагиваю. Но раньше я думала — ну, небольшой пунктик, у всякого человека бывает, а тут пригляделась — и жутко стало! Он ведь с наслаждением их бьет, Нина, у него в это время глаза убийцы!

— Тетя Поля!

— Я тебе говорю! И я поняла: все это не так уж и невинно, Ниночка! Убийца всегда в нем жил, но он его прятал, нашел себе отдушину в виде мух. А дай ему волю, будь он моложе, он сейчас пошел бы убивать людей, я уверена! И не спорь, я это не придумала, я это по его словам сужу! Страшная ненависть обнаружилась, Ниночка, просто страшная! И я ему сказала об этом. Прямым текстом! Он как раз на муху прицелился, а я говорю: жалеешь, наверное, что это не я, ты бы и меня прихлопнул. А он мне: я тебя и так могу. Естественно, я ответила, что, если он хоть раз посмеет, то нам вместе не жить! И он ударил. Как муху! Видела бы ты его глаза, Ниночка, там был такой восторг дорвавшегося до крови убийцы, такое облегчение, такое разрешение себе преступления, Раскольников отдыхает, это я тебе как учитель литературы говорю!

Нина качала головой, приложив ладонь ко рту, похоже было, что она таким образом удерживает смех. Евгений это видел, однако, вопреки обыкновению, молчал и внимательно слушал.

– Я этот взгляд никогда не забуду! – горячо говорила Полина Ивановна. – Так, наверное, она в школе ученикам рассказывала о какой-нибудь взволновавшей ее книге. – Он ведь не просто бил, не как частный человек Иван Афанасьевич Горюнов, он чувствовал себя представителем массы, он как бы от имени и по поручению меня карал и наказывал! Вот что самое страшное!

– Все сказала? – послышался вдруг голос из сеней, дверь в которые оказалась приоткрыта.

Вошел высокий худой старик со взглядом непоколебимого праведника. Он усмехался, это была усмешка высокой правоты, не без некоторого высокомерия, которое, увы, этой правоте часто сопутствует; подобное выражение нередко можно заметить у истовых (и одновременно неистовых) политиков, думских ораторов, журналистов, а также проповедников или толкователей различных конфессий – к счастью, не у всех.

— Нет, не всё сказала, Иван Афанасьевич, спасибо, что подслушивали, значит, не нужно повторять! — отчеканила Полина Ивановна. — Всё я теперь не смогу о вас сказать, потому что даже не хочу заглядывать в ваше темное подсознание, если вам знакомо это слово!

— Мне все знакомо! — уверенно ответил Иван Афанасьевич. — Здравствуй, Ниночка!

— Здрасьте, дядя Ваня.

Нина встала, шагнула к Ивану Афанасьевичу и остановилась.

— Что, тоже меня боишься? Тоже убийцей считаешь? Эх ты, красуля-бормотуля!

— Это он меня с детства так называет, — пояснила Нина Евгению. — Я в детстве все время себе что-то под нос говорила, что вижу, то и говорю. — И обняла дядю Ваню, он тоже обхватил ее длинными руками, погладил по плечам, по волосам и легонько отстранил, показывая этим, что вовсе не хочет переманивать ее на свою сторону, позволяет сохранить нейтралитет — и демонстрирует этим свое благородство, чистоту помыслов.

— Что-то имеете возразить, Иван Афанасьевич? — напористо спрашивала тетя Поля. — Нашли новые аргументы? А то ведь у вас все сводится к одному слову: дура! Я ему факты — он мне эмоции. Я ему опять факты, а он мне — дура! — пояснила Полина Ивановна Евгению и Нине.

— Ты не дура, ты хуже! — спокойно, с терпеливой улыбкой сказал Иван Афанасьевич. — Дуры те, кто не понимают, что говорят. И я бы тоже согласился, что я дурак, если бы тоже не понимал, что говорю. Но я-то как раз понимаю, в отличие от тебя!

— Вы определитесь, Иван Афанасьевич, то вы говорите, что я не дура, потому что понимаю, то утверждаете, что не понимаю, следовательно, дура.

— Ты понимаешь, да не то! — растолковал Иван Афанасьевич.

— Можно конкретно? А то вы все больше указательными местоимениями оперируете. То, это, эти, те! Будто перстом тычете. Кому в голову, интересно? Мне? Не требуется, благодарю вас!

— Да вам не только пальцем, вам хоть топором на голове теши, до вас не дойдет!

— Знаете, не надо с таким сладострастием выдавать ваши тайные мечты насчет топором по голове, не так поймут!

— Вот! И эта дурь из нее постоянно лезет, — обратился Иван Афанасьевич к Нине. — Кто у нас труд преподавал, а кто литературу, спрашивается? Я с ней образно общаюсь, а она тут же все переводит в изображение меня маньяком каким-то. Я в жизни никого мизинцем нс тронул, учеников только словами и голосом успокаивал, даже когда они токарный станок мне попилили, нанюхались чего-то, уроды, и попилили, один станок был на всю школу! Но я стерпел!

— Вот именно, всю жизнь терпите, на мухах отыгрываетесь, зачем так себя мучить, купите ружье, сейчас оружие легко достать, идите добровольцем и убивайте, разрешите себе, наконец!

— А на чью сторону идти? — спросила Нина, но ответа не дождалась: старики интересовались не пояснениями к спору, а самим спором.

— Есть убийство, а есть самозащита, тысячу раз тебя говорил! — поучал Иван Афанасьевич.

— Да кто на тебя нападает, старый?

— А другие не в счет? За других нельзя вступаться?

— Убивать одних ради других? По какому принципу, интересно?

— Тетя Поля, дядя Ваня, хватит! — со смехом взмолилась Нина. — Вы не сердитесь, что я смеюсь, это у меня нервное! Но смешно же на самом деле — столько лет прожить и поругаться из-за каких-то там теорий!

— Какие-то?!

– Теории?!

Иван Афанасьевич и Полина Ивановна возмутились одновременно, повернувшись к Нине и пронзая ее негодующими взглядами.

И тут наконец вступил Евгений.

– Евгений видел, – сказал он, – как эти люди наслаждаются своей ненавистью, своим гневом, энергией своего заработавшего ума. Скорее всего, они годами просто жили и просто работали, а потом вышли на пенсию, заботились о доме, о саде, о ежедневной пище и друг о друге, ни во что не верили, кроме своей жизни, и не испытывали необходимости ни в какой вере. Нет, они не спасались повседневными заботами от ужаса фатальной бессмысленности, потому что на самом деле никогда этого ужаса не испытывали. Трудно найти черную кошку в темной комнате, если туда не входить. И они не входили. Бывает, ты понимаешь нужность чего-то лишь тогда, когда оно у тебя появляется. У них оно появилось в виде идей, эти идеи были разные, но привели к похожим результатам, они почувствовали себя частью чего-то целого, почувствовали причастность к огромным событиям, и если за себя у них раньше не было нужды бороться, если себя незачем было отстаивать, то, будучи теперь представителями разных сообществ, неважно, реальных или вымышленных, они ощутили новую для себя ответственность. При этом они пока, похоже, не подозревали, хотя души их догадывались, что на самом деле их ненависть обернется еще большей, чем раньше, любовью. Все враги рано или поздно превращаются в пылких друзей, именно поэтому русские особенно любят бывших своих врагов немцев или, к примеру, французов, спокойнее относятся к туркам, с которыми тоже воевали, но это были больше не народные, а правительственные войны, и совсем прохладно относятся к испанцам или итальянцам, с которыми они никогда не воевали, то есть на самом деле тоже отчасти воевали, но народная память этого не сохранила. Вопрос только в том, успеют ли Полина Ивановна и Иван Никифорович понять это до момента своей смерти – или сама смерть даст им это понятие, и они, стоя над могилой, то есть тот, кто останется, вдруг поймут всю силу своей любви. Если бы они представили хоть на секунду смерть друг друга, сразу бы все изменилось.

Нина начала слушать с некоторой улыбкой, но, по мере того как Евгений развивал свои мысли, становилась все серьезней.

Полина Ивановна всматривалась в странного полувоенного человека с изумлением, почти с оторопью, несколько раз порывалась возразить, но так ничего и не сказала.

Иван Афанасьевич держал голову прямо, гордо, желая этим показать, что его ничем не собьешь, но, похоже, ему эта прямота давалась уже с трудом, в глазах появилась легкая растерянность.

А Евгений возвысил голос до драматической громкости, будто был на сцене, и декламировал:

– И тут они оба мысленно увидели, как наяву, смерть другого и свое одиночество, им стало жутко и холодно, они поняли, что после этого расхотят жить, несмотря ни на какие идеи, потому что они станут не нужны, ведь идея нужна для спора, а зачем она, если спорить уже не с кем?

Неизвестно, что на самом деле мысленно увидели тетя Поля и дядя Ваня, но после монолога Евгения они оба застыли в похожих положениях – оба смотрели куда-то вниз, отвернувшись друг от друга.

– Так я загоню машину в сарай, дядя Ваня? – поспешила спросить Нина.

– У меня там раскладушка, – пробурчал Иван Афанасьевич. – Можно, конечно, отодвинуть...

– Раскладушка! Будто в доме места нет, – негромко проговорила Полина Ивановна.

– Смотря для кого, – неопределенно высказался Иван Афанасьевич.

– От желания зависит, – так же неопределенно ответила Полина Ивановна.

– Евгений заметил, что Нина подмигивает ему и кивает головой на дверь, намекая, что не надо мешать... – начал было Евгений, но Нина оборвала:

– Да хватит уже все рассказывать, навредишь только! Пойдем! До свиданья, хорошие мои!

Нина обняла дядю Ваня, а потом тетю Полю, взяла мешкающего Евгения за руку и вывела, как ребенка.

Во дворе рассмеялась:

– Кто бы рассказал – не поверила! Но ты все-таки гений, Женя. За пять минут помирил, надо же!

– Еще не помирил.

– Да помирятся, по всему видно. Нет, не зря я тебя взяла, если ты так уговаривать умеешь. Только, боюсь, там трудней придется.

Нина загнала машину в сарай, и они с Евгением пошли по крайним улицам, чтобы, не пересекая центра, выйти к границе.

В этот самый момент Геннадий аккуратно вынул из пола подгнившую доску у стены, и этого было достаточно, чтобы ему, с его аккуратным телосложением, проникнуть в подпол. Там было не так темно, как представлялось, – откуда-то сбоку пробивались лучи света. Геннадий по-пластунски пополз, жалея, что испачкает одежду, и надеясь, что свет пробивается не сквозь вентиляционные дыры в кирпичном фундаменте, а через какую-нибудь достаточно большую дыру. Впрочем, если фундамент старый, кирпичи можно и вынуть.

ГЛАВА 30

ВТРАТИВ БІДУ, ЗАТЕ ГОРЕ ЗНАЙДУ[1]

Было два командира – Стиркин главный командир, и в помощь ему дали другого командира вмсcте с десятком бойцов, опытного Вячеслава Грузя. Но с Грузем перед самым выдвижением случилось непредвиденное. Поэтому его бойцы примкнули без Грузя, и это их расслабило. Своего командира нет, а чужой как бы не совсем командир, хотя тоже командир. Они шли без строя, прикладывались к фляжкам, где была не вода, травили анекдоты, Стиркин оглядывался на них и размышлял.

Двигались вдоль границы с Россией, чтобы перейти туда, если что не так.

Подошли к Грежину. Выдвинулись в расположение жилой улицы, где по центру была дорога, а по ее сторонам – мягкая зеленая трава-мурава, располагающая к отдыху.

Бойцы Грузя, оставшиеся без Грузя, совсем обнаглели, один из них фамильярно окликнул:

– Командир, не пора привал устроить?

Стиркин повернулся к нему, чтобы отказать, а тот широко улыбнулся и сказал:

– Вот спасибо!

Махнул рукой своим, и те повалились.

– Привал! – смирился с фактом Стиркин.

И его бойцы тоже легли и сели на траву, достали походные припасы, чтобы перекусить.

---

[1] Потерял беду, зато горе найду.

Бывший диспетчер автоколонны Юрий Тормасов, человек крепкой дисциплины и постоянной наблюдательности, никогда не забывавший, что идет война, и сердившийся на других, что они об этом не всегда помнят даже во время боя, из-за чего часто и гибнут, увидел пересекавшего улицу человека в военной форме и с ним еще кого-то. Он не стал терять время и докладывать, встал и быстро пошел туда. Дошел до перекрестка, увидел удаляющегося солдата и женщину, крикнул:

– Стоять!

Они остановились.

Он подошел.

Он увидел человека, который выступал на куче мусора в Грежине и к чему-то призывал. Наверняка этот человек заметил бойцов и может доложить врагам. И женщина может.

– Пойдемте! – Он указал направление дулом автомата.

– Нам некогда, – сказала женщина. – У меня мужа схватили.

А военный человек сказал:

– Евгений почувствовал развитие событий. И, как всегда, думая о событиях, он подумал о Светлане. Она не сможет полюбить Евгения, если будет думать, что он ненормальный человек. А нормальный человек имеет ясную цель. И Евгений почувствовал ее присутствие.

– Вот сейчас Стиркину все и расскажешь, – сказал Юрий.

Он повел их к Стиркину.

Стиркин, увидев Евгения, обрадовался.

– Ты с нами, я надеюсь, как тебя, напомни?

– Евгений.

– А где твои? – Стиркину помнилось, что с Евгением кто-то был.

– Мои везде, – ответил Евгений. – Вот Нина, она жена моего брата. А брата схватили украинские пограничники.

— Женя, ты аккуратнее выражайся, — остерегла Нина, — ты же не знаешь, с кем мы имеем дело. Может, правильно сказать — не схватили, а задержали.

— Мы не пограничники, девушка, — улыбнулся Стиркин, на секунду затосковав по женским объятиям. — Мы — наоборот. Воины-освободители. Слушай, Евгений, такое дело: у меня второе подразделение без командира. На глазах разложились и в ус не дуют. Прими командование. Ты мужик с головой, я знаю.

— Вообще, если насчет головы... — хотела уточнить Нина, но Евгений перебил ее, сказав с неожиданной твердостью, ясностью и разумностью, которых она раньше у него не наблюдала:

— Нина, с головой у меня все в порядке. Если что-то не то, сравнимое с легкой контузией, то это не в счет.

— Вот именно, — поддержал Стиркин. — У меня и самого щека дергается, и что теперь? Иди, командуй.

— А оружие?

Стиркин порылся в своем рюкзаке и достал небольшой короткоствольный пистолет в кобуре. Вынул его, показал.

— Узнаешь? — спросил он Евгения.

— Конечно. ПСМ, пистолет самозарядный малогабаритный, предназначен для оперативных работников МВД и командного состава армии, калибр пять-сорок пять.

— Соображаешь!

Евгений прикрепил кобуру с пистолетом к ремню и направился к вольготно развалившейся группе Грузя. При этом негромко говорил сам себе:

— Евгений понимал, что теперь лучше не говорить о себе в третьем лице. Это может показаться смешным, а командир не должен быть смешным.

Приблизившись и встав над отдыхающими бойцами, он приказал:

— Встать!

— А шел бы ты, — ответили ему.

Евгений достал пистолет, осмотрел, увидел предохранитель, передвинул его, поднял руку и выстрелил в воздух.

— Шуметь-то зачем? — крикнул ему Стиркин. — Нам раньше времени нельзя обнаруживаться! А вы не волнуйте человека, он контуженый, за себя не отвечает!

— Так бы и сказали, — проворчал кто-то из бойцов Грузя, и они начали медленно подниматься.

— В колонну по два, — приказал Евгений.

— Мы не на параде, у нас операция.

— В колонну по два, — повторил Евгений и, не удержавшись, тихо сказал себе: — Евгений помнил, что эффективный командир должен быть упрямо непреклонен. Даже если он отдает неправильный приказ, лучше заставить его выполнить, чем отменить, это уронит авторитет.

— Чего-чего? — переспросил ближний к нему боец.

— В колонну по два, я сказал.

Бойцы выстроились в колонну по два.

— Выдвигаемся... Куда выдвигаемся? — спросил Евгений Стиркина.

— За нами идите.

— Выдвигаемся за головной колонной, — уточнил Евгений.

— Сразу видно — опыт! — похвалил Стиркин.

Через несколько минут обе колонны, в гораздо большем порядке, чем до этого, двинулись по улице, направляясь к центру.

Нина шла сзади и думала, как быть. У нее был свой план: узнать, где Аркадий, и договориться с пограничниками. Для этого она взяла серьезную сумму в долларах, спрятав ее на груди. Но, кто знает, может, если появиться с этими солдатами, пограничники станут сговорчивее, тогда не придется платить. Только бы не начали стрелять, опасалась она, но тут же себя успокаивала тем, что на самом деле стрелять, убивать и умирать никому не охота, поэтому все должно обойтись мирно.

Дверь распахнулась, Вяхирев не шевельнулся, но весь напрягся, напружинился. Таранчук, которому включиться в жизнь было так же легко, как выключиться из нее, сразу все понял и тихо сказал:

– Не надо, товарищ капитан.

– Выводите! – послышался голос.

Охраняющие солдаты встали.

Встали и Вяхирев, Таранчук и Евдоха. Чуя боками дула автоматов, пошли к двери и спрыгнули на землю.

Перед ними стоял Колодяжный.

Вяхирев смотрел не на него, а на небо, которое он так хотел увидеть. Было радостно, но не так, как ожидалось. Стало даже почему-то немного грустно.

– Вот что, – сказал Колодяжный. – Есть возможность искупить предательство.

– Кровью? – с веселым испугом спросил Евдоха.

– Надеюсь, не понадобится. Это, в общем-то, входит в ваши милицейские обязанности – наводить порядок. А он скоро будет нарушен.

– Кем? – бодро спросил Евдоха, показывая готовность хоть сейчас навести порядок.

Вяхирев строго посмотрел на него, напоминая взглядом, кто тут главный, и спросил:

– Что нужно делать?

– Выдвинетесь с моими людьми, будете впереди, чтобы вас видели. Чтобы всем было ясно, что местная власть действует, а не кто-то со стороны. Начнем переговоры. А дальше по обстоятельствам.

– С кем переговоры?

– Третьяки и Стиркин.

– Они проявились?

– Кто?

– Третьяки?

– Еще как.

– Хорошо, – сказал Веня.

Ему действительно стало хорошо, даже лучше, чем тогда, когда он увидел желанное небо. Он, как мы помним, всегда хотел понять, откуда в мирной нормальной жизни возникают преступления. Поэтому слухи о третьяках его раздражали. Кто они, зачем творят бесчинства, чего хотят? Теперь он еще не получил ответа, но зато этот серьезный человек в гражданском обещает встречу с ними. Значит, хоть какая-то ясность. Раньше Веня был одинок со своими мыслями – подчиненные разделяли его службу, но не вникали в его душевные заботы, а в этом человеке Вяхирев обрел единомышленника, старателя общего дела. И почувствовал преданность.

Геннадий расшатывал, расшатывал кирпич, и наконец вынул. Чтобы пролезть, нужно вытащить еще восемь или десять. Геннадий, как специалист, знал, что во всякой сочлененной конструкции важно разрушить связь, демонтировать одно звено, и другие сразу же ослабнут. И действительно, второй кирпич подался легче.

Но при этом Геннадий не думал о кирпичах, это скучно, он всегда, когда приходилось работать руками, размышлял о чем-нибудь важном. Сейчас он мысленно трудился над вокзалом. Вокзал Грежина хорош, уникален, его надо сохранить, но он мал. Нужно или построить рядом современное здание и зарифмовать его, как это удачно сделали во Франкфурте, поставив рядом с замком четырнадцатого века тридцатипятиэтажный небоскреб, своими линиями иронично-уважительно отражающий очертания замка. А можно встроить старое здание в новое, таких примеров много, и есть удачные, хотя неудачных, как всегда и во всем, намного больше.

Геннадий думал кропотливо, старательно, пришел к решению, что лучше все же построить рядом новое здание, и тут же мысленно привязал его к местности. Определил этажность, площадь, общие очертания. Обязательно будут высокие арочные окна, аукающиеся с окнами теперешнего вокзала, центральный вход тоже с аркой, но сами стекла очень большие и тонированные.

Он представлял все в подробностях и деталях — не только потому, что увлекся этим, а чтобы не думать о Светлане. Он не хотел о ней думать в этом подвале. Вот выберется на волю, тогда начнет. Нет, сначала вернется в гостиницу, вымоется, оденется во все чистое, тогда и будет думать о Светлане.

Еще один кирпич вынулся, а верхний упал сам, ушибив руки Геннадия. Ему показалось, будто что-то треснуло. Осмотрел кирпичи. Засыплет еще, придавит, вот будет смешно. Но продолжал работать.

Торопкий отомкнул подвал, спустился и обнаружил Анфису спящей.

Он сел рядом. Любовался на нее. Думал, что скажет ей, когда разбудит.

Скажу просто, что дурак, идиот, что прошу прощения. Без хитростей.

Он тронул Анфису за плечо. Ее легкое тело слегка качнулось, как неживое, и это испугало Алексея.

— Анфиса! Анфиса, доброе утро, хотя уже день, почти вечер! — сказал он громко и весело.

Никакой реакции.

Может, притворяется?

— Ты же не спишь, я знаю! Ну, все, хватит, я виноват, я идиот, скажи, что сделать, чтобы ты меня простила? Фиска, перестань! — шутливо погрозил он.

Анфисы словно не было. Тело здесь, а ее нет.

Торопкий, окончательно испугавшись, схватил ее за плечи и начал трясти. Голова безжизненно моталась, ударяясь о картофельный мешок.

— Анфиса, не надо, ты чего?

Она не отвечала. Сползла, как только Торопкий отпустил руки.

Он подхватил ее, понес наверх.

В комнате уложил на кровать, приложил ухо к груди. Сердце бьется. Дыхание тоже есть — ровное, спокойное. Так притворяться невозможно. Растерянный Торопкий метнулся к крану, налил воды в кружку, вернулся, стал брызгать на лицо Анфисы, макая в воду пальцы. Потом открыл холодильник, выхватил ванночку со льдом, ударил ею об стол, схватил горсть ледяных кубиков. Начал прикладывать к щекам Анфисы, ко лбу, к губам. Вспомнил, что живот у нее — самое щекотливое место, приложил сквозь материю к коже, будто стеснялся обнажить Анфису, будто было в этом что-то нехорошее: женщина ничего не чувствует, а ты ее раздеваешь. Имеешь, конечно, право, как муж, но когда она в сознании.

Может, глубокий обморок? Будто бы помогает пощечина. Но чем удар лучше льда? Если она не чувствует холода, то не почувствует и удара.

Торопкий взялся за телефон — вызвать скорую помощь. Но вспомнил, что врач «скорой» Тихон Чубенко в отпуске, осталась фельдшерица Зоя Григорьевна, на которую, увы, надежды нет, она знает только два лекарства — валидол и анальгин. В сложных случаях предлагает отвезти в Сычанск или в Харьков. Как, впрочем, и Чубенко: для оказания помощи в серьезных ситуациях у него нет ни аппаратуры, ни лекарств.

Спокойно. Надо посмотреть в интернете, описываются ли там подобные случаи.

Торопкий посмотрел в своем смартфоне, чтобы не отлучаться. Медленно, но открылось. Да, такие случаи описываются, и много, и подробно. Летаргический сон, например. Психогенный, органический, комбинированного происхождения. Человек ничего не слышит, не чувствует, не видит, словно мертвый, но при этом живой. Бывает еще кататонический ступор. Сохраняется способность слышать и понимать, что происходит, но при этом никакой возможности шевельнуть хотя бы пальцем и даже приподнять веки.

И все же это лучше, чем летаргия.

– Анфиса, ты меня слышишь? Дай знак. Пожалуйста. Хотя бы пальцем пошевели. Попробуй открыть глаза.

Анфиса оставалась неподвижной. Но Алексею почудилось, что дрогнула жилка на ее веке.

– Слышишь, да? Слышишь?

И опять показалось, что жилка слегка затрепетала.

Значит, еще не все потеряно.

Лев Кошель полдня простоял со своим трактором перед парикмахерской Любы Пироженко, не зная, что делать. Позвонил в коммунальный отдел, ему сказали:

– Как что делать? Работай!

– Тут дом впереди. Решите с ним вопрос. Или я пока объеду, начну с другой стороны?

– Ну, объезжай.

– То есть разрешение даете?

– Нет уж, ты на нас не вали, это тебе пусть Чернопищук разрешение дает!

Кошель позвонил Чернопищуку. Тот сказал:

– Разрешаю, объезжай, копай дальше.

– Там пограничники везде встали. Не дадут.

– Ну, не копай.

– У меня простой получается. Не по моей вине. Пусть запишут как рабочий день.

– Такое время, Кошель, а ты о чем заботишься?

– Кушать, Виталий Денисович, в любое время хочется. А для кушать нужны деньги. А для денег нужна работа!

– Ты скажи еще, что с голоду помираешь!

– Так запишете?

– Вот пристал! Запишу, отстань!

Кошель успокоился, но ненадолго. Что запишут, это хорошо, но дело все-таки не в деньгах, ему хотелось работы. И механизму хотелось работы. Поднятый шкив недоуменно блестел на солнце своими бездействующими зубьями.

Тогда Кошель рискнул и позвонил самой Марине Макаровне.

Она, обычно понимающая любые вопросы даже быстрее и глубже, чем сам спрашивающий, на этот раз не сразу сообразила.

– Куда копать, чего?

– Траншею. Рыть.

Марина вспомнила. Принятое вчера решение показалось ей давнишним и нелепым. Какая траншея, какой забор, зачем? Ничего не трогали – все было нормально. Начали рыть траншею – войска появились. Ей показалось, что это связано. А раз так, надо все сделать, как было. И она приказала, думая, что Кошель именно об этом спрашивает:

– Работай. Закапывай.

– Чего?

– Траншею, чего же еще?

– Я могу, конечно, но оплата та же!

– Та же, та же, не зуди!

Что ж, недаром трактор Кошеля имеет два устройства – сзади шкив для рытья, а спереди бульдозерный нож. Кошель опустил нож и начал сгребать вырытую землю, перемешенную с кусками асфальта, гравием и песком, обратно в траншею.

Рядовые пограничники, стоявшие с обеих сторон, не знали, что делать, и доложили начальству. Дима Тюрин, прибыв на улицу Мира, понаблюдал, прошелся вдоль уже засыпанного участка и сказал:

– Что ж. Тут следы лучше видно. Натуральная нейтральная полоса получается.

Говорил он это вслух и говорил как бы Арине, которая сопровождала его, то есть будто объяснял ей, будто оправдывал свое решение. И Дима поймал себя на этом, и ему стало неприятно. Будто под надзор попал, раздраженно думал он. А может, так и есть? Может, эта Арина послана секретными службами? Если так, то ей надо выполнять задание, и она его выполнит любой ценой. Что-нибудь да найдет, тварь такая, поганка блида[1]! – вспомнил Тюрин ругательство своей бабушки, которое ему, маленькому, всегда казалось очень смешным.

Его коллега с российской стороны, видимо, тоже узрел в свежей засыпке подобие нейтральной полосы, поэтому Кошелю никто не помешал работать, и тот был очень доволен. Жалел только, что засыпать получается быстрее, чем рыть, работа скоро опять кончится. А Кошель мечтал о такой работе, которая никогда бы не кончалась.

Мовчан без остановок и без препятствий доехал до Сычанска.

Остановился у больницы, не заезжая во двор, пошел к моргу. Дверь была открыта, он спустился. Там была уже знакомая ему женщина. Она тоже узнала Трофима Сергеевича.

– Чего еще хотите?

– Скажите, а вот вы выдали нам... То, что там было. А откуда известно, что это был он?

– Кто?

– Ну, кого привезли.

– Запись в журнале сделали.

Женщина показала толстую тетрадь.

– Можно посмотреть?

– Да на здоровье.

Мовчан посмотрел.

Последняя запись была: «Бучило Р. С., 78 л.» Крупные разборчивые буквы. А перед этим – «С. Т. Мовчан, 24 г.» Но буквы другие – мелкие и торопливые.

---

[1] Бледная.

– Это вы записали или они?

– Они. Чтобы, говорят, ошибки не было. Будто я когда ошибки делала! Двенадцать лет работаю, между прочим!

– То есть вы документов его не видели?

– А зачем они мне? Мы тут документы на хранение не принимаем, только людей в чистом виде. Документы в регистратуре. Или в милицию забирают. А то и у главврача хранятся, я в это не лезу, черт их там вообще разберет. – Женщина пожала плечами, неодобрительно глянув куда-то вверх, туда, где, в отличие от морга, принимающего людей в чистом виде, хоть и мертвом, существует куча каких-то бумажек и вообще всего, что только запутывает. А здесь – сухой остаток, без путаницы. Хотя, похоже, этому человеку и здесь что-то неясно. Это вносило ненужную сумятицу в душу женщины, поэтому она поторопила:

– Идите, идите, выясняйте, чего тут стоять, не музей!

Мовчан пошел в регистратуру.

Окошко было закрыто.

В приемном покое было трое. Мужчина лет тридцати торопливо переодевался, доставая одежду из пакета, что лежал рядом на скамейке с металлическими блестящими ножками, обтянутой коричневым дерматином. На ножках снизу белые пластиковые нашлепки-башмачки, чтобы не царапать пол, хотя этот пол невозможно исцарапать, он сделан из каменных плиток разнообразной формы, подогнанных друг под друга, как мозаика, с прожилками скрепляющего бетона. У Мовчана в саду тропинки и пол беседки так сделаны, он сам этим занимался, а помогал Степан, давно это было, лет уже двенадцать назад, и Степану было двенадцать, работал старательно, ему нравилось.

Над мужчиной стояла женщина, тоже лет тридцати, с ключами в руке, наверное, жена приехала на машине за мужем. И была еще тут врач, полная блондинка в очках, которая протягивала какой-то листок и нервно говорила:

— Распишитесь, я вам говорю!

— Не буду я расписываться! — отказался мужчина и закашлялся.

— Вы недолеченный самовольно уходите, а на мне ответственность, распишитесь!

— Что у вас там, в чем расписываться?

— Что самовольно уходите.

— А так не ясно?

— Так неизвестно, а так будет зафиксировано.

— Вот и фиксируйте.

— Я зафиксировала, надо расписаться.

— Слушайте, вы соображаете вообще? — Мужчина перемежал слова кашлем. — У меня там мать, отец, у меня дочь там, их, может, сейчас расстреливают из артиллерии уже, а я тут буду лежать?

— Не кричи, Никита, ты весь кашляешь, помолчи! — просила жена.

— Лежать вас никто не заставляет, вопрос не в этом, вопрос в том, почему я за вас должна отвечать? Распишитесь и ехайте куда хотите! Далеко хоть? — спросила врач у жены другим голосом, помягче, словно пыталась заручиться ее сочувствием и поддержкой.

— В Грежин.

— Что, в самом деле там уже стреляют?

— Да, было, потом перестали.

— Раз было, то опять начнут! — Мужчина вскочил, сунул снятую одежду в пакет. — Пойдем, Янка, чего стоишь?

— Ты бы расписался, в самом деле, людей подведешь.

— Вот, ё! Ну, распишусь, какая разница!

— Было бы о чем спорить! — Врачиха тут же прислонила листок к колонне.

Их было три, таких колонны, подпирающих невысокий потолок вестибюля, и Мовчан почему-то особо зафиксировал, что именно три и что они выкрашены снизу бледно-зеленой краской, а сверху побелены, как и потолок, он думал об этом так, будто важно было это запомнить – как и пол, и скамейку, и все остальное. Мовчан даже вгляделся в брелок ключей, которые держала женщина, и разглядел косую букву H, значит, машина «хундай», как называют эту марку в Грежине, или «хёндай», как однажды Мовчан услышал от Степы, переспросил и узнал, что правильно произносить именно так.

Никита схватил авторучку (самую дешевую из дешевых, отметил Мовчан, прозрачный пластиковый цилиндр со стержнем, – и ему это тоже показалось важным), весь скособочился и высоко поднял локоть, расписываясь, отдал листок врачихе, которая сразу же подобрела и сказала уходящим мужу и жене:

– Удачно вам доехать! Господи, что делается! А вы по дороге заедьте в аптеку, ингалятор хотя бы купите на батарсйках, небулайзер называется, и генсальбутамол к нему.

– Как? – остановилась жена, пытаясь запомнить.

– Генсальбутамол. Да вы скажите, что после воспаления для разжижения слизи, они сами дадут!

– Спасибо!

Муж и жена ушли.

Врач посмотрела на Мовчана, и довольное, доброе выражение ее лица тут же сменилось на официальное и постороннее – чтобы этот человек не истолковал превратно и не подумал, что она прямо-таки всем готова услужить. На всех ее не хватит, а если отвлекаться, работать некогда будет.

И тоже ушла.

Мовчан остался один.

В Грежине стреляют, думал он. Отец дочери сбежал из больницы, чтобы спасать родителей и дочь. Но ведь у Мовчана в украинском Грежине тоже дочь! Любимая его Оксанка. И мать ее Ирина, которую Мовчан еще любит, хоть и остаточно. У этих, у Никиты и Янки, машина есть, могут уехать, а у Ирины машины нет. Мовчан предлагал ей купить хотя бы «ладу гранту» или «калину», но Ирина боится любых механизмов, у нее с ними какой-то вечный конфликт, целый год разбиралась с кнопками стиральной машины, которую подарил ей Трофим Сергеевич, микроволновку боится включать, и сама при этом смеется над своей технической тупостью. Если что серьезное начнется, как они выберутся? Не дай бог с Оксанкой что случится, Мовчан себе не простит, а два дела сразу не сделаешь, учитывая, что Степана уже нет, а Оксанка есть.

Эта мысль, что Степана нет, возникла неожиданно, и Мовчан понял, что давно уже это знает, но обманывает себя. Всем своим опытом, и человеческим, и милицейским, а потом полицейским, Мовчан убедился, что правда не существует открыто и доступно для всех, она таится и прячется, потому что, как правило, не очень приятна, она вдруг проговаривается, читается между строк и между слов, она выскакивает неожиданно, как вот сейчас, и даже не требует доказательств, потому что на самом деле правду всегда знают все, просто не хотят знать или это невыгодно. Да, постороннему взгляду нельзя было угадать Степана в том обгоревшем остатке, где не было никаких примет живого человека, но Мовчан увидел, безошибочно различил в обугленном остове родные и единственные линии плеч, рук, всего тела, он с первого взгляда все понял. А потом позволил сам себе обмануть себя, да Тамара еще добавила... Пора опомниться. Пусть мертвые хоронят своих мертвецов, вспомнил он слова, которые когда-то где-то услышал, и они его удивили, он никак не мог уразуметь, каким образом мертвые могут хоронить мертвых. И вот – догадался. Не по человеческому логическому смыслу, по какому-то иному, но бесспорному.

Дверка-заслонка открылась. Регистраторша долго смотрела на мужчину, который стоял перед нею и куда-то смотрел, и, нарушив собственный ритуал, спросила сама:

– Чего вам?

– Ничего, спасибо.

Мовчан вышел из больницы и пошел, все прибавляя шаг. К машине уже бежал, рванул дверцу, сел, завел и с места взял максимальную скорость, на которую было способно это вконец заезженное металлическое животное. Трофим Сергеевич именно как о животном, как о живом, подумал о нем, и оно будто услышало, из последних сил прибавило, страдая воющим мотором.

ГЛАВА 31

«КУМЕ, ТИ ВДОМА?» — «ДИВЛЯЧИСЬ ЩО ТРЕБА, МОЖЕ, І ВДОМА»[1]

Наступили сумерки, когда люди Стиркина и украинские подразделения оказались в виду друг друга, одновременно приблизившись к площади. Те и другие рассредоточились по примыкающим улицам. Никого из руководства района не было. Марина Макаровна, поразмыслив, решила: раз начальство из области не звонит, а оно не звонило, значит, не сочло нужным вмешиваться, считая происходящее делом не гражданским, а чисто военным, следовательно, такую же позицию надо занять и мирным деятелям районного звена. И она дала команду всем: по окончании рабочего дня идти по домам, ни во что не лезть. Все охотно подчинились. Марина и сама пошла домой, переоделась в простое домашнее, достала бутылку коньяку, но вдруг передумала, нарядилась в одно из лучших своих платьев, красивое и строгое, в котором она ездила в Харьков на официальные торжественные мероприятия, взяла коньяк, пару крутых яиц, колбасу, хлеб, села в свою личную машину, весьма, кстати, скромную, учитывая ее положение, и поехала на кладбище. Ей захотелось к Максиму. Нет никакой даты и повода, но какой нужен повод для свидания с любимым человеком? Посидит, выпьет, помянет, поговорит с ним мысленно, и станет полегче на душе.

---

[1] «Кум, ты дома?» – «Смотря, что надо, может, и дома».

Местные простые жители тоже настороженно засели по домам и квартирам, когда прослышали о том, что опять появились какие-то военные, — они хорошо помнили, как чуть не дошло до стрельбы во время субботника.

Но не все были так благоразумны. Уже известная нам компания — подросток Нитя, два брата Поперечко, Ульяна и два ее соперничающих друга Рома и Юрик Жук, еще днем узнав о том, что что-то происходит, не могли усидеть дома, собрались в излюбленном месте, на бетонных кольцах, и обсуждали положение дел не только в Грежине, но и вообще в мире — эти молодые люди были достаточно грамотными, смотрели телевизор, подолгу сидели в интернете, и каждый имел свое мнение. Нитя сказал, что во всем виновата Америка. Старший Поперечко поправил: виновата, но не всем, кое в чем виноваты и мы сами, то есть Украина и Россия. Ульяна защитила Украину, потому что накануне ночью переписывалась с далекими друзьями и в одном из чатов наткнулась на тему о национальной женской красоте, где зачинщик спора доказывал, что украинские девушки самые красивые. Ульяна поддержала его и прикрепила в доказательство свою фотографию, и тут же получила, как обычно, много личных вопросов, посланий и предложений, короче говоря, она сегодня чувствовала себя украинкой, вот и замолвила слово за Родину. Рома присоединился к ней, надеясь этим завоевать благосклонность. Юрик был умнее, он знал, что девушки не всегда любят, чтобы им поддакивали, им, наоборот, часто нравятся своенравные мужчины, которых интересно победить сначала в споре, а потом и по жизни, а Юрику того и надо, поэтому он охаял Украину и похвалил Россию, вовсе при этом ее не оправдывая, но сказав, что по законам и политики, и вообще существования кто сильнее, тот и прав. Этим Юрик, конечно, намекал на то, что и сам он сильнее. Догадалась ли Ульяна, неизвестно, не такая она дурочка, чтобы кто-то сумел прочесть по лицу ее мысли, а вот Рома ревнивым чутьем понял суть намека, разозлился на Юрика и начал отстаивать принципы международного права в том виде, в каком он их понимал, сказав вдобавок, что на самом деле Украина вовсе не слабая, а Россия не сильная, на самом деле Россия тупая и наглая, а Украина доверчивая и мягкая. Само собой, имелось в виду, что это Ульяна доверчивая и мягкая, Рома как бы предупреждал ее быть осторожнее перед тупостью и наглостью в лице России, то есть представляющего ее в данный момент Юрика.

Так совпало, что именно в этот момент Юрику позвонил дядя, брат его матери, Митя Чалый, и спросил, что там у них происходит.

– Звоню мамке твоей, она трубку не берет, а я волнуюсь или нет?

– В огороде, наверно, а телефон дома.

– Хоть ты скажи, что у вас там творится?

– Плохо, дядь Мить. Войска на нас украинские наступают, – сказал Юрик, посмотрев при этом на Рому.

– А вы чего?

– Чего?

– Сидите и сопли жуете? Не будет вам никогда хорошей жизни! – пригрозил Чалый. При этом как бы подразумевалось, что у него жизнь хорошая, хотя было наоборот: мать и отец Юрика жили крепко, работяще, в достатке, а Чалый и сам бездельник, и жену нашел пустоголовую и настолько ленивую, что она даже детей ему не родила, не имея охоты с ними возиться, она и к себе-то, насколько понимал Юрик, а он понимает, не маленький, не имела особенного интереса, носила неделями одну и ту же футболку и одни и те же джинсы, настолько мятые, будто в них и спала, – кстати, очень возможно.

– Ничего мы не жуем, – сказал Юрик, оглядев товарищей. – Мы как раз тут думаем насчет дубины партизанской войны, как Лев Толстой сказал.

Да, Юрик знал, что сказал Толстой, и даже помнил, где это было написано – в книге «Война и мир». Он знал и многое другое, благодаря своей уникальной особенности, которая проявилась еще в школе: то, что учил специально, не лезло в голову, не запоминалось, а то, что он даже не слушал, играя на телефоне или рассматривая под партой журналы с голыми девушками, каким-то образом само собой откладывалось в памяти, и он потом мог воспроизвести дословно целыми кусками, даже если не совсем понимал, о чем идет речь.

Юрик заметил, что при упоминании Льва Толстого Ульяна глянула на него одобрительно – все женщины уважают образованных мужчин. И Рома тоже это заметил. И хотел возразить, что никакую дубину они тут не обсуждают, но неожиданно младший Поперечко оживился, засмеялся и одобрительно крикнул:

– Дубина!

Очень уж понравилось ему это слово.

Старший Поперечко рад был, что его младший брат хоть в кои-то веки слово вымолвил, ему ведь иногда надоедало быть умнее, он стеснялся этого перед братом, которого очень любил. Поэтому старший Поперечко одобрительно хлопнул младшего по плечу:

– Соображаешь!

– Чего вы там соображаете? – услышал в своей трубке Чалый. – Какая еще дубина? Вас там много? Помощь нужна?

– Вообще-то подкрепление требуется, – очень серьезно сказал Юрик и оглядел всех значительным взглядом. – Оружия только нет.

– У кого нет, а у кого есть! – сказал старший Поперечко. – Но не помешает, конечно.

– Ладно, держитесь там, ждите нас! – взволнованно пообещал Чалый, вспомнивший, что в российском Грежине создана народная дружина и он ее член, как и Петр Опцев, и работник сыроварни Ион Думитреску, которого они с Петром сегодня, после разговора с Евгением, встретили и приняли в свою дружину, объяснив цели и задачи. Теперь у Чалого есть повод наведаться в украинский Грежин и там, улучив момент, навестить сестру и попросить у нее взаймы. Для этого он, собственно, ей и звонил, а потом искал ее через Юрика.

Он позвонил Петру, объяснил, что пора действовать. Петр как раз разжился десятилитровой канистрой молодого вина и действовать был готов. В свою очередь он позвонил Думитреску. Ион, узнав об опасности, грозящей русским грежинцам в украинском Грежине, и о молодом вине, тут же согласился присоединиться. Уже через четверть часа они встретились в зарослях возле молокозавода и направились к его полуразрушенному и никем не охраняемому корпусу. Оказавшись в бывшем цеху, где под разбитым стеклянным потолком росла густая трава, что странно выглядело в окружении стен, Ион грустно огляделся и сказал близкое его душе:

– А ведь тут тоже сыр делали!

Друзья разделили его печаль, момент требовал, чтобы это как-то отметить, поэтому сели на траву, выпили и поговорили, но недолго, помнили, что их ждут. Оружия у них не было, о чем Ион напомнил, когда вышли из завода на украинской стороне.

– В бою добудем! – не сомневался Опцев.

А у старшего Поперечко оружие было, все знали, что он сказал о нем не просто так. Прошлым летом родители заставили братьев копать в огороде новую яму для нужника, и они нашли в земле обрез винтовки, спрятанный бог знает когда и бог знает кем. Обрез был завернут в промасленную плотную дерюгу, но все равно во многих местах проржавел, приклад стал трухлявым и отвалился от одного прикосновения. И все-таки – оружие, боевое оружие! Старший Поперечко решил привести его в порядок, а уж потом похвастаться перед друзьями. Неделю оттирал, чистил, еще неделю мастерил новый приклад – строгал, тер наждачной шкуркой, красил и полировал, приклад получился как настоящий, что удивило отца:

– Ножку к табуретке приладить не умеешь, а тут надо же, какой мастер оказался!

Младший Поперечко помогал советами и заинтересованностью.

И вот обрез был торжественно продемонстрирован друзьям. Все восхищались, оружие для Грежина, несмотря на громыхавшую рядом войну, не считалось обыденной вещью, оба правоохранительных начальника, Вязирев и Мовчан, не допускали появления самовольных стволов, справедливо полагая, что любой ствол в любой момент может выстрелить, а им от этого лишняя работа. Охотников и охоты в этих местах не было, кроме забавы на сусликов, о которой уже упоминалось и к которой допускались только свои.

Но обрез был бесполезен без патронов. Он лежал в укромном месте, регулярно доставался и осматривался, дразня своей неиспользованной боевой красотой. Тогда старший Поперечко пробрался в Луганскую область и привез оттуда три десятка патронов. Всем, конечно, хотелось опробовать обрез. Но старший Поперечко и сам терпел, и томил других, придавая больший вес предстоящему событию. И вот в воскресный день собрались и пошли в лес за несколько километров от Грежина, с собой взяли пустые стеклянные бутылки. Конечно, у старшего Поперечко было право первых выстрелов. Он произвел их пять и разбил две бутылки. Поставил бутылки ближе и разбил из пяти четыре. Ему хотелось еще, но он знал, что ему не простят, если не даст другим. И каждому досталось по два выстрела, а младшему Поперечко, как брату, три, а Ните, по малолетству, один, но он и одним был доволен, потому что попал в бутылку, да и все были довольны.

Десять патронов старший Поперечко оставил на черный день, и вот этот день, судя по всему, пришел. И компания отправилась к Поперечко домой, чтобы взять обрез. Остальные надеялись, что, когда все начнется, у них тоже что-нибудь появится. Рома очень кстати рассказал про кино, которое недавно скачал в интернете и посмотрел, там наши пошли на фашистов с палками и кольями, и победили, и вооружились[1].

Они встретились, созвонившись, с Дмитрием Чалым, Петром Опцевым и Ионом Думитреску. Увидев обрез, Опцев сказал Иону:

— Ну вот, а ты сомневался! Когда понадобится, все достанем!

Трое российских грежинцев были значительно старше своих молодых украинских товарищей, но, к их чести, не претендовали на командование, решили, что у местных главным будет Поперечко с обрезом, а у российского отряда Опцев, учитывая, что он и в мирных кампаниях всегда имел решающее слово насчет того, что и где выпить, чем закусить и у кого взять взаймы.

Кстати, насчет займа Чалый, конечно, не забывал. Посоветовав занять позицию неподалеку от площади, он сказал, что скоро присоединится, взял с собой племянника и поспешил к сестре Ларисе, матери Юрика. Он надеялся, что в присутствии сына Лариса не станет очень уж бурно ругаться и скандалить, хотя совсем без этого, конечно, дело не обойдется.

И не обошлось.

Лариса считала, что брат ее, неглупый и не бездельный от природы, был погублен женой, хабалкой Катькой.

— Нет, а как? — рассуждала она и про себя, и вслух. — Был же ведь нормальный, школу закончил, в институт

---

[1] Скорее всего, имеется в виду фильм Н. С. Михалкова «Цитадель», пафос которого смутил тогдашнюю либеральную интеллигенцию, что послужило одной из причин отмежевания Михалкова от интеллигенции и его объединения с простым народом, чего простой народ, правда, не заметил.

два раза поступал – и поступил бы, если бы не встретил эту корову бешеную, Катьку эту сволочную, чтоб ей сдохнуть, прости меня, Господи! Вцепилась в него, как не знаю кто! И если бы, ладно, любила бы, заботилась бы, а то что? Он под столом лежит пьяный и сраный, прости, Господи, а она за столом с приятелями гуляет, а то, может, и не за столом, чего не знаю, того врать не буду, но не исключаю! Сколько раз ему говорила: Митя, иди ко мне жить, дадим тебе комнатку отдельную, хочешь – работай, не хочешь – просто помогай по хозяйству, в саду, в огороде, напрягаться не заставлю, только одно условие – не пей и не встречайся с Катькой! И ведь уговорила лет семь, что ли, назад, остался, целую неделю жил человеком, но поехала с ним на базар, отошел на пять минут – и пропал! Где? Люди видели, как он с женой говорил. Вам понятно, да? Чем она его уговаривает, не знаю. Там же никакой внешности, она фигурой как мужик, честное слово! Плечи широкие, пузцо виснет, задница треугольником – сверху широкая, книзу клином! И зубов нет, сплошной кариес изо рта торчит, я один раз не утерпела, прямо в лицо ей сказала: Кать, ты хотя бы не смейся при людях, не разевай пасть свою безобразную, ведь тошнит же! А ей хоть бы хрен, прости, Господи. Приворожила она его, что ли? Без дураков говорю, она сама пьяная хвасталась: я за вашего Митю ходила к бабке, и она мне его на черную воду мышиным пометом приворожила, никуда теперь не денется от меня. Это как? Это какую надо иметь совесть, чтобы, я даже не знаю, как охарактеризовать подобное поведение, у меня просто нет слов! При этом он ведь хоть не каждый раз, но работает, то на станции грузчиком, то еще что-нибудь, он ее кормит и поит! А когда край, она его посылает по людям взаймы брать! Сама не идет, сучка бесхвостая, прости меня, Господи, кто же ей даст, а его заставляет унижаться! Я ему говорю: все, Митя, в следующий раз хоть помирай, я тебе не дам! Пусть сама идет ко мне просить! Я ей тоже не дам, но хотя бы раз все скажу, что про нее думаю! Катя, или ты признаешь, что загубила мне брата, или ты вообще не человек! Понятно?

Брату Мите она говорила каждый раз примерно то же самое. Чалый, выслушивая, обычно страдал – ему было жаль сестру, жаль Катю, а больше всего он жалел свой мучающийся с похмелья организм. Ему не хватало сил, чтобы защитить жену, которая, он знал, его подлинно любит такого, как он есть, а другим он стать никогда уже не сможет.

Но в этот вечер он был подогрет молодым вином, поэтому, встреченный Ларисой обычными обличительными словами, не смягченными присутствием сына и молчаливого мужа Василия, который ел жирную горячую солянку из миски размером с небольшую кастрюлю и с удовольствием от этого потел, Чалый набрался смелости и прервал ее:

– Хватит, Лариса! А то самой потом стыдно будет, если меня убьют, вспоминать, как ты меня поливала!

– Кто убьет, ты чего? Он о чем? – спросила Катя Юрика.

Тот пожал плечами и, соблазненный сытным духом, взял миску, не меньше чем у отца, щедро налил себе половником солянки и сел за стол. Его тоже могут убить, как и дядю Митю, значит, надо перед этим как следует заправиться. Чтобы не обидно было погибать на тощий желудок.

– Садись тоже, – пригласила Лариса брата, вспомнив о долге хозяйки и сестры: ругань руганью, а накормить человека нужно.

– Нет, сестра, спасибо, мне не до еды, – сказал Чалый. – А деньги мне нужны не для того, о чем ты думаешь, а чтобы вас же защищать. Нужно многое. Амуниция, – вспомнил слово Чалый.

— Чего?!

Юрик нахохлился и смотрел в миску: ему показалось, что дядя Митя их сейчас выдаст.

— Какая амуниция? — не понимала Лариса. — Василий, да перестань ты черпать хоть на минуточку, это же мужской разговор, разберись!

Василий, дуя на ложку, сказал:

— Кого касается, сам разберется, а кого не касается, нечего и лезть.

— Тебя вообще ничего не касается! — воскликнула Лариса.

Василий ничего на это не ответил, а супруга не стала развивать тему: оба знали, что это неправда, выкрикнула это Лариса не для смысла, а для эмоции.

— Не поешь, ничего не дам! — поставила условие Лариса. — Ты, я чувствую, уже заправился. Амуницию ему.

— А поем — дашь?

— Будет он еще торговаться!

Чалый сел за стол, без интереса хлебнул пару ложек и сказал:

— Мы тут кормимся, а там люди рискуют. Меня ждут. А я не иду. Кем меня считать будут?

— Собутыльники, что ли? Или Катька твоя ненаглядная? Кто ждет-то?

— Защитники вас, чтобы вы знали. Ради вашей же свободы. Они будут гибнуть, а вы на их могилках построите новую жизнь. И даже спасибо не скажете. Все, наелся досыта, — с горечью сказал Чалый и положил ложку. — Значит, не дашь?

— На дело дам, без дела нет.

— Я же сказал — на амуницию. И боеприпасы, — вспомнил Чалый еще одно военное слово.

— С кем воевать собрался?

— С захватчиками. Или не знаете, что сейчас штурмом Грежин будут брать?

— Кто, зачем? Василий?

Василий пожал плечами.

– Так, – хлопнула Лариса ладонью по столу. – Никуда не пойдешь, понял? Я за тебя перед родителями покойными отвечаю!

Юрик понял, что дядя Митя вляпался, встал из-за стола.

– Я к друзьям на полчасика.

– Никаких друзей! Сядь и доешь!

– Да я все уже.

– Чаю выпей или компота. Сядь, я сказала! Василий!

Василий посмотрел на сына. Молча. Но Юрик знал, что, если нужно, отец может и сказать, и сделать то, против чего не возразишь. И ссл.

Тут произошло неожиданное: Лариса достала из кухонного шкафчика объемистый пузатый графин с рубиновой жидкостью и поставила на стол.

Василий удивленно поднял брови.

– Изабелла? – спросил Чалый.

– Она самая. Раз уж мы родственники и не каждый день собираемся, почему не отметить?

Она – небывалое дело! – достала стаканы и сама налила в них, и даже сыну плеснула на два пальца.

Вино лилось так журчаще, так искристо, так заманчиво, что у Чалого прокатился комок по горлу.

– Что ж, – сказал он. – Хоть и не время, но родственники – это святое. Ты, Лариса, знаешь, что я для тебя на все готов. И ты, Василий, знаешь, как я тебя уважаю. Прямо скажу: повезло моей Ларке с мужем.

– Да ладно тебе, – застеснялся Василий, хотя сам был того же мнения. Поднял стакан, они чокнулись и выпили, оба стараясь при этом не спешить, показывая, что пьют не ради выпивки, а ради удовольствия и общения друг с другом.

А перед площадью, в расположении украинских войск, Колодяжный говорил Вяхиреву:

– Так, капитан. Сейчас самый важный момент твоей жизни, если ты еще не понял. Сниму с тебя наручники, а то не поймут, выйдешь и предложишь всем разойтись.

– Хорошо, – отвечал Вяхирев, глядя в сгустившуюся тьму и никого там не видя.

– Скажешь, что если разойдутся, то всем будет амнистия, а если нет, суд и тюремные сроки по законам военного времени.

– Хорошо, – отвечал Вяхирев, протягивая руки.

С него сняли наручники.

– Пистолета тебе не дам, извини. Если кто оттуда выстрелит, сразу падай на землю и ползи обратно.

– Хорошо.

– Вот заладил: хорошо, хорошо! – с досадой сказал Олександр Остапович.

– А что я скажу? Плохо?

– Ладно, хорошо. Тьфу, прилипло! Иди.

Вяхирев пошел на площадь. Встал посредине. Закричал:

– Всем, кто меня слышит! Напоминаю, я Вяхирев, ваш начальник милиции, если забыли! Предлагаю всем разойтись во избежание. Я же вижу, кто у вас там, всех приглашу в отделение на беседу – как минимум. Но пока по-доброму. А если что, будет не по-доброму! Есть вопросы?

– Сами разойдитесь, вас сюда не звали! – послышался голос.

– Они уйдут, если вы уйдете! – объяснил Вяхирев.

– Мы тут дома!

Вяхирев не знал, что на это возразить.

Постоял, помолчал – и вернулся.

– Мне кажется, если мы не двинемся, они тоже не двинутся, – сказал он Колодяжному.

– Значит, так и будем стоять?

– А вы что предлагаете?

Колодяжный ничего не предложил. Он задумался. Меньше всего ему хотелось ночного боя. Пожалуй, самое разумное – расположиться на отдых походным порядком, выставить караулы, а с рассветом что-то предпринять.

В это время Стиркин шепотом приказывал:

– Огонь открывать только по моей команде!

А Нина спрашивала Евгения:

– Мы что тут делаем, не понимаю? Мне мужа надо выручать, а мы куда пришли?

– На мне люди, не могу отлучиться, – сказал Евгений.

– Зря я на тебя понадеялась.

– Прости, сказал Евгений, понимая, что подвел Нину, но его оправдывала боевая обстановка, – сказал Евгений.

– С ума вы тут все сходите, вот и вся обстановка!

И Нина, оставив Евгения с его бойцами, пошла в сторону пограничного пропускного пункта. Придется все узнавать и решать в одиночку.

А старший Поперечко, высовываясь из-за багажника машины, стоящей у дома, целился в темноту. Вяхирева он уже брал на мушку и убедился, что получается хорошо. Но стрелять не стал – все-таки Вяхирев свой, хоть и милиционер. Пусть кто-нибудь чужой появится. Но никто не появлялся. Его позвали выпить вина, он присоединился к кружку, расположившемуся на траве под деревом. Петр наливал в пластиковые стаканчики, угощал молодежь и делился с нею жизненным опытом, посматривая на Ульяну. Ульяне было скучно. Очень кстати позвонила ее мать, парикмахерша Люба Пироженко, спросила, где она шатается.

– Иду, – сказала Ульяна. – Кто со мной?

Рома, конечно, хотел с ней, но подумал, что товарищи могут это расценить как предательство. Да и Петр рассказывает интересные вещи, и вино в его канистре еще не кончилось. Рома не побоялся бы предательства, если б знал наверняка, что с Ульяной у него хоть что-нибудь выйдет. Но ни разу ничего не вышло, и нет оснований думать, что сегодня что-то изменится. И уж конечно, если бы тут был Юрик, Рома пошел бы даже без надежд на взаимность, он давно заметил, что при Юрике его любовь к Ульяне вспыхивает до того, что жжет где-то в душе, а без Юрика утихомиривается до незаметности.

Все промолчали, и Ульяна ушла, обиженная.

Стиркин сообщил кому-то по телефону, что все под контролем, но пока ничего не прояснилось.

Колодяжный тоже связался со своим руководством. Его руководство ожидало распоряжений от своего руководства, самого высокого в республике, поэтому не сделало никаких распоряжений.

Совещаются, с иронией подумал Колодяжный.

А Мовчан в это время был в доме Ирины, сидел на диване, обняв левой рукой Ирину, а правой Оксанку, смотрел телевизор, не понимая, что смотрит, размышлял, как быть дальше. Ирине хотелось поговорить, но она всегда точно чувствовала настроение Трофима Сергеевича, поэтому терпела и ждала ночи. Она думала о том, правильно ли мужчине, потерявшему сына, предлагать свою утешительную ласку. Вдруг рассердится? Но, может, как раз наоборот, хочет этого. Хочет, а сам тоже сомневается, хорошо ли это, принять женскую ласку, когда сын погиб.

В телевизоре зазвучала лирическая музыка. Ирина использовала момент и прижалась щекой к руке Мовчана, лежащей на ее плече. Пусть подумает, что на нее так музыка подействовала. Мовчан в ответ пожал пальцами ее плечо. Ирина осмелела и поцеловала его пальцы. Трофим Сергеевич совсем перестал видеть телевизор.

– Оксаночка, спать не пора? – спросил он дочь.

– Нет, не пора! – Оксанка прижалась к нему и обхватила ручонками.

Мовчан и Ирина переглянулись и улыбнулись.

Трофим Сергеевич почувствовал, что счастлив.

Как это может быть? – спросил он мысленно неведомо кого. У меня такое горе, а мне сейчас так хорошо, разве это бывает?

Но тут же, словно отвечая, горе опять возникло, будто охватило жаром, да так, что голова закружилась, и Мовчан опять пожал пальцами плечо Ирины, на этот раз не для ласки, а будто удерживаясь на каком-то краю.

Торопкий сидел возле Анфисы. Никогда он раньше не глядел на нее так долго. Бывало, она засыпала, а он еще нет, любовался ею, заснувшей, но Анфиса слишком чуткая, просыпалась сразу же и говорила с улыбкой:

– Не надо.

– Почему?

– Неприятно, ты спишь, а тебя рассматривают. А спящие разные бывают. И сопят, и храпят, и рот набок съезжает.

– У тебя все прекрасно.

– Все равно, не смотри, а то не засну.

Она такая, думал Торопкий, она всегда контролирует себя и других. И даже когда они очень вместе, любовно вместе, Алексей чувствует этот контроль.

А ведь у меня уникальная возможность любить ее без ее наблюдения, подумал Торопкий.

Испугался своей мысли, но избавиться от нее уже не мог.

Оправдание нашлось довольно быстро: я сделал это, скажет он ей, если она очнется или каким-то образом узнает потом, для того, чтобы ты пришла в себя. Только для этого.

Алексей медлил. Ждал, что ум найдет какое-то возражение, какую-то причину, по которой нельзя это сделать. Ум ничего не нашел, разрешил.

Он начал снимать с Анфисы одежду. Сначала осторожно, словно боялся разбудить, потом подумал, что это выглядит нелепо, начал действовать открыто, сильными, почти грубыми движениями. Если проснется, будет даже хорошо. Но нет, не проснулась, тело покорно шевелилось и поворачивалось.

– Я тебя люблю, – сказал Торопкий телу, думая, что говорит Анфисе.

И пусть бы она сейчас проснулась, удивилась, вознегодовала, оттолкнула, ударила, Торопкого уже нельзя было остановить.

– Никогда бы не подумал, – прошептал он. – Слышишь меня? Если слышишь, то у меня вот какая мысль: я тебя так люблю, что почти ненавижу. Я убить тебя готов. И вот ты как мертвая. И я тебя как бы убиваю и люблю. Так никому не достается, а мне повезло. И мне не стыдно. Что ты со мной сделала, ты понимаешь? Ты искалечила мне жизнь. Была бы ты нормальная, разве я бы с тобой это сделал? Но ты сама такая, ты бы это сделала тоже, если бы была мужчиной.

Есть лица, которые легко представить мертвыми, особенно когда закрыты глаза.

Геннадий протискивался в дыру, поворачиваясь то так, то так, упираясь ногами. Мешал торчавший кирпич. Геннадий сунул руку, нащупал кирпич, попробовал расшатать. Кирпич подался. Геннадий рванул его, и тут все с грохотом обвалилось.

Нина в это время беседовала с Димой Тюриным возле погранично-караульного вагончика.

– Я же с вами по телефону говорила, я вас по голосу узнала, почему вы отказываетесь?

Дима, вышедший покурить и некстати встретивший эту женщину, которая к нему прицепилась, не хотел признаваться, что задержал ее мужа: предвидел неприятности.

– Женщина, успокойтесь, идите домой, а то ведь я вас тоже арестую за нелегальный переход границы.

– Ага, тоже! Значит, все-таки вы его взяли?

– Тоже – потому что всех обязаны задерживать. Но мы учитываем вашу специфику, что у вас один поселок, поэтому даем возможность, если кто *случайно*, – подчеркнул Дима, – пересек границу, вернуться обратно.

– Товарищ лейтенант, я же все понимаю, – сказала Нина, взяв Диму за руку и доставая конверт с деньгами. – У вас служба трудная, платят мало, а вы все равно выполняете свой долг. Это правильно. Если все будут как попало границу переходить, действительно, что же это будет? Человек виноват – значит, виноват, за свои ошибки надо платить. И мы готовы. Не в виде чего-то нехорошего, а в виде штрафа за неправильный поступок.

А неглупая женщина, отметил Тюрин, вон какими словами все окружила. Интересно, сколько у нее там? Тюрин был так еще молод и неопытен, что впервые столкнулся с предложением взятки. Среди его товарищей, тоже молодых, ходили мифы и легенды о людях, разбогатевших за одну минуту, получивших такие суммы, которые позволили им, послужив еще сколько-то для проформы, уволиться и жить припеваючи, имея возможность не работать хоть до самой смерти. Правда, на самом деле никто не увольнялся, наоборот, оставались ради еще большей выгоды и рано или поздно попадались. Рассказывая об этом, его товарищи приходили к выводу, что или уж совсем не брать, а если брать, то вовремя останавливаться. Дима же всю жизнь зависел от отца, выдававшего ему еженедельное содержание и ни гривной больше, строго при этом запретив матери что-то тайком подсовывать. Свои деньги он начал получать только на службе – увы, в месяц меньше, чем отец выдавал на неделю. При этом помощи отца сразу же лишился, поэтому вышло, что взрослым служащим человеком он получал меньше, чем школьником.

– Перестаньте! – строго сказал он Нине, бросая окурок и притаптывая его ботинком. – Как у вас все просто в России, сунул тысячу рублей – и нет проблем!

– Почему же тысячу и почему рублей? У нас деньги с тысячи долларов начинаются.

– Ну, положим, это тоже не деньги, – заметил Дима, чувствуя, как увлекает его этот дипломатический разговор. Похоже на игру, а игры он всегда любил.

– Согласна, – кивнула Нина. Она была готова к такому повороту и достала второй конверт. – Три тысячи – это уже более или менее серьезно.

– Смотря для чего, – рассудил Дима как бы теоретически, как бы не заметив появлсния второго конверта.

– Тоже правда, – согласилась Нина. – Но тут ведь как, иногда бывает, тысяча может на дело пойти, а бывает, и за три никакого толка. Жизнь так устроена, что ничему нет постоянной цены, правда? Были бы на все прейскуранты какие-то или что-то в этом духе, проще было бы. То есть если знать, за это тысячу, за то три, а за что-то можно и хоть десять, если с пользой. Правда?

Дима ощутил легкое возбуждение, которое у него бывало совсем в других случаях. Надо же, какой захватывающей оказалась игра! Что, если попробовать продолжить и понять, до каких пределов способна дойти эта женщина? Это не значит, что он пойдет ей навстречу, просто интересно.

– С этим никто не спорит, – сказал он. – Все стоит столько, сколько стоит, но все стараются купить дешевле, а продать дороже. Это я в образном смысле. Например, машина стоит двадцать тысяч, а мы за десять хотим купить. А она на самом деле, может, все тридцать стоит, может, нам и так скидку делают?

– Бывает, да. Только возможности у людей не безразмерные. Другой бы рад хоть за сто, а если есть только десять, то как? Можно, конечно, разойтись, ни себе, ни другим, но кому от этого хорошо?

Черт побери, думал Тюрин, женщина реально предлагает десять тысяч долларов — в сущности, ни за что! В вагончике засела, правда, Арина, но ей можно сказать, что позвонили и велели во избежание обострения пограничной обстановки отпустить всех, кто без оружия и без явных террористических намерений. И как же дорог этой женщине ее муж, если она почти без торговли предлагает такие деньги! Если когда-то Дима женится и попадет в подобное положение, способна ли будет его жена вот так же биться за его свободу? А вдруг окажется такой же принципиальной, как Арина, которая отца родного не пожалеет ради своих принципов, потому что, кроме принципов, ничего у нее нет — ни внешности, ни обаяния, ее, может, и не целовал никто, несчастную дурнушку. Вот она и мстит всем встреченным мужчинам. Дима ей под руку попался — мстит ему, стоит над душой постоянной угрозой, заставляет, в сущности, подчиниться себе. Разве Тюрин, если бы был один, задержал бы этого человека, который, с первого взгляда видно, никакой не диверсант, а местный интеллигент, слегка запутавшийся в отношениях со своими женщинами, обычная история! Ведь получилось, что не Дима, а Арина арестовала — налетела на человека, руку вывернула, а Тюрин пошел у нее на поводу. И откуда столько злости в этой дурочке? Не любил никто, вот и злость. Диму любили, и он любил, поэтому намного добрее. И эта женщина мужа самоотверженно любит. Дима его и задаром бы отпустил, но, с другой стороны, если придется заплатить, в следующий раз подумает, соваться ли на территорию чужой страны так нагло.

И как бы Тюрин ни вертел свои мысли, что на самом деле уместилось в считаные секунды, все выходило, что он может сделать доброе дело.

— Что ж, — сказал он. — Надо действительно исходить из возможностей.

Нина обрадовалась, выхватила третий конверт, присоединила к двум и протянула Диме.

– Ровно, можете не считать. Только вы уж сразу вопрос решайте. Во избежание.

Дима уже почти взял конверты, но тут дверь распахнулась и вышла Арина.

И тут же ладонь Димы, выставленная берущей стороной вверх, резко повернулась в отталкивающем жесте, и он громко, возмущенно закричал:

– Женщина, вы с ума сошли? Вы что мне тут предлагаете?

Нина сразу все поняла. Взглянула на Арину, на Диму и с одного взгляда угадала, какие у них отношения, почему лейтенант закричал так испуганно и почему с такой усмешкой смотрит на него эта барышня, одетая в брюки и футболку камуфляжного военного вида, а на ногах у нее ботинки мужского фасона на толстой подошве.

Но понять – еще не все, как поступить – вот вопрос. Сказать, что деньги на двоих, – не прямо, конечно, намеками? Но эта военная девица не только не возьмет, она, пожалуй, еще и Нину арестует. Сделать вид, что в конверте не деньги, а, вроде того, письменная просьба о помиловании или как это называется? Тоже сомнительно, не поверит. Попробовать надавить на ее женскую сущность, зарыдать о любимом муже, которого ждут дома дети? Но, совсем не зная Арины, Нина сразу увидела, что женской сущности в ней маловато или она крепко спит, ожидая своего часа. И час этот, бог даст, придет когда-то, думала Нина об Арине, желая ей мысленно счастья, но, пока это случится, много крови выпьет она у людей.

Жаль, нет рядом Евгения. Как он все-таки умеет поворачивать людей в свою сторону! Может, попробовать? Он, правда, странно это делает, говорит о себе в третьем лице, но зато люди удивляются, поневоле начинают вслушиваться, значит – действует.

Догадаться бы, чем их можно взять...

И Нина решила рискнуть:

– Нина глядела на этих молодых людей, – сказала она, – и завидовала им. Видно было, что они неравнодушны друг к другу, хотя и скрывают это. Она вспомнила свою юность, когда теперешний муж Аркадий был ее женихом, он глядел на нее, как на самую большую свою мечту, никого не замечал, кроме нее. А потом стал мужем, и привык, и опять стал замечать других женщин. Но она все ему прощала за то, что любит его. И он ведь даже не знает, что она хочет от него второго ребенка, а это обязательно будет.

Арина сошла с крыльца, приблизилась, внимательно глядя на Нину.

А та продолжала:

– И эти молодые люди подумали, что, если они отпустят ее мужа, то это будет шаг к их сближению, потому что доброе совместное дело объединяет. И они сказали: хорошо, пусть идет и больше так не делает. А Нина сказала: спасибо!

И Нина с этим словом склонила голову в почтительном, но гордом поклоне, заранее благодаря за справедливость.

Дима был тронут. Вон женщина из-за мужа расстроилась, даже заговаривается. Но ее можно понять. Зря он затеял игру с деньгами, не было бы их, можно было бы договориться с Ариной, а сейчас вряд ли.

Арина некоторое время молчала, глядя в упор на Нину проницательным взглядом, потом спросила:

– Все – или еще что скажем?

– Все.

– Ось вони, російські жінки! – с иронией сказала Арина Тюрину, усмехаясь и приглашая его тоже усмехнуться, и Дима усмехнулся, ненавидя себя за это. – Муж гуляет, изменяет ей, а она за ним бегает, взятки сует! Никакого чувства собственного достоинства!

Нина не смогла этого стерпеть. Так у нее и с Аркадием бывает: умом понимает, что надо промолчать, не разжигать огня ссоры, он сам осознает свою глупость, а душа не выдерживает и просится наружу. И если бы Арина тронула только ее, это бы еще ничего, но та обобщила нехорошими словами всех российских женщин, чувство долга требовало вступиться за них. Нет, пожалуй, Нина вынесла бы и это оскорбление, если б видела шанс освободить Аркадия, но что-то в глазах Арины говорило ей – шансов нет, не отдаст ей мужа эта военизированная одинокая девушка. И Нина ответила, не сдерживаясь:

– Чья б корова мычала, а твоя бы молчала! Он гуляет, да вернется, а к тебе и возвращаться некому – и никто никогда не захочет! И еще будет мне тут что-то выговаривать! Вчила ложка ополоник борщ черпати![1] Да в такой вечер сам бог велел друг другом заниматься, а парень, вон, от тебя курить бегает то и дело, все вокруг засорил! – Нина показала на окурки, усыпавшие вытоптанный пятачок земли около вагончика, которые, конечно, набросал здесь не один Тюрин, но ей было не до логики.

Арина высокомерно улыбалась, словно не замечая поносных слов русской простолюдинки (такой она ей казалась, ведь Арина не знала о высшем университетском образовании Нины).

– Все, женщина, кончаем истерику и покажем документы. Придется ее задержать, – сказала она Диме.

Гадюка ты, подумал Тюрин. И ведь правда, бегаю от тебя каждые десять минут, искурился уже до тошноты. А вслух сказал:

– Думаешь?

– Даже думать нечего. Пойдемте!

Арина протянула руку, намереваясь взять Нину за локоть и отвести в вагончик. Но Нина отпрянула, выставила вперед скрюченные пальцы с довольно длинными,

---

[1] Учила ложка половник борщ черпать!

заметим, ногтями, потому что Нина заботилась об их красоте, и негромко пригласила:

— Ну, давай, иди ко мне, моя сладкая. Сейчас я тебе последнюю внешность испорчу, всю кожицу твою конопатую с личика сорву. Иди, хорошая моя, рискни.

— Лейтенант Тюрин! — воззвала Арина к Диме, отступив на пару шагов.

Пошла ты, дура, подумал Дима и сказал:

— Давайте успокоимся. Проверим документы, ничего страшного. Служба такая.

— Где Аркадий? — закричала Нина. — Куда дели моего мужа, сволочи! Аркадий, ты здесь? Арканя, отзовись!

И Аркадий отозвался. Он ведь мучительно не спал, прислушивался к голосам. Что-то в этих далеких неразборчивых голосах его волновало. Теперь ясно что.

— Здесь я! — закричал Аркадий, вскочил и ударил плечом в дверь. И еще раз, и еще. Дверь не открылась, она вылетела вся вместе с косяком и грохнулась об пол. Аркадий мигом оказался на крыльце, все сразу увидел и понял, подскочил к Нине, встал перед нею и закричал:

— Вам меня мало, над женой издеваетесь?

Арина не испугалась, напротив, вдохновилась, будто попала в настоящий бой.

— Оба арестованы! Товарищ лейтенант, выполняйте свои обязанности! Учтите, в приграничной полосе имеем право стрелять!

Тюрин понял, что ему предлагают достать пистолет и наставить его на этих людей. Но, наставив, ведь придется, пожалуй, и выстрелить. А он никогда еще в людей не стрелял. И, пожалуй, не сумеет этого сделать.

— Товариш лейтенант, прокиньтеся! — родным языком напомнила Арина о Родине.

Но Дима, отстегнув кобуру, никак не мог достать пистолет. Тогда Арина бросилась к нему, выхватила пистолет и направила на Аркадия и Нину.

— Быстро туда! — кивнула она на вагончик.

– А не пойдем, что сделаешь? Неужели выстрелишь? – спросил Аркадий.

– Нина подумала, что эта девушка может выстрелить, – сказала Нина. – И попадет. И убьет. И будет даже гордиться. А потом, через много лет, когда жизнь ее сложится и будут у нее муж и сын, ее встретит красивый молодой мужчина и скажет: здравствуйте, помните, как вы убили моих маму и папу? Что, если и я убью папу и маму вашего сына? И тогда она зарыдает и проклянет себя, но будет уже поздно.

– Не зарыдаю! – гарантировала Арина, опытным движением сняла пистолет с предохранителя и опять наставила на мужа с женой. – Считаю до трех и стреляю – клянусь!

И тут Тюрин сделал то, чему потом сам удивлялся. Главное, сделал не думая, будто не он сам, а что-то его толкнуло, но это что-то было не сомневающимся, оно было чем-то, что сильнее всего на свете. Он вырвал из рук Арины пистолет (та держала его обеими руками, как в американском боевике, – чтобы без промаха), грубо сказал:

– Кончать дурить, студентка! Марш в вагончик и ложись спать, время позднее! А вы – до свидания! Быстро.

– Спасибо, – сказала Нина.

– Быстро, кому говорят!

– Может... – Нина протянула один из конвертов.

– Да что ж вы! Мне, что ли, в вас стрелять теперь?

И Аркадий с Ниной ушли в ночь.

Арина, вздернув голову, направилась в вагончик, но на крыльце ноги ее вдруг подкосились, она села на ступеньку, обхватив руками коленки, и заплакала. Громко и бурно, по-девчоночьи. Сквозь плач выговаривала:

– За что вы меня так... Какая я вам... студентка?

Казалось, ее больше всего обидело именно то, что назвали студенткой. Может, увидела в этом глубокую правду, что живет она давно уже взрослой женщиной, со взрослым умом и взрослой горечью, а на самом деле даже не студентка, а совсем еще девочка, за которой не бегают мальчики, а подруги не дружат с ней из-за ее язвительности, которую она и сама бы рада усмирить, но уже не может, найдя в ней себе защиту. Да еще обидная склонность к тому, чтобы против своей воли влюбляться в тупых идиотов, как этот вот лейтенант, к которому ее потянуло с первого взгляда, потянуло постыдно, физиологично – кожа мурашками покрывается, когда он случайно касается ее, и она злится на себя, но пока не может с собой справиться.

– Хватит, – сказал Дима, садясь рядом и обнимая ее за плечи. – Ерунда это все. Ну, прости. Ты хорошая. Просто не надо с ума сходить.

– Вы никак не поймете... – не могла успокоиться Арина. – Живете и нашим, и нашим... А идет война... И надо определиться...

– Всё, всё, всё, – тихо говорил Дима, поглаживая пальцами выступающие косточки ее худенького плеча. И такая нежность его вдруг охватила, будто гладил он, став в два раза взрослее, свою обиженную дочь. Тут Арина, словно почувствовав это, повернулась и припала лицом к его груди, спряталась там.

Плакала еще, потом стихла, обнимая Диму.

Подняла лицо с сияющими от влаги глазами:

– Тебе смешно, да?

– Дурочка, – ответил Дима и поцеловал ее в губы, соленые от слез.

Арина застонала и обхватила его слабыми своими руками с такой силой, что Диме даже стало больно, но ему эта боль была приятна.

А Нина и Аркадий молча шли к границе, огибая кордоны и посты. Машину Нина решила забрать после.

Вдруг она остановилась, спросила, не глядя:

– Может, тебе выручить кого надо?

– Анфиса позвонила, сказала, что ее муж в подвале запер, – честно сказал Аркадий, слегка только напутав:

это он звонил Анфисе. Но напутал без умысла, он действительно забыл, кто кому звонил.

– И ты ее отпереть хотел?

– Вроде того. Ты только не думай, у нас с ней ничего нет. Просто... Учились вместе, друзья... На самом деле, не мое дело, они муж и жена, разберутся.

– Вот именно.

И они опять пошли.

Перед самым домом Аркадий встал, взял Нину за плечи и сказал:

– Нин, ты даже не представляешь, как я тебя люблю

– Да ладно тебе, – сказала Нина, думая, что это у них на всю жизнь: он будет ее любить, а она будет сомневаться.

Марина сидела в машине с открытой дверцей возле могилы Максима, которая была с краю, у самой кладбищенской ограды, и тихо говорила, раскачиваясь и закрыв глаза:

– Ну, и что теперь? То есть ради чего? А никто не знает. Кого я спрашиваю тогда? А о чем? Говорю, сама не понимаю чего. Ну, и молчала бы. Да я и так молчу. Это разве разговор? Это не разговор, а так. Слышишь, ночь вокруг? Тихо. И я тоже никому не мешаю. Разве я кому мешаю? А о чем тогда вопрос? Ну, и ничего тогда. А кто что? Никто ничего. Все молчат. Все спокойно. А если нет, я разберусь. Эх, вы, глупые люди. Вы это знаете? Вы глупые. И я тоже. Никто не спорит. Вы скажите мне главное. Сейчас спрошу. Вот, спросила. Откуда я знаю что, вам видней. Или тебе.

Так, бессвязно бормоча, она и задремала, и заснула, и спала крепко, хоть и сидя, пока ее не разбудили выстрелы, раздавшиеся со стороны Грежина.

ГЛАВА 32

СВІЙ РАЗУМ МАЙ І ЛЮДЕЙ ПИТАЙ[1]

Содержание этой главы вполне отражает содержание того времени, которое в значительной степени состояло из слухов. Слухи питали средства массовой информации, те передавали их населению, а население одобряло, негодовало или оставалось равнодушным. Касалось это и России, и Украины, и, конечно, всего мира в целом. Никогда до этого на людей не обрушивалось столько информации, причем часто информации недостоверной; некоторые пытались в ней разобраться, многие верили тому, что последнее услышали, а большинство перестало обращать на нее внимание.

Итак, по слухам, до сих пор не подтвержденным, но и не опровергнутым, в Киеве и в Москве будто бы одновременно состоялось два экстренных совещания.

О составе участников историки спорят до сих пор, сходясь в одном: это были первые лица обоих государств.

В Москве, узнав о грежинских событиях, якобы обсуждали, по утверждению одних историков, возможность прямого военного вмешательства. Им возражали те, кто, на основании косвенных документов и устных воспоминаний, считали, что речь идет о вмешательстве тоже прямом, но гуманитарном. Есть исследователи, убежденные, что ни военное, ни гуманитарное вмешательство не обсуждалось вообще, все свелось к единодушному одобрению уже принятых кем-то решений.

Не вмешиваясь в эти споры, отметим лишь один непреложный факт, зафиксированный всеми СМИ того

---

[1] Свой ум имей и у людей спрашивай.

времени: после совещания, независимо от того, что на нем обсуждалось и было ли оно вообще, пресс-секретарь сделал заявление о том, что президент может воспользоваться возможностью применения силы за рубежом как своим неотъемлемым конституционным правом. Подразумевалось, что это заявление имело цель остудить чрезмерно воинственную обстановку.

О совещании в Киеве известно тоже больше по дошедшим слухам, поскольку его предполагаемые участники, многие из которых еще живы, хранят молчание, равно как и их оставшиеся в живых бывшие московские коллеги.

Будто бы велись жаркие споры о том, что делать в связи с грежинским прецедентом, выбиралась оптимальная тактика — жесткая и одновременно миролюбивая.

Неоспоримо одно: сразу после совещания Рада приняла закон о доступе на территорию Украины иностранных войск, который практически сразу же был одобрен украинским президентом. Естественно, этот исторический акт тоже трактовался авторами как антивоенный.

Если б был на этих совещаниях, представим на минуту, наш Евгений, что он мог бы сказать этим людям?

Он мог бы сказать, к примеру, следующее, причем без привычного употребления формы третьего лица:

— Уважаемые собравшиеся! Извините за наивность, но все очень просто, если совместить логику политическую с человеческой, что традиционно считается невозможным, а это не так. Я бы предложил всем встретиться в Донбассе. В полном составе правительствующих лиц. И, конечно, представители Донецка и Луганска. Именно там встретиться, в Донецке или Луганске, а не в Минске или еще где-то. И никаких больше сторон, никакой Европы и Америки, только свои.

— Там война и стреляют! — возможно, напомнил бы кто-то.

— Поэтому туда и надо, — ответил бы Евгений. — Уверен, стрельба тут же прекратится. Сесть — и говорить. Долго говорить, пока не договоритесь. А народ, конечно, соберется у того места, где вы будете заседать, много придет народа. Живого и конкретного. Будет ждать, когда вы выйдете и что-то объявите. И пока не объявите о безоговорочном и категорическом мире с ясными определениями статуса регионов вплоть до автономии при условии единства Украины, что приемлемо и для нее, и для России, подавляющей внутри себя любые намеки на сепаратизм, пока не признаете взаимные ошибки ради восстановления дружбы и не скрепите это договором, народ вас не отпустит! Вот и все.

Так мог бы сказать Евгений, если бы он был здесь, но он в это время находился в Грежине и чувствовал себя удивительно спокойным и ясным, будто нашел наконец свое предназначение в этой жизни: воевать за правду не только словом, но и делом.

Кто знает, как отреагировали бы на это собравшиеся, удивились бы, возмутились, вознегодовали, озадачились, невольно согласились, — гадать не хочется, мы все-таки рассказываем о том, что было, а не о том, что могло быть.

Добавим только, что совещания и консультации, вызванные грежинскими событиями (и не только ими, но и новой серьезной вспышкой конфликта на юго-востоке), проводились и в Донецке, и в Луганске, и в правительственных кругах США, но, чтобы не перегружать наше все-таки преимущественно художественное повествование, упомянем только одну цитату — высказывание тогдашнего президента США Барака Обамы: «Америка друг каждой нации и каждого мужчины, каждой женщины и каждого ребенка, который стремится к мирному и достойному будущему, и мы готовы вести мир вперед опять».

Перевод, возможно не точный стилистически, но другого не нашлось, а исправлять автор не решился.

И еще одно известно точно: кто-то среди ночи позвонил Аугову и сказал:

– Ростислав, ты где? Звонил в Грежин, ты будто бы уехал?

– Я недалеко, в Харькове. В соответствии с планом...

– Какие еще планы, мотай в Грежин немедленно! В украинский причем. Нам нужна достоверная информация о развитии событий, а именно: дошло ли до вооруженного столкновения с третьей силой, которая, как выяснилось, виновата во всем, что там произошло и происходит?

– Считаете, что надо, чтобы дошло? – догадался Аугов.

– Ростик, тебе язык для того, чтобы все вслух проговаривать? Ты там, я вижу, совсем расслабился!

– Прошу прощения. Все понял.

– Точно все?

– Да, конечно. А нашу миссию пока откладываем?

– Какую?

– Подготовку визита.

– Какого визита?

– В Грежин. В связи с проектированием железнодорожного узла.

– Какого узла, какой визит?

– Но вы же сами мне говорили...

– Аугов, еще раз попытаешься валить на меня, накажу! Я что говорил? Я говорил: может быть! Может быть – и будет, есть разница?

– Есть, но...

– Засунь свое «но» себе в задницу! – добродушно посоветовал голос.

– Я просто... Люди занимаются.

– И пусть занимаются, кому от этого вред?

– Понял. Все сделаю. Нужна объективная информация о вооруженном столкновении.

– Наконец-то! Жду!

ГЛАВА 33

ЗНАВ БИ, ДЕ ВПАСТИ, ПІДСТЕЛИВ БИ СОЛОМКИ. А ІНШИЙ І ЗНАЄ, ТА НЕ СТЕЛИТЬ[1]

Этот звонок был очень не вовремя: Аугов находился в это время в номере Светланы, в гостинице «Премьер Палас Отель», и ждал, когда она выйдет из душа. Чтобы занять себя и успокоиться, открыл папку, на которой типографским золотом было тиснение: «Premier Palace Hotel Kharkiv».

Ростислав обожал отели, он был во многих, в том числе известных всему миру: «...» в Барселоне, «...» в Венеции, «...» в Арабских Эмиратах, «...» в Нью-Йорке, да все и не перечислишь, а также в тех, о которых знают лишь знатоки, гурманы комфортных путешествий – небольшие отели-апартаменты, скорее даже пансионы, где хозяева окружают посетителей семейной заботой, через день знают их вкусы и пристрастия, называют по именам и дарят детям дешевые конфетки в ярких обертках. Но эта домашность Аугову как раз нравится меньше, он любил роскошные отели-корабли на сотни и тысячи номеров, и пусть роскошь их довольно стандартизирована и безлика и ты сам становишься анонимен и безлик среди прочих, но в этом-то и прелесть. Вообще Аугов давно понял, что не жаден до славы, ему не требуется признание миллионов или тысяч, он не хотел бы, даже если б мог, стать президентом страны или какой-то

---

[1] Знал бы, где упасть, подстелил бы соломки. А другой и знает, да не подстилает.

крупной корпорации, знаменитым актером, журналистом или блогером, ему было намного приятнее покорять собой конкретных людей и непосредственно видеть их реакцию. В отелях он мимоходом и легко побеждал своим обаянием обслуживающий персонал, но главное увлечение — искать женские объекты. В этих поисках Ростислав исходил из двух простых постулатов:

1. Красивых женщин очень много.

2. (вытекает из первого). Не огорчайся отказом. Единственных и неповторимых женщин нет, найдешь еще лучше.

Любимая его тактика: отыскать красавицу с подругой-дурнушкой или середняшкой и сделать вид, что эта середняшка тебе нравится. Красавица недоумевает, она озадачена, раздосадована и т. п. Даже если она умна и понимает маневр Ростислава, самолюбие почти всегда сильнее ума, оно срабатывает — в пользу Аугова. Начинается второй этап: делаешь вид, что, увлекаясь середняшкой, не в силах устоять перед сокрушительностью красавицы. Желательно, чтобы красавица догадалась, что ты немного подлец (или даже много, не страшно), и, в случае сближения, считала бы, что она выручает подругу, спасает ее от негодяя, закрывая своим телом.

Чем хороши вообще негодяи для женщин, особенно порядочных? — могли бы спросить Аугова друзья, если б они у него были. И он бы ответил: порядочная женщина признает серьезными и ответственными только долгие отношения с порядочными мужчинами, отношения с перспективой. Когда она понимает, что имеет дело с непостоянным и летучим негодяем, то вся ответственность — на нем. С таким долгие отношения невозможны, но в этом не я виновата, в этом только он виноват.

Потом наступает этап непосредственного контакта, который Ростислав любил больше всего, признавая, что наркотически от этого зависим. Знаете, братцы, мог бы он сказать друзьям, которыми, увы, не обзавелся (это «увы» наше, а не Аугова), если бы я был женщиной, я бы наверняка стал проституткой или порноактрисой, настолько тащусь, извините за плебс-жаргон, от этого процесса. Я, мол, читал интервью одной американской звезды гламурного порно, которая признавалась, что в день ей требуется, как минимум, пять контактов, но иногда не хватает и этого, тогда она догоняется с помощью подручных средств. Постой, сказали бы друзья, почему проституткой и порноактрисой, почему не проститутом или порноактером, это ведь вполне для тебя возможно? А потому, ответил бы он, что мужчина, к сожалению, так устроен, что на пять ежедневных контактов его не хватит. Выдержит неделю, ну, две, а потом сложит оружие, даже если молод и горяч.

Занимаясь с женщиной тем, для чего женщина, по убеждению Аугова, природой и предназначена, он, едва начав, уже жалел, что через какое-то время все кончится. Если б мог, зависал бы в таком состоянии и день, и два, и неделю – до изнеможения. Но это фантастика. Поэтому Ростислав всячески ухищрялся, пытаясь продлить очарованье, а когда все же наступал финал, ему, конечно, было хорошо, но грустно, что радость позади, хотелось повторить, а у организма на этот счет свое независимое мнение, однако в организме, кроме чисто телесных приливов и отливов, есть еще мозг, как составляющая его часть, а он у Ростислава излучал такие волны нетерпения, что организм удивленно подчинялся и опять был готов к действию.

Надо отдать должное Ростиславу – большинство женщин, побывавших в его руках, никогда его не забудут, пусть как эпизод и случайность, но эпизод яркий, случайность крышесносящая. Они были ему благодарны, а он был благодарен их благодарности, потому что Аугов вообще больше всего на свете любил чью-то любовь к себе – если, конечно, любящий здесь, рядом. Что думают те, кого он оставлял и вычеркивал, его не волновало, потому что он об этом уже не знал и не желал знать.

Так что, строго говоря, он хотел не Светлану, он хотел именно ее любви к себе, пусть всего на одну ночь.

Названивая своему вымышленному другу, украинскому спецслужбисту, который якобы был настолько занят, что никак не мог с ним договориться о встрече, он гулял со Светланой по городу, сидел с ней в кафе, выбирал себе и ей номер в гостинице, придумывал повод зайти к ней, а сам пробовал в тестовом режиме все известные ему способы съема:

- был легким, остроумным, простодушно наглым;
- становился проницательным, мудрым, старшим;
- превращался в разочарованного, горького, уязвленного несчастной любовью;
- достоверно изображал силу и повелительность, которой, он знал, многие женщины доверяют на слово;
- еще достовернее оборачивался слабым, ищущим, почти умоляющим о помощи;
- сбрасывал все маски и открытым текстом доказывал Светлане, что близость с ним, Ростиславом, для нее просто необходима, потому что иначе она а) не узнает, что такое настоящий секс, б) не сумеет подарить радость своему будущему или даже пусть имеющемуся сейчас в наличии любимому мужчине.

Пункт б) был его секретным и неожиданным оружием, которым Аугов пользовался экономно, но эффективно. Однажды он был на свадьбе какого-то дальнего родственника, в загородном доме, и сумел убедить богатую невесту, очень любившую бедного жениха, но сомневавшуюся в его любви, что, взяв всего лишь один экспресс-урок у Ростислава, она навсегда покорит жениха своим искусством, и невеста взяла этот урок. После этого, правда, захотела сбежать с Ауговым с собственной свадьбы — пришлось Ростиславу срочно дать деру.

На Светлану ничего не действовало, она будто не замечала подъездов Ростислава, хотя при этом, конечно, все видела, все отражалось в ее умных и ласково-насмешливых глазах загадочного цвета — голубиного, как назвал этот цвет Евгений, но Аугов этого не знал.

И вот она принимает душ, а Ростислав листает страницы с фотографиями и текстом на трех языках, оставшись в ее номере благодаря крайнему своему средству, тому способу осады, который он сам презирает у других мужчин, а именно: упрямство и тупость.

Мне говорят, что уже поздно, а я не слышу.

Мне говорят, что пора спать, а я говорю, что не хочется.

Мне говорят, что вообще-то есть свои личные дела, а я отвечаю: да пожалуйста, занимайся, не помешаю!

То есть он включил влюбленного дурака. Дескать, ничего не могу с собой сделать, переклинило меня, несчастного.

Сейчас она выйдет, надо упасть на колени, руки целовать, умолять и так далее. Вплоть до насилия. Неужели ты и на это мог пойти? – ахнут друзья Аугова, которых у него пока нет, но когда-нибудь заведутся – когда возраст уже не позволит им быть соперниками Аугова по жизни и женщинам. И Ростислав, то есть к тому времени уже полнозвучный Ростислав Вячеславович, лукаво кхекая старческим смешком, скажет: «Не только мог, но, бывало, и шел в особых случаях. Когда безошибочно чувствовал, что женщина хочет насилия, а они почти все желают это испытать хоть раз в жизни. И когда знал, что женщина настолько добросердечна, что простит, если он потом объяснит ей, что сошел с ума от любви, не помнил себя и готов теперь хоть в тюрьму, хоть на смерть, как те дурачки, что имели дело с Клеопатрой».

Ростислав нервничал, готовясь к этому, прислушиваясь к шуму душа, меняющего свою тональность в зависимости от того, какая часть тела была под струями. Захлопнул папку и вдруг понял, что из всех возможных вариантов обольщения Светланы выбрал в итоге самый провальный, будто нарочно обрекая себя на неуспех.

Странно, сказал сам себе Аугов.

И сам себе ответил: ничего странного. Ты занимаешься Светланой, ты без умолку говоришь, ты убеждаешь себя, что на все готов, ты не даешь передышки своему уму, потому что, как только остановишься, тут же подумаешь о той, о ком тебе по-настоящему хочется думать. О Маргарите, о Марго, о Рите. Не в том дело, что с ней ничего не вышло и тебя грызет желание реванша. Все проще – запала в сердце эта рыжеволосая провинциалка, вскрыла в тебе то, о чем ты не подозревал. Чего ты хотел бы, скажи честно. Да ничего, только бы быть рядом и видеть ее. Как награда – взять в ладонь прядь ее золотых волос и держать, и молчать, и ничего больше от нее не желать, даже ее любви.

И ведь она даже не красавица, если судить по меркам, привычным Аугову, а мерки эти близки к общепринятым современным стандартам. Ростислав этого ничуть не стесняется, он любит эти стандарты так же, как и стандарты отелей-лайнеров, их ожидаемые интерьеры, потрафляющие вкусам обывателей всего мира, запахи освежителей в лифтах и коридорах, напоминающие запахи дорогих духов и заставляющие каждого их нюхающего чувствовать себя тоже дорогим. Не оригинальничай, будь сам стандартен, но стандартен по первому классу, и станешь желанен в этом мире, который уже не хочет неожиданностей.

Какая-то глупость лезет в голову. Не нужна мне эта Рита, и я ей не нужен, Рите нужна только своя маленькая жизнь, а в ней маленькая зарплата и маленький ребенок. И от меня она захочет зарплаты и еще одного ребенка, а высшее счастье – накормить ужином усталого мужа. Нет, это не для меня, сказал мысленно Аугов и, как только сказал, так почему-то и представил, будто наяву: он сидит за столом у летнего открытого окна, вечером, сидит в трусах и майке-алкоголичке, сняв свою трудовую робу, шумно хлебает щи, прея лбом, утирает рукой взмокший от наслаждения нос, а перед ним сидит Рита в халатике, полы которого приоткрывают молочную белизну, сидит с двумя детьми, один ее, уже готовый, а второй от Ростислава, недавно рожденный, она кормит его грудью, и Ростислав, засмотревшись, забывает даже есть и говорит:

– Я тоже хочу.

– Не наломался на работе? – польщенно улыбается Рита.

– Нешто это налом? – кряжисто скажет он. – Вот на шахте я уголь ворочал, это был налом, а лес валить – одна утеха! А чё? Свежий воздух, прохлада, чистый курорт!

– Ишь, двужильный. Ну, годи маленечко, уложу ребят, тогда потолкуем.

– Я и молча могу.

– Именно, что от тебя слова мужского не дождешься к женщине, а нам нравится же!

– Мало чё вам нравится, мне, мож, нравится, когда меня в зад целуют, я ж не прошу.

– И попросил бы – вдруг соглашусь?

– Да неужто?

– На слове-то не лови, бесстыдник!

– Между прочим, я про зад фигурально сказал, а могу и по правде.

– То есть по правде даже и не это, а другое?

– Может, и другое!

Так говорят они пустые слова, но не пустые на самом деле, это они так играют, они так дразнят друг друга, коротая время до ночи. И может, удастся дотерпеть, а может, как не раз уже бывало, Ростислав не сдюжит, лапнет проходящую мимо Риту за руку, притянет к себе и задышит ей в смеющееся лицо:

– Пока ты уложишь, я сам засну. Мож, в ванную заглянем?

– Ростя, ты чего, вообще, что ль?

– Ну, как знаешь, – отпустит руку Ростислав.

Она отойдет и тут же вернется, негромко спросит, глядя не на него, а на детей:

– Совсем терпежу нет?

– А ты не видишь? – покажет он.

– Прикройся, кобелина, дети же, старший все понимает, у него у самого уже по утрам торчок карандашиком.

– Чё, правда? Мужик!

– А то. Ладно, иди, а я через минутку.

И Ростислав срывается с дивана и – в ванную и там ждет, счастливо изнывая, радуясь за себя, что так желает жену, и за нее, что и она его желает.

Из ванной – то есть не той, которую представил помимо своего сознания Аугов, а из гостиничной – вышла Светлана. В белом халате с вышивкой по кармашку: «Premier Palace Hotel Kharkiv». Эта гордая надпись тут везде – на упаковках гелей и шампуней, на полотенцах, на салфетках, на наволочках, простынях и одеялах, чтобы ни на секунду не забывали гости, где они находятся.

Ростислав встал, подошел к ней, долго глядел в глаза и опустился на колени.

Да, он понял, что его тянет к Рите и что он, похоже, нежданно-негаданно влюбился, но не мог позволить себе отступить без боя. Это как в спорте: пожалеет себя боксер, устанет от боли, скажет себе, что на этот раз не повезло, что один раз проиграть можно, – и все, потерян он для ринга, потому что тело его, все существо его запомнит эту сдачу, это разрешенное освобождение от муки и преодоления – освобождение, доступное в любой момент, и в решающей схватке, когда вся твоя карьера на кону, подведет, сдастся самовольно, не спрашивая тебя, а ты потом будешь удивляться: я же не поддавался, я был сильнее, я хотел победы! Нет, молча скажет твое лежащее после нокаута тело, не хотел.

Вот тут и прозвенел звонок. Среди рингтонов в телефоне Аугова были принадлежащие неотложным людям, этот был именно такой.

– Черт! – сказал Ростислав, как бы досадуя, и, пока не вставая, достал телефон.

Начал слушать – и встал, и пошел из номера, глазами показав Светлане, что звонок срочный и секретный.

Взгляд ее был вопросительным: не долгожданный ли друг-спецслужбист звонит?

Он отрицательно покачал головой.

В коридоре состоялся разговор, о котором мы уже знаем.

Вернувшись, Ростислав сказал Светлане:

— В Грежине война идет.

— То есть?

— Украинские войска, ополченцы и третьяки.

— Уже стреляют?

— Надо ехать и выяснять. Срочно. Так что... Узнать о Степане важно, но сама понимаешь.

— Конечно, понимаю! Я с тобой!

Аугов взял ее за плечи.

— Если бы не это, ты б живой отсюда не вышла, — соврал он со сдержанным достоверным пафосом.

— Верю, — соврала и Светлана, и тоже правдоподобно, иногда она это умела — из жалости к людям.

Через десять минут машина Аугова уже отъезжала от гостиницы, а через полчаса мчалась в ночь к Грежину.

Перед рассветом Аугов миновал границу — официально, через пост, предъявив украинский паспорт. По пути не вытерпел и позвонил Рите.

Та ответила почти сразу же, хотя и сонным голосом:

— Да?

— Это Аугов. Извини, что поздно.

— Скорее рано.

— Да. Извини. Прости. Я вот что. Я о тебе думаю все время.

— Ростислав Вячеславович, — голос Риты тут же стал ясным, будто и не спала, — я понимаю, вам, наверно, обидно, что так получилось, но если вы решили, я не знаю, как это называется...

— Измором взять? — подсказал Ростислав.

— Ну да, вроде того. Это бесполезно.

— Я не хочу тебя брать измором. Я тебя вообще брать не хочу. Я о тебе думаю, это все, что я хотел сказать.

— Спасибо, конечно.

– И больше ничего. Я о тебе думаю. И мне это приятно. Может, ты даже не имеешь к этому отношения.

– Почему?

– Ну, это же я думаю.

– Но обо мне же!

– Это неважно. То есть важно, но... Я тебе потом объясню, если захочешь. Хорошо?

– Хорошо...

Рита положила телефон и пожала плечами, хотя ее никто не видел. На самом деле она все поняла, но боялась себя обмануть. И повернулась, устраиваясь в любимом положении: навзничь, обнимая подушку руками, а голова – набок, она привыкла к этому, когда осталась одна с ребенком. Удобно глазам: один глаз и одно ухо всегда закрыты подушкой и спят, а второй глаз и второе ухо всегда готовы все слышать и видеть.

А Светлану неудержимо тянуло проведать Геннадия. Она понимала, что ночь, что к нему не пустят, но хотя бы постоит с тыльной стороны, у окошка. Может быть, тихо позовет. Если не спит, отзовется, если спит, не помешает ему спать.

Она подошла к зданию и увидела странное: посредине, там, где зарешеченное окошко, крыша прогнулась, в кирпичной стене трещина, а внизу завал кирпичей. Приблизившись, Светлана увидела среди кирпичных прямоугольников что-то округлое, присыпанное кирпичной пылью и крошкой. Она присела рядом на корточки, очистила ладонью и увидела голову, а под ней заблестевшую в лунном свете лужу.

– Ты живой? – спросила Светлана.

Геннадий не ответил.

Он уже не был живым, хотя до этого был жив и терпел. Голоса не хватало, чтобы крикнуть, передавило горло. Ничто не шевелилось, ног он не чувствовал совсем. Пробовал шевелить пальцами ног и умом понимал, что, возможно, они шевелятся, получая сигналы мозга, но не чувствовал этого. Он ждал Светлану, хотя знал, что она уехала. И не дождался.

И это опять полная нелепость, как и со Степаном, потому что Геннадию предстояло жить в жизни и в этой книге, где он представлялся чуть ли ни главным положительным героем. Узнав, что проект фиктивный, он все равно остался бы здесь, устроился бы на работу к Крамаренко архитектором, планировщиком и организатором строительных работ, он доказал бы и местному руководству, и жителям, что из поселка можно сделать дивное диво, если захотеть: все строительные материалы под рукой — природный песчаник, щебень, песок, глина, — нужны только желание и руки. По его проектам были бы построены в первый же год два административных здания и четыре жилых, а потом поселок охватила бы строительная лихорадка: люди, по-хорошему завидуя друг другу, строили бы красивые каменные дома, прокладывали коммуникации, мостили улицы, восстановили бы кирпичный комбинат, а при нем организовали производство керамики. Светлана, открыв в себе с помощью Геннадия талант художницы, увлеклась бы орнаментами и создала бы несколько оригинальных элементов, что не менее трудно, чем, к примеру, создать новый шрифт, понимающие люди согласятся. Эти элементы были бы запатентованы, а посуда с авторским оформлением стала бы популярной и в России, и за рубежом, особенно почему-то в Японии, откуда поступило бы множество заказов. Геннадий и Светлана построили бы себе дом, где было несколько гостевых комнат и три детских, потом пришлось бы добавлять еще одну, когда появится четвертый ребенок — девочка после трех мальчиков. Кстати, средний сын Афанасий, в три года научившийся играть на электронном фортепьяно... но что толку рассказывать о том, что не случилось, хотя и должно было случиться?

Печально и больно, и не понять, кто в этом виноват. Строители, которые когда-то, еще в советское время, халтурно построили здание, не укрепив, как следует, фундамент? Мовчан, посадивший Геннадия из-за того, что погиб его сын Степан? Те двое пацанов, которые нашли пусковую установку с ракетой? Или те, кто эту установку по каким-то причинам здесь бросил? Или те, из-за кого появились те, кто бросил? А может, не те, а тот, кто дал тайный или явный приказ действовать? Но кто выбрал этого того? Может, они и виноваты, эти недальновидные выборщики? То есть и мы с вами все? И это больше всего похоже на правду, потому что в безвременной гибели любого человека на Земле виноваты все остальные люди Земли. Даже если цунами, потому что цунами – это климат, а на климат люди тоже влияют, и все больше.

И даже не *те* виноваты, а *то*. То, что во всех нас есть, где-то и у кого-то больше, где-то и у кого-то меньше, то, что колеблется от зла к добру и обратно. Как сказал великий китайский поэт Ли Бо:

Пока наш гений тяжко спал,
бездарность спела столько песен,
что наш народ лишь ими стал
окрестностям известен.

Но это не означает отмену личной ответственности, как справедливо заметил Мовчан в разговоре с Евгением, когда ехал к месту гибели сына. Пусковую установку бросили конкретные люди, на кнопку нажал конкретный человек, хоть и ребенок, в изолятор Геннадия засадил тоже конкретный человек – тот самый Мовчан, с подачи которого мы тут рассуждаем – поневоле слишком прямолинейно и коряво, а фундамент строил не по правилам конкретный прораб. С них спрос, если не по суду, то по совести, только мы до них не доберемся, и остается надеяться, что они доберутся до себя сами.

ГЛАВА 34

НЕ ВСТИГЛИ ПОЧАТИ –
ВЖЕ ПОРА КІНЧАТИ[1]

У Стиркина в кармане зашевелился, как пойманный жук, телефон – звук был выключен, но вибрация оставлена. Артем вынул телефон, увидел незнакомый номер. Но все же нажал, военным чутьем угадав, что по делу.

И точно: чей-то голос сказал:

– Иду к вам, вы где?

Стиркин огляделся, чтобы дать примету. Особых примет не было. Тополя, заборы, дома. Тут везде такие тополя, заборы и дома. Он встал, дошел до угла: нет ли таблички с названием улицы и номером дома. Повезло, была табличка. Он сообщил человеку адрес.

Через несколько минут из темноты возник Аугов.

– Доложите обстановку, – сказал он так, будто имел право все знать.

Стиркин терпеть не мог гражданских, но понимал, что перед ним не самостоятельный человек, а посланец, поэтому ответил голосом вынужденной дисциплины:

– Хохлы ждут света, мы тоже. Будет жарко, я думаю.

– А третьяки?

– Какие?

– Вы у меня спрашиваете?

Стиркину было неудобно признаться в том, что ему ничего неизвестно о третьяках. Но один из его людей доложил ему, что на улице, через одну, засели какие-то люди. Возможно, вооруженные.

---

[1] Не успели начать, а пора кончать.

— Третьяки разные бывают, — оправдал свой вопрос Стиркин, заодно показывая, что он лучше всяких заезжих разбирается в местных тонкостях. — Есть которые за хохлов, есть за нас, есть чистые третьяки, сами за себя.

— Здесь — какие?

— Неопознанные.

— Так и оставить их неопознанными?

— Есть другие мнения? — Стиркин своим вопросом дал понять, что на посланца ему наплевать, но к суждениях тех, кто за ним, готов прислушаться.

— Есть, — ответил Аугов. — Действовать, а не выжидать, когда вас с тыла покрошат!

Он и в самом деле чувствовал себя посланцем, но высокого ранга — словно смотрел и тут же, в реальности, проживал фильм о Великой Отечественной войне, словно он порученец Генштаба и лично товарища Сталина, сам боевой командир, но призванный исполнять особо важные поручения, так как умеет разъяснять, формулировать и мобилизовать на выполнение задачи. Душу его охватила вспышка патриотизма, любви к соотечественникам, которых он сейчас должен защитить своим скромным, но важным фронтовым трудом.

Стиркин мог уточнить, что значит действовать, но это выглядело бы так, будто он разбирается в обстановке хуже, чем пришелец.

— Ладно, — сказал он, не подчиняясь, а соглашаясь с тем, что и сам считал необходимым, причем сказал, легко заметить, не «Есть!», как положено по уставу, хоть он здесь и не работает, а по-граждански — «ладно», чтобы этот хлыщ не подумал, что с ним общаются на равных, будто с фронтовым командиром.

После этого Стиркин сказал Евгению:

— Буди своих, выступаем.

— Задача?

— Через улицу третьяки засели. Ты зайдешь с тыла, я спереди. Возможно, будут стрелять. То есть почти наверняка. Огонь вести по огню. Все понял?

— Так точно! — браво и радостно ответил Евгений, не чувствуя необходимости высказывать вслух свои мысли, а мысли были о том, что наконец-то он определился, знает, что делать и ни в чем не сомневается. Он почти нормальный человек, да что там почти, он полностью нормальный человек, потому что не делает ничего, что не сделал бы нормальный.

Тихо подняв свое подразделение, он дал указание скрытно перемещаться в направлении той улицы, что через одну, заходя с тыла. Бойцы стали серьезными и строгими, почуяв настоящее дело. Через несколько минут они были уже на месте.

А спереди заходил Стиркин со своими людьми.

Ночь была лунной, но облачной.

У Нити от непривычки к вину, которое ему разрешили попробовать взрослые, разболелась голова, он не мог заснуть. Да и прохладно стало, он ворочался на траве, потом сел. И увидел какие-то тени. Пригляделся. Увидел ствол автомата, тут же скрывшийся, будто ствол был живым и почувствовал взгляд Нити. Он толкнул в плечо старшего Поперечко. Тот проснулся, стал кулаками усиленно тереть глаза, моргать. Спросил:

— Чего?

— Там, — показал Нитя. — Убивать идут.

Старший Поперечко посмотрел вперед и взял обрез. В нем бродил еще хмель, поэтому оторопь пробуждения прошла, а мужество осталось.

— Первого сниму, остальные не полезут, — сказал он.

— В голову целься, у них, наверно, бронежилеты. Я читал и в кино видел.

— Учи ученого.

Однако совет Нити был вовремя, старший Поперечко и в самом деле целился в туловище, потому что оно больше головы, но теперь стал целиться в голову переднего солдата, который медленно переступал ногами, как на охоте, скрадывая зверя, и тоже целился – казалось, прямо в Поперечко. Надо его опередить. И Поперечко выстрелил.

И не попал. Сразу же прозвучал выстрел в ответ. Поперечко залег. Другие тоже начали стрелять. Люди Евгения подумали, что это третьяки стреляют в них, и тоже открыли огонь.

Дозорный со стороны украинской группы войск, увидев и услышав это, решил, что началась атака. Бросился к командиру, разбудил его.

– Кто? Где? – спросил командир.

– Это третьяки, – объяснил не спавший Колодяжный. Он знал это точно, потому что ему за несколько минут до этого позвонили и сказали, что все прояснилось: в грежинской смуте виновата третья сила. Учитывая и политическую конъюнктуру, и положение дел на фронте, возможен вариант, который может показаться неожиданным, но зато позволит резко повернуть фатальные события в иную сторону: временно объединиться с ополченцами, как ни парадоксально это звучит, и разгромить третьяков во имя мира. Колодяжного заверили, что, по самым верным сведениям, Стиркину эта задача известна, и он согласен.

Колодяжный вкратце объяснил это командиру. Тот воевал давно, уже четвертый месяц, и ничему не удивлялся.

– Лишь бы Стиркин не напутал, – сказал он, глядя на вспышки выстрелов.

– Объясним. Вы говорили, у вас есть опытная ударная группа, возьмите пока ее, а остальные присоединятся, если будет нужно.

– Понял.

Этот командир, как и Стиркин, не удостоил гражданского человека военным «Есть!», хотя знал, что Колодяжный на самом деле тоже имеет воинское звание, но командир не признавал спецслужбистов настоящими армейцами.

Ударная группа выдвинулась так удачно, что ее никто не заметил. Командир будто с неба свалился, вдруг встав из-за кустов перед Стиркиным. Артем непроизвольно дернулся автоматом в его сторону, но тот выставил ладонь:

– Мы с вами. Сейчас заутюжим этих уродов.

Огонь с обеих сторон усилился.

Старший Поперечко успел выстрелить три раза, потом упал. Нитя, плача, подобрал обрез. Он плакал и от страха, и – заранее – от боли. Когда стреляли по бутылкам и ему досталось тоже один раз выстрелить, приклад обреза после удачи так стукнул Нитю в тощее плечо, что оно не шуточно ныло целую неделю. Но Нитя на этот раз не успел выстрелить, упал, почувствовав горячее в животе. Зато плечу не больно, успел подумать он и больше уже никогда ни о чем не думал.

Младший Поперечко решил, что его черед, схватил обрез, выстрелил. Успел выпустить три пули и в кого-то, похоже, попал, но потом попали в него.

Ошалевший с похмелья Опцев побежал назад, там и был подстрелен.

Ион Думитреску хотел перелезть через ближайший забор, да так на нем и повис.

Рома лежал лицом вниз и пытался напоследок вспомнить лицо Ульяны, но оно почему-то не вспоминалось, будто не было самым любимым на свете, вместо него появилось чье-то другое лицо, которого Рома никогда не видел.

Аугов, держась за грудь, с удивлением смотрел, как густо течет сквозь пальцы, и чувствовал, как вытекает из него жизнь, но ему было не страшно, потому что он верил в любую чужую смерть, но не свою.

Укроамериканец Конопленко, защищенный корпусом бронетранспортера, писал срочное сообщение в телеграфном стиле, заодно практикуясь в русском письменном языке:

«Нахожусь на линии огня. Третьяки (tretiaki) сбросили маску. Переломный момент: объединение боевиков и армии против деструктивного противника. Ростки мира рождаются в почве боя. Это странно, но это так есть. О жертвах и разрушениях сведения поступают отдельно».

Марина Макаровна, очнувшись от хмельного сна, слушала выстрелы и смотрела на вспышки.

– Ах вы, вашу ж маму! – сказала она и завела машину.

По женской привычке осмотреть себя, что бы впереди ни предстояло, заглянула в зеркальце. И увидела пожилое лицо с морщинами, припухлыми глазами, подвисшими у рта дряблыми щеками.

– Ну и слава богу, – сказала она, – а то от людей уже неудобно.

Но заплакала, потому что поняла, что Максим теперь никогда не вернется.

Поехала не улицей, а напрямик, вспоминая поворот к центру. Светлело, но вокруг было мутно из-за утреннего тумана. Марина включила дальние фары, которые хорошо светили вперед, но не показывали дороги перед колесами. И машина сорвалась с обрыва, что был над поймой речки Грежи, вернее, не сорвалась, не сразу ухнула вниз, а словно переехала колесами с земли на воздух и продолжила свой путь, но уже в полете.

Рядом с Евгением упал боец с залитым кровью лицом. Евгений посмотрел на него, а потом на свой автомат, из которого так ни разу и не выстрелил. Он опять почувствовал себя ненормальным. Он не знал, что нужно делать, поэтому сделал то, что было нужно: пошел вперед и закричал, и его крик не то чтобы перебил выстрелы, но к нему прислушались, потому что звук голоса был необычен, до этого все воевали молча – может, потому, что была ночь, а ночью людям привычней молчать.

– Что вы делаете? – кричал Евгений. – Тут же свои! Свои тут! Свои!

И выстрелы прекратились. Каждый подумал, что свои – это действительно свои, а своих убивать никто не хотел.

– Это кто? – спросил украинский командир Стиркина.

– Евгений. Мой человек.

– А чего он там делает?

– С тыла заходил с командой. А третьяки посередке были. Наверно, мы их перекрестным огнем смели.

– Можем, когда хотим!

– А то!

И они оба почувствовали фронтовую дружественность и подумали, что все-таки плечом к плечу лучше уничтожать общего врага, а не друг друга.

ТОМ ВТОРОЙ

Не написан, потому что не я пишу его.

ОГЛАВЛЕНИЕ

ТОМ ПЕРВЫЙ

ТОМ ВТОРОЙ

Не написан, потому что не я пишу его.

Литературно-художественное издание
Редактор Качалкина

Слаповский Алексей

ГЕНИЙ
Исторический роман

Генеральный директор издательства *С. М. Макаренков*

Шеф-редактор *Ю. Качалкина*
Редактор *О. Байкалова*
Выпускающий редактор *Л. Данкова*
В оформлении обложки использованы материалы
по лицензии © *Shutterstock.com*
Художественное оформление: *Д. Брадарская*
Верстка: *Т. Мосолова*
Корректор *В. Павлова*

Знак информационной продукции согласно
Федеральному закону от 29.12.2010 г. N 436-ФЗ

Подписано в печать 10.09.2015 г.
Формат 84x108/32. Гарнитура «NewBaskervilleC»
Усл. печ. л. 16,0
Заказ № 9585

Адрес электронной почты: info@ripol.ru
Сайт в Интернете: www.ripol.ru

ООО Группа Компаний «РИПОЛ классик»
109147, г. Москва, ул. Большая Андроньевская, д. 23

Отпечатано с готовых файлов заказчика
в АО «Первая образцовая типография»,
филиал «УЛЬЯНОВСКИЙ ДОМ ПЕЧАТИ»
432980, г. Ульяновск, ул. Гончарова, 14